FINNEN
EDEN
BALTEN
OST-
SLAWEN
WEST-
SLAWEN
CHASAREN-
REICH
MAGYAREN
BULGAREN
SÜD-
SLAWEN
FSM.
BENEVENT
(BYZANTINISCHES)
KAISERREICH
CHES

Das Mittelalter war dem Paradies gewiß nicht näher als wir, aber die Sehnsucht nach dem Paradies spielte eine ungleich größere Rolle. In unterschiedlichen Ausdrucksformen, namentlich in Abbildungen der Vertreibung nach dem Sündenfall fand sie Gestalt. Diese Miniatur, um 1480 von Bernd Furtmeyer gemalt, besticht nicht nur durch ihre künstlerische Qualität, sondern auch durch den menschlichen Ausdruck: Ein Liebespaar schreitet über die Schwelle des Paradieses in die Welt, neugierig, ohne Vorahnung der irdischen Mühsal, und der Erzengel, keineswegs zornentflammt, ist eher ein Schicksalsbote.

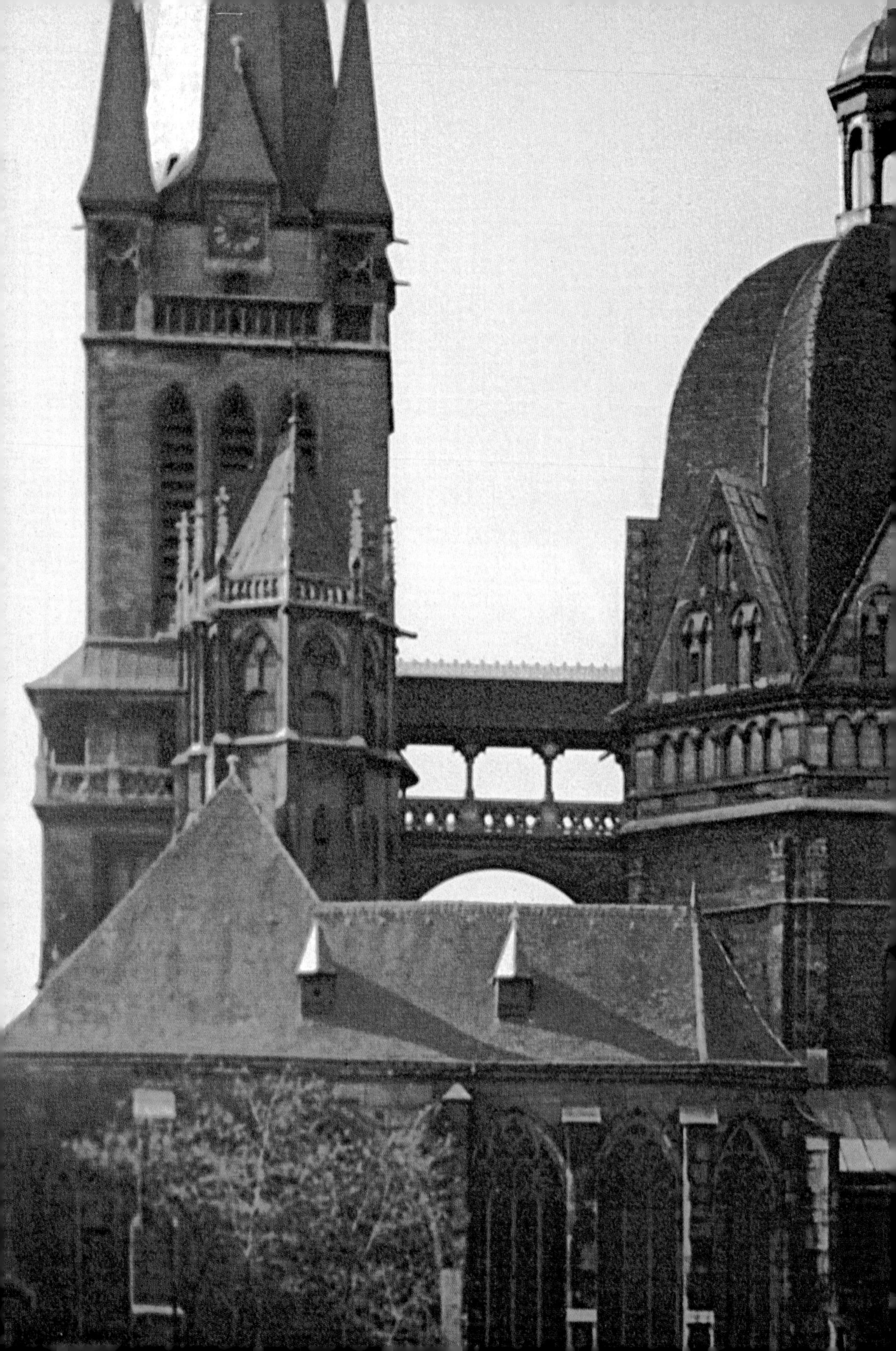

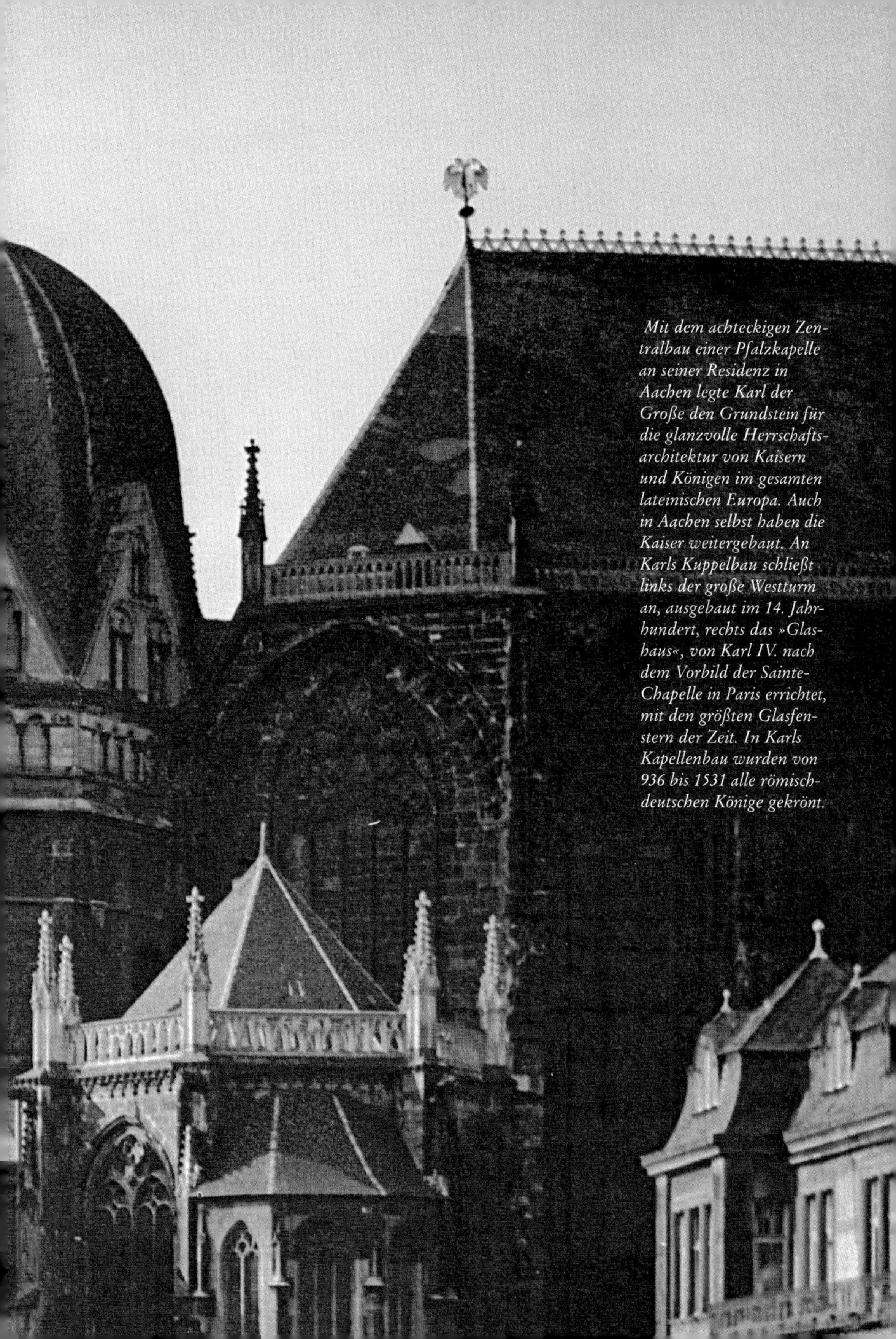

Mit dem achteckigen Zentralbau einer Pfalzkapelle an seiner Residenz in Aachen legte Karl der Große den Grundstein für die glanzvolle Herrschaftsarchitektur von Kaisern und Königen im gesamten lateinischen Europa. Auch in Aachen selbst haben die Kaiser weitergebaut. An Karls Kuppelbau schließt links der große Westturm an, ausgebaut im 14. Jahrhundert, rechts das »Glashaus«, von Karl IV. nach dem Vorbild der Sainte-Chapelle in Paris errichtet, mit den größten Glasfenstern der Zeit. In Karls Kapellenbau wurden von 936 bis 1531 alle römisch-deutschen Könige gekrönt.

Auf den englischen Inseln hielten sich die Reste keltischer Kultur aus der Frühzeit Europas noch lange; nach der Einwanderung der Angelsachsen im 6. Jahrhundert wurden die Kelten in erbitterten Kämpfen nach Westen und Norden abgedrängt. Bestimmt von archaischem Heroenkult, wie ihn die Artussage berichtet, nur in Notzeiten zu politischer Vereinigung imstande, mußten auch die Waliser auf der Halbinsel Cornwall vor der Macht- und Siedlungsexpansion der Engländer zurückweichen. Doch wurde ihr Widerstand erst 1295 endgültig gebrochen. Caerphilly Castle bei Cardiff, erbaut 1268 bis 1284, ist ein spätes, großartiges Zeugnis dieses Kampfes.

Das alte Reich kannte bis zu seinem Untergang 1806 in seiner altertümlichen Struktur keine Hauptstadt. Die Aufenthaltsorte seiner Kaiser wechselten. Die ottonische Dynastie trug seit 962 die Kaiserwürde weit nach dem Nordosten in das nicht lange zuvor noch heidnische Sachsen. Otto der Große, ihr Gründer, ließ in Memleben an der Unstrut eine Kaiserpfalz bauen und hielt sich gern dort auf.

Ferdinand Seibt

Glanz und Elend des Mittelalters

Eine endliche Geschichte

bei Siedler

Inhalt

I
Die Fundamente

II
Eine neue Gesellschaft

III
»Agrarische Revolution«

IV
Geistliche, geistige und weltliche Abenteuer

V
Macht und Räume

VI
Krise und Revolution

VII
Alltag, Glaube, Aberglaube

Zur Einführung in eine endliche Geschichte

»Mittelalter« ist ein Verlegenheitsbegriff. Darüber sind sich die Historiker ziemlich einig; wie man ihn aber ersetzen könnte, darüber nicht. Man kann den Begriff wohl beibehalten, wenn man nur seine Besonderheit beachtet: Inhaltsarm, wie er ist, sagt er doch eigentlich mehr aus als »Altertum« oder »Neuzeit«. Gerade wegen der scheinbar so unbeholfenen »Mitte«. Das Mittelalter ist nämlich unter den drei großen Geschichtsepochen nach unserer Schulweisheit die einzige, deren Anfang und Ende wir kennen: eine endliche Geschichte! Die Anfänge der Alten Welt liegen dagegen im dunkeln und – begleitet von unseren guten Wünschen – das Ende der Neuzeit auch.

Die Mitte zwischen diesen beiden Epochen stellt man sich manchmal romantisch vor als eine heile Welt. So denke ich nicht. Ich möchte nicht im Mittelalter gelebt haben. Ich bin froh, daß ich nicht mit dem ersten Tageslicht zu harter Arbeit aufstehen muß; ich freue mich des warmen Wassers aus der Wand oder auch schon des kalten, meiner Schuhe und meiner Kleider, eines Stückchens Papier, des behaglichen Zimmers und der Gewißheit, von einem Weg durch den Wald auch wieder lebendig zurückzukommen. Ich freue mich, daß mich am Stadtrand kein Galgen erschreckt und daß die Menschenmassen am Wochenende nur zu einem Fußballspiel drängen.

Ohne das Mittelalter romantisch verklären zu wollen, glaube ich aber doch an die Kraft seiner Geschichte. Natürlich gibt es einen tiefen *Kontrast,* der uns von den Lebensverhältnissen der mittelalterlichen Welt trennt, von ihren Unzulänglichkeiten geradeso wie von ihren Ordnungen, Planungen und Hoffnungen. Aber ich glaube, daß uns andererseits eine feste *Kontinuität* mit dieser Welt verbindet, die sich in vielen Dingen unseres täglichen Lebens erweisen läßt. Unter diesen Voraussetzungen von *Kontrast und Kontinuität* glaube ich nicht an die Einheit des Mittelalters. Der Begriff entstand, wie gesagt, geradewegs nur aus der Verlegenheit der Historiker, den Raum zwischen Antike und Neuzeit zu überbrücken. Aus den tausend Jahren zwischen dem Untergang des römischen Weltreichs und dem Aufstieg der neueren europäischen Staatenwelt kann aber sinnvoll eine Epoche nur dann gebildet werden, wenn man die politische Landkarte zur Grundlage nimmt. Nicht die nebulose »Wesenheit« einer Epoche, kein fiktiver »mittelalterlicher Mensch«, sondern nur ein sehr handfester Entwicklungsrahmen aus dem Zusammenspiel von Mensch und Raum läßt nach meinem Dafürhalten das Jahrtausend zwischen dem vielberufenen, bis heute nicht eindeutig erklärten Zusammenbruch des alten Rom und der Entfaltung des neuen Europa als ein Ganzes verstehen und zeigen. Das versuche ich in diesem Buch.

Ich muß allerdings erklären, warum ich auf diese Weise zum Primat der politischen Geschichte greife, den man seit Jahrzehnten als eine oberflächliche Betrachtung verurteilt und statt dessen nach »tieferen« Triebkräften des historischen Lebens sucht. Ich rede keinesfalls von einer Vorherrschaft des politischen Lebens im kausalen Sinn. Mir scheint jedoch, daß sich die vielfältigen

Der heilige Stephanus vom Westportal der Kathedrale St. Etienne in Sens, um 1200, zeigt in Gestalt und Position Typisches des Figurenschmucks der französischen Kathedralgotik.

Beziehungen zwischen Menschen anhand ihrer politischen Gestaltung am leichtesten erkennen und am besten definieren lassen. Welche Vorstellungen sie dabei von der rechten *Ordnung* untereinander entwickelten, welche Möglichkeiten sie erkannten, ihr Dasein vorsorglich zu *planen* oder zu verändern, welche *Hoffnungen* sie mit der Frage nach dem Sinn ihrer Existenz überhaupt verbanden: das alles schlug sich im Mittelalter wie zu jeder Zeit unmittelbar in politischen Gestaltungen nieder. Und es rechtfertigte den Gebrauch von Macht, Macht der einen über die anderen.

Unter diesen Voraussetzungen erscheint mir das Jahrtausend mittelalterlicher Geschichte in Europa zunächst gekennzeichnet durch einen etwa dreihundertjährigen *Vorlauf*, der das östliche Mittelmeerreich der Römer als Kaisertum von Konstantinopel selbständig wachsen und sich festigen ließ, in angeblicher, tatsächlich jedoch abgewandelter Tradition der spätrömischen Antike. Der Westen durchlief inzwischen ein »dunkles Zeitalter«, namentlich, weil um 400 die alten Grenzen des römischen Imperiums geborsten waren und große Verschiebungen oft kleiner, aber militärisch schlagkräftiger Völkerschaften von Germanen und Slawen diesen Raum bedrängten. Während der expansive Islam seit dem 7. Jahrhundert das alte römische Nordafrika an sich riß und bis auf die Pyrenäenhalbinsel vordrang, fügte sich auf dem Kontinent nach einer Anzahl verfehlter Konsolidierungsversuche das Frankenreich zu einer dauerhafteren Großherrschaft zusammen. Nun lag das neue Machtzentrum nicht mehr in Rom, nicht mehr inmitten des Mittelmeerraums, sondern nördlich der Alpen. Von da aus, vom Frankenherrscher Karl dem Großen, wirkte die endgültige Konsolidierung Europas nach allen Seiten auf die Peripherie. Die stand teils noch unter dem Einfluß der Mittelmeerkultur, teils, wie in England, Skandinavien und Osteuropa, verharrte sie in unterschiedlichen Stadien der alten Wanderbewegung und Reichsbildungen. Die *Konsolidierung* des gesamten Europa vollendete sich dann erst mit jahrhundertweiter Amplitude um die Jahrtausendwende. Von da an haben die Grenzen Europas während des ganzen Mittelalters prinzipiellen Bestand, in West- und Mitteleuropa noch weit länger: Hier wurde um das Jahr 1000 schon der Grund gelegt für das in Nationalstaaten gegliederte Europa der Neuzeit.

Damit habe ich eine wichtige Perspektive meiner Mittelalterbetrachtung vorgeführt und erklärt, warum meine Darstellung um 800 bei Karl dem Großen beginnt. Warum sie letztlich bis zu Karl V. reicht, also bis ins 16. Jahrhundert, will ich am Aufriß von *vier Entwicklungsphasen* skizzieren, die nach meinem Dafürhalten zugleich den Pulsschlag der mittelalterlichen Geschichte verständlich machen können: Der Konsolidierung folgte eine neue, für die Eigenart europäischer Kultur entscheidende Entwicklungsphase. Man kann sie, in gelehrter Mehrdeutigkeit, als *Intensivierung* bezeichnen, weil die agrarische Lebensgrundlage der nordalpinen Welt intensiver genutzt wurde: durch neue oder weiterentwickelte Geräte zur Bodenbearbeitung, durch entscheidende Steigerungen der tierischen Zugkraft, durch eine Vergrößerung der Anbaufläche und des Wirtschaftsvolumens, den Ausbau der Handelsstraßen und, im engsten Zusammenhang damit, durch einen gewaltigen Bevölkerungszuwachs. Städte wurden gegründet, Recht und Verwaltung auf schriftliche Grundlagen gestellt und gedanklich vertieft; vertieft wurde auch das Christentum, das entscheidend mithalf, ein transzendent bezogenes freies Personenbewußtsein zu entfalten. Man hat diese Entwicklungsphase, konzentriert um das 12. Jahrhundert, aber entsprechend der Entfernung vom karolingischen Zentrum, namentlich an der Peripherie im Norden und Osten bis zu hundert Jahren verschoben, immer wieder als den großen Aufbruch Europas bezeichnet. Das Buch will ihn auf vielen Lebensgebieten anschaulich machen.

Der Intensivierung war auch Ausdehnung eigen, *Expansion,* nicht nur im Hinblick auf die Ackerfläche, sondern auch als neue Entwicklungsphase der politischen Organisation im Inneren wie nach außen. Nach außen: Das ist der Ausgriff Europas nach drei Himmelsrichtungen im Zeichen des Kreuzes. Im Innern begannen die konsolidierten Königreiche seit dem 13. Jahrhundert nicht nur um Grenzen, sondern um ein gesamteuropäisches Machtsystem miteinander zu streiten. Diese zunächst etwas paradox anmutende »Expansion nach innen«, der Kampf um Macht und seine Organisation, gliederte den Gesellschaftskörper immer weiter auf. Stände grenzten sich ab, nach unten, um zu herrschen, nach oben, um mitzuregieren. Und innerhalb der fortgeschrittensten Besiedlungsräume, in den Städten, rang in generationenlanger Machtbalance das sogenannte Patriziat mit dem städtischen Mittelstand.

Der Expansion folgte die *Krise.* Eine schöpferische Krise, ähnlich wie die vereinfachend so genannte schöpferische Intensivierung des 12. Jahrhunderts, nur mit einem bedeutenden Unterschied: Die Schöpfungskraft des 14. und 15. Jahrhunderts wurde zur spätmittelalterlichen Krise, weil sie zugleich die in vielen Jahrhunderten gewachsene politische Ordnung des Mittelalters sprengte, die Monarchie gefährdete, Stadtrepubliken zum Machtkampf mit Fürsten reizte und Fürsten zu Parvenüs unter Königen werden ließ. Zugleich ging die Pest durch Europa, und das Papsttum verlor die Führung über die reformbegehrende Christenheit. Diese Krisenphase, recht verstanden nicht Depression, sondern zwei, drei Generationen lang eine Folge von ambivalenter geistiger, politischer, künstlerischer und auch wirtschaftlicher Vitalität, »das erste große Zeitalter der europäischen Physik« und die erste Phase der europäischen Revolutionen, mündete schließlich in den Sieg einer erneuerten, zielbewußt zentralisierenden Monarchie. Diese bemächtigte sich der religiösen Reformbewegungen und spaltete die einheitliche Christenheit. Darüber zerbrach 1556 die Politik des letzten universal denkenden Kaisers – Karls V.

Die Schrittbewegung eines Fechters, die Rechte am Schwert: so weiß die französische Spätgotik die starren Schemata der Totenhaltung aufzulockern. Die Grabfigur ist heute im Louvre zu sehen.

Auch der *räumliche Zusammenhang* der mittelalterlichen Welt wurde um diese Zeit gesprengt. Damit meine ich nicht die vielberufene Entdeckung Amerikas, der Nachwelt spektakulärer als der Mitwelt, die den neuen Kontinent erst nach Generationen ihrem politischen und geistigen Horizont einzugliedern verstand. Ich meine vielmehr den Einbruch der Türken nach Südosteuropa, die Eroberung Konstantinopels 1453, den Rückzug Englands vom Kontinent 1475, auf dem es jahrhundertelang in engster, meist kriegerischer Verbindung zu Frankreich gewirkt hatte, die Vereinigung der spanischen Königreiche 1476 und die endgültige Verdrängung des Islam von der Pyrenäenhalbinsel wenig später. Ich meine den Aufstieg Rußlands nach der »Befreiung vom Tatarenjoch« 1480, den Niedergang des Mittelmeerhandels, noch nicht durch Kolumbus, sondern durch die portugiesischen Schiffahrtswege von Westafrika nach Westeuropa, und den endgültigen Zusammenschluß des später so genannten Donauraumes seit 1471 unter polnischer, von 1526 an unter habsburgischer Ägide. Das alles schuf ein neues Europa.

Kann man die *Zeit* des sogenannten Mittelalters gliedern nach vier Entwicklungsphasen, so muß auch der *Raum* dieses mittelalterlichen Europa mit ein paar Strichen skizziert werden. Nach Dante ist Europa ein *Dreieck:* vom Schwarzen Meer nach Gibraltar, von dort nach Skandinavien und wieder südostwärts. Tatsächlich ist mit dieser aus der Kenntnis italienischer Seefahrer gewonnenen Einsicht die Grundform Europas umschrieben, als Landkeil, der von Südwesten nach Nordosten stets breiter wird und in dieser Himmelsrichtung auch vom 12. Jahrhundert an bis in unsere Gegenwart die Grundlagen für einen in der Weltgeschichte unerhörten Aufschwung von Wirtschaft und Lebenshaltung zu bieten hatte. Es gibt Wirtschaftshistoriker, welche die industrielle Revolution im 12. Jahrhundert beginnen lassen, zunächst von Wasser und Wind, in den letzten zweihundert Jahren von Kohle und Elektrizität mit Energie versorgt. Eine solch ungewohnte Perspektive ist zumindest lehrreich.

Dazu gehören freilich auch Bodenschätze. Ihre Verteilung wurde schicksalhaft für die Geschichte des neueren Europa: Eisen gibt es nur wenig im Mittelmeerraum und kaum Silber und Gold oder andere Erze. Dagegen zieht sich eine Zone von Fundstellen von Nordspanien und England über Mittel- und Nordfrankreich zu den deutschen Mittelgebirgen und nach Süd- und Mittelschweden, zum Erzgebirge und zum inneren Bergland der böhmischen Länder und weiter von da bis zum Karpatenbogen. Damit war für die wirtschaftliche Überlegenheit des Nordens der Grund gelegt, nachdem man erst einmal die Bergwerke erschlossen hatte und auch die Kohlengruben, die man im Mittelmeerraum ebensowenig findet.

Der Südraum Europas dagegen, namentlich der italische, vermittelte die hochorganisierte antike Kultur in christlichen Formen, wichtig auch wegen ihrer Verwaltungskunst. Die zivilisatorische Überlegenheit dieser alten Welt war von Anfang an vorhanden; sie konnte in der Intensivierungsphase nicht mehr spürbar gesteigert werden. Die Prägekraft der Antike war durch die christliche ebenso wie durch die lateinische Bindung so stark, daß sie auch noch die politische Autorität des Mittelalters begründete.

Gegenüber Titelseite: Die Kathedrale von Notre-Dame in Reims, 1211 begonnen, im 15. Jahrhundert vollendet, gilt als klassisches Beispiel der französischen Gotik. Die dreistöckige Westfassade birgt 530 Figuren und eine 12 Meter breite Fensterrose, zudem alle Bauelemente, die das opus francigenum, die französische Bauweise, fortan auszeichneten und die in europäischer Weite variiert wurden.

Aus antiker Tradition erreichte auch die Kunde von den Amazonen das Mittelalter und fand, als aufregendes Gegenbild, manches Echo. Die französische Miniatur zeigt Sinope und eine ihrer Schwestern im Kampf gegen Herakles und Theseus; rechts die nachts überfallenen und getöteten, links die eilig gerüsteten Amazonenreiterinnen. Illustration aus der Ritterepik, die ihre Abenteuer oft in der Antike und der Bibel suchte. Ende 15. Jahrhundert.

Les fais de la royne Seneppe tierce royne. Premier chappitre

Seneppe par aulcuns ditte Synope fille de la Royne Marpesia de pluseurs ditte Marsepia fut royne de grant constance sens et vaillance et demoura tousiours pucelle laquelle fut faitte royne damazone environ mil. xiii.^{c} ans devant lincarnation apres ce que ou royaume sceurent au vray la mort de sa mere la royne Marsepia et de toutes les dames et damoiselles de sa compaignie estans demourees apres la royne Lampeto qui sen estoit retournee

Die italienischen Städte sind oft tausend Jahre älter als das christliche Europa. Vorbild für die nordalpine Stadtkultur, erlebten sie zugleich mit dem Wirtschaftsaufschwung des Nordens eine neue Blütezeit. Oft sanken sie danach wieder zurück in den Schatten der Geschichte, so daß sie, wie das Luftbild von Siena gut erkennen läßt, noch heute Mittelalterliches in gedrängter, aber harmonischer Enge bewahrt haben.

Hohensalzburg war Sitz und Festung der größten Territorialherren unter den Erzbischöfen des alten Reiches, die auch bis ins 19. Jahrhundert den Titel »Primas von Deutschland« führten. Das gegenwärtige Aussehen der Festung stammt aus dem 16. und 17. Jahrhundert.

Die Zisterzienserabtei Zwettl im nördlichen Niederösterreich besteht seit 1138 und ist noch heute im Besitz des Ordens. Der Kreuzgang mit dem Brunnenhaus stammt aus der Gründungszeit. Die Zisterzienser bauten ihre Klöster fast immer im wilden Wald an Bächen oder Quellen und hatten in ihrer Architektur ein besonderes Verhältnis zum Wasser.

Der Schöne Brunnen in Nürnberg ist ein Werk des 14. Jahrhunderts. Er entstand zur Zeit und im Auftrag Kaiser Karls IV., der Nürnberg überhaupt den Vorzug vor allen anderen Reichsstädten gab. Mit seinem Figurenprogramm im kaiserlichen Achteck vermittelt der Brunnen die Idealbilder der christlichen Welt: Propheten des Alten Testaments, die Helden der Antike, des Judentums und der Christenheit, die sieben Kurfürsten, die Allegorien der Wissenschaften, Gelehrte, Evangelisten und Kirchenväter.

I
Die Fundamente

Was ist ein Kaiser?

Kann das ganze Mittelalter mit einem Wort umschrieben werden? Soll man es gleichsetzen mit Finsternis und Aberglauben oder mit heiler Welt und Kircheneinheit? Mit dem goldenen Boden des Handwerks oder dem rechtschaffenen Bauernleben? Soll man Ritter, Mönche und die ganze alteuropäische Gesellschaft ins Spiel bringen, die Pracht der Kathedralen und die verfallenen Burgen? In allen diesen und noch manch anderer Antwort steckt gewiß ein Stück Mittelalter. Meine Antwort zielt in eine andere Richtung.

Man muß, denke ich mir, einen ganz anderen Begriff hervorheben, um erklären zu können, wie sich »Mittelalter« entwickelte und was es einschloß. Ich weiß, daß mein Schlüsselbegriff für das Mittelalter nicht zu den üblichen zählt, aber ich glaube ihn gut verteidigen zu können. Vielleicht erscheint er manchem zunächst wie eine Pointierung aus politischen Vorurteilen. Dagegen will ich zeigen, daß dieser Begriff, gereinigt von unhistorischen Politisierungen, die ganze Welt des Mittelalters in sich schließt. Ich meine das Kaisertum.

Was ist ein Kaiser? Wir haben es vergessen. Es gibt zwar noch Könige, die Mittelalterliches in unserer Gegenwart am Leben halten. Einen Kaiser aber gibt es nicht mehr. Man begegnet auch kaum mehr Erinnerungen an das Kaisertum, es sei denn, man gerät am 28. Januar, dem Todestag Karls des Großen, in Aachen, in Reims, in Frankfurt, in Mainz, im bayerischen Benediktinerkloster Metten oder in einigen kleineren nordfranzösischen Städten in eine feierliche katholische Messe, deren Gebetstexte staunen lassen. Sie gelten »dem allerfrömmsten Augustus, von Gott gekrönt, dem großen und Frieden bringenden Imperator Karolus, der das Römische Reich regiert, durch Gottes Gnade auch König der Franken und Langobarden«.

Karl der Große ist gemeint. Er wird in dieser merkwürdigen Verbindung von Franken, Langobarden und dem Römischen Reich als himmlischer Fürsprecher angerufen, und wir, Deutsche, Franzosen und Italiener des ausgehenden 20. Jahrhunderts, werden seinem Schutz empfohlen. Die katholische Kirche feiert auf diese Weise seit 1165 das Andenken des ersten Kaisers – seit Barbarossa seinen ältesten Vorgänger im mittelalterlichen Kaiseramt zum Heiligen erklären ließ. Aber schon die Zeitgenossen huldigten dem Frankenherrscher Karl als »dem Großen«, und man nannte ihn bereits den »Vater Europas«, noch bevor er zum Kaiser gekrönt worden war.

So ging Europa zum zweiten Mal nach den Römern eine Verbindung mit dem Kaisertum ein. Dabei wurde eine Herrscherwürde in Anspruch genommen, die in ihrer Selbstdarstellung eine Brücke vom Himmel zur Erde schlug: von Gott gekrönt! Dieses Bewußtsein der himmlischen Fürsorge mit allen politischen Problemen und gesellschaftlichen Konsequenzen, mit der simplen Gleichsetzung von Macht und Recht, doch auch mit einem fundamentalen

Vertrauen auf den von Gott Gekrönten, gab der ganzen Epoche Struktur, war gleichsam ihr Rahmen.

Das Mittelalter nahm immer wieder Zuflucht zu dieser Selbstrechtfertigung seiner gekrönten Häupter; in der Person seiner Kaiser geradeso wie in der vom Kaisertum zehrenden, dutzendfachen Königswürde der Herrscher »von Gottes Gnaden«. Alle politischen Schwierigkeiten, alle ungelösten Probleme mittelalterlicher Regierungskunst wurden damit überspielt, Rebellen und Ketzer im Namen dieses gekrönten Gottesgnadentums verfolgt. Das Mittelalter beseelte seine Krieger wie seine Priester mit der Gewißheit eines solchen Gottesgnadentums, und als am Ende revolutionäre Widersacher gegen seine Ordnung auftraten, sprengten sie nicht eigentlich die Ordnung der Gesellschaft, sondern die transzendente Legitimation des Kaisertums und aller davon zehrenden Könige.

Am Anfang der Weltordnung dieses Millenniums steht das persönliche Geschick, banalerweise die lange Lebenszeit oder, vornehmer ausgedrückt, Willenskraft und Feldherrngabe eines fränkischen Großen: Karl. Das Papsttum vermittelte Traditionen, schöpfte neu, vermengte die Kaiserwürde mit seinen eigenen politischen Interessen. Die Konstruktion des fränkischen Großreichs, über Generationen gewachsen und beständiger als alle anderen Herrschaftsbildungen der sogenannten Völkerwanderungszeit, wurde zur tragenden Basis. Daraus entstand allmählich das mittelalterliche Europa als politisches System.

Karl der Große, Reiterstatuette, 24 cm hoch, heute im Louvre. Auffällig ist die Ähnlichkeit des Herrschers mit Münzbildern und anderen Darstellungen aus seiner Zeit. Eine Anmerkung verdient auch, daß die Steigbügel fehlen.

Wir wollen diese verschlungene Entwicklung verstehen lernen. Zunächst den Raum: Europa reicht heute nach Auskunft der Geographen von Gibraltar bis zum Ural, vom Nordkap bis nach Sizilien. Karls »Europa« umfaßte nur etwa ein Zehntel dieser Fläche. Es nahm die britischen Inseln aus, von denen irische und später angelsächsische Mönche mit ihrer seit dem 6. Jahrhundert gewachsenen beachtlichen Klosterkultur auf das Festland gekommen waren und das Christentum vom Atlantik bis zum bayerischen Wald verbreiten halfen. Es schloß auch Skandinavien nicht ein, und das heute so genannte östliche Mitteleuropa erfaßte es nur mittelbar. Karls Europa reichte von den Pyrenäen bis zur Elbe, von den westfriesischen Inseln bis zum Golf von Tarent. Und innerhalb dieses Raumes muß man noch eine Zentralzone abgrenzen von der Peripherie, etwa das heutige Frankreich, die alte Bundesrepublik, Österreich, die Schweiz sowie Ober- und Mittelitalien bis in die Gegend von Rom. Dieses Zentrum, wiewohl es nicht lange ungeteilt erhalten blieb, entwickelte als Organisationsmodell über die Jahrhunderte hin eine unglaublich prägende Wirkung.

Karl IV. ließ 1349 ein Kopfreliquiar für die Schädelkalotte Karls des Großen anfertigen, in Erneuerung der kaiserlichen Karlstradition, der er sich durch seinen Namen verschrieben hatte. Die Büste, mit den französischen Lilien und mit Reichsadlern verziert, trägt eine Krone, die Karl IV. wahrscheinlich zu seiner eigenen Krönung 1349 in Aachen benützte. Die Büste wird heute noch in Aachen aufbewahrt.

Karls Kaiserreich war zu seiner Zeit nicht das einzige einflußreiche politische Gebilde auf dem Boden des heutigen Europa. Daneben gab es, von der Donau bis an den Euphrat, zeitweilig bis nach Unteritalien, Sizilien, Sardinien, Dalmatien und Venedig greifend, ein noch älteres Kaiserreich, das im wesentlichen das moderne Griechenland und die heutige Türkei umspannte und damit Asien und Europa verband. Dieses Reich lebte von unmittelbarer römischer Kontinuität, hatte in Konstantinopel, dem »zweiten Rom«, seit dem 4. Jahrhundert seine Residenz und bestimmte durch seine politische Macht, seine Mission, seine Wirtschaftskraft und seine festgefügte, in spätantiken Traditionen verhaftete Kultur vom östlichen Mittelmeerraum her auch Osteuropa bis zum russischen Norden. Allerdings haben sich weder die Kaiser noch die Bewohner dieses östlichen Reiches als Europäer bezeichnet. Sie behaupteten vielmehr, »die Römer« zu sein, die wahren Hüter der alten Tradition seit der Teilung des römischen Weltreichs in Ost und West. Jahrhundertelang bestritt niemand diesen Anspruch, nachdem im Westen gegen Ende des 5. Jahrhunderts das Kaisertum untergegangen war.

Karls Reich aber war weder römisch noch europäisch. Es war auf germanischem Fundament erwachsen. Seine Franken waren im 6. Jahrhundert über den Mittelrhein in das römische Gallien eingebrochen und dabei unter Chlodwig (um 465–511) zu einer politischen Großgemeinschaft zusammengewachsen. In dieser Zeit hatten sie sich auch einen neuen Namen gegeben: Die Franken, das sind die Freien; wir kennen das Wort noch, zumindest aus der Verbindung frank und frei. Der neue Name des neugegründeten Großstamms verdrängte die ebenfalls selbstgewählten, bisweilen an die alten Götter anschließenden Bezeichnungen der kleinen Gruppen, die es vorher gab. Die freien Franken sollten ihre alten politischen Ordnungen geradeso überwinden wie die alten Namen, nachdem sie der siegreiche Chlodwig geeint und ihnen im unterworfenen Gallien auch eine neue Zukunft gewiesen hatte. Katholisch geworden, erwies sich das Frankenreich als die einzig beständige unter den germanischen Herrschaftsbildungen auf ehemals römischem Boden.

Während der Landnahme wurden die engeren Gefolgsleute und Vertrauten des Erobererkönigs Chlodwig mit Unterherrschaften ausgezeichnet und mit

Karlsschrein im Domschatz des Aachener Münsters, hergestellt für die Heiligsprechung 1165, mit Szenen aus dem Leben des Kaisers. Die beiden Bilder zeigen die Erscheinung des Apostels Jakob am Bett Karls des Großen mit der Aufforderung zum Zug nach Nordspanien und das Gebet Karls um göttliche Hilfe vor dem belagerten Pamplona. Visionen und Träume, besonders von Herrschern, waren glaubhafte Ursachen politischer Entscheidungen auch noch im späten Mittelalter.

Besitz bedacht. Die ansässigen römischen Grundbesitzer wurden jedoch nicht ohne weiteres vertrieben. Vielmehr verschmolzen römische und germanische Oberschichten im Laufe der Zeit bei wechselweiser Anerkennung ihrer Positionen. Germanische Herrscher regierten oft mit romanischen Ratgebern. Weil die Franken, anders als die meisten anderen Barbarenherrschaften auf römischem Boden, katholisch wurden, gab ihnen die Kirche auch eine besondere gedankliche Ausrüstung für die Legitimation ihrer Herrschaft. Germanisches und Christliches ging dabei ineinander über.

Germanische Häuptlinge waren in dieser Wanderzeit nämlich, aufgrund welcher Legitimation auch immer, als »Volkskönige« hervorgetreten: Sie vermittelten den Menschen das Heil der Götter. Ein solcher Brückenschlag vom Himmel zur Erde durch die Person, richtiger durch die gesamte Sippe, die sich besonderer Nähe zu den Göttern rühmt, entspricht einem religiösen Verständnis, das wir als archaisch empfinden. Als sich die Kirche dieser archaischen Verbindung bemächtigte, um sie aus ihrer eigenen, anspruchsvolleren Gedankenwelt zu rechtfertigen und gleichzeitig zu verändern, verwandelte sich die »fränkische Spätantike« (Karl Bosl) zum Mittelalter.

Die politische Führung im fränkischen Großraum, zuerst bei der Königssippe der Merowinger, verschob sich im 8. Jahrhundert zugunsten ihrer obersten Helfer aus Adelskreisen, der sogenannten »Hausmeier«. Meier heißt Verwalter, und alle die vielen Meier und Maier tragen ihre Familiennamen nach großen oder kleinen Verwaltungsaufgaben, meist auf Gutshöfen, mit denen ihre mittelalterlichen Vorfahren einst beauftragt waren. Ein Hausmeier, major domus, war sozusagen der oberste Meier, der erste Amtsträger am Königshof. Kein Wunder, daß Hausmeier bei passender Gelegenheit mit dem König rivalisierten. Unter mehreren Hausmeiern wurde schließlich die Sippe der Karolinger am mächtigsten. Um die Mitte des 8. Jahrhunderts vollzog sie die Legiti-

Ein römisches Mosaik zeigte Kaiser und Papst, gleichermaßen von Gott belehnt, auf Karl den Großen und Papst Leo III. bezogen. Von diesem Mosaik ist nur eine Umzeichnung aus neuerer Zeit erhalten; hier das Kaiserbild.

mierung ihrer tatsächlichen politischen Herrschaft auch formal: Der angelsächsische Mönchsmissionar Bonifatius (um 675–754) hatte die fränkische Kirche romtreu organisiert. Er durfte nun im Auftrag des Papstes den Machtwechsel heiligen. Er salbte den Hausmeier Pippin mit heiligem Öl und machte damit den Statthalter zum König: Die kirchliche Weihe ersetzte das archaische Geblütsheil. Diese Form der Königserhebung wurde seitdem Tradition und begleitet Königskrönungen noch in der Gegenwart. Childerich, der letzte aus der merowingischen Königssippe, wurde nach Prüm ins Kloster verbannt.

Auch in einer so heiklen Frage des Umgangs mit dem Königsheil wußte die Kirche also Rat. Man griff in der Zukunft immer wieder einmal zu diesem Auskunftsmittel. Die Klosterhaft ersparte die Ausrottung einer Herrschersippe und lieferte doch das gleiche Ergebnis. Aus frommer Scheu wuchs das Vergessen, und wer solcherart von der Welt schied, hinterließ keine Nachkommenschaft.

Das eine wie das andere verpflichtete, und zwar König und Kirche wechselweise. Das Papsttum hatte die politische Wirklichkeit anerkannt und sich damit als ihr Sachwalter vorgestellt. Es hatte nicht eine regierende Dynastie mit seinem Segen erhöht, sondern es hatte mit seinem Segen Parvenüs approbiert. Das archaische Charisma war durch die kirchliche Salbung ersetzt, der tradierte Volksglaube abgelöst worden durch einen rechtsetzenden sakralen Akt, und dabei hatte die Kirche selbst sich als die Mutter aller politischen Autorität hervorgetan.

Römisch oder fränkisch?

Ein König muß mächtig sein; ein Kaiser muß die Welt beherrschen. Zumindest muß es so aussehen in den Augen seiner Untertanen. Denkt man darüber nach, was es auf sich hat mit dem Anschein der Macht und ihrem Gebrauch, dann kann man eine große Neigung unter den Menschen beobachten, sich mit dem Starken zu identifizieren, oft weitab von moralischen Maßstäben. Denn nicht nur der liebe Gott, wie Bismarck gesagt hat, sondern eben auch die Menschen halten sich gern an die stärkeren Bataillone. Eine Regierung, die Entschlossenheit zeigt, ein Staatsmann, der Erfolg hat, das zieht noch heute die Menschen an. Karl zählte zu den mächtigsten und erfolgreichsten, überdies noch zu den langlebigsten Herrschern, deren sich die europäische Geschichte erinnert.

Als Sohn Pippins (751–768) zwölfjährig, 754, von Papst Stephan II. gemeinsam mit seinem Bruder Karlmann zum König der Franken gesalbt, 768 nach dem Tod des Vaters, wieder gemeinsam mit seinem Bruder, von den Großen des Landes nach alter Sitte auf den Schild gehoben, 771 nach dem Tod des bereits als Rivale betrachteten Bruders Alleinherrscher im Frankenreich, hatte Karl lebenslang zäh und erfolgreich gekämpft. Karl war in erster Linie Kriegsherr. Als er, auf Wunsch des Papstes, die Langobarden besiegt hatte und sich ihre Krone aufsetzte – jetzt also König der Franken und der Langobarden –, erklärte ihn der Papst auch zum »Schutzherrn der Römer«. Der Titel war alt. Durch Karl bekam er eine neue Wirklichkeit.

Der Patricius Romanorum verband in seinem Herrscheramt zwei verschiedene Traditionen: eine antike und eine christliche. Dazu trat nun die fränkische Großmacht. Die geistige wie die politische Wirkung dieser Verbindung kann man nicht hoch genug veranschlagen. Auch wenn das alte Rom großenteils in Ruinen lag, auch wenn der Papst, wonach noch Stalin sarkastisch gefragt haben soll, über keine Divisionen verfügte, die Antike war doch imstande, noch ein halbes Jahrtausend nach ihrem Untergang politische Herrschaft zu rechtfertigen, und die Kirche konnte sie segnen. Beides zeigte sich schließlich mächtiger als die Herrschaft des Frankenkönigs, triumphierte auch über seine Selbstdarstellung, wie sie die gelehrten Mönche an Karls Hof verbreitet hatten.

Zwar wurde Karl schon 799 in einer Paderborner Dichtung als Vater Europas bezeichnet; aber ein Dichterwort ist kein Rechtstitel, ein Pater Europae kein Patricius Romanorum. Auch wenn sich mit dieser und mancher anderen Anrede und Apostrophe aus jenen Jahren wohl eine besondere Auffassung von Karls Herrschaft verbindet – gestützt mehr auf die fränkische Macht als auf die antike Tradition, gerechtfertigt durch die Treue der Franken und nicht durch die Bindung an Rom –, auch wenn Karl bei dieser Gelegenheit erstmals mit dem römischen Titel Augustus bedacht wurde, wie ihn die antiken Kaiser als Beinamen trugen, so ist dieses Europa des achten Jahrhunderts eben doch nicht das römische Imperium, sondern etwas anderes, eine ideelle Alternative zur Römerwelt. Römisch nannte sich das byzantinische Kaiserreich; einen europäischen Titel beanspruchte es nicht. Dagegen hielten Karls Hoftheologen und -poeten seine Herrschaft offensichtlich für eher fränkisch als römisch. So ist es wohl zu erklären, daß die Kaiserkrönung vom 25. Dezember des Jahres 800 am Hofe Karls keinen ungeteilten Beifall fand, nicht einmal, wenn man seinem Biographen glaubt, bei Karl selber.

Diese Krönung erschien dem Historiker Peter Classen wie »ein Knoten aus bunten Fäden«; jedenfalls war sie ein Knoten auch im roten Faden der Weltgeschichte: Fortan gab es bei uns »römische Kaiser« für die nächsten tausend Jahre, bis 1806. Karls Imperium Christianum, wie es der Angelsachse Alkuin 798 schon genannt hatte, fand mit dieser Krönung seinen Imperator, »die Sache erhielt ihren Namen«. Insofern war man wohl an Karls Hof mit dem neuen Kaisertum einverstanden. Dennoch: Gerade jener Alkuin hat nach der römischen Kaiserkrönung auffällig lange vermieden, Karl als Kaiser anzureden.

Das muß einen besonderen Grund gehabt haben. Etwa im Hergang der Dinge? Was sich in der Peterskirche in Rom an diesem 25. Dezember des Jahres 800 im einzelnen abspielte, wissen wir nicht. Klosterannalen berichten davon, daß Papst Leo III. dem Frankenkönig während der Messe eine Krone aufsetzte und daß ihm danach »das Volk von Rom« in der Kirche mit feierlichem Gesang huldigte. Der Text ist erhalten. Er bringt den Kaisertitel, wie er in Byzanz bei der Kaiserhuldigung üblich war. Aber schon Jahre vorher waren vergleichbare Anreden ohne den eigentlichen Kaisertitel Karl als Frankenkönig gewidmet worden. Soll man daraus schließen, daß Karl in seinen Hofgottesdiensten sich längst mit gleichsam kaiserlichen Ehren feiern ließ, ehe diese lange Entwicklung in Rom ihre Krönung fand?

Aus einer gründlichen Prüfung der politischen Umstände und der schriftlichen Aussagen über die Kaisererhebung von 800 wissen wir, daß das Ereignis an und für sich zwischen König Karl und Papst Leo vorher besprochen war.

Aber noch in unseren Schulbüchern haftet dieser ersten, recht- und traditionsetzenden Kaiserkrönung des Mittelalters etwas an von »Überrumpelung«, die nicht nur das Kaisertum als eine historische Farce darstellt, sondern auch den ersten Kaiser »scheinbar in politischer Naivität« (Classen) gegenüber dem Papst zeigt. Beides bedarf der Klärung.

Am 23. November wurde Karl zwölf Meilen vor Rom vom Papst persönlich mit kaiserlichen Ehren empfangen: eine unzweideutige Geste im Verständnis der Zeit, wenn man von Hinweisen auf vorangegangene Verhandlungen zwischen den beiden absieht. Karls Vorgehen zur Verteidigung des Papstes gegen etwas delikate römische Anklagen läßt sich als Konsequenz einer Vereinbarung deuten, die eben in der Kaiserkrönung gipfelte. Der Vorgang hätte einen geschlossenen diplomatischen Charakter mit tausendjähriger Zukunft, wäre da nicht Karls Biograph. Er sah es anders. Einhard, ein Grafensohn aus dem bayerischen Franken, um 790 von Karl an seinen Hof gezogen und fortan in seiner nächsten Umgebung, schrieb etwa dreißig Jahre später Karls Leben auf. Nach römischem Vorbild, nach Suetons »Kaiserbiographien«, geriet ihm eine nicht allzu umfangreiche Darstellung, die in ihrer literarischen Qualität zum Besten zählt, was das Mittelalter an Biographischem hervorgebracht hat. Nun darf man literarische Qualität zwar nicht mit Wirklichkeitstreue verwechseln. Dennoch hält man sich noch heute an Einhards Bericht, Karl habe das Kaisertum nur unwillig angenommen. Er hätte, soll er nach Einhard gesagt haben, trotz des hohen Festtages die Kirche nicht betreten, wenn ihm die Absicht des Papstes bekannt gewesen wäre.

Karl der Große führte in seinem großen Siegel einen antiken römischen Steinschnitt, eine Gemme; es handelt sich um einen unbekannten männlichen Kopf, vielleicht einen Kaiser, vielleicht einen heidnischen Gott, den Karl unverändert als Frankenkönig wie als Kaiser übernahm. Lediglich die Umschrift wurde hinzugefügt.

Über diese Absicht des Papstes, consilium pontificis (Einhard, Kap. 28), ist freilich nichts ausgesagt. Am Ende betraf sie vielleicht nur die Form der Krönung. Sie allein nämlich wich vom Üblichen ab, und Karl suchte sie auch später zu korrigieren: 813, bei der nächsten Kaiserkrönung, diesmal nicht in Rom, sondern in Aachen. Der Papst war nicht zugegen, und auch von einer Mitwirkung Geistlicher ist nichts bekannt. Karl versammelte alle Großen des Frankenreiches, wie Einhard berichtet, und machte seinen Sohn Ludwig nach feierlichem allgemeinen Beschluß, cunctorum consilio, zum Teilhaber des ganzen Reiches und zum Erben des Kaisertitels. Er setzte ihm eine Krone auf und gebot, ihn Imperator und Augustus zu nennen. Damit suchte Karl offenbar vor den fränkischen Großen mit eigener Hand der Kaiserkrönung eine Form nach seinem Geschmack zu geben, natürlich zugleich auch einen besonderen Rechtscharakter. Eine Kaiserkrönung an und für sich als rechtsetzender Akt für den Träger der Kaiserwürde sollte auf diese Art also weiterhin gelten. Demnach scheint ihm seine eigene Krönung 800 in Rom auch akzeptabel gewesen zu sein. Aber nicht der Papst sollte krönen, sondern das Kaisertum selbst sollte sich bei dieser Gelegenheit sozusagen aus eigener Machtvollkommenheit fortpflanzen.

Gerichtsurkunden hängte der christliche Kaiser ein kleines Siegel ohne Umschrift an, das niemand anderen zeigte als den heidnischen Jupiter.

Übrigens hatte sich Karl die Form der Zeremonie nicht selbst ausgedacht, und diese Erkenntnis macht noch von einer anderen Seite wahrscheinlich, daß er sie im Sinne des Verständnisses von kaiserlicher Würde für besser hielt als eine Krönung durch den Papst. Es gab nämlich solche Zeremonien in Byzanz, wenn ein Kaisersohn von seinem Vater zum Kaiser und Nachfolger erhoben wurde. So wäre also das neue westliche Kaisertum nach seiner Begründung genauso wie das östliche aus eigener Autorität von einer Generation zur ande-

Der römische Adler, ein heidnisches Kaiserzeichen, ging Verbindung ein mit dem Signum des Evangelisten Johannes. In Elfenbein begegnet er schon im Umkreis Karls des Großen.

ren weitergegeben worden. Daß solcherart das Kaisertum in Byzanz sich der Kirche gegenüber selbstherrlicher zeigte, darf nach dem Zusammenspiel von Symbolik und Recht nicht verwundern. Denn das byzantinische Kaisertum, das nun tatsächlich in ununterbrochener Folge seit den Zeiten des Kaisers Augustus tradiert war, reichte weiter zurück als die Kirche. Karls Kaisertum dagegen war erst Jahrhunderte nach der päpstlichen Herrschaft entstanden. Kein Wunder, daß es sich mit dem Papsttum arrangieren mußte.

Karls eigenmächtige Handlung im Jahre 813 hatte nicht die Kraft, wirklich zur Tradition zu werden. Der Papst, nicht der Kaiser, setzte die Tradition. Drei Jahre später, nach dem Tode Karls, wurde Ludwig zum zweitenmal gekrönt, und diesmal empfing er die Krone aus der Hand des Papstes. Es war angeblich die Kaiserkrone Konstantins, die der Papst für diese Zeremonie aus Rom mitgebracht hatte, und überdies wurde Ludwig bei der Gelegenheit auch noch gesalbt. Kronen pflegte man einem Herrscher immer wieder aus festlichem Anlaß aufzusetzen, schon damals und noch in ferner Zukunft. Gesalbt aber wurde er nur einmal, so wie auch Karl vor der Krönung mit heiligem Öl im Sinne der geistlichen Gnaden- und Heilsvermittlung am Weihnachtstag des Jahres 800 bedacht worden sein soll. Also sollte wohl auch die Krönung von 816 durch den Papst als der eigentliche, der entscheidende Akt erscheinen. Fortan wurde auf diese Weise ein jeder Kaiser »gemacht«, abgesehen von ohnmächtigen Abweichungen 817, 852 und einer anderen, nicht minder ungültigen von 1327: von Karl I. bis zu Karl V., der 1530 in Bologna zum letzten Mal nach diesem Zeremoniell vom Papst die Krone empfing. Danach beließ man es bei Wahl und Krönung in Deutschland, und aus der römischen wurde eine deutsche Zeremonie, an die man sich bis zum Ende dieses Kaisertums 1806 dann hielt.

Viel Zeit war erforderlich, um das Kaisertum mit allen seinen politischen Perspektiven und gedanklichen Nachwirkungen vorzuführen. Mehrere politische Absichten flossen hier zusammen. In die Zukunft wirkte aber: Das Papsttum »schuf« die westliche Kaiserwürde der römischen Antike aus Anlaß von Karls Krönung von neuem. Damit fand es einen neuen politischen Schutzherrn, nachdem sich der Kaiser von Konstantinopel in dieser Rolle seit längerem als nicht mehr zuverlässig erwiesen hatte. Der neue, von den Päpsten aus der Geschichte wieder hervorgeholte »westliche« Kaiser war für die Päpste ein bequemerer Partner als der östliche. Denn diesen neuen Kaiser hatten ja die Päpste »gemacht«. Das garantierte für die Zukunft eine merkwürdige, wechselseitige Abhängigkeit: Indem der Papst seinen künftigen Beschützer krönte, hielt er die Legitimation des künftigen Herrn der westlichen Christenheit vor Gott und den Menschen in der Hand. Aber der Kaiser allein war imstande, diesen Papst auch zu schützen. Papst und Kaiser werden künftig aus diesem Grund auch in Rangstreitigkeiten geraten. Denn wer die Macht hat, hat ja bekanntlich noch lange nicht das Recht. Die moralische Instanz europäischer Politik fand hierin ihren personalen Ausdruck. Der eine der beiden höchsten Würdenträger des lateinischen Abendlandes residiert in Rom, der andere wird sich in der tausendjährigen Geschichte des Kaisertums nur selten länger in der Ewigen Stadt aufhalten als Karl in jenen Wochen im Winter 800/801. So vertieft die räumliche Distanz noch die politische – und zwar nicht nur, weil die beiden höchsten Würdenträger des lateinischen Europa sich jeweils selbst die eigentliche Vorherrschaft zuschreiben, sondern auch, weil sich die geistliche Macht mit allen ihren Möglichkeiten unabhängig von den politischen Realitäten entfalten sollte. Letzteres allerdings nicht, ohne daß das Papsttum Gefahr lief, aus Selbstsucht zu degenerieren.

Wenn Macht und Recht auf diese Weise auseinandertreten, so bleibt auch die politische Zielsetzung des neuen Kaisertums doppeldeutig. Karls geistliche Berater, Alkuin und auch sein Vertrauter Einhard, scheuten die besondere römische Note. Sie sahen Karl lieber als König der Franken denn als Kaiser der Römer. Wieder beginnt der Zwiespalt bei einer Titelfrage. Der byzantinische Imperator im fernen Konstantinopel trug in seinem Titel keinen Zusatz; Karl hingegen bezeichnete sich gleichzeitig auch als König der Franken und Langobarden. Der Titel verschwand im Laufe der Kaisergeschichte, das Problem blieb. So wird man Jahrhunderte später vom Heiligen Römischen Reich Deutscher Nation sprechen, um eine vergleichbare Ambivalenz im offiziellen politischen Sprachgebrauch auszudrücken.

Karl der Große nach einem berühmten Gemälde von Albrecht Dürer. Nicht weniger Aufmerksamkeit verdient aber auch die Umschrift, die an den weitverbreiteten deutschen Karlskult erinnert und an die jährliche »Heiltumsweisung«, die Ausstellung der Reichskleinodien in Nürnberg: »Dies ist der gstalt und biltnus glaich / Kaiser Karlus der das Remisch reich / den teutschen undertenig macht / Sein Kron und Kleidung hoch geacht / Zaigt man zu Nürnberg alle Jar / Mit andern hailtum offenbar.«

Das also sind die Titelfragen, und das steht hinter ihnen. Darf es uns nach dieser akribischen Geschichte des Kaisertitels mit tiefem politischen Sinn wundern, daß man noch heute in Reims und in Aachen, in Metten, in Frankfurt am Main und in mancher nordfranzösischen Stadt am 28. Januar eingedenk des großen und heiligen Kaisers genau denselben komplizierten und aussageschweren Kaisertitel benützt, den nur noch Historiker zu deuten wissen?

Zugleich mit dem Kaisertitel beanspruchte Karl neue Autorität: nach römischem Recht, aus antiker Legitimation, aber gleichzeitig aus christlichem Verantwortungsbewußtsein. 802 ließ Karl alle Freien in seinem Land, nicht etwa nur alle Großen, einen Eid zur christlichen Lebensführung schwören – »eine Sünde gegen Gott war nun auch Treuebruch gegen den Kaiser« (Rudolf Wahl). Dieser Eid wurde nicht auf den Namen Karls, sondern auf den Namen des Kaisers geleistet, auf das nomen Caesaris. Ein Ansatz zur Staatsabstraktion? Jedenfalls ein Beleg, daß Karl Amt und Person zu trennen wußte.

Wir sollten bei dieser Gelegenheit im Namen des Kaisers noch eine weitere Beobachtung anstellen: über das nomen Caesaris. Natürlich weiß man, daß es sich um den Eigennamen des Konsuls Gaius Iulius handelt, der sich 45 vor Christus zum Alleinherrscher aufschwang und damit seinen Namen zum Begriff werden ließ. Weniger bekannt ist, daß dieser Name schon sehr früh ins Germanische eindrang, offenbar schon bei den ersten Berührungen. Im Gotischen zählt er zu den ältesten Worten, die man aus dem Lateinischen übernahm. Über das Gotische kam er ins Deutsche. Er bezeichnete etwas, wovon die Goten geradeso wie die alten Deutschen zuvor noch keinen Begriff hatten. Denn sie wußten eben nicht, was ein Kaiser ist. Merkwürdig: Im östlichen Mitteleuropa wußte man zu Karls Zeiten auch nicht, was ein König ist. Und so geschah mit Karls Namen achthundert Jahre nach dem Namenswandel des Gaius Iulius Caesar noch einmal dasselbe. Bei den Russen und Litauern, bei den Polen, Tschechen und Ungarn, bei den Serben, Kroaten und Slowenen, die alle zu Karls Zeiten noch keinem so großen Herrscher begegnet waren, wurde sein Name zum Begriff. König heißt in diesen Sprachen: karol, król, král, kralj, kyrol, kyrali.

Die romanischen Völker wiederum, ohne Sprachbarriere zum Lateinischen, haben Caesars Namen nicht zum Kaisertitel gewählt wie die Germanen; sie hielten sich weiter an den ursprünglichen lateinischen Titel Imperator. Vive l'empereur! Aber als Napoleon sich bei seiner Kaiserkrönung 1805 von den Parisern, wie weiland Karl von den Römern, zu seiner neuen Würde akklamieren ließ, da berief er sich ausdrücklich auf das Kaisertum Karls des Großen.

Um des Kaisers Bart

Kleingeld aus der Karolingerzeit in verschiedenen Prägungen.

Karl ließ Münzen schlagen, Silberdenare, und ordnete ihnen einheitlich den Rechenfuß zu: eins zu zwölf zu zwanzig. In England galt dieses Münzsystem bis 1972. Die neuen Denare zeigten das Kaiserporträt, ähnlich, wie es der Biograph Einhard beschrieben hatte: Ein mächtiges Haupt mit fleischiger Nase und breit angesetztem Nacken. Unklar bleibt nur: trägt der Kaiser darauf den byzantinischen kaiserlichen Backenbart oder den fränkischen königlichen Schnauzbart? In einen solchen Streit um des Kaisers Bart sind die Gelehrten heute noch verwickelt, wenn sie Karls Regierungsprogramm beschreiben. Denn man kann nur mutmaßen oder erschließen, was sein Kaisertitel, was die Devisen auf seinen Siegeln, was gelegentlich erhaltene prinzipielle Äußerungen eigentlich im Zusammenhang bedeuten. Deutlich scheint: Herrschen hieß im Verständnis Karls und seiner Berater Ordnen, und weil ein Kaiser die ganze Welt beherrscht, nach göttlicher Ordnung, so umfaßt eine solche Ordnung auch die ganze »Welt«.

Ein Silberdenar Karls des Großen mit dem Kaiserbild in antikem Gewand, mit Toga und Lorbeerkranz und der Umschrift KAROLUS IMP(ERATOR) AUG(USTUS). Die Prägestätte ist in einem Großbuchstaben unten verzeichnet, ähnlich wie noch heute auf unseren Münzen.

Eine jede Ordnung richtet sich nach einem bereits bekannten Bild. Im Grunde muß jeder, der »Ordnung macht«, ein Ordnungsbild voraussetzen. Er ruft zur Ordnung; er schreibt damit nichts Neues vor. Eine »Neuordnung« erscheint bei ruhigem Nachdenken als etwas Widersinniges. Und so durchzieht auch Karls Regierungsprogramm immer wieder der Appell an schon Bekanntes, an die ursprüngliche Ordnung der Mönche, an das alte Herkommen der Franken, an die Ordnung des römischen Imperiums. Natürlich ist dieses Regierungsprogramm nur in Bruchstücken zu erfassen, in Gesetzen, in Karls vielzitierten Kapitularien, auf Siegeln, in der Formulierung seines Kaisertitels. Gelegentlich ist die Rede von einer correctio ad normam, das heißt von einer Berichtigung nach der Regel. Die Regel eben ist bekannt. Aber nebenbei, in der aktuellen Verwendung, in der gegenwärtigen Situation, oder weil das Vorbild in Wirklichkeit nicht so recht bekannt war, diente das Alte auch zur Rechtfertigung für Neues.

So entwickelte sich aus Reformen, die Karl befahl, eine neue Schrift, eine Normierung der in den einzelnen Klöstern recht unterschiedlich, im ganzen eher sorglos gehandhabten Buchschrift. Das Reformprodukt überstand die nächsten tausend Jahre: Immer wieder belebt, dient es zum Beispiel auch den Typen dieses Buches als Vorlage.

Sichtbares, nein Greifbares entstand auf diese Weise, nicht nur nach der Schriftform, der sogenannten karolingischen Minuskel, sondern auch dem Inhalt nach. Der Schreiberfleiß in den karolingischen Klöstern, den Karl anregte, hat uns buchstäblich alles überliefert, was wir von antiker lateinischer Literatur überhaupt besitzen. Was man damals nicht abschrieb, fand keinen Weg in die folgenden Jahrhunderte. Arabische und byzantinische Übersetzer haben später nur noch Griechisches hinzugefügt.

INTELLECTUS SIUE COGITATIONES · XVII ·
Ait alicubi ds̄ denobis · inhabitabo inipsis &
inambulabo · & ero ipsius ds̄ · & ipsi erunt mihi
populus; nec non etiam ipse dn̄s nr̄ ihs xp̄c ·
ecce ego uenio · & siquis mihi aperuerit, intra
bo & ego & pater · & mansionem apud ipsū
faciemus · & apud eum caenabimus; nominati

Mit der Sprache wurde auch die Schrift der Römer zur kulturellen Grundlage für das »lateinische« Europa. Wie die politische Ordnung, so kann man auch die Schrift der Spätantike »verwildert« nennen. Reformen der frühmittelalterlichen Klosterschreibschulen, neue Ansätze der irischen Mönche, zuletzt aber eine von Karl dem Großen, dem Schreibunkundigen, mit fester Hand durchgesetzte Schriftreform gaben einem Alphabet Gestalt, das wir nach manchen Wandlungen noch heute benützen. Auch von den mittelalterlichen Kürzeln ist dabei noch etwas übriggeblieben. Das »und« (lateinisch et) ist international auf den meisten Schreibmaschinen als & zu finden, und noch die Großmutter kannte den hochgestellten Abkürzungsstrich: »Kom̄e gleich!« Solche Formen zeigen auch die beiden Textproben »karolingischer« Schrift aus dem 9. und 11. Jahrhundert.

Qui ecclesiam tuam inapostolicis tribu
nali consistere fundamentis: de quorū
collegio beati iohannis apostoli et euan

Als Weltenordner war Karl bereits erschienen, noch ehe er Kaiser war, spätestens in dem Moment, als er es werden sollte. Zog er doch im November 800 nach Rom – so der Bericht Einhards – propter reparandum ecclesiae statum – um den Zustand der Kirche zu »re-parieren«. Diese Re-paratur vermittelt uns aus ihrer wirklichen und gedanklichen Gestalt eine unmittelbare Grundlage aller politischen Ideologie des Mittelalters – symbolisch, meist aber auch begriffsbildend – durch die Vorsilbe »re-«: Wiederherstellung, Rückbildung, nicht: Fortschritt.

In Wirklichkeit ist Re-paratur natürlich nur eine äußere Rechtfertigung von Re-form oder Re-volution. Denn fortwährend entsteht aus solchen Rückgriffen etwas Neues: Allein schon, indem man das Alte sammelt und auf eine veränderte gesellschaftliche Wirklichkeit überträgt, etwa das Kirchenrecht aus der Ordnung der Urkirche oder das weltliche römische Recht nach der großen Gesetzessammlung des Kaisers Justinian (527–565). Selbst die Reformkonzilien und die Reformbewegungen, Schlüsselbegriffe des Spätmittelalters vor der Re-formation, vermitteln noch etwas von dieser sinnfälligen Rückbeziehung auf eine wirkliche oder vorgebliche alte Ordnung.

Karl führte eine Devise in seinem Siegel, die noch jahrhundertelang mit dem Kaisertum einhergeht: Renovatio Romani Imperii. Aber unter dieser Devise wird nicht etwa wirklich das römische Weltreich wiederhergestellt, sondern es entsteht eine ganz neue, eben die politische Ordnung des Mittelalters mit einer anderen Hierarchie und anderen Grenzen. Vielleicht kann dieses eine Beispiel verständlich machen, wie sehr sich die mittelalterliche Kaiserpolitik immer wieder mit einem Ordnungsbild legitimierte, das den Realitäten zwar nicht entsprach, das aber die Würde der Antike in sich trug; wie sehr überhaupt das Kaisertum zum Ausdruck einer »rechten Ordnung« wurde, die sich nach der pax Romana aus den Zeiten des Augustus richtete. War dies nicht die Zeit, in der auch Christus in die Welt gekommen war und die nach vielen Urteilen aus dem Mittelalter die höchste Zeit der menschlichen Geschichte überhaupt bedeutete? In diesem ungenau definierten Rahmen galt das Kaisertum der Renovatio. Unter dieser Devise schuf es in Wirklichkeit Neues und jedenfalls anderes. Dabei war und blieb ein Kaiser der »Ordner der Welt«.

Karolingische Renaissance?

In den Streit um des Kaisers Bart kann man sich neuerlich vertiefen, wenn man mit gelehrten Urteilen über die sogenannte karolingische Renaissance bekannt wird. Was dort zunächst als Grundmuster der Ordnung erscheinen sollte – im Herrscherethos des Kaisers geradeso wie in den Ratschlägen seiner gelehrten

Umgebung –, das erscheint aus anderer Perspektive nicht nur als leicht unbeholfene Wiederbelebung der Antike, sondern gleichzeitig als Vorwegnahme jener geistigen Bewegung, mit welcher das Mittelalter erst Jahrhunderte später zu Ende ging. Unter diesem Gesichtspunkt sind dann freilich die Neuerungen, die Karls Ordnungsstreben hervorbrachte, eben gerade keine »Renaissance«. Sie bleiben von Geist und Kultur der antiken Kaiser in Rom so weit entfernt wie vom Leben an den Fürstenhöfen siebenhundert Jahre später.

Es war nicht selbstverständlich, daß Karl mit seinem Hof seit 794 in Aachen residierte. Denn vorher und noch lange danach, bei den Franken und in den meisten Reichen des Kontinents, pflegten die Könige umherzureisen, um Gerichts- und Reichstage zu halten. Auch Karls Hofordnung wurde zum Modell. »De ordine Palatii«, eine Schrift über die Palastordnung, ist zwar erst zwei Generationen später entstanden, geht aber auf die Zeit Karls zurück. In jeder Hinsicht wird hier Ordnung geschaffen, wirklich und symbolisch, so daß die kaiserliche eine himmlische Ordnung widerspiegelt.

Das Hofleben um Karl den Großen, das fortan zum Vorbild für europäische Hofkultur geworden ist, war freilich von freierer Art. Karl hatte 782 den berühmten Angelsachsen Alkuin kennengelernt und ihn dazu bewogen, seinen Wirkungskreis an der Domschule von York mit einem Platz an seinem Hof zu vertauschen. Diesem offensichtlich begabten, ja charismatischen Lehrer überließ er ein großes Wirkungsfeld. Damit wurde, was bisher nur an Klöstern und Domschulen lebendig war, in die engste Umgebung eines Mächtigen verpflanzt. Unbestreitbar bewies der große fränkische Kriegsherr damit sein Interesse an der Diskussion um die Literatur der Antike und des Christentums, auch wenn er selber Latein nur mit Mühe und Schreiben niemals erlernte.

Die Aachener Pfalzkapelle, um 800 nach oberitalischen und byzantinischen Vorbildern als achteckiger Rundbau errichtet, zugleich ein architektonisches Symbol der Kaiserwürde, zählt zu den prächtigsten Bauten ihrer Zeit im nördlichen Europa. Glücklicherweise fast unverändert erhalten, gibt sie uns noch eine Vorstellung von kaiserlicher Selbstdarstellung, auch wenn wir die Sprache ihrer Symbolik, die Utopie des Kaisertums als Bindeglied zwischen Himmel und Erde, nicht mehr vollkommen zu deuten wissen.

Aus Italien, aus Spanien und aus England lud Karl noch andere Gelehrte an seinen Hof, und so entstand, was manchmal als eine »Hofakademie« bezeichnet wurde. Ein überhöhter Ausdruck, denn die Sache selber war doch offensichtlich auf sehr elementare Dinge beschränkt. Alkuin von York schrieb Lehrbücher für die lateinische Grammatik, für die anspruchsvollere Rhetorik in dieser Sprache und für die Dialektik, die Schulung in Begrifflichkeit und Aussage. Das war Grundlagenwissen, später jeder akademischen Bildung vorangestellt. Auch die zeitgenössischen Grundkenntnisse der Astronomie, der Musiktheorie, des Rechnens und der Geometrie steuerte er bei. Damit war der alte Bildungskanon mit allen seinen Fächern umschrieben, die »sieben freien Künste«, die fortan bis ins 16./17. Jahrhundert Grundlage der lateinischen Schulbildung waren. Dennoch handelt es sich um traditionelles Wissen, das solcherart in der eklektischen Leistung Alkuins zusammengetragen und für die Mit- und Nachwelt gefestigt wurde; es schuf eben gerade wieder nur Ordnung, aber nicht eigentlich wissenschaftlichen Fortschritt.

Und doch wurde hier, am Hof und in einer weitergespannten gelehrten Dis-

Die Torhalle des großenteils zerstörten Klosters Lorsch von 774 ist eines der wenigen erhaltenen Bauwerke aus der Karolingerzeit. Hier soll der Kaiser Audienzen gegeben haben, ein Hinweis auf die »Reichsfunktion« des Klosters. Der Bau vereinigt namentlich in der Fassadenanlage Romanisches und Antikes, Säulen, Giebelarkaden und Rundbogen. Noch manche anderen Fassaden mögen einst in Stein das Ansehen des Kaisers vorgeführt haben!

kussion, als Keim angelegt, was die Intellektuellen des Mittelalters in den folgenden siebenhundert Jahren bewegte. Lateinische Literatur, die heidnische wie die christliche, wurde gelesen und mitunter auch, aus Mangel an Schreibmaterial, am Rande kommentiert. Aus solchen »Randglossen« erwuchs die wissenschaftliche Schriftlichkeit, so tastend und zögernd begann der europäische Geist überhaupt, den antiken Autoritäten auf seine Weise etwas hinzuzufügen. Erst die Scholastik im 12. Jahrhundert entwickelte ein besonderes Gerüst für analytische Fragen, und der zivilisatorische Fortschritt lieferte bis dahin auch das gehörige Pergament dazu. Übrigens begann man zu Karls Zeiten auch schon kirchliches Recht als einen eigenen Gegenstand des Interesses zu sammeln, und auch das Recht der römischen Kaiser in den spärlichen, bis dahin bekannten Grundlagen. Beide hat ebenfalls erst die Scholastik systematisiert. Schließlich und endlich brachte Karls Herrschaft auch einen deutlichen Aufschwung der Baukunst. Sie mußte das Kaisertum repräsentieren, nicht nur in seiner berühmten »Hofkapelle« in Aachen.

All das ist wohl in gewissem Sinn »Renaissance«, Wiederbelebung der alten

In gotischer Leichtigkeit zeigt die Münzstätte von Figeac vierhundert Jahre später doch dieselbe architektonische Gliederung wie die erdschwere Lorscher Torhalle.

Welt aus spärlichen Resten. Es wurde auch grundlegend für die mittelalterliche Geistigkeit. Und dennoch schaffen wir wohl Verwirrung, wenn wir diese Begründung des geistigen Lebens durch Karl und seinen Hof, trotz aller Anerkennung seiner fortwirkenden Bedeutung, mit demselben Begriff eine »Renaissance« nennen wie jene spätere »Wiedergeburt« des 15. Jahrhunderts nach ihrer philologischen Methode, ihrer Vernunftgläubigkeit, ihrem Bildungsoptimismus und ihrem Welt- und Menschenbild.

Karls Intellektuelle waren meist Mönche oder zumindest doch Kleriker. Ihre geistige Welt bauten sie aus naiver Gläubigkeit, ohne den prinzipiellen Gegensatz zwischen der heidnischen Antike und den christlichen Weltvorstellungen, der in den Köpfen der Humanisten des 14. und 15. Jahrhunderts gärte, auch nur zu erfassen. Auch waren ihrer so wenige und Bildung derart elitär auf dreißig, vierzig Klöster beschränkt, daß man um 800 auf ganz anderem Boden stand als um 1500, da sich Lateinschulen fast in jeder Stadt befanden und nur mehr sieben Prozent der Studenten an der größten deutschen Universität in Erfurt Theologen waren.

Man denkt also doch wohl besser an Hofkultur und Hofgesellschaft, die freilich vieles entdeckte und manche verblüffende intellektuelle Form entwickelte, wie sie fortan im europäischen Mittelalter Pflege fand. Auch das Spielerische spricht dafür: Alkuin benannte seine Schüler mit antiken Namen, mit lateinischen, griechischen und hebräischen, in wahlloser Hochschätzung des Alten, den König und Kaiser eingeschlossen, den er zum »neuen David« machte. Es zeigt die Ausstrahlungskraft seiner Persönlichkeit, daß er solcherart einen Kreis von Gleichgesinnten zur Pflege einer geistigen Muße um sich, oder genauer wohl, im Dienste des Herrschers um diesen versammelte. Zur Lektüre, zu Lobreden und Rätselspielen, auf begrenztem Niveau also.

Der römische Gelehrte Boethius, erst Berater und führender Politiker des Ostgotenkönigs Theoderich, 524 aber hingerichtet, hinterließ in seinen Schriften Wichtiges für das Bildungswesen des Mittelalters aus antiker Tradition. Die Gliederung des gesamten Bildungswissens in »Sieben freie Künste« geht auf ihn zurück und umfaßte sprachliches und mathematisches Grundwissen. Hier sind, aus einer Abschrift des späten 9. Jahrhunderts, die mathematischen »Künste« personifiziert: Musik, Arithmetik, Geometrie und Astronomie.

Auch Frauen waren dabei, auch sie mit Namen bedacht, profiliert im Rollenspiel. Alkuin selber sah das weibliche Element in diesem Kreis nicht ohne Stirnrunzeln. Er warnte seine Schüler vor den gekrönten Tauben, die durch die Kammern des Palastes flatterten; tatsächlich nicht ohne Verwirrung anzurichten. Die Liebesaffäre von Karls Tochter Berta mit dem Hofeleven Aegilbert führt uns hier ins Anekdotische, das Paar selber aber in eine Ehe, die der Kaiser duldete.

Nicht die Arabesken, sondern die Selbstzeugnisse dieses Hofes belegen, was ein Kaiser ist und wie er residiert. Daß Aachen als ein »neues Rom« gelten sollte, mitunter auch als ein »neues Athen« und gleichzeitig als ein »neues Jerusalem«, kündet von jener Verschmelzung zwischen Antike und Christentum, die man seither im Mittelalter immer wieder versuchte, ehe sie in der Humanistenkritik siebenhundert Jahre später zerbrach. Luther war kein Humanist; Erasmus wurde kein Reformator. Beide aber kamen aus derselben Schulung, die Karls Hof neben und über die Klöster im Land gesetzt hatte. Fortan sollten alle Höfe daran gemessen werden.

Kaisermacht

Bis zu seiner Taufe 784 wehrte sich der »Sachsenherzog« Widukind gegen die christlichen Frankenscharen Karls des Großen. Sein Grabmal, um 1100, zeigt ihn in Regentenpose.

Ordnung allein ist nicht genug Qualifikation für einen Herrscher. Daß der Kaiser im »neuen Jerusalem« residiert, mag die Welt an ihren rechten Angelpunkt zurückführen; er muß von daher auch die Einheit von Macht und Glauben verbreiten. Karls Machtpolitik ist die andere Säule, auf der sein Triumphbogen ruht. Er hatte von 768 bis 814 regiert, sechsundvierzig Jahre, fast am längsten in der nun folgenden tausendjährigen Reihe des europäischen Kaisertums und bei gründlichem Vergleich jedenfalls am wirkungsvollsten. Seit 772 kämpfte er gegen die Sachsen, die sich erst unter der fränkischen Bedrohung zusammengeschlossen hatten. Karl eroberte die Eresburg an der Diemel, die Hohensyburg an der Ruhr, ließ 782 eine unbekannte Zahl von Widerspenstigen in Verden an der Aller hinrichten und schickte eine weit größere in die Verbannung. Die vielen »Sachsen-«, »Sassen-« und »Saß-«Ortsnamen im ganzen westlichen Deutschland erinnern noch heute daran. 785 sah sich der westfälische Große Widukind zur Taufe gezwungen. Aber der Kampf ging noch zwanzig Jahre weiter, ehe 804 ein Feldzug den letzten sächsischen Widerstand überwand.

Währenddessen wurde der Frankenkönig in die langobardischen Affären verwickelt, vom Papst zum Schutz angerufen und damit auf die schicksalhafte Bahn seines Kaisertums gebracht. Das Königreich der Langobarden in Italien war für die Franken ein respektabler Nachbar, und Karl selbst war mit einer Langobardenprinzessin vermählt. Das bedeutete Bundesgenossenschaft. Aber nun sah er seine Chance. Er verstieß seine Frau, besiegte 774 seinen Schwiegervater Desiderius, schickte ihn ins Kloster und setzte sich selbst mit päpstlicher Billigung die Krone der Langobarden auf.

778, nur wenige Jahre später, lockte das nächste Abenteuer. Karl zog über die Pyrenäen nach Spanien. Dort war nicht allzu lange zuvor, 741, das Königreich der Westgoten aus Völkerwanderungszeiten von nordafrikanischen Eindringlingen im Namen des Islam besiegt und seine Reste in die letzten Winkel am Fuß der Pyrenäen zurückgedrängt worden. Karl versuchte sich an diesem neuen Feind. Er zog über die Pyrenäen und eroberte immerhin Pamplona. Er stieß von den Gebirgen bis über den Ebro vor. Aber der Gegner war übermächtig. Karl wandte sich zum Rückzug. Die Basken, die inzwischen die Araber vertrieben hatten, verfolgten sein Heer und rieben die Nachhut auf. Das Rolandslied hielt die Tragödie fest und die Volkssage überlieferte sie spanisch, französisch und deutsch bis ins 19. Jahrhundert: Der treue Graf warnte noch im Angesicht des Todes durch Hornstöße seinen Herrn. Ein Stück Karlsmythos. Von der »spanischen Mark« blieb immerhin einiges übrig, im Vorland der Pyrenäen, das dann seit dem 11. Jahrhundert zur Basis für die allmähliche Rückeroberung der iberischen Halbinsel wurde. Man könnte die gesamte Geschichte Spaniens im Mittelalter auch als die Geschichte dieser Rückeroberung nach Karls Markenorganisation betrachten. Auch hier hatte der Franke also die Ausgangslage für eine vielhundertjährige Entwicklung »begründet«.

Karl ist auch der eigentliche Gründer der päpstlichen Territorialherrschaft, die fortan de facto 1100 Jahre und de jure gar noch fünfzig Jahre länger währte – bis zum Lateranvertrag der Kurie mit dem italienischen Staat im Jahre 1929. Karl war nicht ganz aus freien Stücken tätig geworden, sondern im Zusammenspiel mit den Päpsten auf bestimmten historischen Grundlagen. In Mittel-und Unteritalien hatte sich nämlich das oströmische Kaisertum, das byzantinische, im Laufe der vorangegangenen Jahrhunderte recht und schlecht festgesetzt, hatte seine Verwaltung etabliert und sogar wiederholt griechische Kolonisten angesiedelt. An der oberen Adria, in Ravenna, residierte ein kaiserlicher Statthalter, ein »Exarch«. Das Papsttum sah die Gelegenheit, bei der Wahl eines neuen Schutzherrn nicht einfach nur den Herrn über diesen mittelitalienischen Landstrich auszutauschen, sondern sich selbst unmittelbar an die Stelle zu setzen. Den Kern dieses Territoriums bildete ein Herrschaftsbereich von fünf Städten, die Pentapolis, und päpstliche Ansprüche lassen sich tatsächlich durch die Jahrhunderte zurückverfolgen bis zum Beginn des Bundes zwischen dem römischen Kaisertum und der katholischen Kirche im 4. Jahrhundert. Karl hat das in gewissen Grenzen akzeptiert. Auch damit hatte er Grund gelegt, in diesem Fall für eine besondere Aktivität an der römischen Kurie, aus der wenige Jahre später die Legende von einer Schenkung Mittelitaliens durch Kaiser Konstantin (310–336) an Papst Sylvester (314–335) entstand. Diese »konstantinische Schenkung« – wonach der Kirchenstaat und das kaiserliche Regiment in Rom angeblich dem Papst überlassen worden seien – ist auf ihre Weise ebenfalls ein besonderes Stück diplomatischer Wirklichkeit des Mittelalters. Die Päpste argumentierten in ihrer Auseinandersetzung mit den Kaisern immer wieder mit dieser »Schenkung«, auch wenn sie, als allzu konkrete Ausformung von legendenhaften Rechtsansprüchen, bisweilen rundheraus für falsch erklärt wurde. Aber erst die Philologenkritik der Renaissance wagte dies mit Nachdruck zu behaupten; derjenige, der den Verdacht schließlich zum Beweis verdichtete, war der Humanist Lorenzo Valla (1407–1457). Der päpstliche »Kirchenstaat«, der mit Hilfe des ersten Kaisers sozusagen allmählich in die staatliche Souveränität gewachsen war, hatte den letzten Kaiser keine siebzig Jahre überdauert. 1871 besetzten ihn die Italiener.

Karl regelte die Verhältnisse des Frankenreiches im Südosten. Er band das Herzogtum Bayern fester an das Frankenreich, dem es aus grauer Vorgeschichte damals bereits seit zweihundert Jahren angehörte, in denen es jedoch immer wieder den Versuchungen seiner Größe und seiner Grenzlage nachgegeben hatte. Karl schickte den Bayernherzog Tassilo III. unter einem Vorwand nach bewährtem Muster 788 ins Kloster und schob das bayerische Herzogsamt seiner eigenen Sippe zu. Nicht minder geschichtsträchtig wirkte sein Krieg 795 gegen die Awaren. Hier war Karl an der östlichen Grenze der lateinischen Christenheit angelangt und damit bei einem besonderen Problem, das fortan ebenfalls das ganze christliche Mittelalter heimsuchen sollte: Vorstöße aus dem Osten, an der seit jeher im ganzen unsicheren und jedenfalls ungesicherten Landgrenze Europas. Von Asien waren immer wieder Vorstöße von Nomadenvölkern nach dem Westen erfolgt. Nacheinander kamen die Hunnen, die Awaren, die Madjaren, die Mongolen, die Tataren und die Türken.

Das Hunnenreich gehört in die Spätantike. Die Awaren hatten danach ihre Herrschaft im 7. und 8. Jahrhundert von der Tiefebene an Donau und Theiß bis weit nach Mitteleuropa vorgeschoben, vermutlich bis nach Südpolen, Böhmen und Schlesien. Sie hatten die vorgefundene slawische Bevölkerung tributpflichtig gemacht, ohne die politischen Strukturen zu zerstören, an deren Zusammenhalt sie gerade wegen der Abgaben interessiert waren. Karl rückte donauabwärts gegen die Awaren vor und belagerte, erstürmte und vernichtete ihr mächtiges Ringlager donauabwärts von Wien. Der Ortsname Hainburg, Heidenburg, soll noch heute daran erinnern. Sagenhafte Schätze müssen wohl damals den Franken zur Beute geworden sein. Seitdem war das östliche Mitteleuropa von der Awarenherrschaft befreit. Die Überlebenden wurden an Ort und Stelle angesiedelt; damit eröffnete Karl der bayerischen Ostsiedlung im heutigen Österreich, die ihre Klostergründungen schon bis nach Kremsmünster und Innichen vorangetrieben hatte, die Haupt- und Nebentäler des Donaulaufs. Außerdem konnte sich jetzt im böhmisch-mährischen Raum selbständig eine neue Herrschaftsbildung entwickeln, 805 nur einmal von einem fränkischen Heereszug besucht und in einer nicht genau überlieferten Weise zum Tribut gezwungen. Nach einigen Auseinandersetzungen setzte sich die fränkische Macht nun auch in Venetien und darüber hinaus an der östlichen, der dalmatinischen Adriaküste fest.

811 wurde die fränkische Reichsgrenze an der Eider festgelegt. Karl ging daran, das fränkische Reich auf der Halbinsel Jütland zu stabilisieren, und schloß aus diesem Grund ein Bündnis mit dem fortschrittlichsten slawischen Ostseeanrainer, den Abodriten im heutigen Mecklenburg. Zwar hatte er schon 781 vergeblich ein Heer über das sächsische Siedlungsgebiet hinaus zu den Slawen jenseits der Elbe geführt. Aber die Machtsphäre des Frankenreichs blieb wirksam und schuf auch hier ein offenes Feld für die spätere mittelalterliche Auseinandersetzung um den Raum zwischen Elbe und Oder.

Natürlich hinterließ die Regeneration eines westlichen Kaisertums durch den Papst einen besonderen diplomatischen Beigeschmack in dem wirtschaftlich, politisch und nicht zuletzt kulturell dem Westen weit überlegenen oströmischen Zentrum. Aber das Papsttum hatte den Zeitpunkt nicht übel gewählt. Gerade war in Konstantinopel – Byzanz, nach dem älteren Namen –

der Kaiserthron vakant und eine Kaiserinmutter als Regentin hervorgetreten: Eirene, von vielen Mächtigen an ihrem Hofe anerkannt, von anderen wiederum wegen ihrer Weiblichkeit abgelehnt. Damit war die byzantinische Politik einigermaßen gelähmt, gerade als Leo III. dem Frankenkönig Karl in Rom die Kaiserkrone aufsetzte. Die byzantinische Abneigung, nur allzu deutlich in einem satirischen Bericht von dieser Krönung festgehalten, konnte sich nicht rasch genug politisch formieren. An der dalmatinischen Küste gab es später ein militärisches Kräftemessen, aber zum großen Krieg kam es nicht. Auch Heiratspläne zerschlugen sich. Das probate Verbündnis im dynastischen Zeitalter wurde erst gegen Ende des 10. Jahrhunderts zum spektakulären Brückenschlag zwischen den Kaisern im Westen und im Osten. Seinerzeit, 812, hatte Kaiser Michael I. seinen westlichen Standesgenossen lediglich vertraglich anerkannt.

Kein Kaiser hat je in den folgenden tausend Jahren ein vergleichbares Reich beherrscht – kein Kaiser außer dem letzten, der aus dem Untergang dieses von Karl begründeten tausendjährigen Reiches seinen eigenen Aufstieg bezog, der sich aus eigener Machtvollkommenheit 1805 in Paris eine Kaiserkrone aufsetzte und dabei die alte karolingische Kaisertradition noch einmal ausdrücklich beschwor – Napoleon, dessen Reich fast genau tausend Jahre nach dem Tod Karls des Großen bei Waterloo unterging. Sein Kaiserreich hatte allerdings nur zehn Jahre Bestand gehabt.

In diesem antiken Sarkophag, der noch heute im Aachener Münster aufbewahrt wird, lag Karl der Große zumindest vor der Erhebung seiner Gebeine im Verlauf der Heiligsprechung 1165. Kaiser Barbarossa ließ den nunmehr Heiligen danach zeitgemäß in einem Schrein beisetzen, der im gotischen Chor der Marienkirche aufgestellt wurde.

Aber auch Karls Reich blieb in seiner Größe nicht über seinen Gründer hinaus erhalten. Es wirkte fort und zerfiel doch dabei, denn »er konnte weder eine allseits anerkannte Konzeption finden und durchsetzen, noch eine dauerhafte Institution schaffen oder eine ideologische Tradition begründen« (Peter Classen). Zwei-, bald auch dreigeteilt, wich dieses Kaiserreich schließlich nach hundert Jahren der politischen Kraft von sechs großen und ebenso vielen kleinen Königreichen, die fortan Europas Schicksal miteinander gestalteten. Nur merkwürdig: Im Pathos der Selbstdarstellung der »Familie der Könige« in Europa blieb vieles lebendig von Karls kaiserlichem Vorbild, von seiner magnanimitas, wie Einhard gesagt hatte, seiner Hoheit des Geistes aus Größe und Geduld, vom Begriff seines Hoflebens, seinem Bildungsanspruch und ebenso seinen Ämtern, von den Rechtsbeziehungen zwischen König und Adel über Lehensbindungen und schließlich, als buchstäbliche Lebensgrundlage, viel auch von Karls Verordnungen für die Gutswirtschaft auf seinen Pfalzen, für den Fruchtwechsel auf den Äckern, den Weinbau an den Hängen, die Pflege von Gemüsen und Kräutern in den Gärten. Auf diese Weise, und eben vielleicht erst nach der Einsicht in die Wege und in die Grenzen dessen, was Bestand haben kann, wenn feste Formen zerfallen, läßt sich Karl doch mit gutem Recht als Gründer bezeichnen; als »der Große«, als »Vater Europas«, wie ihn schon seine Hofpoeten nannten.

Nachfolgekämpfe

Karls Persönlichkeit hatte das Riesenreich zusammengehalten; nicht die Kaiserkrone, der päpstliche Segen, das administrative Gerüst oder die Gemeinschaft der Großen. Es zerfiel, kaum daß er 814 unter seinem Münster in Aachen begraben war. Sein Grab hütete dann allerdings sein Werk am längsten: Als Residenzstadt behauptete sich Aachen zwar gerade noch in der nächsten Generation; als Grabstätte Karls blieb es aber staatspolitisch lebendig bis ins 16. Jahrhundert, als »rechter Krönungsort« für künftige Kaiser, die dreimal seinen Sarkophag öffnen ließen, um sich durch Überreste mit dem großen Toten in magischer Symbolik zu verbinden. Seine sterblichen Reste sind heute in einem Schrein; der Sarkophag ist leer. In der Schatzkammer des Domes bewahrt man eine lebensgroße Büste, die in bester Goldschmiedekunst aus dem 14. Jahrhundert einen Teil seines Hauptes umschließt.

Aber zurück zu den Lebenden: Der einzig legitime Sohn, den der Kaiser neben vielen außerehelichen Kindern hinterließ, Ludwig, soll ihm ähnlich in den Gesichtszügen gewesen sein, nicht aber in der Gestalt. Karl war seinem Biographen zufolge über 1,90 Meter groß, ein jovialer Hüne, bei Tisch wie in seiner Politik. Ludwig, klein, aber mit großen Händen und Füßen, scheint auch die Politik sehr ungeschickt angegriffen zu haben. Karl hatte 781 den Dreijährigen zum König krönen lassen und nach Aquitanien gesandt. Dort erwies er sich die nächsten dreißig Jahre als ein willfähriger Statthalter im Kreis seiner Räte. Der Kaiser hat augenscheinlich lange gezögert, ehe er seinen Sohn 813 zum Mitkaiser krönte, nach byzantinischer Sitte, um ihn damit endgültig zum Nachfolger zu bestimmen, vielleicht nur deshalb, weil Ludwig bis dahin alle seine Brüder überlebt hatte.

Auf dem Thron zeigte er bald den weltabgewandten Eifer eines radikalen Reformers. Seine Regierungsdevise, Renovatio regni Francorum, setzte er vor allem in einer tiefgreifenden Klosterreform um. Deshalb verdient er allerdings nicht etwa den Tadel der Weltferne. Denn karolingische Klöster waren in mancher Hinsicht Rückgrat königlicher Verwaltung: für das religiöse Leben wie für das Bildungswesen, für die Krankenpflege und als Lehrstätten der Landwirtschaft. Die Kunst des Pfropfens und der Rebenzucht, Kräuterkunde und medizinisches Wissen für Mensch und Tier wurden aus Klöstern vermittelt. Aber auch kaiserliche Boten und der Kaiser selbst fanden hier Herberge. Das hatte System, so daß sich die Klosteranlagen auch nach dem Wegenetz richteten, nach Pässen und Einöden. Wie ein Kloster eigentlich aussehen sollte, nach seiner geistlichen und eben auch weltlichen Aufgabe als Gutshof, Herberge, Krankenhaus und Schulstätte, zeigt ein sogenannter »Idealplan von St. Gallen«, der um 820 entstand.

Die Wachssiegel Ludwigs des Frommen sind wohl bereits karolingische Arbeit, die drei Siegelbilder zeigen untereinander auch Ähnlichkeit. Offenbar hatte sich die Siegelherstellung nun schon entwickelt; Ludwig mußte nicht mehr, wie sein Vater, zu antiken Versatzstücken greifen.

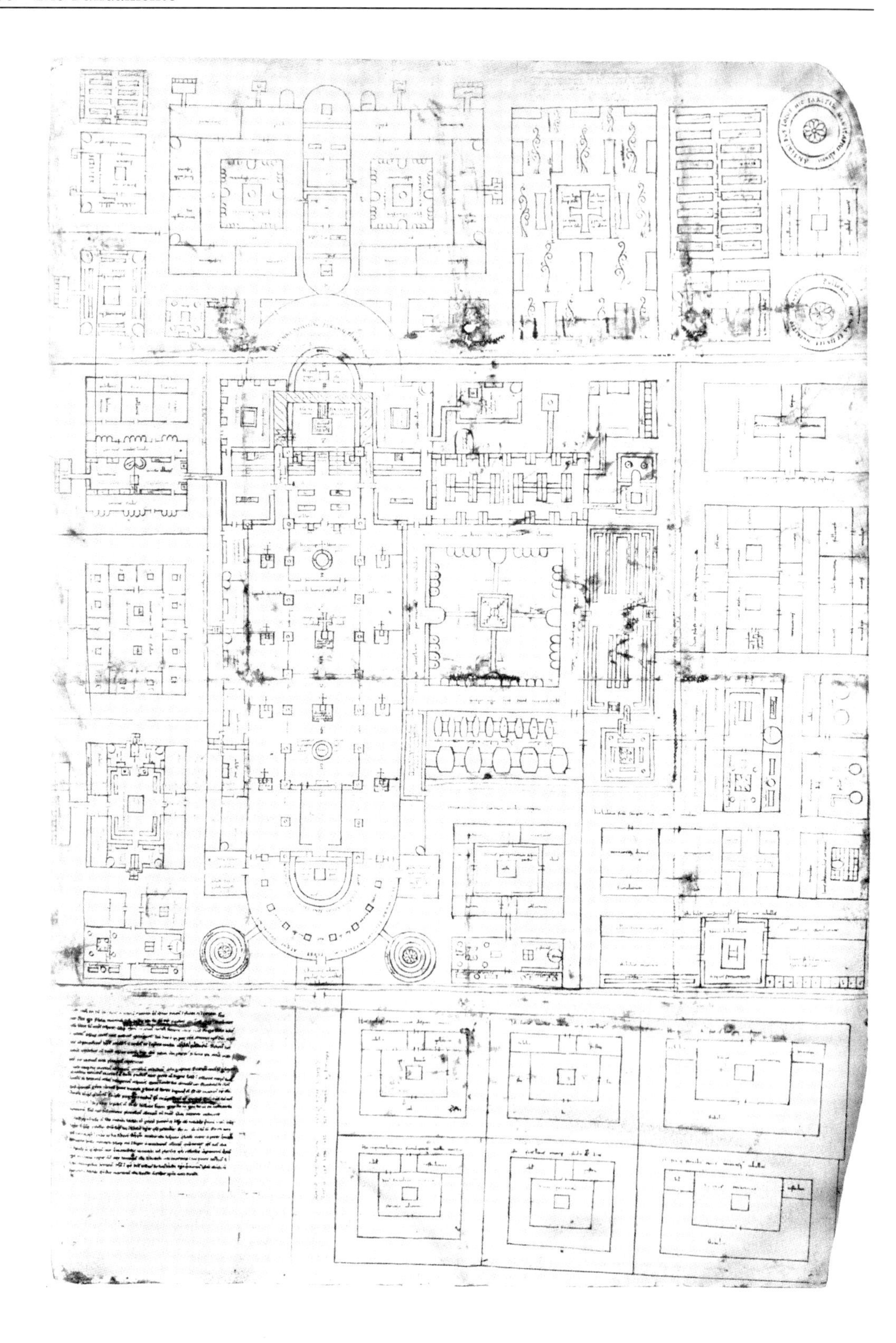

Natürlich war mit dieser weltlichen Rolle auch Entfremdung vom Mönchsideal verbunden. Auch dem war eine Reform zugedacht. Die konkreten Pläne stammten vom aquitanischen Abt Benedikt von Aniane (um 750–821), und die Durchführung sollte von kaiserlichen Boten kontrolliert werden. Die mönchische Lebensweise wurde strenger gefaßt und an den Klosterdienst gebunden; geistliche Lebensgemeinschaften in der Gegend bescheidener Siedlungsballungen, die es immerhin gab, wurden als Kanonikate mit anderen Bestimmungen versehen. Sie sollten der Volksseelsorge dienen, sollten auch bestimmte Verbindungen mit den Siedlungen eingehen und halten; sie bildeten damit in gewisser Hinsicht Ansatzpunkte zu frühstädtischem Leben. In Polen, in Böhmen, in Ungarn spielten solche Kanonikate für die Christianisierung eine bedeutende Rolle, aber auch in England, in Südfrankreich und in Norddeutschland. Das Patroklistift in Soest ist dafür auch in seiner Architektur ein beredter, etwas jüngerer Zeuge.

Der »Idealplan von St. Gallen«, so genannt nach dem Fundort, ist in dieser Form in keinem Kloster verwirklicht worden. Er entstand zu Anfang des 9. Jahrhunderts, vielleicht im Auftrag Kaiser Ludwigs des Frommen, und wäre in seinen Ausmaßen nach neuesten Untersuchungen durchaus realisierbar gewesen. Auch haben alle Klöster alter Ordnung, Benediktiner, Zisterzienser, Prämonstratenser, weitgehend ähnliche Anlagen errichtet. Der Plan selbst zeigt den Aufbau einer geistigen, geistlichen und zugleich landwirtschaftlichen Zentrale in staunenswerter Perfektion.

Im April 817 erlitt der Kaiser einen Unfall, vielleicht ein Attentat, und drei Monate später regelte der Neununddreißigjährige seine Nachfolge. Lothar, den ältesten Sohn, erhob er zum Mitregenten und setzte ihm nach dem Vorbild Karls des Großen die Kaiserkrone auf. Pippin und Ludwig wurden Könige in Aquitanien und in Bayern. Der Aufstand seines Neffen Bernhard, den noch Karl der Große zum König und damit zum Statthalter in Italien eingesetzt hatte und den die Thronfolgeordnung Ludwigs nun überging, wurde schnell und grausam niedergeschlagen. Bernhard wurde geblendet und starb daran. Auch anderen Rebellionen trat Ludwig rasch und entschlossen entgegen. Um so erstaunlicher bleibt seine Hilflosigkeit in der Folgezeit. War er, den man später »den Frommen« nannte, nur ein Werkzeug in den Händen seiner geistlichen Ratgeber?

Hängt mit diesem Einfluß zusammen, daß der Kaiser fünf Jahre nach dem italienischen Aufstand öffentlich für die Blendung Bernhards Buße tat? Die Bischöfe des Reiches erteilten ihm Absolution. Aber die moralische Rechtfertigung, die er damit vor den Großen des Reiches erstrebte, wurde sieben Jahre später von ihm selbst wieder in Frage gestellt. Denn Ludwig hatte sich zu einer zweiten, späten Ehe die Welfenprinzessin Judith ausersehen, von der man, vielleicht um ihren Einfluß auf den alternden Kaiser auszudrücken, sagte, sie sei sehr schön gewesen. Sie brachte einen Sohn Karl zur Welt, von dem es hieß, er sei nicht Ludwigs Sohn: Rankünen des Hofes, Zeichen des Autoritätsverlusts. Mit der Versorgung dieses Sprosses gefährdete Ludwig die Erb- und Nachfolgeregelung, von Karl dem Großen 806 und von Ludwig selber 817 angeordnet und beschworen. Aufruhr, Absetzung, Verrat auf dem »Lügenfeld« bei Colmar, Kirchenbuße vor den Bischöfen und neue Einsetzung des Kaisers zeigten einerseits das Ausmaß des Ordnungsdenkens und andererseits das Elend der Karolingerherrschaft.

Die Krönung Ludwigs des Frommen durch seinen Vater Karl 813 wurde noch im 14. Jahrhundert in dieser Miniatur dargestellt. Sie hat die Ausbildung des kirchlichen Krönungszeremoniells freilich nicht beeinflußt.

Ludwig starb 840 auf einem Feldzug gegen jenen Sohn, den er im Osten des Frankenreiches eingesetzt hatte und der deshalb als »Ludwig der Deutsche« († 876) in die Geschichte einging. Zwei seiner drei Söhne, die damals noch lebten, eben jener Ludwig und der nachgeborene Karl, teilten das Reich 842 in Ost und West, unter feierlichen Eiden in Straßburg. Damals wurde zum ersten Mal in einem staatsrechtlichen Akt französisch und deutsch gesprochen. Die »Straßburger Eide« sind aber nicht nur Literaturdenkmal; sie bezeugen auch,

Karl der Kahle (843–877). Der Sohn Ludwigs des Frommen, der Enkel Karls des Großen, konsolidierte seit 843 das westliche fränkische Teilreich, das künftige Frankreich, in seiner noch heute gültigen Form, wenn auch um den Preis einer Regionalisierung. 875 erwarb er als zweiter dieses Namens in Rom vom Papst die Kaiserkrone.

daß die beiden Kaisersöhne auf politisch verbindliche Weise nicht allein handelten, denn ein solcher Vertrag hätte nicht durch Eidesformeln in den beiden Volkssprachen publiziert werden müssen. Vielmehr gab es einen Kreis von Zuhörern für diese Eide, eine gewisse Öffentlichkeit, die sich in Straßburg um die beiden Herrscher versammelt hatte: die Großen des Reiches, die Mächtigen, die potentes. Sie rieten, handelten, und vor allem, sie kämpften mit dem Herrscher. Sie waren die Nachkommen besonderer Vertrauensträger und Helfer der Karolinger seit Generationen, sie heirateten untereinander und garantierten sich gegenseitig ihren Besitz und ihre politische Macht. Man hat herausgefunden, daß es sich dabei um nicht mehr als etwa vierzig Sippen handelte, die Herzöge und Grafen, Bischöfe und Äbte stellten, vor allem aber, als die obersten Vasallen und vornehmsten Gefolgsleute, das Heer.

Lothar, der älteste Sohn, blieb von der Reichsteilung zunächst ausgeschlossen. Er wurde erst 843 im Vertrag von Verdun an der Neuordnung beteiligt. Sein Herrschaftsgebiet sollte einen schmalen Mittelstreifen von der Nordsee bis zur Riviera umfassen, mit Residenzen in Aachen und Rom. Die Oberherrschaft über seine jüngeren Brüder war dabei nicht vorgesehen. So versank das Kaisertum zu einem Namen ohne politische Kraft. Das Mittelalter hat dieses Problem bei allen möglichen Wechselfällen nie mehr zu lösen vermocht.

Der Stammbaum der Nachfolger Karls ist verwirrend. Das Prinzip der Erbteilung erwies sich als verhängnisvoll für die politische Erbschaft. Die Vielfalt der Teilungen ist kaum zu überblicken und schwierig darzustellen. Entscheidend blieb bei allem die Vereinbarung von Straßburg. Zwar gelang es einem Urenkel Karls mit gleichem Namen, Karl dem Dicken, 885 noch einmal für ganze zwei Jahre das Riesenreich zu vereinigen. Aber er wurde gestürzt und

Das römische Imperium wurde im Ostreich, das sich selber Romäerreich nannte, von Konstantinopel aus, wie Kaiser Konstantin das alte Byzanz getauft hatte, nach festen Traditionen fortgeführt. Die Türken machten aus Konstantinopel Istanbul. Die zweitausendjährige Stadtmauer gehört zu den Denkwürdigkeiten Europas.

vielleicht sogar umgebracht. Ein illegitimer Karolinger, Arnulf von Kärnten, regierte danach noch einmal über den Großteil des Reiches und wurde 896, drei Jahre vor seinem Tod, auch zum Kaiser gekrönt. Mit seinem Sohn, Ludwig »dem Kind« († 911), erlosch dann die Linie der Karolinger im Osten. Damit brach dort auch die Bindung an die karolingische Dynastie ab, die sich im Westen, in Frankreich, mit Unterbrechungen noch bis 987 behauptete.

Die Großen des Ostfrankenreiches entschlossen sich, den Herrschaftsraum zusammenzuhalten. Sie wählten einen der ihren zum König, Konrad, aus der hochadeligen Sippe der Popponen (911–918). Diese Wahl ersetzte das Erbrecht, wenn auch der Gewählte immerhin noch karolingische Ahnen hatte und Herzog war in fränkischem Gebiet, das im 8. und 9. Jahrhundert am oberen Main durch königlichen und adeligen Landesausbau erweitert worden war. Als König nicht recht erfolgreich, zeigte Konrad doch politischen Weitblick, als er nicht seinen Bruder, sondern, im Sinn der neuen ostfränkischen Gemeinschaftsbildung, den Sachsenherzog Heinrich als den politisch Stärkeren zum Nachfolger designierte (918–935). So folgte er konsequent jenem neuen Zusammengehörigkeitsbewußtsein, zu dem die Straßburger Eide den Grund gelegt hatten.

Heinrich, der Sachse, suchte fränkische Traditionen mit seinen neuen Möglichkeiten zu vereinigen. Er regierte über Herzogtümer, die schon vor dem Imperium Karls des Großen bestanden hatten und deshalb ein föderalistisches Element am Leben hielten: Die Sachsen, der Stamm seiner eigenen Herkunft, die Bayern, die Schwaben, die Franken, dazu die Friesen, die keinen Herzog hatten, sondern nur eine Mehrzahl von Häuptlingen. Dazu kamen später noch die »Lothringer«, ein neues Herzogtum aus dem eine Weile umkämpften Zwischenreich, das Ludwig der Fromme einst seinem Sohn und kaiserlichen Nachfolger Lothar zugewiesen hatte. Dort lagen so wichtige Orte wie Aachen, Metz und Köln.

Alfred der Große und Großmähren

Der historische Trend lief, mit weitem Pendelschlag um die Jahrtausendwende, in ganz Europa auf eine Konsolidierung von Großreichen zu. Diese Konsolidierung nahm verschiedene Wege und war in den einzelnen Regionen nicht immer geradlinig. In England beispielsweise verstand es Alfred »der Große« (871–899), von Wessex aus den Süden der Insel zu einigen, während Karls Erben auf dem Festland ihre Teilungskämpfe führten. Damit bildete er einen machtpolitischen Schwerpunkt gegen die Dänen, die in das Land eingedrungen waren. Er legte den Grund zur politischen Einigung ganz Englands und schuf auch eine kulturelle Basis. Alfred ließ die Bibel ins Englische übersetzen, die alten Epen aufschreiben, Gesetze und auch Geschichte in der Volkssprache. Zwar war dem Angelsächsischen danach keine ungebrochene Entwicklung beschieden, doch wurde es zu jener Zeit literarisch besser gepflegt als die Volkssprachen auf dem Kontinent. Alfred übernahm auch Karls Münzsystem, an dem in zähem Konservativismus trotz des progressiven englischen Wirt-

Alfred der Große war einer der umsichtigsten Organisatoren auf einem europäischen Thron, der Verteidigungs-, Verwaltungs- und Kulturpolitik gleichermaßen bedachte. Seine Münzprägungen folgten nach karolingischem Vorbild dem Rechenfuß 1:12:20. Das abgebildete Exemplar zeigt Alfred im Profil, in unbeholfener Darstellung, mit der Umschrift AELFRED REX SA(xonum).

schaftslebens festgehalten wurde. Keine Manipulation an der Währung! Alfred organisierte sein Land in Grafschaften, »shires«, verwaltet von »shire-reeves«, die ursprünglich königliche Gutsverwalter waren, und beauftragte »ealdermen« mit ihrer Beaufsichtigung. Auch dieses Stückchen Mittelalter hat noch die Gegenwart erreicht: die Sheriffs aus dem Wilden Westen, die Earls aus dem feudalen Oberhaus.

878 besiegte Alfred bei Wiltshire die wilden Wikinger. Das lenkte deren grausame, aber wohlgeplante Raubzüge in kleinen Booten auf das Festland ab, wo der karolingische Erbstreit weniger Gegenwehr erwarten ließ. Wikinger waren junge, brutale Seeräuber, die, ohne politisch höher organisiert zu sein, in ihren »Wanderjahren« Beute suchten. Deshalb waren sie auch nur mit einem Verlegenheitsnamen bedacht worden: Ein Wik ist nämlich nichts anderes als ein Versteck am Fluß. Man sprach auch von Nordmännern, Normannen, und unter diesem Namen wurden sie hundert Jahre später berühmt. Von Ludwig dem Deutschen 876 besiegt, zehn Jahre später von Karl dem Dicken mit Tribut beschwichtigt, wurden die Wikinger jahrzehntelang zur Landplage in Nordfrankreich und Nordwestdeutschland. Sie kamen aus einer anderen Welt, die nicht nur dem Christentum fernstand. Sie trugen noch einmal »Vorgeschichte aus der Kälte und der Dunkelheit des fernen Nordens« (John Bowle) unter die entsetzte Christenheit: »Berserker«, »Bärenkämpfer« – wir haben das Wikingerwort noch schrecklich im Gedächtnis unserer Sprache. Sie lernten schnell, auch aus der entschlossenen Abwehr, wo sie ihr begegneten. Über die Ostsee und das russische Flußnetz organisierten sie den Handel mit Sklaven und Pelzen bis nach Byzanz. Ihnen schreibt man denn auch den Aufbau der ersten ostslawischen Großherrschaft zu, des Rurikidenreiches von Kiew. Schließlich bot der König von Frankreich den unruhigen Nordmännern im Westen eine Halbinsel zur Herrschaft an, die »Normandie«. 911 nahm ihr Anführer Rollo das Land als Herzogtum vom französischen König zu Lehen. Damit trat der Norden buchstäblich durch seine ausgewanderte junge Generation als gestaltende Kraft in Westeuropa auf. Noch ein Jahrhundert später erhob sich in dieser »Normandie« ein Sturm der Neugestaltung, der bis nach Unteritalien und nach England reichte.

Ein vierrädriger Wikingerwagen aus einem Grabhügel bei Oseberg in Norwegen. Das kunstvoll gearbeitete Gefährt diente sakralen Zwecken.

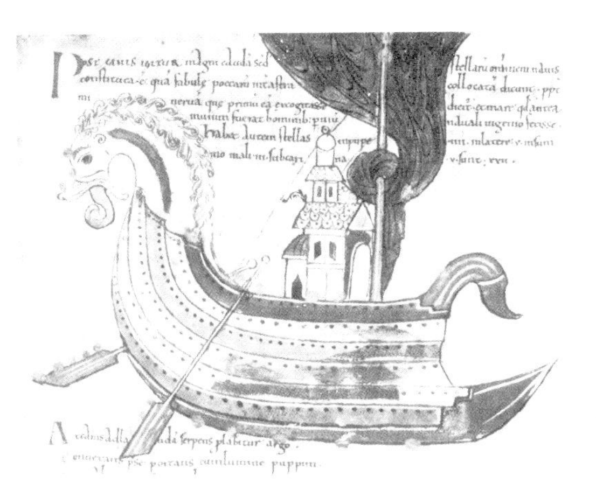

Eine angelsächsische, stark von ornamentaler Abstraktion beeinflußte Darstellung eines Wikingerschiffs aus dem 10. Jahrhundert. Deutlich wird die Plankenbauweise und der noch flache Kiel – erst im 13. Jahrhundert lernte man in Nordeuropa kentersichere, größere Wasserfahrzeuge mit tiefgehendem Kiel zu bauen.

Inzwischen war aber auch der Osten namhaft geworden, nicht nur durch die Organisationskraft der Wikinger. Man muß daran erinnern: Keine der drei großen Sprachgruppen in der Trikolore Europas – Romanen, Germanen und Slawen – bildet eine Einheit nach ethnischer Herkunft und Geschichte; und doch ist eine jede dieser drei Gruppen nicht nur durch Sprache und Lebensraum, sondern ebenso durch schicksalhafte, prägende Beziehungen von den anderen beiden zu unterscheiden. In dieser lockeren Kennzeichnung, nur so, läßt sich davon reden, daß diese drei Sprachgruppen in deutlichem Nacheinander in die Geschichte Europas eintraten, die Slawen zuletzt. Seit dem 6. Jahrhundert füllten sie, unbekannten Ursprungs wie letztlich Romanen und Germanen auch, Osteuropa und das östliche Mitteleuropa in kleinen Stammesgruppen, von denen sich mitunter immerhin die Namen erhalten haben.

Eine politische Zusammenfassung im Rahmen der ganzen Sprachgruppe gelang den Slawen sowenig wie vor ihnen den Germanen oder den Romanen. Der Gedanke allein wäre den Zeitgenossen wohl so absurd erschienen, wie er nach den Gegebenheiten unmöglich war. Sprachgemeinschaft war bis dahin noch kein politisches Argument, besonders nicht in einer Welt mit sozialen Sprachbarrieren, die Herren und Knechte, Ritter und Laien ohnehin nur unter bestimmten Umständen überwanden. Man kann sogar vermuten, daß die sprachliche Gemeinschaft in einem Raum der politischen Voraussetzungen bedurfte und nicht umgekehrt.

Auch die Slawen hatten eine Wanderzeit, von der wir wenig wissen. Ansätze zu großräumigerer Herrschaftsbildung wurden zunächst an der Ostseeküste sichtbar, bei den Abodriten im 8. Jahrhundert, die gelegentlich zu Bundesgenossen Karls des Großen geworden waren. Ein anderer, weit besser belegter Ansatz stammt aus der sonnigen Tiefebene von March und Neutra nördlich der Donau. Hier hat man in den letzten Jahrzehnten Dutzende von kleinen Steinkirchen ausgegraben und Grundrisse stadtähnlicher Siedlungen freigelegt. Damit ist auch archäologisch greifbar, was berichtet wird.

Diese Herrschaftbildung wurde später gelegentlich »Großmähren« genannt. Es handelt sich um die Machtsphäre der Dynastie der Mojmiriden, die ihren Schwerpunkt wahrscheinlich in der Marchebene hatte und ihre Grenzen nach Norden vielleicht bis an die obere Oder, an Moldau und Elbe und südwärts

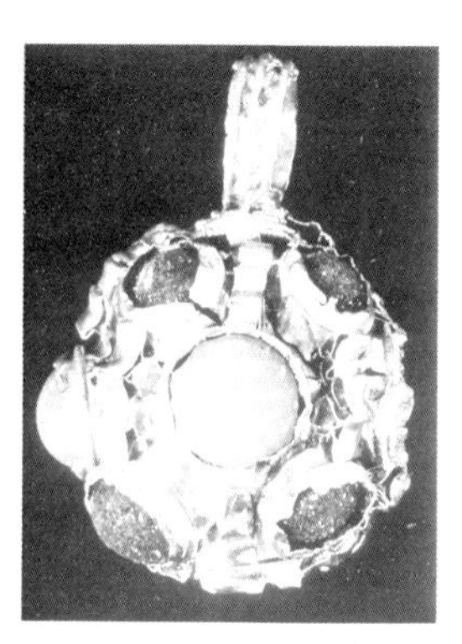

Goldener Knopf mit farbigen Glaseinlagen, ein Fund aus Prag, in der Goldschmiedetechnik des sogenannten Großmährischen Reiches um 900 gefertigt.

über die Donau dehnte. Womöglich hat man die südliche Ausdehnung dieses Herrschaftsraumes bisher noch unterschätzt. Jedenfalls erschien Fürst Rastislav (846–870) das Gewicht seiner eigenen Herrschaft hinreichend, um Selbständigkeit zwischen den Franken und Byzanz anzustreben. Deshalb erbat er in Byzanz für den aus Bayern oberflächlich missionierten Raum einen Bischof.

Das Brüderpaar Kyrill († 869) und Method († 885) war in der Umgebung von Saloniki mit der slawischen Sprache bekannt geworden. Die beiden brachten, mit byzantinischer Selbstverständlichkeit, die Frohbotschaft in der Volkssprache, nun aber eben nicht griechisch, sondern slawisch; dazu hatten sie auch die Meßtexte übersetzt. Für die christliche Buchreligion mußte aus diesem Grund ein neues Alphabet entstehen, auf griechischer Grundlage, mit orientalischen Zusätzen. Es verdrängte in Mähren für eine Weile das lateinische Abc. Später entstand daraus das Schriftwesen bei Serben, Bulgaren und Russen. Insofern beginnt mit den mährischen Anfängen eines slawischen Alphabets etwas entscheidend Neues. Polen, Tschechen, Slowenen und Kroaten, lateinisch missioniert und deswegen erst später auf weltlichem Weg zur eigenen Literatur vorgestoßen, benützten für ihre Sprache von vornherein die lateinische Schrift. Die Mojmiriden in Mähren behaupteten ihr Reich immerhin hundert Jahre. Ihre Herrschaft zerbrach nicht an den Franken und nicht an den Byzantinern, sondern, geschwächt durch Kämpfe mit ihren christlichen Nachbarn im Westen, schließlich an den Madjaren.

Das war ein Reitervolk aus Asien, das um 900 sozusagen in die Steigbügel der Awaren stieg. Das Mährerreich fiel ihnen zuerst zum Opfer; die ostfränkisch-deutschen Nachbarn der Mährer hatten die Verteidigung eher behindert als unterstützt. Noch ein anderes Exempel läßt sich an der frühen mährischen Geschichte ablesen: päpstliche Ostpolitik nämlich, selbständig, um Überspielen des Ostfrankenreiches bemüht. Der »Slawenapostel« Method wurde, bei wiederholten Besuchen in Rom, zum Erzbischof mit dem Titel des antiken Sirmium erhoben, und nur die sehr unkollegiale Haltung der bayerischen Bischöfe stand seiner Wirksamkeit im Wege. Sie setzten Method nämlich ein Jahr lang in Ellwangen gefangen, aus neidischen Ansprüchen. Kuriale Ostpolitik zeigte sich später im 10., im 13. und im 14. Jahrhundert in Polen und Litauen auf ganz dieselbe Weise, nach dem gleichen übergreifenden Schema und zu einem vergleichbaren Zweck. Römische Diplomatie mit säkularem Atem!

Eiserne Schmiedewerkzeuge und Beilklingen aus Mähren, 9. Jahrhundert. Zangen und Hämmer unterscheiden sich kaum von dem in jahrhundertelanger Tradition bis in unsere Zeit benützten Gerät.

Zum Beispiel Deutschland

Das 10. und 11. Jahrhundert wird in der europäischen Geschichte durch eine eigenartige Erscheinung ausgewiesen. Die historischen Zusammenhänge deuten sich an bei der Beobachtung, daß eine ganze Schar »großer« oder »heiliger« Könige allesamt aus der Osthälfte des europäischen Kulturkreises kamen, aus Deutschland, Skandinavien, Polen, Böhmen und Ungarn, aus Rußland und Bulgarien.

Wir können den wechselvollen Gang der Konsolidierung weltlicher Großherrschaften im mittleren und östlichen Europa im Bericht der Chroniken verfolgen. Wir können aber auch das Fazit der Chronisten ziehen, das von Norwegen bis nach Bulgarien verblüffend ähnlich ist: der heilige Olaf, der heilige Knut, der große Boleslav, der heilige Wladimir, der heilige Wenzel, der heilige Stephan und der große Symeon heißt das Fazit der Chronisten. Alle miteinander sind zwischen 929 und 1085 gestorben, die »Heiligen« meist eines gewaltsamen Todes. Die enge Verbindung mit dem Herrschaftsaufbau eines bestimmten Fürstengeschlechts, das, mit Hilfe der Kirche und gestützt auf eine bei dieser oder jener Gelegenheit besonders angewachsene Gefolgschaft, seine Rivalen besiegte und ein Großreich schuf, ist dabei in der ganzen östlichen Hälfte Europas ähnlich und wird sowohl von den Fürsten wie von den Bischöfen auch in vergleichbarer Ähnlichkeit praktiziert. Die »Elbslawen«, eine Mehrzahl von Kleinstämmen zwischen Elbe und Oder, im Westen bekämpft von den Deutschen, im Osten von den Polen, blieben dabei auf der Strecke, unfähig, trotz anschaulicher Ansätze, in diesen zweihundert Jahren eine christliche Großherrschaft zu errichten. Deshalb wurde dieser Raum im 12. Jahrhundert schließlich und endlich von deutschen Nachbarfürsten okkupiert. Dies, nicht mehr und nicht weniger, steckt hinter dem viel zerredeten politischen »Drang nach dem Osten«. Daß nicht nur die Deutschen, sondern alle europäischen Mächte, einmal konsolidiert, im Grundriß des Kontinents nach dem Osten und nicht westwärts expandierten, wird uns als eine spätere Einsicht noch beschäftigen. Überdies muß man, als einen Sonderfall, die Eroberung Englands durch die Normannen ins Spiel bringen, 1066 durch Wilhelm, den Herzog der Normandie, aufgrund zweifelhafter Erbansprüche eingeleitet, aber im Ergebnis mehr als einfach ein Wechsel in der englischen Dynastie. Wilhelm kam mit Krieg und Vertreibung; normannische Barone traten an die Stelle der angelsächsischen thegns. Auch Wilhelm hätte rechtens »der Große« heißen müssen, aber seine Politik trug ein normannisches Vorzeichen, nicht etwa ein christliches, und so ging er, selber ein harter Realist, nicht als Großer und schon gar nicht als Heiliger, sondern als Eroberer in die Geschichte ein.

Exemplarisch kann man von der deutschen Entwicklung ausgehen, die man diesem ganzen Konsolidierungsprozeß für gewöhnlich gar nicht zuzählt. Zu Unrecht. Denn Otto »der Große« (935–972), selbst sächsischen, spätmissionierten Stammes, beherrschte nicht einfach und ausschließlich die Osthälfte des alten Frankenreiches. Teils mit tributärer Oberherrschaft, teils unmittelbar griff er ostwärts an die Elbe und darüber, gründete Magdeburg als neuen Erzsitz und eine Reihe neuer Bistümer östlich von Saale und Elbe, förderte und schützte die Heidenmission, übertrug den deutschen Bischöfen Herrschaftsaufgaben und wurde vom Papst zum Kaiser erhoben.

Das Kaisertum war damit um einen weiteren Schritt nach dem Osten gewandert. Zuerst mit Karl dem Großen fränkisch, dann mit seinem Enkel auf jenes Zwischenreich fixiert, das man seitdem »Lothringen« nennt, Lotharingien, kam die Kaiserkrone jetzt gar an den Rand der Christenheit bis nach Memleben und Quedlinburg. Unter der Kaiserkrone – das ehrwürdige Stück aus Ottos Zeiten ist erhalten und ruht in der Wiener Schatzkammer – formierte sich schließlich die deutsche Nation aus Germanen, Romanen und Slawen, um die Jahrtausendwende konsolidiert, aber von vornherein mit einer »übernationalen« Aufgabe für die nächsten Jahrhunderte betraut – und belastet zugleich. An der Kaiserkrone hatte diese Nation besonders schwer zu tragen. Daß diese Krone heute außerhalb Deutschlands bewahrt und gezeigt wird, kann einer gewissen Symbolik nicht entbehren.

Eine andere Symbolik für diese schwierige Nation liegt im Namen. Was heißt »deutsch« denn eigentlich? Welche historische Aussage steckt dahinter, im Vergleich zu »englisch« und »russisch«, zu »polnisch« und »ungarisch«? Auch die Namen der europäischen Nationen sind auf ihre Weise ein Fazit, rascher erkannt als viele verschlungene Berichte, aber zugleich ein untrüglicher Ausweis für langwierige historische Prozesse. Franzosen und Engländer, Polen und Tschechen tragen die Namen der führenden Stämme aus der Wanderzeit. Russen heißen nach den Rurikiden, den skandinavischen Organisatoren des Reiches von Kiew im 10. Jahrhundert. Die Ungarn, die sich auch nach dem führenden Stamm Madjaren nennen, haben den Einigungsprozeß unmittelbar festgehalten: On-ugur heißt »zehn Teile«. Spanier und Italiener wurden erst im humanistischen Zeitalter benannt, künstlich, mit antiken Begriffen, denn die Kronen von Kastilien und Aragon fanden erst um 1500 zueinander, die italienischen Fürstentümer gar erst vor hundert Jahren. Deutschland bleibt übrig. Ein merkwürdiger Name unter allen.

Karl der Große hatte gelegentlich die Priester seines Reiches ermahnt, nicht nur lateinisch zu predigen, sondern auch in den Volkssprachen. Es gab deren zwei, wie er sagte, linguam romanam et theodiscam. Daß er, was künftig im Französischen den Ton angab, »romanisch« nannte, kann man begreifen. Denn eine Bezeichnung eben für die Mischung zwischen romanisch und fränkisch im modernen Sinn hatte zu seinen Zeiten noch keinen Namen gefunden. Was nicht romanisch war, was die germanischen Stämme jeweils sprachen, das nannte er »theodisc«. Das ist nichts anderes als die lautgerechte Vorform für unser Wort »deutsch«. Und deutsch wiederum hat keinen bestimmten Inhalt, ist nicht bayerisch, fränkisch oder sächsisch, sondern »volkstümlich«. Wir benützen den allgemeinen Charakter des Wortes noch, wenn wir deut-lich sein wollen, wenn wir mit jemandem »deutsch« reden. Aus dieser allgemeinen Bezeichnung ist am Ende der Name unseres Volkes entstanden.

»Deutschland« war nicht einfach das Ostfrankenreich, wie man es 842 vom Westen getrennt hatte. »Deutschland« ging schon unter Otto dem Großen über Elbe und Saale hinaus, und auch das deutsche Volk entwickelte sich nicht ohne weiteres aus den fünf Stämmen der Frankenzeit, mit romanischem Einschluß im Süden und Westen, sondern nahm seit dem 10. Jahrhundert einen nicht unerheblichen slawischen Zufluß auf, so daß die »Elbslawen« und

Das Erzbistum Magdeburg, 968 von Otto I. gegründet, dem »Reichsheiligen« Mauritius gewidmet und mit den Suffraganbistümern Brandenburg, Havelberg, Kammin, Meißen, Merseburg und Zeitz (später Naumburg) ausgestattet, sollte ursprünglich mit weitem Aktionsbereich das östliche Mitteleuropa kirchlich organisieren. Sein Wirkungsbereich galt dann bis zur Reformation dem östlichen Deutschland. Das Magdeburger Stadtrecht von 1188 wurde vorbildlich für das östliche Mitteleuropa, aber Reichsfreiheit von ihren erzbischöflichen Herren erreichte die Stadt im Mittelalter nicht. Der Dom stammt aus dem 13. und 14. Jahrhundert.

manche anderen darin aufgingen. Magdeburg, die bedeutsame Gründung Ottos des Großen, trägt seinen Namen nach slawischen Priesterinnen.

920 schrieben die Salzburger Klosterannalen zum ersten Mal von einem regnum theotonicorum, einem Reich der Deutschen. Aber schon eine Generation später wurde diese Tradition gestört durch die Kaiserwürde. Also regierte seitdem ein »römischer« König und Kaiser über Deutschland und Oberitalien, wechselweise, namentlich auch von der päpstlichen Kanzlei seit dem Investiturstreit doch wieder »König der Deutschen« genannt. Die Humanisten, die Spanien und Italien im Rückgriff auf die Antike moderne Namen gaben, haben schließlich um 1500 das Ganze noch mit dem Begriff des alten Germanien ausgestattet.

Daß sich von Anfang an bei uns Deutschen kein Stammesname durchsetzte, daß wir nicht allesamt nach Kaiser Otto und seiner Dynastie zu »Sachsen«

geworden sind oder nach den Staufern zu »Schwaben«, hat wohl die Universalität der römischen Kaiserkrone bewirkt; aber auch der föderale, der Bundescharakter des Reiches aus seinen fünf alten Stämmen. Sie behielten ihre Struktur fester als anderwärts und verhinderten auch durch den Namen die Herrschaft des einen über den anderen.

Deutschland war am Anfang des 10. Jahrhunderts ein »Personenverbandsstaat«. Das heißt: Personale Beziehungen hielten das Ganze zusammen, nicht eine Institution, nicht eine abstrakte Staatsvorstellung und auch nicht ein geschlossener Raum. Statt dessen bildete ein Geflecht von rechtlichen Bindungen zwischen großen und kleinen Herren, zwischen den Herren und Knechten auf unterschiedlichen Ebenen, das Gerüst der gesamten Herrschaft.

Staatsidee und Staatsterritorium gelten uns heute als selbstverständliche Grundlagen staatlicher Gemeinsamkeit. Das ottonische Deutschland war in diesem Sinne noch kein Staat. Im Rückblick fällt es oft schwer, auf Selbstverständlichkeiten zur Erklärung von Zusammenhängen zu verzichten. Deshalb muß ausdrücklich davon gesprochen werden, daß das Gefühl einer Zusammengehörigkeit ohne die Person eines gekrönten Hauptes erst mühsam an Boden gewann. Der Salzburger Mönch, der 920 von einem regnum theotonicorum sprach, von einem Reich der Deutschen, war eher Prophet als Chronist. Auch ein Berufskollege, dem hundert Jahre später während einer Thronvakanz aus der Feder floß, auf einem Schiff müßten alle zusammenhalten, auch wenn sie gerade ohne Steuermann seien, hatte mit diesem Bild vom Staatsschiff schon zu einem Gemeinschaftsbegriff gefunden, der seinen Zeitgenossen beileibe nicht selbstverständlich war.

Noch weniger selbstverständlich erschien, daß eine Herrschaft auch über einen geschlossenen Raum verfügen muß. Es genügte, überhaupt einen Herrn zu haben. Bei den wenigen Verwaltungsvorgängen jener Zeit mußte er nicht jederzeit gegenwärtig sein. Erst als Jahrhunderte später das Verwaltungsgeschäft gewachsen war, als man für Frieden und Recht, für Steuern und Schutz Amtsleute brauchte, unmittelbare Verbindungen, da gerieten alle die zersplitterten großen und kleinen Herrschaften ins Hintertreffen. Seither wurden die alten Paßanrainer durch mühselige Übergänge benachteiligt, an den Pyrenäen genauso wie an den Alpen und an vielen, unwichtigeren Höhenrücken in den Mittelgebirgen. Auch Flüsse und Meeresarme wurden bei den Bedürfnissen einer dichteren Kommunikation leichter zum Hindernis als noch unter altertümlichen, statischen Herrschaftsformen. Deshalb war auch das ottonische Deutschland unbestimmt in seinen Grenzen, reichte bis über die Alpen an die Etsch und die Adria, schloß Böhmen in loser und lange Zeit unterbrochener Abhängigkeit ein und ebenso einen guten Teil des Raumes zwischen Elbe und Oder.

Fest und klar waren die Personenverbindungen. Den König hatten die Herzöge gewählt und sich ihm verbunden; sie trugen gemeinsam mit ihm die politische Macht. Der König war ursprünglich einer von ihnen gewesen, der Herzog von Sachsen. Franken, Bayern, Schwaben und wenig später auch Lothringen zählten dazu, daneben, sozusagen schon am politischen Horizont dieses Reiches, der Lebensraum der Friesen, in kleineren Herrschaften organisiert. Herzöge waren ursprünglich wiederum von den Großen in ihrem Herzogtum gewählt worden, die über Land, abhängige Bauern und bewaffnete

Gefolgsleute verfügten. Inzwischen hatten sich auch da feste Herzogsdynastien gebildet, mit Erbfolgerecht, und wenn eine Dynastie ausstarb, erwartete man vom König, und nicht mehr vom Stammesadel, die Einsetzung einer neuen. Außer den Herzogtümern gab es auch Land, das unabhängig war und der Kirche gehörte, Bischöfen oder Äbten; und schließlich weite Gebiete von Königsland, von Grafen verwaltet, Markgrafen, Pfalzgrafen, Burggrafen, Landgrafen, Grafen überhaupt. Das alles ist sehr unübersichtlich und damit schon ein Merkmal des Mittelalters. Unsere Vorstellungen von Ordnung und Übersicht sind solchen Verhältnissen fremd. Nicht weil sie ohne, sondern weil sie nach einer anderen Ordnung eingerichtet waren und anderen Bedürfnissen genügten. Also mögen wir uns getrost, nach unserem modernen Unverstand, darüber wundern, daß in dieser Vielfalt das Königtum nicht einfach unterging.

Das Königtum beruhte auf Zustimmung und Hilfe der Großen, der Herzöge und Grafen aller Art, bei unterschiedlichen Verpflichtungen. Es führte seine Auseinandersetzungen mit dem Schwert; selten als Kalkül um Institutionen. Lediglich die Kirche hatte in dieser Vielfalt von Herrschaftsbezügen Ordnung und Ämter nach überschaubarem Plan. König Otto kam auf den Gedanken, Herzogsgewalt auch in die Hände von Bischöfen zu legen. Die Kirche, in Deutschland schon längst fest etabliert, bekam dadurch noch einmal eine besondere Festigkeit im Herrschaftsgefüge, und Otto hätte allein deshalb Anspruch darauf gewonnen, von der Kirche unter die heiligen Gründerkönige gezählt zu werden. Er wurde statt dessen Kaiser.

Er legte also den Grund für die Institution von »geistlichen Reichsfürsten« in Deutschland. Alle Bischöfe und die Äbte der alten, der karolingischen Klöster, also auch einige Äbtissinnen, errangen diese Würde. Nur auf Reichsboden ergab sich diese besondere Verflechtung von kirchlicher und weltlicher Gewalt, zunächst in Deutschland, später auch in Oberitalien, während sonst nirgendwo in Europa Prälaten zu Fürsten geworden sind. Das machte die Reichskirche, in der es keine Erbrechte gab, keinen dynastischen Egoismus und keine Versippung, auch zu einer besonderen Säule der Königsherrschaft. Die Kirche diente dem König und späteren Kaiser zu Hoftagen, sie stellte feste Kontingente für das Reichsheer und hielt ihm jederzeit ihre Häuser zur Herberge offen. Das war eine besondere »Steuerleistung«, den materiellen Mitteln des Königtums zugedacht.

Diese materiellen Mittel konnten übrigens, unsicher und langwierig, wie die Transportverhältnisse nun einmal waren, dem König nicht leicht zugetragen werden. So ging es meist umgekehrt: Der König reiste mit seinem Gefolge umher, von Pfalz zu Pfalz, wie seine im Land verstreuten Gutshöfe seit karolingischen Zeiten hießen, oder von einem Kloster zum anderen und zehrte hier an Ort und Stelle auf, was ihm zugedacht war. In einer Zeit ohne Geld- und Vorratswirtschaft war das der einfachere Weg.

Es gab keine andere, keine allgemeine Steuerleistung, und es gab kein zentrales Gericht. Der reisende König holte sich das eine und übte das andere. Er als Person bedeutete nicht nur, er bildete gleichsam den »Staat«. Die Herzöge des Reiches übten Herrschaft in ihren Gebieten auf ähnliche Weise. Bestimmte Rechte blieben dem König vorbehalten: Münzen zu schlagen, Burgen zu bauen, Geleit zu geben, Juden und andere Kaufleute zu schützen, Zölle und Steuern dafür einzunehmen. Das waren seine Rechte, Regalien, nach dem lateinischen Wort für das Königliche. Allerdings sah sich der König auch gehalten, diese Rechte an seine Grafen zu delegieren oder sie Herzögen in ihren Gebieten als besondere Gnade zuzuteilen. Mit dieser Gnade nahmen sie ihm oft aber auch aufwendige Verpflichtungen ab. Nicht alles, was von Königsrechten in Fürstenhand glitt, war dem Königtum »entfremdet« worden, wie die ältere, allzu staatsgläubige Forschung oft meinte.

Im großen und ganzen waren diese Verhältnisse überall in Europa prinzipiell ähnlich; mit Unterschieden, von denen noch die Rede sein soll. Dabei mischte sich einfache Herrschaftspraxis aus dunkler Frühzeit mit römischen Überlieferungen und anderem, das man von der Kirche gelernt hatte. Immer wieder läßt sich beobachten, daß dabei besondere Impulse zu Neuerungen durch das ganze lateinische Europa ziehen, eben weil dieses lateinische Europa in seiner politischen Vielfalt doch eine kulturelle Einheit gewesen ist. Erstaunlich bleibt bis heute, daß Historiker so wenig nach diesen Impulsen und nach Übermittlung fragen, nach dem Transfer von Neuerungen, wie die Soziologen sagen. In Wirklichkeit steckt, wie Joseph R. Strayer 1975 vermutete, hinter dieser Frage wohl ein Schlüsselbegriff für die ganze europäische Geschichte.

Hofkapelle und Hofkanzlei hatte der deutsche König aus karolingischer Tradition übernommen. Diese beiden besonderen königlichen Institutionen, die einzigen, die es zunächst gab, waren freilich nur sehr unvollkommene Herrschaftsinstrumente. In der Kanzlei erreichte eine für unsere Verhältnisse noch immer höchst ungeordnete Verwaltungsform ohne Archiv, ohne Register, also ohne Kontrolle für ihre zunächst bescheidene, im Laufe der Jahrhunderte freilich wachsende Schriftlichkeit, auch ihr höchstes Niveau. Durch feste Formen aus Schrift, Besiegelung, Wortwahl und Aufbau für die sogenannte Königsurkunde suchte man vor Fälschung zu schützen, was der König zu vergeben hatte: Land und besondere Vorrechte. Die deutsche Königskanzlei war für die nächsten Jahrhunderte führend in Europa. Um die Mitte des 11. Jahrhunderts wurde sogar die päpstliche Kanzlei, trotz aller institutionellen Überlegenheit des Kirchengebäudes, nach diesem Vorbild reformiert.

Otto der Große

Ein Stückchen politischer Geschichte soll die deutsche Überlegenheit während des 10. bis zur Mitte des 11. Jahrhunderts begreiflich machen – auch die Probleme dieser nach Art und Raum archaischen Reichsbildung, aus der sich die deutsche Geschichte jahrhundertelang nicht mehr befreien sollte, die aber in ihren Anfängen unstreitig dem werdenden neueren Europa die größten Dienste erwies. Bis zur Wahl und Krönung jenes großen Otto (936–973) hatte Heinrich, sein Vater (919–935), den Aufstieg dieser Königsherrschaft mit geschickter Hand vorbereitet. Der Sachsenherzog, nach der Anekdote bei der Vogelbeize durch die Botschaft von seiner Wahl zum König überrascht, also jedenfalls unvorbereitet, hatte sich die Herrschaft mit Konzessionen an die Herzöge von Bayern und Schwaben sichern müssen, dann aber umgehend Ambitionen auf das aus der Karolingererbschaft stammende Teilreich von Bur-

Himmel, Heilige und die Kaiserfamilie um Christus: hinter dieser Elfenbeinschnitzerei steht die theologische Deutung des heiligen Imperiums. Zwei Heiligenfiguren sind im 10. Jahrhundert besonders dem Reich zugedacht: Maria, der schon Karl der Große viele Pfalzkapellen weihen ließ, und der heilige Mauritius (Moritz), nach der Legende mit der heiligen Reichslanze verbunden und Schutzpatron des von Otto I. gegründeten Erzbistums Magdeburg. Der Kaiser, sein Sohn und die Kaiserin Adelheid unter jubelnden Engeln und triumphierenden Heiligen – anbetend Christus zu Füßen geworfen.

gund, den Raum zwischen Basel und der Rhonemündung, und eigentlich auch schon auf das Königreich Italien erkennen lassen. Italien zählte auch zur Interessensphäre der Herzöge von Schwaben und von Bayern. Kein Wunder: Die sogenannte »natürliche Grenze« an den Wasserscheiden, also etwa der Hauptkamm der Alpen, bot für die sporadische Herrschaftsführung jener Zeit noch keine sonderlichen Hindernisse. Eine lebhafte Verbindung war nicht vonnöten. Dagegen war es wichtig, die Alpenpässe durch feste Plätze diesseits und jenseits im Besitz zu haben.

Auf seine Weise war König Heinrich auch erfolgreich hinsichtlich der größten Gefahr für Europa in jenen Jahrzehnten – der Einfälle von außen. Sie kamen von allen Himmelsrichtungen: Im Norden waren es die Wikinger, die Hamburg plünderten und bis Köln vordrangen. Im Süden gab es die Sarazenen: entlang der ganzen Mittelmeerküste und im Rhonegebiet, an der Riviera, rings um Italien bis an die obere Adria. Überall da sind sie noch heute ein Begriff in Sprichwörtern, in Brauchtum und Spiel. Auch die Sarazenen waren Küsten- und Flußräuber, die plötzlich auftauchten, Sklaven machten und mit lebendiger Beute wieder davonfuhren. Gelegentlich setzten sie sich allerdings auch auf Dauer fest und gründeten – wie hier die Grenze auch immer zu ziehen ist – beständige Herrschaften; sie regierten über ganze Landstriche wie in Fraxinetum in der Provence für sechzig Jahre oder in Sizilien, wo ihre Burgen erst im 11. Jahrhundert durch die Normannen gebrochen wurden. Ebenso zogen seit der Wende zum 10. Jahrhundert die Madjaren auf kleinen, flinken Pferden alljährlich von Süden bis an Rhein und Elbe. Manche Herren zahlten Tribut und schlossen Verträge, was die Verteidigung mit vereinten Kräften behinderte. Wir wissen davon, weil Bischof Salomon von Konstanz 910 diesen Mißstand beklagte.

Auch König Heinrich hatte einen Vertrag mit den Räubern geschlossen, um Zeit zur Verteidigung zu gewinnen. Man mußte Burgen bauen, und man benötigte Panzerreiter. Aus dem Burgenbau entstand eine ganze Reihe von Städten im mittleren und nördlichen Deutschland: Naumburg und Merseburg, Quedlinburg und Hamburg unter anderen. Die neue Kampfweise, Reiter mit Kettenhemd, schwerem Schild, langer Lanze und Eisenhaube, die beste Abwehr gegen die flinken Bogenschützen der Sarazenen wie der Madjaren, entwickelte sich zu einem Trend in ganz Europa. Er verhalf einer neuen Kriegerschar zu Aufstieg und Ansehen: den Reitern – Rittern.

Otto übernahm 936 diese Erbschaft, ein im Vergleich zu Frankreich doch merklich gefestigtes Herrschaftsgebilde, und baute sie in klaren Linien aus. Zwar war er die ersten fünf Jahre seiner Regierung durch Rebellionen einiger Herzöge behindert, Familienfehden mitunter, aber dann gelang ihm bei guter Gelegenheit die Vergabe von Herzogtümern an Prinzen des eigenen Hauses und später die Einsetzung seines eigenen Bruders, Bischof Bruns von Köln, zum Herzog von Lothringen. Das war der erste Schritt bischöflicher Fürstlichkeit. Die anderen Bischöfe und die Äbte der fränkischen Reichsklöster folgten in dieser Funktion mit mehr oder weniger großen Herrschaftsbereichen.

Natürlich vermissen wir in solchen Aufträgen die kritische Distanz zwischen weltlicher und geistlicher Gewalt. Aber eine solche Distanz fehlte im Selbstverständnis des Herrschers. Vielmehr wurde die archaische Einheit von Macht und Religion gefördert, und Ottos Politik galt dem heiligen Auftrag der Verbreitung und Verteidigung des Christentums.

Ottos Vater hatte vom König von Burgund als Unterpfand künftiger Übertragung dieses Reiches an das ostfränkisch-deutsche eine besondere Herrschaftsreliquie erworben: die heilige Lanze, angeblich mit Nägeln vom Kreuze Christi. Im schaurigen Mythos vereinigten sich hier Waffenzauber und Reliquienverehrung. Die Lanze mit den Kreuzesnägeln wurde zum Symbol der Verteidigung des Christentums und zum Herrschaftszeichen der römischen Könige und Kaiser; sie rangierte noch im 14. Jahrhundert an erster Stelle vor

Unter den Reichskleinodien nimmt seit dem 10. Jahrhundert die Heilige Lanze, auch Mauritiuslanze, die erste Stelle ein; noch im 14. Jahrhundert wird sie vor der Reichskrone genannt. In Wahrheit aus dem 7. Jahrhundert, soll diese archaisch gedeutete Führungswaffe einen Nagel vom Kreuze Christi einschließen. Kaiser Karl IV., engagierter Reliquiensammler, ließ von diesem Nagel ein Stück für seine eigenen Schätze entnehmen und offenbar zur Kaschierung dieses Eingriffs eine Goldmanschette um die ganze Lanze legen – so jedenfalls deutet man die auffällige Umhüllung. Die Lanze liegt heute mit dem gesamten Reichsschatz in Wien.

der Kaiserkrone. Otto betete vor ihr gelegentlich um den Sieg der Seinen und erhob sie triumphierend in der großen Ungarnschlacht 955 auf dem Lechfeld bei Augsburg.

Damals hatten, gegen Aufgebote aus dem ganzen Reich und auch aus dem böhmischen Herzogtum, die Madjaren eine so vernichtende Niederlage hinnehmen müssen, daß sie fortan auf Kriegszüge verzichteten und die Lebensform der bisher von ihnen Geplünderten annahmen. Sie wurden, merkwürdigerweise von einer Generation zur anderen, seßhaft auf bäuerlicher Ernährungsgrundlage: Die reitenden Räuber wurden zu einem in Herrschaftsbezügen abgestuften Feudaladel mit kriegerischem Gefolge. In Wirklichkeit hatte dieser Prozeß wohl schon seit längerer Zeit Wurzeln geschlagen, der Defensiverfolg Ottos 955 verhalf ihm wahrscheinlich nur endgültig zum Durchbruch.

Weder die dynastische noch die politische Tradition aus Karolingerzeiten führten den deutschen König zu Ansehen und Einfluß in Europa, auch nicht nur der Abwehrerfolg von 955, sondern seine Expansion im Namen des Christentums. Ein solcher Dienst an der Christenheit war seinem französischen Nachbarn versagt. Denn nur an Ottos Grenzen gab es noch Heiden. Gegen die Ungarn mit dem Schwert, gegen die Elbslawen mit politischer Macht und Mission schuf sich Otto das Ansehen, sich für die einzige universale Institution, die den Sturz der Karolinger überdauert hatte, besonders einzusetzen. Im selbstverständlichen kirchlichen Dienst gründete er zunächst ein Kloster in Magdeburg, dann Bistümer bei den Slawen zwischen Elbe und Oder: Zeitz, Merseburg, Naumburg; dann ließ er Magdeburg zum Erzbistum erheben, was er freilich in zäher Diplomatie dem Mainzer Erzbischof abringen mußte. Er wirkte bereits 948 als Schutzherr einer Generalsynode in Ingelheim und wurde 951 in politischen Wirren nach Italien zu Hilfe gerufen. An Ort und Stelle heiratete er die schöne Königswitwe Adelheid, Unterpfand italienischer Ansprüche, und mußte schließlich 962, in ähnlichem Zusammenhang wie einst die Karolinger, dem Papst zu Hilfe kommen. Dafür wurde er in Rom zum Kaiser gekrönt.

Das war, nach außen sichtbar, der eigentliche, der zweite Gründungsakt des mittelalterlichen Kaisertums, nun in dauernder Verbindung mit Deutschland. Die Deutschen als Träger dieses Reiches waren damit in den Dienst der Christenheit getreten, sie »trugen« den Kaiser, der fortan nicht mehr nur ein deutscher, sondern auch ein Herrscher war über Oberitalien, das Westalpenland und über westslawische Bevölkerung. Drei Königreiche hat das spätere Mittelalter aus diesem Herrschaftsraum konstruiert; die Kronen dazu wurden vergeben in Aachen, in Mailand, in Arles. Zu diesem Reich gehörte aber auch das böhmische Herrschaftsgebiet als Herzogtum, als Königreich seit dem 13. Jahrhundert und schließlich sogar als das vornehmste unter den weltlichen Fürstentümern. Ungeklärt blieb das machtpolitische Verhältnis zwischen dem römischen Kaiser und seinen gekrönten Kollegen auf den europäischen Thronen. Das Kaisertum wurde mitunter durch Hofpoeten im Sinn einer »Weltherrschaft« apostrophiert, namentlich zu Stauferzeiten. Dann galt es wieder nur als ein Ehrenvorrang vor allen Königen oder als Schutzvogtei für die ganze Christenheit. Ungeklärt blieb auch das Verhältnis dieses »Universalherrschers auf schwankem Grund« gegenüber der Kirche und ihrer quasimonarchischen Spitze, dem Papst. Zwei Schwerter, ein weltliches und ein geistliches, Sonne und Mond, Körper und Seele mußten wahlweise dafür herhalten, Gleichbe-

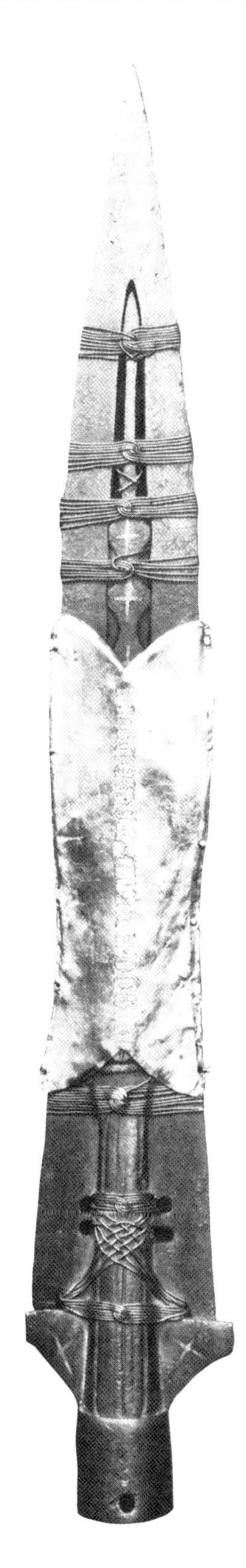

rechtigung, Über- oder Unterordnung von Kaiser und Papst jeweils als »gottgegeben« auszuweisen.

In sich selbst blieb dieses Kaiserreich noch lange eine ungegliederte Herrschaft mit urtümlichen personellen Beziehungen. Der Herrscher war der Wahl der Großen anheimgestellt, aber diese Großen bevorzugten in den nächsten dreihundert Jahren bei ihrer Wahl doch immer Kandidaten aus der Königssippe. Allerdings starben nacheinander die drei Dynastien der Ottonen, der Salier und der Staufer jeweils unter der Krone aus, mit besonderen Folgen für das Verständnis von Königswahlen, aber auch mit bemerkenswerten materiellen Konsequenzen. Der unmittelbare dynastische Besitz, das »Hausgut« dieser drei Dynastien, fiel nacheinander im großen und ganzen dem »Krongut« zu. Nur beim Tod Konrads IV. (1254) gab es großen Verlust durch »Entfremdungen«. Und wieder ein besonderes deutsches Moment: Der dynastische Wechsel, der anderen Nationalkönigreichen erspart blieb oder nur ein- oder zweimal

Der Reichsapfel, die Sphära, ein Sinnbild der Weltherrschaft. Das Kleinod entstand in Westdeutschland am Ende des 12. Jahrhunderts und wird heute, wie der gesamte Kronschatz des Reiches, in der Residenz der letzten Kaiser des alten Reiches, in Wien aufbewahrt.

Kontinuitätsbrüche mit politischen Wirren hervorrief, hat in der verhältnismäßig kurzen Zeit von je einem Säkulum die Geschichte des römisch-deutschen Kaisertums dreimal erschüttert. Dann folgte eine zweihundertjährige Unsicherheit, mit drei Generationen von Luxemburgern, aber stets unterbrochen. Endlich, 1452, wurde das Kaisertum zum habsburgischen Erbgut bis 1806. Aber bis dahin war die Chance zur Ausbildung von institutionalisierter modernerer Staatlichkeit verspielt.

Einstweilen mußten sich Otto und seine Nachfolger mit Treueversprechen und Rebellionen der »Großen« abfinden, mit politischen Behauptungsversuchen über Grafen- und Herzogsämter, mit Aufständen, die noch lange separatistischen Charakter trugen. Persönliche Beziehungen von etwa vierzig hochadeligen Sippen, über Heirat und Ämter vielgestaltig verflochten und durch wechselnde Nähe zur Königsfamilie ausgezeichnet oder zurückgesetzt, bildeten die eigentliche Grundlage des politischen Geschehens im Innern. So ist denn auch der »Hoftag«, die Versammlung all der befriedeten Großen zu »Hofamt« und Treueversprechen, der glanzvollste Ausdruck dieser Herrschaftsform, zugleich ihre strukturelle Offenbarung. In diesem Rahmen entfaltete sich einstweilen das Ottonenreich als die stabilste Monarchie in der lateinischen Christenheit, und die Vielzahl seiner Klöster, Herrschafts- und Bischofssitze kennzeichnete das Land auch mit einer besonderen Ausdrucksform der Architektur, ähnlich wie Miniaturenmalerei und Goldschmiedekunst für eine Weile den europäischen Akzent in die Grenzen dieses Reiches lenkten.

Reichskreuz, ebenfalls westdeutsch, aber genauer auf etwa 1025 zu datieren. Es ist aus Goldblech, mit Perlen und Juwelen besetzt und diente, 77 cm hoch, dazu, die wichtigsten Reliquien des Reichsschatzes aufzunehmen, unter anderem die heilige Lanze.

Die Kaiserkrone, vielleicht schon 962 benützt, gibt von archaischen Verhältnissen sichtbar Zeugnis. Im doppelten Sinn: Die acht Platten der Krone – der

Eine der Emailplatten aus der Reichskrone. Sie zeigt den biblischen König David, der schon Karl dem Großen als Vorbild galt, mit der Umschrift: »Die Ehre des Königs liebt das Gericht«. Tatsächlich war das Richteramt wohl die wichtigste königliche Aufgabe.

Bügel entstand erst im 11. Jahrhundert – sind mit Scharnieren verbunden; vielleicht war einmal beabsichtigt, das Kronenrund zu zerlegen, um es leichter transportieren zu können, oder es zu verbergen: Geheimnis eines Heiligtums. Das Spätmittelalter hat für die Krone statt dessen kunstreiche bauchige Lederbehälter genäht.

Der achteckige Reif umschloß aber auch die ganze Welt. Acht stand für Himmel und Erde. Jeder Edelstein schloß eine Tugend ein. Wir müssen uns hier in die Grundlagen symbolischen Denkens versetzen, das die Wirklichkeit nach weitgespannten Gleichnissen veränderte und sie einer unveränderlichen statischen Beziehung zwischen Welt und Überwelt zuordnete. Symbolische Bibeldeutungen gaben dabei immer wieder transzendente Anhaltspunkte. Die Welt, biblisch »geordnet nach Maß und Zahl«, verhieß demnach göttliche Rätsel, die es zu deuten galt. Das Deduzieren, das Ableiten, wird erst die Scholastik vom 12. Jahrhundert an lehren. Einstweilen vertiefte sich die Welt in wachsendem Maß in die Kunst des Deutens, die nicht argumentiert, sondern darlegt; auf ihre Weise breitete sie einen gewaltigen Schatz des Wissens aus, freilich eher in der bildlichen Darstellung als in Schrift und Buch, und deswegen muß auch viel gedeutet werden, mehr jedenfalls, als aus dem Quellenbefund hergeleitet werden könnte. Wenigstens noch in diesen Zeiten; im 12. Jahrhundert, zur selben Zeit, als die Scholastik mit ihrer neuen Denkweise aufsteigt, wird die intensivere Schriftlichkeit auch dem »Symbolismus« zu regerem literarischen Niederschlag verhelfen, zu einem gedanklichen Gipfel, von dem er allerdings rasch der scholastischen Fragestellung nach der deduzierbaren Begrifflichkeit weichen muß. Als gesunkenes Kulturgut lebt er noch heute in Kirche und Welt.

Literarisch stärker ausgeprägt war einstweilen noch immer die Pflege der Antike im kleinen Kreis des Geisteslebens. In dieser Form war auch Frauenbildung noch lebendig. Roswitha von Gandersheim dichtete Antikes nach oder um, züchtige Ohren zu schonen, aber sie trug gleichzeitig bei zum Ruhm des ottonischen Kaiserhauses, wie auf seine Weise der sächsische Chronist Widukind von Corvey. Andere Geschichtsschreiber führen uns ins Kloster St. Emmeram oder, wie der byzantinische Reisebericht des Bischofs Luitprand von Cremona, in den dichten Kulturraum Oberitaliens. Aus der Gegend von Lüttich kam Ratherius von Verona, der nicht nur eine Anleitung für das fromme Laienleben schrieb, sondern auch autobiographische Selbstbekenntnisse; er wird erst im 12. Jahrhundert Nachahmung finden. Es ist nicht einfach, immer wieder auf diesen Entwicklungsbogen zu verweisen. Oft versucht man, der »karolingischen Renaissance« in literarischer Hinsicht eine »ottonische« folgen zu lassen und dann wieder eine »des 12. Jahrhunderts«, um bestimmte Impulse der Regeneration antiker Literatur nach Inhalt, antikisierender Latinität und Darstellungsweise zu kennzeichnen. Aber wirklich »antik« ist weder das individuelle noch das gesellschaftliche Bewußtsein.

Die bildende Kunst jener Epoche lebt von der Schreibschule und vom großen Mäzenatentum. Die Schreibschule ist der Ort für die Miniaturenmalerei. Ein Zentrum, ursprünglich in den Klostersiedlungen der Insel Reichenau vermutet, heute eher am Mittelrhein, produziert Bilderhandschriften mit sakralen Texten für Kaiser und Bischöfe. Dabei vollzieht sich hier vielleicht deutlicher eine Distanzierung von antikem Realismus, als das die literarische Entwicklung zeigt. Der Übergang von der Hintergrundlandschaft zum Goldgrund, der dar-

Die Reichskrone aus Gold, Emailplatten und reichem Juwelenschmuck wurde vielleicht für die Kaiserkrönung Ottos I. 962 geschaffen. Sie besteht aus acht Platten, mit Scharnieren verbunden. Kreuz und Querbügel sind erst im 11. Jahrhundert angefügt worden. Die Reichskleinodien insgesamt, quae imperium dicuntur – »die man das Reich nennt« – wurden an verschiedenen Orten aufbewahrt, unter Barbarossa auf der Burg Trifels, unter Kaiser Ludwig dem Bayern im Zisterzienserkloster Stams in Tirol, unter Karl IV. auf dem Karlstein bei Prag, danach fast vierhundert Jahre auf der Kaiserburg in Nürnberg. Um sie vor Napoleon in Sicherheit zu bringen, schaffte man sie nach Wien.

gestellte Personen abstrahiert und in ihrer Körperlichkeit aus der Umwelt löst, aber auch die heute so unbeholfen anmutende Änderung der Größenverhältnisse zwischen Haupt- und Nebenpersonen belegen eine Weltsicht nach anderen Maßstäben. Die Goldschmiedekunst hat, wiewohl sie in ihrer Technik auch an »barbarischer« Herkunft hängt, ebenfalls an dieser Tradition teil. Emaillearbeiten jedenfalls, wie gerade auf der kaiserlicher Plattenkrone, führen zu einer vergleichbaren Bildlichkeit. Antikes scheint dagegen noch lebendig in vereinzelten Beispielen der Großplastik, etwa im Gerokreuz aus dem Kölner Dom, der größten Christusfigur im zeitgenössischen Europa, um die Mitte des 10. Jahrhunderts entstanden. Antik ist zweifellos die Technik und von höchstem Niveau auch die künstlerische Qualität der Bronzearbeiten am Dom von Hildesheim. Sie wurden nach der Jahrtausendwende gegossen und sind schon stärker geprägt von eigenwilliger Bildlichkeit. Nicht nur, weil sich ein diffizileres Verhältnis zur Flächenwirksamkeit offenbart, das die »geometrische« Aufteilung im Ganzen überwindet; die Hildesheimer Domtüren zeigen vielmehr Bewegung und Dramatik auch in der Verteilung der Figuren, ja den merkwürdigen Versuch, aufeinanderfolgende Szenen in ein und demselben Bild darzustellen. Der Schöpfer, Bischof Bernward selbst, zählt zu den wenigen namentlich bekannten Künstlern seiner Zeit. Wahrscheinlich verdanken wir diese Kenntnis nur seinem hohen Kirchenamt. Erst das 12. Jahrhundert wird sich in dieser Hinsicht auskunftsfreudiger und personenbewußt zeigen.

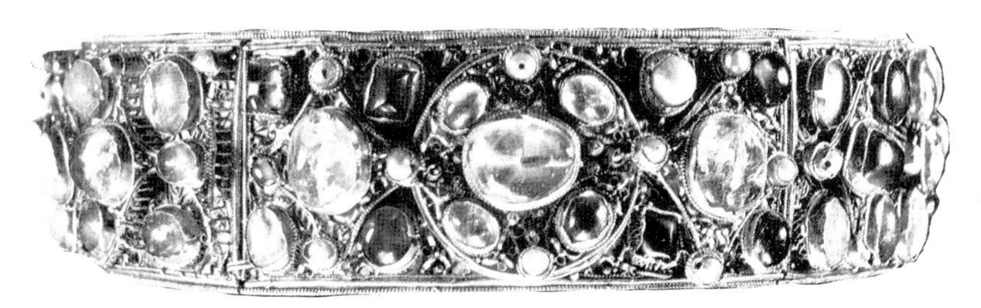

Kunigunde von Luxemburg wurde um die Jahrtausendwende mit dem späteren Kaiser Heinrich II. vermählt. Sie war seit 1002 neben ihm gekrönte Königin und Kaiserin mit regem Anteil an den Regierungsgeschäften und Statthalterin bei seiner Abwesenheit. Die Ehe blieb kinderlos und gab im Sinn des marianischen Frauenbildes später Anlaß zur Legende von der Jungfräulichkeit der Kaiserin. Ihre Krone entstand vielleicht zu Anfang des 11. Jahrhunderts in Fulda. Sie ist heute in der Schatzkammer der Münchner Residenz.

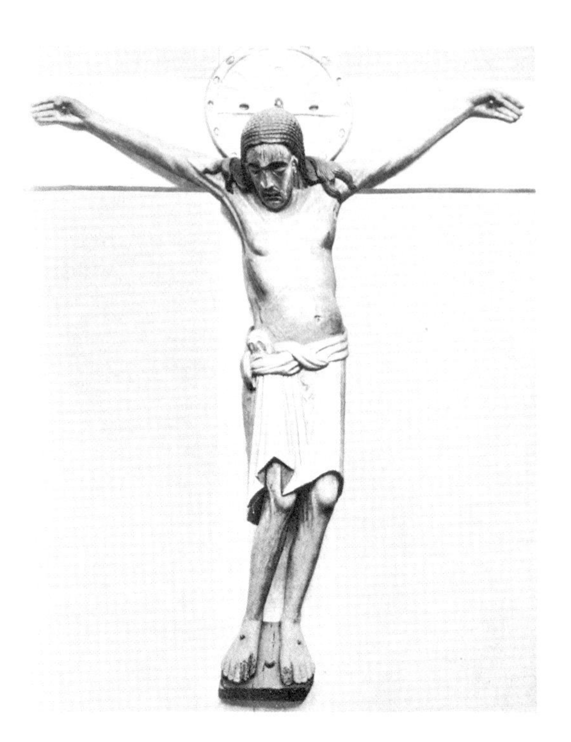

Das große Kruzifix mit dem Leib Christi, vom Kölner Erzbischof Gero im 10. Jahrhundert gestiftet, war in den Anfängen der europäischen Plastik das größte Christusbild seiner Zeit. Die Darstellung erinnert bereits an den Schmerzensmann am Kreuz, wie ihn dann das 12. Jahrhundert sah.

Die Langobarden, ein ostgermanischer Stamm, hatten seit dem 6. Jahrhundert in Ober- und Unteritalien einzelne Herrschaften errichtet. Sie hinterließen in Bauten, Plastik und Kleinkunst eigenwillige Zeugnisse, wie hier eine Goldschmiedearbeit um ein Elfenbeinrelief mit der Kreuzigungsszene. Die Arbeit entstand um 900 in Friaul und ist heute im archäologischen Museum in Cividale.

Auch die Baukunst der Zeit fand im ottonischen Deutschland ihren eindrucksvollsten Ausdruck im ganzen Kulturkreis, wie denn überhaupt für ein Jahrhundert, etwa zwischen 960 und 1060, Deutschland in der bildenden Kunst das höchste Niveau im lateinischen Europa erreichte – »wie wohl danach nie mehr bis zur Gegenwart« (Manfred Wundram). Vieles aus jener Zeit mag zerstört oder überbaut sein, wie uns auch aus der karolingischen Epoche außer dem Aachener Münster, der Torhalle des karolingischen Reichsklosters Lorsch, der Kirche in Michelstadt und ein paar Bauresten im Kloster Frauenchiemsee und anderswo kaum etwas erreicht hat. Die Ottonenzeit hinterließ immerhin einige kirchliche Großbauten wie die Dome zu Limburg, Worms, Hildesheim, St. Martin und die Apostelkirche zu Köln, das Westwerk des Damenstifts in Essen-Werden oder die Klosterkirche in Corvey. In ihrer Vielgliedrigkeit bieten diese Bauten nicht das Abbild einer zusammenhängenden Idee, sondern eher die Summe von unterschiedlichen, auf sich selbst bezogenen Räumen. Erst der Dom von Speyer, den man nach 1030 zu bauen begann, trägt andere Züge: Erst hier läßt sich eine durchgestaltete Konzeption finden, die eine systematische Erfassung des Ganzen ausdrückt und bei aller Größe und Weite das Gesamtwerk als eine Einheit empfinden läßt. Auch zeigt sich ein neues Verhältnis von Technik und Ästhetik im Aufbau der Wände des Speyerer Doms. Sie sind offensichtlich in Serienfertigung entstanden: nach festem Plan, in der Bauhütte womöglich zur Winterzeit vorgearbeitet, durchdacht in allen Formen der Steine und als gegliederte Vielfalt aus zusammengehörigen Elementen nicht nur technisch, sondern auch ästhetisch komponiert.

Dieser Bau vom Ende des 11. Jahrhunderts zeigt somit ähnliche Konzepte, wie man sie gleichzeitig ein paar hundert Kilometer weiter westlich für die französische Kathedralgotik entwickelte. Nicht in allen ihren Formen war diese Gotik – das opus francigenum, das französische Bauwerk, wie die Zeitgenossen sagten – einzigartig. Denn Vergleichbares läßt sich auch von den großen normannischen Bauten in Westfrankreich und in Sizilien sagen. Auch die Dombauten in den hochentwickelten Räumen Oberitaliens, namentlich in der reichen Seestadt Pisa und ihrer Umgebung, erinnern an das neue Baukonzept. Nordfrankreich allein formte freilich die neue Bauart in charakteristischem Maße bis zum Eigenwillen des »gotischen« Gesamtausdrucks. Mit der Überlegenheit kultureller Entwicklungen auch in anderen Bereichen wanderte der »gotische« Stil dann im 12. Jahrhundert ostwärts, und ähnlich gerichtete Ansätze, weniger durchschlagend, wurden davon schließlich überlagert. In Ober- und Unteritalien blieb dagegen der eigenständige architektonische Rationalismus auf seine Weise wirksam. Er bestimmte hier weitgehend die Baukunst in der Blütezeit des Hochmittelalters, und die Dome von Pisa und

Ludwig der Fromme gründete 822 das Kloster Korvey an der Weser, das von den ersten Mönchen aus Corbie an der Somme seinen Namen erhielt. Das Kloster wurde eine der wichtigsten Reichsabteien zur Unterstützung des in Deutschland im 10. Jahrhundert erneuerten Kaisertums. Hier schrieb ein Mönch mit dem alten Sachsennamen Widukind das wichtigste Geschichtswerk über die Ottonenkaiser, hier wirkte in der Mitte des 12. Jahrhunderts der Abt Wibald von Stablo als diplomatischer Ratgeber Kaiser Heinrichs III. Das Westwerk der Klosterkirche aus dem 10. Jahrhundert kennzeichnet den »kaiserlichen« Stil der Ottonenzeit.

Der Mainzer Dom aus dem 11. Jahrhundert, mit späterem Turmaufsatz, ist Zeugnis der engen Verbindung von Reich, Kirche und Bürgertum in einer der ältesten Reichsstädte.

Lucca, von Palermo, Orvieto und Siena verdienten in ihrer architektonischen Eigenart noch eine besondere Würdigung in europäischem Zusammenhang.

Die literarische Darstellung heiliger Männer und Frauen bildet die wichtigste schriftliche Hinterlassenschaft jener Zeit. Auch diese Quellen zeigen, wie die Baukunst, Selbständigkeit gegenüber der antiken Tradition. Auch auf dem Pergament hatten die Literaten antike Vorlagen verlassen, nach denen sich etwa noch Einhards Kaiserbiographie im karolingischen 9. Jahrhundert richtete. Sie suchten selbständigen Ausdruck für ihre Lebensideale, und weil sie nun einmal Mönche waren, schlug sich hier auch am deutlichsten die große Reformidee des kluniazensischen Mönchtums nieder. Eine Reform für Kirche und Welt. Die Heiligenleben des Grafen Gerald von Aurillac oder des Herzogs Wenzel von Böhmen gehen zwar davon aus, daß das eigentliche christliche Ideal im

Der Limburger Dom, ein Werk der deutschen Hochromanik, gibt noch heute eine unmittelbare Anschauung von dem überwältigenden Eindruck kirchlicher Großbauten auf die Zeitgenossen, die ursprünglich im Stadtbereich keine auch nur einigermaßen in Größe und Schmuck vergleichbare Bausubstanz kannten.

Mönchsleben zu finden sei; deshalb berichten sie auch von der Sehnsucht ihrer Helden nach dem Kloster. Als »weinende Vollstrecker der Gerechtigkeit« halten sie mit diesem Gesinnungsopfer dennoch fest an ihren weltlichen Aufgaben. Schließlich und endlich erscheint nach solcher Interpretation auch Gewalt gegen die Bösen als ein Werk christlicher Barmherzigkeit, der vornehmsten Christenpflicht. In diesen Heiligenleben ist schon am Bild des »christlichen Ritters« mitgewirkt, das mit vielen Fäden die ganze Welt zu einer einzigen konsequenten christlichen Ordnung verbinden soll. Mit Gesinnungsethik versucht bereits das 10. Jahrhundert, allerdings in seiner progressivsten, in der kluniazensischen reformierten Innerlichkeit, den Widerspruch christlicher Politik zu lösen. Zugleich aber kann man sich dabei schon ausmalen, warum diese große Mönchsutopie für die Welt am Ende scheitern mußte.

Die Kaiserpfalz in Goslar, mit einzelnen Bauabschnitten aus dem 11. und 12. Jahrhundert, war namentlich unter den Saliern eine Weile beliebteste Residenz. Ihre Bedeutung wuchs mit den seinerzeit wichtigen Silberfunden am nahen Rammelsberg.

Große als Gründer

Otto »der Große« und seine »Gründerzeit« in Deutschlands Politik und Kultur um die Mitte des 10. Jahrhunderts steht für eine ganze Reihe von »großen« und »heiligen« Königen im 10. und 11. Jahrhundert. Das Verdienst dieser »Großen« und »Heiligen« ist einfach zu umschreiben: Sie gründeten Herrschaften, die seither tausend Jahre lang mehr oder minder unverändert Bestand haben, im Kern freilich nur, mit variablen Grenzen. Immerhin berufen sich alle europäischen Staatsnationen der Gegenwart auf solche Gründerväter. Zweifellos waren sie nicht alle so bedeutend, wie ihre Beinamen ausweisen, die Großen und Heiligen Otto und Olaf, Knut und Boleslaw, Stephan und Symeon, Wladimir und Wenzel – weder als Politiker noch als Christen. Es war die Zeit, die sie dazu machte: sowohl der Trend zur Großherrschaftsbildung mit endgültiger Befestigung als auch die dazugehörige enge Kooperation mit der Kirche. Manche dieser Herrscher wurden zweifellos mehr von diesem Trend geleitet als von ihrem eigenen Weitblick. Es war nicht gar so schwer, in dieser so großzügig gezimmerten Welt um die Jahrtausendwende groß oder heilig zu erscheinen. Oft wurde beides erst hundert Jahre später propagiert, im 12. Jahrhundert, als mit einer gewissen Einheitlichkeit ein neuer verfeinernder, vertiefender und festigender Impuls durch Kirche und Welt in Europa lief. Jedenfalls erinnerte man sich bei dieser Gelegenheit überall der »Großen« und »Heiligen« aus der Gründerzeit und wußte damit eigentlich weit Sichereres über historische Größe als unsere Gegenwart. Die Größe des Herzens, der Einsicht, des Opfermuts, die »innere Größe«, wie wir in den neueren Jahrhunderten sie kultivierten, war damals nicht die Grundlage der Beurteilung. Als groß wurde erkannt, wer etwas gründete, wer einen Herrschaftsraum aufbaute und befestigte »für alle Zeiten«.

In diesem Sinn hatte Otto »der Große« schon zu Lebzeiten Anerkennung gefunden. Ähnliches wollte in Südosteuropa Zar Symeon von Bulgarien als »der Große« (893–927). Er hatte, mit der Beständigkeit aus generationenlanger Rivalität, dem benachbarten Byzanz die Herrschaft streitig gemacht, aber auch dem byzantinischen Kaiser entscheidende Hilfe geleistet, wofür ihm eine Kaisertochter zugesagt wurde, eine »purpurgeborene«, im Sippendenken der Zeit sozusagen die körperliche Anerkennung kaisergleichen Ranges. Karl der Große hundert Jahre zuvor und Otto der Große etwa zur gleichen Zeit hatten sich vergeblich um eine solche Auszeichnung für sich oder ihren Sohn bemüht. Aber der Kaiser in Konstantinopel zögerte dann mit der Auslieferung der kaiserlichen Braut. Also belagerte Symeon 913 und 924 Konstantinopel, nachdem er seit 911 den Zarentitel führte, »Zar« von »Caesar«, um ein bulgarisch-byzantinisches Großreich zu errichten. Er kam diesem Ziel besonders nahe, seit er 924 auch Serbien erobert hatte. Aber der Kaiser des Ostens wurde er nicht. Umgekehrt: Fünfzig Jahre nach seinem Tod bestieg Basileos (976–1025) in Byzanz den Thron und wurde der »Große«, der »Bulgarentöter«, der Gründer einer neuen byzantinisch-bulgarischen Einheit für die nächsten vierhundert Jahre, weil er die Bulgaren besiegte und die byzantinischen Grenzen bis über die Donau dehnte.

Etwa zur selben Zeit regierte in Polen Boleslaw »der Kühne«, den man später mit stolzem Nationalbewußtsein ebenfalls »den Großen« nannte (992–1025). Die kühne Größe wird kaum je deutlicher als in den Berichten von seinem Herrschaftsstil: Boleslaw war ein Eroberer, der erste und für lange Zeit der erfolgreichste Vertreter polnischer Ostexpansion, der Kiew im Sturm nahm und die Fürstentochter dazu. Allerdings wirkte seine politische Leistung nachdrücklicher: Boleslaw schloß sich den Intentionen zur Vertiefung und zur Verbreitung des Christentums an, wie sie um die Jahrtausendwende Kaiser Otto III. mit seinen kluniazensischen Ratgebern vorlegte. Er förderte eine Reise Bischof Adalberts von Prag zu den preußischen Heiden, und als der fromme Tscheche und Freund Kaiser Ottos dort bei der Landung 997 erschlagen wurde, ließ er die Leiche loskaufen und in seiner neuen Kirche in Gnesen beisetzen. Der junge Otto III. (983–1002), tief bewegt von Adalberts Tod, zog

Die Bronzetür im Gnesener Dom von 1175 ist dem Leben des heiligen Adalbert gewidmet, des zweiten Bischofs von Prag, der in Verbindung mit dem polnischen Herrscher die Preußen missionieren wollte und dort 997 den Märtyrertod erlitt. Sein Martyrium zeigte Polen und Tschechen als eifrige Mitglieder der Christenheit.

nach Gnesen an das Grab des Märtyrers, als Wallfahrer und als Staatsmann. Er erhob Boleslaw zum »Freund des römischen Reiches« im Rechtssinn der alten Römer. In Zusammenarbeit mit dem Papst wurde Gnesen zum polnischen Erzbistum. Das bedeutete die volle gleichberechtigte Ausstattung der polnischen Kirche mit der deutschen und das Ende jeder Art deutscher Ostmission über die Oder hinaus. Zudem suchte Boleslaw auch seine Macht nach Westen in den bis dahin noch nicht erschlossenen und aufgeteilten Raum zwischen Elbe und Oder auszudehnen, den Slawen besiedelten. Er eroberte im Süden die Lausitz und das später nach dem Ort Meißen benannte Gebiet. 1003 drang er in Böhmen ein und eroberte Prag, so daß die Idee eines westslawischen Großstaates als politische Vision erschien. Beides war nicht haltbar. Ein späterer böhmischer Gegenstoß nach Polen hatte allerdings auch keinen Erfolg. Boleslaw ließ sich in seinem letzten Lebensjahr, nach dem Tod Ottos III., ohne Kaiser und Papst in Polen zum König krönen, in richtiger Abschätzung seiner Leistung. Trotz aller künftigen Wechselfälle hatte er so das spätere Polen begründet.

Knut der Große von Dänemark führte 1016 bis 1035 ebenfalls eine Größe herauf, die nicht von Dauer war; und insofern belegt sein Name wohl einen Modetrend, eine Art, Politik zu sehen und Könige einzuschätzen, aber er belegt nicht die Sache selbst. Denn Knuts Reich zerfiel nach seinem Tod; was er wollte, hat gleichwohl bis heute einen realpolitischen Kern: Er suchte die Anrainerstaaten der Nordsee zusammenzuspannen, ähnlich wie die Römer einst die Küste des Mittelmeers. Nur ist die Mittelmeerküste ein geschlossenes Rund. Die Anrainer der Nordsee aber sind voneinander getrennt durch Land und Meer. Von Dänemark aus, gestützt auf die Machtstellung seines Vaters, zwang Knut das gegenüberliegende Ostengland und Schottland, dazu auch Norwegen, in eine politische Gemeinschaft. Der Plan war zu kühn, der Seeweg zu weit, und was Knut vermochte, konnte sein Nachfolger nicht halten. Die Konsolidierung Dänemarks zwar blieb unangefochten. Aber die Verbindung mit dem nahen Norwegen zerbrach, und gar der Versuch, England an Skandinavien anzubinden, war illusorisch. Er wurde zwar danach vom König von Norwegen, Harald »dem Strengen«, wiederholt, aber vergeblich; Harald fiel

»Da fielen miteinander die Engländer und die Franzosen« heißt der Begleittext zu jenem einzigartigen Zeugnis von der Eroberung Englands durch Herzog Wilhelm von der Normandie 1066, dem Bildteppich von Bayeux. In Wollstickerei werden hier 1080 die Ereignisse von 1064 bis 1066 in geschlossener Folge berichtet, mit aufschlußreichen und sonst nirgends dargestellten Einzelheiten auch auf der oberen und der unteren Bordüre. Englischer Fußkämpfer mit Streitaxt, Gefallene, bald geplündert, Langschilde, Wassergräben, Streithengste … es gibt keine vergleichbare Darstellung der mittelalterlichen Wirklichkeit.

bei Stamfordbridge. Nur 19 Tage später erhob ein anderer Eindringling Ansprüche auf England mit dem Schwert, dessen Vorväter ebenfalls aus Skandinavien gekommen waren, sich in der Normandie festgesetzt und von dort die britische Insel beunruhigt hatten, Herzog Wilhelm (1035–1087). Er siegte am 14. Oktober 1066 bei Hastings und ging als der »Eroberer« in die Geschichte ein. Nach dem Tod König Eduards, »des Bekenners«, also auch eines heiligen Königs, hatte es drei Thronrivalen gegeben: den Grafen Harold von Wessex, König Harald von Norwegen und eben den Herzog Wilhelm von der Normandie. Klare Rechtsansprüche besaß keiner. So mußte das Schwert entscheiden. Der Einheimische, Harold von Wessex, war zunächst im Vorteil. Am 25. September brachte er seinem norwegischen Widersacher die tödliche Niederlage bei. Ohne Verstärkungen abzuwarten, griff er dann die im Süden der Insel gelandeten Normannen bei Hastings an, wurde besiegt und kam im Kampf um.

Am Weihnachtstag wurde Herzog Wilhelm in Westminster zum König der Angelsachsen gekrönt. Er übernahm zunächst manches von seinem Vorgänger Eduard, aber im Rahmen einer prinzipiellen Neuordnung. Nur wenigen der besiegten angelsächsischen Edelinge blieb ihr Landbesitz. Die Erobernden, die sich noch lange gegen Widerstände behaupten mußten, initiierten, wie Karl Schnith schrieb, einen »Umschichtungsvorgang, der im christlichen Mittelalter nicht seinesgleichen finden wird«. König Wilhelm unterzog das Land einer so gründlichen Organisation, daß er damit die englische Königsmacht für Jahrhunderte stabilisierte. Als Kronlehen vergab er das enteignete Land hauptsächlich an seine Normannen, so daß die angelsächsischen Adelssippen, zusammen etwa vier- bis fünftausend waffentragende Edelfreie, jeden Einfluß verloren. Viele emigrierten.

Als entfernter Verwandter des letzten Königs, ja sogar als von ihm zur Nachfolge Designierter war Herzog Wilhelm nach England aufgebrochen, unter einem päpstlichen Banner, kraft kirchlicher Autorität im Rahmen der christlichen Rechtsordnung. Aber der einmal etablierte neue König zog die Kirche bald selber fest in seine Reichsorganisation. Zunächst wurde mit päpstlicher Hilfe reformiert, dann aber nahm der König das neue Organisations-

Die Eroberung Englands als gerechter Krieg: Harold leistet hier dem Herzog Wilhelm 1064 einen Eid, der ihn zumindest nach fränkisch-normannischer Deutung in Abhängigkeit brachte und nach dem Tod König Eduards 1066 nicht zur Rivalität mit Wilhelm berechtigte. Der Teppich hat das Sakrileg des Eidbruchs zur eigentlichen politischen Aussage gemacht und damit auch Wilhelms Eroberung gerechtfertigt. Die Eidesleistung zwischen Altar und Reliquienschrein entspricht den verbreiteten Gepflogenheiten der Bekräftigung durch Heiltümer.

Ein normannischer Reiter erschlägt den angelsächsischen König Harold, den Rivalen Wilhelms des Eroberers. Selbst die Sieger zollten seinem Königtum Anerkennung: Harold Rex interfectus est lesen wir auf dem Teppich. Auf der unteren Bordüre Leichenfledderer.

gefüge selbst in die Hand. Nur einer der angelsächsischen Bischöfe blieb im Amt. Lothringer, Normannen und Lombarden besetzten die Bischofsstühle, Männer der kluniazensischen Kirchenreform, und der Primat der englischen Kirche ging vom Erzbischof von York über auf den von Canterbury, der ihn noch heute ausübt. Nach Festlandsbrauch wurden die Bischofssitze dabei in die Städte verlegt, ein wichtiger Impuls für die gesamte kulturelle Entwicklung. Und natürlich wurden auch die englischen Klöster im Stile von Cluny reformiert. Normannische Kathedralbauten krönten die Neuerung. Aber das Recht zur Ernennung von Bischöfen und Äbten behielt der König, ganz im Gegensatz zu kluniazensischen Vorstellungen, und erst sein Nachfolger fand sich nach langem zu einem Kompromiß bereit.

Gelegentlich ließ sich Wilhelm einen Treueid von Untervasallen schwören, und darauf geht die Meinung zurück, daß alle Vasallen in seinem Reich unmittelbar an den König gebunden seien und damit dem König als Oberlehensherrn mehr verpflichtet, als das die Lehenspyramide anderswo vorsah. Zielbewußt griff der Eroberer auch nach allen nur denkbaren Einkünften. Dabei vollbrachte seine Regierung eine ungewöhnliche Organisationsleistung. Reisende Kommissionen erfragten und notierten allen Besitz und alle Abgabenpflichten, und daraus entstand 1086 in zwei Bänden das Domesday Book, eine Landesaufnahme, die zu ihrer Zeit in Europa ohne Beispiel war.

Wilhelm hatte seinen Machtbereich im Norden auch auf Schottland, im Westen auf Wales auszudehnen versucht, beides ohne dauernden Erfolg. Mit dieser Einschränkung war das Reich auf der Insel innerlich gefestigt wie nie zuvor. Nicht weniger folgenschwer für die nächsten vierhundert Jahre aber war die Verbindung zum Kontinent. Nach Wilhelms Tod zunächst unterbrochen, wurde sie unter dem jüngsten seiner Söhne, Heinrich I. (1100–1135), ausgebaut, und so unterscheidet sich das politische Mittelalter von der Neuzeit unter anderem auch durch diese ständige Beziehung über den Kanal hinweg. Merkwürdig genug: In jenen Zeiten sehr unvollkommener Seefahrtstechnik war die englische Insel fester mit dem Kontinent verbunden als in ihrer späte-

Ein Bild Wilhelms des Eroberers, in seiner Härte wohl eine düstere Persönlichkeit, ist nicht überliefert. Die Stefanskirche in Caen, um 1080, mit späteren Turmaufsätzen, erinnert an ihn.

ren, zum Teil freilich »glänzenden Isolation«. Statt dessen war die Verbindung über die Nordsee abgebrochen, die dänischen wie die norwegischen Einflüsse endgültig aus der englischen Geschichte verbannt. Das eine wie das andere ist zweifellos dem Eroberer zuzuschreiben. Nicht oft läßt die Geschichte auf ihren verschlungenen Wegen so deutlich den Einfluß eines einzelnen erkennen. Als die Verbindung zwischen England und Frankreich abbrach, 1475, ging auch die mittelalterliche Welt zu Ende.

Nationalheilige

Die großen Könige stehen am Anfang unserer Nationalgeschichte; geradewegs als Schöpferfiguren unserer Nationalstaaten. So wenigstens in den Schulbüchern. Wie ist es nun aber eigentlich um den Zusammenhang zwischen Nation und Staat bestellt? Hat sich wirklich um die Jahrtausendwende zu Wort gemeldet, was fortan an nationalstaatlicher Einheit allmählich wuchs und mit der Nationaldemokratie des liberalen Zeitalters zur modernen Völkerfamilie Europas geworden ist? Oder ist es ein historischer Zufall, daß Otto die Deutschen und Olaf die Norweger, Wenzel die Tschechen, Boleslaw die Polen, Stephan die Ungarn und, schon problematischer, Wladimir die Russen ... Wir wollen uns nicht in Spekulationen verlieren.

Unsere europäischen Sprachnationen sind, zumindest dem Namen nach, ein Jahrtausend alt. Auf vergleichbaren Wegen formierte sich ihre politische Organisation, und zwischen sprachlicher und politischer Gemeinsamkeit schuf der kontinuierlich besiedelte Raum gleichsam die historische Verbindung. Die da schon seit tausend Jahren in demselben Raume wohnen, haben sich tausend Jahre lang mit eigener Stimme am europäischen Gespräch beteiligt, mit der Stimme ihrer Könige, ihres Adels oder ihrer gewählten Volksvertreter. Welche Dialekte siegten, welche Idiome traten zurück? Warum sprechen wir oberdeutsch und nicht niederdeutsch, warum gibt es keinen baskischen Nationalstaat, warum sprechen die Spanier kastilisch, wo sind die Occitanier geblieben, was hat die Skandinavier schließlich in drei Staaten getrennt? War die politische Einheit nur eine Konsequenz der sprachnationalen? Oder ist umgekehrt die Sprachnation vom politischen Geschick geprägt worden?

Die Antwort liegt nicht, wie so oft, in der Mitte. Vielmehr handelt es sich um eine historische Wechselwirkung: das eine *und* das andere. Die Vorgeschichte lehrt uns, daß sich sprachliche Einheiten allmählich aus politischen herleiten, daß die Entstehung von großräumigen Herrschaften Zusammenhänge schafft, die auch die Sprachform prägen; daß Entwicklungsschwerpunkte, die in Oberdeutschland oder in Kastilien liegen, am Ende die ganze deutsche oder die spanische Sprache bestimmen. Wir erfahren aber nirgends, daß sprachliche Einheiten aus eigener Kraft je politische Gestalt gewonnen hätten.

Unsere europäischen Nationen sind ihrer selbst erst allmählich bewußt geworden. Auf diesem Weg gab es viele Impulse. Die sprachliche Gemeinsamkeit war dabei zweifellos wichtig, und sie legt schließlich noch heute Zeugnis ab von einer scheinbar »natürlichen« Zusammengehörigkeit. Aber sie wuchs langsam, und die politische Gemeinsamkeit, der Zusammenschluß in einer großen Herrschaft, war oft erst der Grund für die Entstehung einer Sprachgemeinschaft. Als Otto der Große das Kloster Sankt Emmeram besuchte, im 10. Jahrhundert, da vermerkt der bayerische Chronist seine sächsische Aussprache: »Saxonizans« – niedersächsisch sprach der Kaiser, und wäre es nicht der Kaiser gewesen, vielleicht hätten die Bayern dem Sachsen gar nicht so aufmerksam zugehört.

Aber nicht nur die Sprache, auch die Geschichte schuf Gemeinsamkeitsbewußtsein, die Geschichte als gemeinsame Tradition, als die Sage von einem gemeinsamen Stammvater, als Schicksalsgemeinschaft. Und als die Kirche dieser Gemeinsamkeit noch mit ihren Heiligen zu Hilfe kam, da wußte sie auf ihre Weise die Gemeinsamkeit ganz besonders gegenwärtig zu machen: jährlich oder täglich, an heiligen Festen, an heiligen Orten und immer mit dem Hinweis auf die Verbindung von Himmel und Erde. So spielen die heiligen Könige, weit mehr noch als die großen, eine wichtige Rolle bei der Konsolidierung Europas in einem Dutzend von »nationalen« Königreichen.

Olaf, Wladimir, Wenzel und Stephan bilden demnach eine besondere Gruppe im katholischen Heiligenhimmel, nicht nur als heilige Herrscher, deren es auch andere gibt, sondern als Nationalheilige. Sie haben jeweils, wie ihre Legenden erzählen, das Christentum im Lande für alle Zeiten gefestigt, haben Kirchen gebaut, Priester berufen, und, wie einem jeden nachgesagt wird, sie haben »Christenrecht« aufschreiben oder verkünden lassen; ein Beleg, wie tiefgreifend die Christianisierung die gesellschaftliche Ordnung veränderte, unabhängig davon, was unter »Christenrecht« jeweils zu verstehen ist.

Wenzel, der Böhmenheilige, starb 929 oder 935. Die anderen drei Herrscher sind etwa hundert Jahre jünger. Der böhmische Vorsprung erklärt sich zum einen aus der Vorgeschichte des großmährischen Reiches, denn Wenzels Großvater gehört nach der Legende und nach der Wahrscheinlichkeit zum großmährischen Kult- und Herrschaftsverband. Er profitierte aber wohl auch von der Nachbarschaft zum christlichen Ostfrankenreich, wo zum ersten Mal 845 böhmische Große bezeugt sind, die sich in Regensburg taufen lassen.

Wenzels Lebensgeschichte wurde in einer lateinischen und einer slawischen Version berichtet und jeweils in Bayern wie im Kiewer Reich besonders verbreitet, ein Zeugnis für den Zusammenhang der Tschechen als der westlichsten Slawen sowohl mit der römischen als auch mit der orthodoxen Kirche und ihrer slawischen Sprache, wenn nicht gar, was freilich bestritten wird, für das Fortleben slawischer Liturgie aus mährischer Tradition in Böhmen selbst. Jedenfalls behauptet die slawische Legende, der junge Herrscher sei beider Kultsprachen kundig gewesen. Wichtig erscheint, daß Wenzel in der lateinischen Legende bayerischen Ursprungs als frommer und milder Herrscher auftritt, ein weinender Wahrer der Gerechtigkeit, ein Helfer der Witwen und Waisen, eher Mönch als Regent. Die Slawenlegende gibt ein ganz anderes Bild: Sie zeigt einen Helden, der sich auch zu wehren weiß, viel näher jener Christusdeutung, die den Gottessohn mit seinen zwölf Aposteln in der Aura eines siegesbewußten Gefolgsherrn zeigt. Wenzel stirbt in einem der in barbarischen Zeiten so häufigen Bruderkämpfe um die Herrschaft. Die Kirche erklärt diesen Tod zum Martyrium; nach der lateinischen Legende in Ergebenheit, nach der slawischen in nachdrücklicher, wenn auch vergeblicher Gegenwehr. Unwichtig

Der Brudermord am böhmischen Herzog Wenzel, um die Jahrtausendwende dargestellt, bringt eine Folge von Ereignissen in ein einziges Bild, eine nicht unübliche »sprechende« Darstellung. Bemerkenswert, daß die Aussage dabei von der lateinischen Erzählung der Vorgänge abweicht und sich an die slawische Variante hält, wonach sich der Heilige zunächst mit Erfolg zur Wehr setzte – ein bisher unbeachteter Beleg für eine enge Beziehung der beiden Überlieferungen.

erscheinen in diesem Zusammenhang die unterschiedlichen Todesdaten: ob 929, und dann nur in einem Familienzwist, oder 935, dann aber auch im Zusammenhang mit einem deutschen Thronwechsel und wohl als Ursache künftiger, langwieriger böhmischer Distanz vom Reich. Die zweite Variante hat gewiß die besseren Argumente. Für unseren Vergleich ist nur wichtig, daß Wenzel ein junger Herrscher war und sich dem Christentum mit der Gläubigkeit und der Kraft seiner Jugend zuwandte. Das verbindet ihn mit den beiden anderen heiligen Herrschern, die hundert Jahre nach ihm starben.

Olaf II. von Norwegen war in jungen Jahren auf Wikingerfahrt gegangen und neunzehnjährig 1014 in Rouen getauft worden, ehe er nach Norwegen zurückkehrte, die Dänen vertrieb und, zumindest eine wichtige Phase lang, für die Konsolidierung eines selbständigen norwegischen Königreichs wirkte. Auch er baute Kirchen und berief Priester, trat mit dem Erzbischof von Bremen in Verbindung – wie seinerzeit Wenzel mit dem Bischof von Regensburg –, gab »Christenrecht« und zeigte sich – auch hierin ganz wie der ansonsten milde Wenzel – streng gegen das Heidentum. Auch er starb in einer politischen Auseinandersetzung 1029. Vielleicht nicht so spontan, vor allem nicht mit demselben europäischen Echo, wuchs auch nach Olafs Tod der Ruf seiner Heiligkeit und wurde bald sichtbar gepflegt von der Kirche, die ihn zum himmlischen Anwalt eines selbständigen Norwegen erhob.

Der böhmische Herzog Wenzel war wohl kaum dreißig Jahre alt geworden, und der Norwegerkönig Olaf II. hatte mit etwa fünfunddreißig Jahren, als er seine Herrschaft zurückerobern wollte, sein Leben verloren. Der heilige König Stephan von Ungarn dagegen zählte fast siebzig Jahre, als er 1038 in Gran die Augen für immer schloß. Auch Stephan hatte mit dem Elan seiner Jugend die Christianisierung der Ungarn als politische Mission aufgegriffen und durchgesetzt. Stephan gehört zu jenen Neubekehrten, die mit der Taufe ihren Namen wechselten. Eigentlich hieß er Vajk; getauft von einem Passauer Priester, sollte ihn der Name des Passauer Bistumspatrons als Mitglied der Christengemeinschaft ausweisen.

Seine Lebensgeschichte verflocht ihn bald noch enger mit der zeitgenössischen Christenheit. Das Sakrament der Firmung spendete ihm wahrscheinlich Bischof Adalbert von Prag, ein enger Vertrauter Ottos III. wie des Abtes Odilo von Cluny, ein aktiver Förderer der kluniazensischen Ideen und offenbar auch der Utopie vom heiligen Reich aus Macht und Liebe, wie sie der junge Ottonenkaiser mit seinen mönchischen Beratern pflegte. Derselbe Einfluß schien auch bei Stephan wirksam. Er kam in engste Verbindung mit den Ottonen durch seine Frau Gisela, die Schwester des Kaisers. In persönlichem Kontakt mit der so hochpolitischen Mönchsbewegung zur Reform von Kirche und Welt blieb er durch den Mönch Ascherich, einem Vertrauten des Bischofs Adalbert, den er aus Prag nach Ungarn berief.

Ascherich, der künftige ungarische Erzbischof, brachte aus dem ersten Prager Benediktinerkloster, das Adalbert dort gegründet hatte, ein paar Gefährten mit, die offenbar aus dem römischen Kloster San Alessio gekommen waren. In San Alessio war Adalbert zuvor selber Mönch geworden. Nun gründeten sie bei Raab das Kloster Martinsberg (Pannohalma), einen Mittelpunkt der Klosterkultur in dieser vom Christentum bisher vernachlässigten Gegend, mit dem sie den ungarischen Herrscher für sich zu gewinnen suchten. So griffen Mönchtum und Politik bei wichtigen Entscheidungen ineinander. Der ungarische König schuf einige Stützpunkte für das europäische Mönchtum, das lateinische wie das griechische, und die Mönche wirkten im Sinne der gewaltigen Spannung zwischen christlichem Auftrag in der Welt und asketischer Weltverneinung. Die persönlichen und lokalen Beziehungen waren eng und einfach; man zählte nicht allzu viele Köpfe.

Stephan war durch diese Verbindungen ausersehen, einen Eckpfeiler des christlichen Imperiums nach dem Programm Ottos III. zu bilden. Er sandte den Mönch Ascherich nach Rom und erhielt, gewiß mit kaiserlicher Zustimmung, eine Krone und einen Erzbischof nach den Dispositionen, die Kaiser und Papst gleichzeitig für Polen und Ungarn getroffen hatten. Dabei erfahren wir – aus Fakten und Symbolen mehr als aus der schriftlichen Überlieferung – ein gutes Stück vom politischen Programm um die Jahrtausendwende, an welchem der Kaiser, der junge Otto, nacheinander mit zwei Päpsten in voller Übereinstimmung wirkte. Der eine, Gregor V., war selbst ein Sproß der Kaisersippe. Der andere, der sich Sylvester II. nannte und damit im historischen Programm der Papstnamen den Kaiser gleichsam als zweiten Konstantin erscheinen ließ, war Ottos langjähriger Vertrauter Gerbert von Aurillac. Die Krone, die Stephan 1001 übersandt wurde, ist nicht erhalten, und ein angeblicher Brief des Papstes aus diesem Anlaß erwies sich als Fälschung. Aber die Tatsache der Einbindung Ungarns in Ottos Imperium in loser, doch deutlicher »Bundesgenossenschaft« im alten römischen Sinn spricht für sich selbst. So standen Papst, Kaiser und Könige in einem Personengeflecht, das im Geschichtsgang des lateinischen Abendlandes vieles enthüllt von der Verbindung zwischen der archaischen Kaiseridee und der christlichen Verwandlung der Welt: ein paar Augenblicke christlicher Utopie.

Otto III.

Kaiser Otto II. mit seiner Gemahlin, der byzantinischen Prinzessin Theophanou, unter dem Segen Christi. Theophanou, als Nichte des regierenden Kaisers nicht purpurgeboren, eröffnete keine Nachfolgeansprüche auf den byzantinischen Thron für die Ottonenkaiser. Aber als Witwe Ottos II. wurde sie dann eine der namhaften Regentinnen. Das Elfenbeinrelief stammt aus dem 10. Jahrhundert.

Im Mittelpunkt steht der junge Kaiser. Er war dank der Fürsorge seiner Mutter, der griechischen Prinzessin Theophanu, lateinisch und griechisch gebildet, wurde schon als Dreijähriger zum König gesalbt und gekrönt und sechzehnjährig, 996, durch die Kaiserkrone über alle Welt erhoben. Danach verblieben ihm nur noch sechs Jahre für seine hochfliegenden Pläne. Er scheiterte mit dem Versuch, eine Renovatio Romani Imperii ins Werk zu setzen und ein wahrer Romanorum Imperator Augustus zu sein. Zuletzt ging er nicht als ein heiliger Herrscher, was er wohl vor allen anderen am ehesten verdient hätte, sondern als ein Weltenwunder in die Erinnerung ein.

Mirabilia mundi: Was Otto wollte, war tatsächlich wunderbarer als die Kaisermacht Karls des Großen, als dessen Nachfahre er sich fühlte, staunenswerter auch als die politischen Pläne Otto des Großen, dessen Enkel er war. Otto III. suchte den Schwerpunkt seines Reiches in Rom. Er war der einzige Kaiser, der dort residierte, der wieder, wie die antiken Kaiser, auf dem Palatin Wohnsitz nahm, obwohl uns von seinem Palast, der da in kurzer Frist gebaut worden sein müßte, nichts erhalten ist. Er übte Macht wie ein Papst und über den Papst, setzte Bischöfe und Erzbischöfe ein, erklärte die konstantinische Schenkung für eine Fälschung und griff mit aller Autorität nach der antiken Kaisergewalt. Der junge Herrscher sah den gesamten Raum zwischen der Nordsee und Sizilien, Deutschland und Italien also, als unmittelbaren kaiserlichen Herrschaftsbereich an und hielt die Nachbarn im Sinne der antiken Bundesgenossenschaft für abhängig. Auch Frankreich sah er unter kaiserlicher Oberherrschaft, bekräftigt in politischen Optionen; das damals noch sehr dünn besiedelte England mit seinen Auseinandersetzungen im Inneren und im Kampf gegen dänische Invasoren bedeutete ihm keinen Machtfaktor. So wagte er die Erneuerung des römischen Imperiums. Er scheiterte. Nicht an politischen Rivalen, sondern letztlich an seinem Vertrauen auf die Kraft der römischen imperialen Idee.

Bernward von Hildesheim, ein Sachse, der später als Bischof an diesem Ort Würden erlangte und Ansehen als Künstler bis heute genießt, und Johannes Philagathos, ein Grieche, der später als Gegenpapst unrühmlich wurde, hatten Otto erzogen. Suchen wir zu erfassen, wie der junge Mann dann sehr eigenwillig »eine Devise Karls des Großen … in bis dahin unerhörter Buchstäblichkeit zu seinem Programm gemacht hat« (Helmut Beumann). 994, im 15. Lebensjahr, wird er für mündig erklärt. Es folgt ein schon übliches, auch für kommende Jahrhunderte fast schematisches Aktionsprogramm deutscher Kaiserpolitik: Beruhigung im Inneren, Grenzsicherung im Osten, ein Slawenfeldzug also, dann ein Hilferuf des Papstes und die deutliche eigene Absicht zum Romzug. So hatte es sein Großvater gehalten, so auch sein Vater, der mit achtundzwanzig Jahren in Italien gestorben war. Aber dann zeigen sich Unterschiede: Ottos Papstpolitik zielt auch in Kirchendingen auf die kaiserliche Initiative, und seine Vorstellungen von der Erneuerung des Reichs der Römer, Renovatio imperii Romanorum, seit 998 in neuen Metallsiegeln mit dem Porträt Karls des Großen ausdrücklich propagiert, greifen weit über Karls Politik hinaus. Auf

Die große, zweiflügelige Bronzetür des Hildesheimer Domes, um die Jahrtausendwende von Bischof Bernward selbst geschaffen, ist technisch wie künstlerisch ein vielgewürdigtes Meisterwerk. Sie stellt in den einzelnen Feldern die Erschaffung des Menschen und den Sündenfall neben Leben und Erlösungswerk Christi in theologischer Analogie.

Eine der alten Kölner Kirchen auf römischem Boden, St. Maria im Kapitol, zeigt auf ihren Holztüren eindrucksvolle Details romanischer Schnitzkunst. Die Verkündigungsszene, die Begegnung Mariens mit Elisabeth, der Engel bei den Hirten und die Zufriedenheit bei der Krippe wird an drastischen Gesten deutlich.

dem ersten Romzug krönt ihn ein naher Verwandter, den er zuvor als Gregor V. zum Papst erhoben hatte. Ein paar Monate in Deutschland brachten im Sommerhalbjahr 997 eine mühsame Stabilisierung der östlichen Grenze im Kampf gegen die Elbslawen. Zum Jahresende kehrte er nach Italien zurück, wo seine Politik ein Fiasko erlitten hatte: Sein Papst war vertrieben worden. Zuvor war Johannes Philagathos als Brautwerber für Otto nach Byzanz gesandt worden, denn Otto begehrte eine »purpurgeborene« Prinzessin zur Frau, gewiß im Hinblick auf seine kaiserliche Gleichrangigkeit. Auch das schlug fehl. Sein Gesandter ließ sich statt dessen bei seiner Rückkehr nach Rom zum Gegenpapst erheben.

Otto kam siegesbewußt nach Italien und mit der Absicht, sein Kaisertum noch deutlicher zu befestigen als bisher. Jetzt nahm er Quartier auf dem Palatin. Er vertrieb die byzantinischen Statthalter aus Unteritalien. Er nannte sich Imperator Romanorum, mit einem Zungenschlag, der den Anspruch auf Alleinkaisertum in sich schloß. Nun wurde, nach der grausamen Bestrafung des Gegenpapstes und nach dem Tod Gregors V., sein Ratgeber Gerbert zum Papst Sylvester. Die kaiserliche Dominante beim guten Einvernehmen der beiden höchsten Häupter der Christenheit war unverkennbar.

Daneben wurde ein anderes Moment im Denken des Kaisers sichtbar, bei dem Papst Sylvester freilich nicht mitspielte. Es wurde von Adalbert (956–997) aufgebracht, dem zweiten Bischof von Prag, der aus einer mit den böhmischen Herzögen rivalisierenden Adelssippe stammte, die 995 ausgerottet worden war. Adalbert hatte das Massaker an seiner Familie zwar überlebt, aber als Bischof viel Widerstand in seiner Heimat gefunden und war wiederholt nach Rom geflohen. Dennoch war aus seinem Wirken ein großräumiges Konzept hervorgegangen, das Christentum fest im östlichen Mitteleuropa zu verankern. Nach Böhmen, nach Polen und nach Ungarn kamen durch dieses Programm römische Mönche. Sein Halbbruder wurde der erste Erzbischof von Polen, und sein vielleicht burgundischer Vertrauter Ascherich war später zunächst in Gran, danach wohl in Kalocsa mit dem Aufbau der Kirche in Ungarn betraut. Adalbert war voller Eifer für den Sieg des Christentums in der Welt, in der Welt des östlichen Mitteleuropa, und dies traf sich mit der kaiserlichen Verpflichtung zur Heidenmission. Das Christentum sollte die Fürsten aneinander binden, nicht in Unterordnung, sondern in einer – wenn auch hierarchisch organisierten – Zusammenarbeit. So entsprang womöglich auch dem Kontakt mit Adalbert jene Idee des Kaisers zu einer sehr eigenwilligen, antiken Vorbildern entlehnten Ordnung der lateinischen Christenheit im Osten, die den Plänen seines Großvaters, Ottos des Großen, strikt zuwiderlief und wohl auch vor Karl dem Großen keine Gnade gefunden hätte. Das Erzbistum Magdeburg, einst gegründet als Zentrale der östlichen Heidenmission und gleichermaßen, in kirchlich-politischem Doppelsinn, auch Ausdruck der Reichsansprüche in diesem Raum, verlor seine Bedeutung, ähnlich wie Salzburg für den Südosten. Der polnische und der ungarische Herrscher, besser belegt bei dem ersten, deutlich genug aber auch für den zweiten, erhielten mit eigenen Erzbistümern die kirchliche Selbständigkeit und wurden als »Bundesgenossen« zu »Kooperatoren des Reiches«. Vielleicht bekam jeder von ihnen vom Kaiser oder durch kaiserliche Vermittlung dabei eine Krone. Sicher ist, daß jeder ein Duplikat der heiligen Reichslanze erhielt. Das polnische Exemplar ist noch heute in Krakau erhalten. Das deutsche Urbild liegt bei der Reichskrone in Wien.

Für den Eintritt Polens und Ungarns in die christliche Völkerfamilie hatte dieser Akt grundlegende Bedeutung. Die deutsche Nationalhistoriographie fand deshalb keinen Zugang zur »Verzichtspolitik« Ottos III., bestenfalls Entschuldigungen. Der junge Kaiser hatte namentlich seine polnische Aktion unter dramatischen Umständen inszeniert, er kam nach Gnesen als Kaiser und als Büßer zugleich. Inzwischen war nämlich der Prager Bischof Adalbert bei den Preußen ein Opfer seiner weitgespannten Missionspläne geworden. Der polnische Herrscher Boleslaw Chrobry, der »Kühne« und der Große, hatte den Leichnam des Märtyrers erworben und an seinem Residenzort Gnesen feierlich beigesetzt. Dorthin brach nun Otto auf und kam im März des Jahres 1000 als servus Jesu Christi an den polnischen Hof. Schon unterwegs in Schlesien war Ascherich zum Erzbischof geweiht worden, so daß beide Projekte gleich-

Otto III. auf seinem Königssiegel, in antiker Gewandung, en face nach Art römischer Herrscher, mit Zepter und Sphära (»Reichsapfel«).

Das Kaisersiegel Ottos III. zeigt den Herrscher stehend, in antikem Paludamentum. Die Siegelumschrift wurde fortan zur Tradition: OTTO DEI GRATIA ROMANORUM IMPERATOR AUGUSTUS – Otto von Gottes Gnaden erhabener Kaiser der Römer – aber weder das Paludamentum noch die aufrechte Stellung sind künftig wiederzufinden. Allein Otto III. suchte in dieser Weise seine Nachfolge der römischen Imperatoren zu demonstrieren.

Gott krönt einen Kaiser, vermutlich Otto III. Diese Krönungsdarstellung war bezeichnend für den Unmittelbarkeitsanspruch des Kaisertums.

zeitig reiften. Otto zog dann von Polen nach Aachen, öffnete das Grab Karls und verband sich durch das Halskreuz des großen Toten sozusagen körperlich mit dem ersten mittelalterlichen Kaiser. Bei seiner Rückkehr nach Italien trat er, wie früher schon, in engen Kontakt zu den Protagonisten der mönchischen Lebensform, den Einsiedlergemeinden, die sich an einigen berühmten Orten zusammengefunden hatten, um weit strenger zu leben als alle anderen Mönche, und von denen manche, wie etwa die Gemeinschaft von Camaldola, die italienische Religiosität noch lange beeinflußten.

Trotz der kurzen Regierung Ottos III. von kaum sechs, sieben Jahren taucht in den wenigen Quellenberichten aus dem Dunkel der noch immer wortkargen Zeit eine Reihe von Persönlichkeiten auf, die der Kaiser in seine Umgebung zog; Josef Fleckenstein sprach vom »Zauber seiner Persönlichkeit«. Und wirklich wären uns manche ohne das kaiserliche »Genie der Freundschaft« wohl nie bekannt geworden – ähnlich wie Karl der Große nicht nur die namhaften Köpfe anzuziehen und zu halten wußte, sondern auch manchen erst zu seinem Namen gebracht hat. Darunter sind nun eben nicht nur Mächtige in kirchlichen und weltlichen Ämtern, sondern auch die weltfernen Einsiedler von der Insel Pereum und aus anderen klösterlichen Zufluchtstätten. Weltflucht für den Kaiser? In der antiken Basilika von San Apollinare in Classe bei Ravenna kann man lesen, der Kaiser habe hier im mönchischen Kreis vierzig Tage als Büßer gelebt, und die Hälfte davon läßt sich tatsächlich bezeugen. Auch anderswo traf er sich büßend mit jenen Leuten, die der Welt zwar ganz und gar entsagt hatten, aber doch auf eine merkwürdige Weise auf sie einwirkten.

Otto III. begann 997 eine neue Selbstdarstellung auf Thronsiegeln. Dieses älteste Exemplar hat uns zugleich den Fingerabdruck eines Unbekannten überliefert.

Die Historiker haben sich immer wieder Mühe gegeben, das eine mit dem anderen in den Rahmen einer Persönlichkeit zu fügen: den unbändigen Herrschaftsanspruch des jungen Monarchen unter Berufung auf das römische Kaisertum auf der einen Seite; auf der anderen den büßenden, blutenden, weinenden Otto im Michaelsheiligtum des Monte Gargano, in Classe, in Pereum, in Gnesen, oder den schauerlichen Schritt hinab zum Leichenthron Karls des Großen, den manche Zeitgenossen für einen unerhörten Frevel hielten und der

Kaiser Otto III. thronend, mit den Vertretern der geistlichen und weltlichen Großen. Das Bild stammt aus einem Evangelienbuch und entstand im Auftrag des Kaisers auf der Klosterinsel Reichenau.

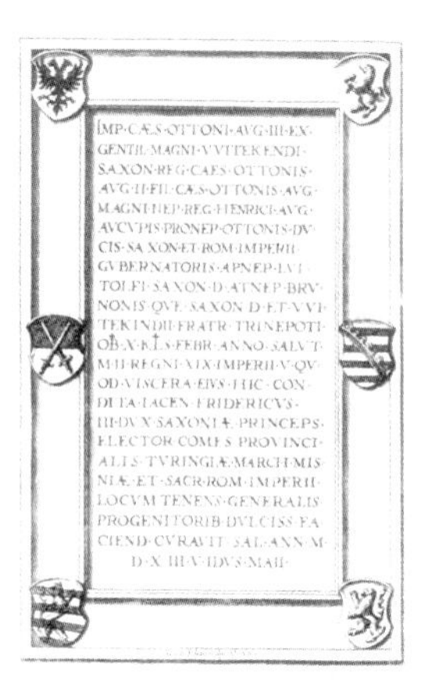

Grabplatte Ottos III., des ersten mittelalterlichen Herrschers, der sich »Kaiser der Römer« nannte, im Aachener Dom. Die Platte stiftete 1513 Kurfürst Friedrich III. von Sachsen, mit ausdrücklichem Hinweis auf die Herkunft des Ottonenkaisers aus der Sippe Widukinds.

doch nur wiederholte, was man vom Besuch des Augustus am Grabe Alexanders des Großen berichtet. Derselbe Otto redete den aufständischen Römern ins Gewissen, er sei einer der ihren geworden und habe ihretwegen seine sächsische Heimat verlassen. Der Achtzehnjährige, dem man die Liebe einer römischen Schönen im neuen Kaiserpalast auf dem Palatin nachsagt, der Einundzwanzigjährige, der unverzagt das aufständische Rom wieder niederwerfen will, als ihn selbst ein tödliches Fieber erfaßt – eine Persönlichkeit voller Widersprüche?

Eindeutig scheint, daß es Otto in seinem Freundeskreis mit den Radikalen hielt, mit den Männern der Tat, ob sie ihm zur Errichtung eines neuen, wirklich und bis ins letzte erfüllten Imperiums rieten oder zur wahrhaften und entschlossenen Askese. Gewiß scheint auch, daß er selber das eine mit dem anderen vereinen wollte, Christi Reich doch als von dieser Welt ansah und die Eintracht von Mönch und Kaiser für möglich hielt. Im Zusammenhang mit der weit ausgreifenden Mönchsbewegung, die nördlich der Alpen von Cluny ausging, dessen Abt Odilo mehrfach sein Gast war, und südlich der Alpen von der anarchischen, aber nicht minder wirksamen Eremitenbewegung, erscheint der junge Kaiser wie der Exponent einer großartigen christlichen Utopie. Es ist nicht jene Utopie, die eine abstrakt und rational gewordene Unschuld Jahrhunderte später auf arkadischen Inseln suchen wird; sondern es ist der Versuch, ein Stück Himmel auf die Erde zu holen, in eigener Selbstvervollkommnung, wie sie die radikalen Asketen erfahren zu haben glaubten, verbunden mit der Vollkommenheit kaiserlicher Weltherrschaft. Eigentlich hat dieser dritte Otto nichts anderes getan, als die irrealen Elemente der Vereinigung von Christentum und Politik, wie sie das mittelalterliche Kaisertum verhieß, im utopischen Extrem für seine und für alle Zeiten lebendig zu machen versucht. Manche Historiker bedauern, über dieses kurze Kaiserleben kein endgültiges Urteil zu finden: moderne Ratlosigkeit angesichts der jahrhundertelang erstrebten Ideale der mittelalterlichen Welt.

II
Eine neue Gesellschaft

Von Herren und Knechten

In alten Zeiten standen »Herr« und »Haus« in enger Verbindung. Der lateinische dominus mit dem domus, der slawische gospodin mit der gospoda. Mit demselben Wort ließ sich auch der höchste Herr, ließ sich auch Gott ansprechen, und bei Tschechen und Polen hat sich das alte Wort nur seinetwegen bis heute gehalten. Ähnlich ging es auch im Deutschen zu. Das Wort für den Herrn, das man im Althochdeutschen vor tausend Jahren gebrauchte, Frō, benützen wir nur mehr selten im Gottesdienst oder in historischen Begriffen. Fronleichnam, des Herrn Leichnam, ist das Fest des Corpus Christi. Auch kennt man noch den Fronaltar, den Herrenaltar, im Sinn des höchsten Herrn, oder den Fronboten als Diener der Grundherrschaft. Der Fronhof, der Herrenhof, lebt nur mehr in der Fachsprache. Wir haben das alte Wort für den Herrn vergessen, nur in der weiblichen Form, als Frau, lebt es fort. Es muß ein merkwürdiger Wandel vor sich gegangen sein in den Generationen um die Jahrtausendwende, nicht nur im Deutschen, sondern in allen drei großen Sprachgruppen, bei Romanen, Germanen und Slawen. Zu den alten Begriffen für die Herren traten neue, so, als ob auch die Herren gewechselt hätten. Senior, signore, seigneur ist eigentlich nur »der Ältere«, geradeso wie unser Herr der »Hehrere«, »Ehrwürdigere«. Woher der »pan« bei Südslawen, Tschechen und Polen kommt, der den gospodin ablöste, ist unklar; vielleicht von den Awaren.

So ganz unmißverständlich spricht jene Chronik nicht, die wir auf der Zunge tragen. Ihre Worte werden mit dem Wandel von Sinn und Laut von einer Generation zur anderen weitergegeben. Die allererste Geschichtsquelle, die uns in unserer eigenen Sprache am nächsten ist, wissen wir aber oft nicht zu deuten. Viele Rätsel der scheinbar so fernen Vergangenheit liegen uns sozusagen auf der Zunge – wir können sie laut aussprechen und kennen doch ihre Bedeutung nicht mehr.

Die Spur vom Herrn führt auch zum Knecht. Der Fronhof war der alte Herrenhof und die Fronarbeit der Knechtsdienst. Der Frondienst war Bauernarbeit für den Herrn, Arbeitspflicht für den Grundherrn, mitunter bis zum Jahr 1848. Nur hat sich, merkwürdigerweise, der Begriff des Dienenden und des Dienstes um die Jahrtausendwende ebenfalls gewandelt, ohne daß wir recht erschließen können, warum. Auch hier spielt wahrscheinlich antike Begrifflichkeit mit, die das Latein ins Mittelalter trug. Aber während sich der lateinische »Herr«, der dominus, nicht nur im Gottesdienst, sondern auch im Umgangslatein erhalten hat, noch heute in lateinischen Urkunden, hatte es mit dem Knecht in allen möglichen Sprachen doch seine liebe Not.

Ein Diener heißt servus im Lateinischen, und dieses Wort blieb erhalten durch die Jahrhunderte, bis hin zur legeren österreichischen Grußformel – Ihr gehorsamer Diener – Servus! Ein anderer lateinischer Rechtsbegriff für den

Pflügen mit Viergespann; unten: Zerkleinern der Schollen mit Hacken, noch ohne Egge, vor der Aussaat.

wirklich untersten Diener, den Sklaven, war mancipium, ein Neutrum, das sein Objekt zur Unperson machte, zur Rechtssache. Dieses Wort verschwand allmählich im Mittelalter. An die Stelle der namenlosen mancipia, die man mit Haus und Hof kaufen, verkaufen oder verschenken konnte, traten seit dem 8./9. Jahrhundert in die Besitzbücher Namen: Eigenleute, Holden, Bauern mit ihren Familien, deren Abgaben aufgezeichnet und deren Dienste vorgeschrieben waren, die mitwirkten am Lebensunterhalt des Herrn und dabei auf eine nicht näher bezeichnete Weise auch ihr eigenes Auskommen fanden. Die Abhängigkeitsverhältnisse tragen viele Bezeichnungen, keine einzige umschreibt ein System. Die Beschreibungen von Abhängigkeit liefern viele Varianten; von Geringfügigkeiten, die eher nur die bloße Anerkennung der Unterordnung bedeuten – vielleicht zwei Hühner jährlich und ein Maß Korn –, bis hin zu Leistungen, die ohne Zweifel einen erheblichen Anteil der bäuerlichen Jahresarbeit ausmachen. Die deutsche Fachliteratur hat mitunter diese Abhängigkeitsverhältnisse mit dem einheitlichen Namen der Hörigkeit bedacht. Aber dieses Wort gab es nur in Norddeutschland, am ehesten in Westfalen. Und auch da erst im späteren Mittelalter und ohne den Anspruch auf Einheitlichkeit. Hörigkeit sagt also nicht viel über das Verhältnis von Herren und Knechten. Gehorsam durften alle Herren fordern; Hörigkeit nicht.

Abhängigkeiten gab es vielerlei in der Gesellschaft um die Jahrtausendwende. Die Anzahl der freien Bauern aus altem Herkommen, von denen in älteren Geschichtsbüchern die Rede ist, hat die neuere Forschung stark eingeschränkt. Die Tendenz der Herren bestand sicherlich darin, nur zwischen den wenigen ihresgleichen und den vielen Knechten in der Welt zu unterscheiden. Eine solche dualistische Gesellschaftskonzeption entsprach auch dem frühen Entwicklungsstand der Agrarwirtschaft. Aber die Wirklichkeit war vielfältiger; Unterschiede zeigten sich etwa bei den bäuerlichen Abgabenleistungen, die da und dort auf uralte Übereinkünfte zurückgehen mochten, auf die Besserstel-

Urwald wird gerodet. Deutlich ist das Bemühen des Malers, den verschlungenen Wildwuchs wiederzugeben. Unten: Die Ernte wird mit Flegeln ausgedroschen; die Körner werden in einem runden Schwingkorb von der Spreu gereinigt und dann in Körben fortgetragen. Monatsbilder aus dem 12. Jahrhundert.

lung ansässiger Bewohner aus der Völkerwanderungszeit, auf beträchtliche Besserstellung von Bauern auf römischem Fiskal- und späterem Königsland. In Süddeutschland nannte man diese Gruppe Barschalken, freie Knechte, die der König, weil er ihrer Kriegsdienste nicht mehr bedurfte, oft mitsamt dem Grund der Kirche schenkte; dort suchten sie ihre Halbfreiheit zu wahren.

Bauern in Abhängigkeit bestimmten weithin die gesellschaftliche Vielfalt der »Dienenden«. An den Herrenhöfen gab es Dienstleute, die unmittelbar für die Gutswirtschaft zuständig waren, unterstützt von abhängigen Bauern während der Heu-, der Getreideernte und der Weinlese. Soweit einst die römische Herrschaft reichte, in Spanien, Frankreich, Italien und in West- und Süddeutschland, hat man bäuerliche Abhängigkeit immer wieder aus römischen Traditionen hergeleitet und betont, daß die spätrömische Agrarverfassung von Gutsherren und Kolonen merkwürdig übereinstimme mit der germanischen Fronhofsverfassung von freien Herren und abhängigen Bauern. Aber noch hat niemand diese Verhältnisse genau erklären können, und meist vergißt man dabei, daß sich auch die slawischen Länder in einem ganz ähnlichen Zustand befanden. Hier wie dort gab es übrigens noch abhängige Handwerker, die man in einzelnen Siedlungen zusammenfaßte, zum Spinnen, Weben, Schmieden, Gerben. Über ihre Rechte wissen wir kaum etwas.

Anscheinend waren in all der Vielfalt aber auch die antiken Sklaven nicht verschwunden. Auch da führt uns der Begriff in eine Welt, die kein Chronist der Mitteilung für wert befand. Das Wort sclavus kommt erst im 6. Jahrhundert in die lateinische Sprache; der klassischen Latinität war es unbekannt. Es taucht zuerst in Ostrom auf, hieß slavus, und die Griechen lieferten zum Buchstabenbestand ein k hinzu. Dadurch entpuppt sich das Wort als Völkername: »Sláva« heißt »Ruhm« oder auch »Heil« in den slawischen Sprachen, und die Slawen nannten sich selber so. Zu einer Zeit, da die wehrhaften und oft gefürchteten slawischen Völkerschaften das oströmische Reich beunruhigten, stellten

Kriegsgefangene aus diesem Barbarenvolk und wohl auch von ihren eigenen Familien Verkaufte den größten Bestand an »Sklaven«. Daher stammt der Begriff. Die Slawen waren zu dieser Zeit noch Heiden, also Freibeute für die christlichen Sklavenhalter, und oft führte der Weg der Unglücklichen auf weiten Handelsstraßen in die Welt des Islam. Ging es doch dabei um eine leicht transportable Ware, weil sie sich auf eigenen Füßen bewegen konnte! Noch um 1050 berichtet ein Koblenzer Zolltarif vom Sklavenhandel auf dem Rhein. Zur selben Zeit waren auch in England Sklaven eine alltägliche Erscheinung. Der Markt wurde im 9. und 10. Jahrhundert beherrscht von Wikingern und Juden. Beide verfügten über die gehörige Weltläufigkeit, die einen zur See, die anderen auf dem weiten Landweg.

Hungersnöte und Epidemien, die jede Mißernte begleiteten, bedrohten das Leben ständig, die Kindersterblichkeit war groß, und die Lebenserwartung umspannte kaum 40 Jahre. Auch gab es selbst bei der geringen sozialen Mobilität noch Arme und Reiche: bei den freien Herren, die manchmal die neue Kriegsrüstung nicht mehr aufbringen konnten, Kettenhemd, Roß, Schild und Lanze, wie unter den Bauern, die sich mitunter selbst freizukaufen imstande waren.

Die wenigsten fielen ganz aus dem »sozialen Netz«. Es gab Fürsorge für Alte, Kranke und auch für Überzählige auf einem Bauernhof. Wir erfahren freilich auch von »landschädlichen Leuten«, die umherstreiften: Entlaufene, Spielleute, Ungebundene, wohl nicht nur Männer, und deshalb »Asoziale«. Es gibt also in einem solchen Sinn schon Wurzellose, und das sind wohl die eigentlich Armen dieser Welt. »Arm und reich« dagegen ist noch nicht der sprichwörtliche, ausschließliche Gegensatz, mit dem man alles umschreiben kann. Wenn schon, dann spricht man von »mächtig und arm«, potens et pauper, und das gibt dem Gegensatzpaar eine andere Richtung. Der Mächtige ist der Herr, der das Schwert führt, der sich zu wehren weiß und andere zu schützen. Sein Widerspiel ist der Arme dementsprechend in einem besonderen Sinn seiner Mittellosigkeit, nicht schlechthin dem Besitz nach.

Etwa neun Zehntel der Menschen um die Jahrtausendwende waren Bauern. Die Zahl der Stadtbewohner, besonders nördlich der Alpen, war noch sehr gering. Die bäuerliche Welt bestimmte demnach auch den Lebenslauf der meisten Menschen, die harte Arbeit, bei der viele sich buchstäblich aufbrauchten, im Kindbett erschöpften, Krankheiten preisgegeben, die wir heute leicht zu heilen wüßten. Im Februar, im Hornung, hatte man tagsüber oft keinen trockenen Faden auf dem Leibe. Übrigens ist die Kleidung noch eng mit dem »Kleid« verwandt, dem Hemd mit Ärmeln in allen Varianten. Die Hosen in der kalten Jahreshälfte sind Strümpfe, deshalb auch der Plural. Zwar gibt es Schuster, aber ihr Schuhwerk wird in Schnee und Schlamm oft überstrapaziert. Ein Grund mehr, die Menschen in den warmen Ländern zu beneiden.

Alle Bauernarbeit ist schwer. Langstielige Geräte, Rechen und hölzerne Gabeln, gebrauchen wir ähnlich noch heute. Aber das Beil ist eine Kostbarkeit, der Spaten oft nicht mehr als ein »Grabscheit« aus Holz, die Säge noch selten, und auch Sensen weiß man nicht zu schmieden. Mühselig ist die Arbeit mit der Sichel, glatt oder gezähnt. Die schwerste Arbeit fordert das Pflügen, meist mit Ochsen vor dem Räderpflug. Jedenfalls ist es die wichtigste Arbeit, und der Organisationsvorteil der Dreifelderwirtschaft ist in diesem Zusammenhang

Frauen bei der Ernte – auch bei der Aussaat, was eigentlich zu den Männerarbeiten zählt. Immerhin handelt es sich hier um Bilder aus einem »Jungfrauenspiegel«, einer Anleitung zum rechten Leben. Lediglich der Spaten ist noch einem Mann überlassen – ein Gerät übrigens aus Holz, woran noch die alte Bezeichnung »Grabscheit« erinnert, mit Eisenbeschlag an den Rändern.

ungeheuer: Danach läßt man ein Drittel der gesamten Flur jeweils brachliegen und wechselt auf dem übrigen Land zwischen Herbst- und Frühjahrsaussaat, so daß die Pflugarbeit sich über das ganze Jahr verteilt. Im Juni wird dann noch die Brache umgebrochen, eine uns heute unbekannte Pflugzeit, die sich in dem fränkischen, von Karl dem Großen verfügten Monatsnamen erhalten hat. Wir heute könnten einen »Pflugmond« für Juni gar nicht verstehen.

Der Bildteppich von Bayeux zeigt die harte Bauernarbeit um 1080 mit den gleichen Gewändern und den gleichen Werkzeugen wie die karolingischen Miniaturen zweihundert Jahre zuvor: Ochs und Räderpflug, zweirädrige Karren und große Tragekörbe, knielange Kittel und gebeugte Rücken, Bauernarbeit auch bei Sturm und Regen. Es genügt nicht, dieses Dasein nur hart zu nennen; es war vielmehr entbehrungsreich, mühselig und immer wieder von jäher Sterblichkeit bedroht. Vier bis fünf Menschen lebten nach unseren

Berechnungen zur Zeit Karls des Großen pro Quadratkilometer; in den einzelnen Siedlungsinseln inmitten der Wildnis aus Wald und Moor freilich dichter. Zehn Hektar schätzt man um die Jahrtausendwende als Ernährungsgrundlage für eine bäuerliche Familie. Eine solche Hofgröße legt man auch dem verbreiteten, aber nicht definierten Maß einer Manse oder Hube für das Bauerngut zugrunde.

Der Hausbau war kümmerlich, besonders der bäuerliche. Seltene Überbleibsel, wie das tausendjährige Blockhaus in Aufhausen bei München, zeigen einen kleinfenstrigen, dunklen Innenraum ohne Unterteilung mit ursprünglich offenem Herd. Anspruchsvoller ist das angebliche Steinhaus Walafried Strabos bei Mainz; wenn es mit diesem großen Namen aus der Karolingerzeit zu Recht in Verbindung gebracht wird, dann ist es aber doch, auf seine ursprünglichen Formen zurückgeführt, bescheiden genug. Steinbau und Holzbau trennen im übrigen, von Kirchen-, Königs- und wenigen Herrenbauten abgesehen, den Norden vom Süden Europas. Noch heute geht die Grenze des Fachwerks von England durch Nordfrankreich bis an die Donau im alten Siedlungsraum, unbekümmert um Staats- und Sprachgrenzen.

Tisch und Stuhl waren das einfachste, auch das wichtigste Mobiliar. »Dish« gebraucht man im Englischen noch heute für ein Tablett, die entscheidende Grundgestalt, und unser »Stuhl« ist in den slawischen Sprachen zum Lehnwort für den Tisch geworden. Man schlief auf Stroh, das wohl in einfachen Häusern durch einen Verschlag zusammengehalten war, wahrscheinlich erst mit dem Aufschwung der Textilproduktion seit dem 12. Jahrhundert in Strohsäcken. Es mußte von Zeit zu Zeit gewechselt werden, und das Volkslied erinnert noch heute daran, daß man dabei das weichere Haferstroh bevorzugte. Man litt natürlich unter Ungeziefer, weit mehr, als man davon erzählte, so wie wir heute nicht mehr gern davon sprechen, daß unsere Großväter noch unter Flöhen und Läusen litten.

Ein romanisches Haus in Münstereifel vermittelt mit Mauern aus halbbehauenem Stein, mit Mauerfugen und Fensterhöhlen für einen Augenblick die alte Häuslichkeit – aber schon aus den Augenwinkeln finden wir wieder in das gewohnte Straßenbild.

Grotesken nach antiken Vorbildern (Grottenmalerei) gelten als Wiederentdeckung der Renaissance. Oft bleibt unbeachtet, daß schon das Mittelalter seit dem 12. Jahrhundert Vergleichbares zu bieten hat, wie die Beispiele hier und auf den folgenden Seiten zeigen.

Dämonenfiguren der Frühzeit sind noch in mancher Aussage rätselhaft. Gewann der Teufel erst im 13. Jahrhundert menschliche Gestalt, so wird doch in den ältesten Wandbildern auch die Macht des Bösen als menschenähnliches Gegenüber gezeigt, wie hier in Naturns an der alten Paßstraße über den Reschen in einem vorromanischen Kirchlein aus dem 8. Jahrhundert.

Augenfällig und emotional bestimmt muß man sich das Weltbild jener Gesellschaft denken, nicht nur in den Köpfen der einfachen Menschen. Die alten Pfarrkirchen lassen einiges davon erahnen mit ihren Bestiarienzyklen und Bildfolgen zu den wichtigsten Heilslehren, den sogenannten »Armenbibeln«, anschaulich für Analphabeten. Die Kirchen müssen überhaupt als Wunderwerke gegolten haben, auch die kleinen und einfachen, weil sie aus Stein errichtet waren, mit Türmen und weithallenden Glocken, oft mit bemalten Wänden; damit ließen sie schon ein Stückchen Paradies erahnen in den Niederungen der dunklen Hütten. Nur konnte man diese Kirchen damals noch lange nicht »im Dorf lassen«. Es gab nur wenige bis zur Jahrtausendwende, zunächst nur in den Klöstern und an Herrensitzen.

Im Denken der Menschen dominierte der Wald, ganz gewiß nördlich der Alpen, in einem Ausmaß, das wir uns aus unserer zeitgenössischen Sorge um seinen Bestand kaum noch vorzustellen vermögen. Im Süden fürchtete man statt dessen oftmals die karge Öde, Buschland, oder die gefährlichen Wege im Moor. Hier wie dort gab es bedrohliche Tiere: Schlangen, nach deren Biß meist keine Rettung war, Wölfe, Bären, dazu auch noch Dämonen und Kobolde. Die »Chronik auf der Zunge« hat auch davon einiges festgehalten; vom Alptraum, der seinen Namen dem bösen Elf verdankt, vom Erlkönig und vom Rübezahl, von Wassermännern und verführerischen Nixen, vom Klabautermann bis zum harmlosen Kasermandl, das sich am Herd verbirgt und Neugierigen das Gesicht verrußt. Der Mensch ist ohnmächtig vor diesen Dämonen, und deshalb greift er begierig nach dem Weihwasser, das ihm Schutz und Abwehr, das ihm den Sieg über seine Ängste verspricht.

Das Christentum hilft aber nicht nur gegen die Dämonenangst. Es verheißt nicht nur einen Ausweg aus der mühseligen Ohnmacht für alle. Es hat auch jeden einzelnen bei seinem Namen zum Heil berufen. Gerade die Namen wandeln sich allmählich; sie richten sich nach Heiligen der alten wie der gegenwärtigen Kirche und weisen damit auf mächtige Schutzpatrone im Himmel

Das Tympanon, der Torgiebel, war schon in der Antike bevorzugter Platz für die Darstellung der Himmlischen. Im Mittelalter symbolisiert es den Himmel, wo sich die Heiligen um Gottes Thron versammeln; hier in der Abteikirche von Mimizan-Bourg in Südfrankreich.

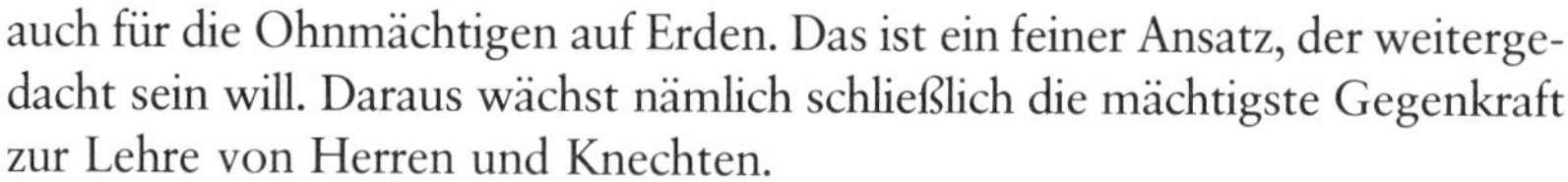

auch für die Ohnmächtigen auf Erden. Das ist ein feiner Ansatz, der weitergedacht sein will. Daraus wächst nämlich schließlich die mächtigste Gegenkraft zur Lehre von Herren und Knechten.

Von Mönchen und Klöstern

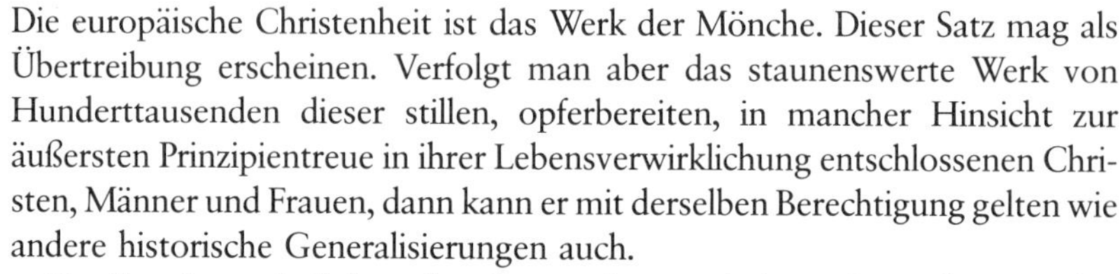

Die europäische Christenheit ist das Werk der Mönche. Dieser Satz mag als Übertreibung erscheinen. Verfolgt man aber das staunenswerte Werk von Hunderttausenden dieser stillen, opferbereiten, in mancher Hinsicht zur äußersten Prinzipientreue in ihrer Lebensverwirklichung entschlossenen Christen, Männer und Frauen, dann kann er mit derselben Berechtigung gelten wie andere historische Generalisierungen auch.

Der Satz kann freilich auch sehr paradox erscheinen. Denn die Mönche, »Einsiedler« im griechischen Wortsinn, waren Weltflüchtige. Aber immer wieder wirkte nicht nur ihr Beispiel, sondern unmittelbar das Werk ihrer Hände, die Klugheit ihrer Organisation und die Disziplin ihrer Lebensführung auf die verachtete Welt zurück. Von mönchischen Lebensformen vorchristlicher und außerchristlicher Art – auch von der Möglichkeit einer Berührung Jesu Christi selbst mit solchen Lebensformen bei den noch nicht recht erforschten Gemeinschaften der Essener – vermittelt das frühe christliche Mönchtum nichts. Es war vielmehr Zuflucht verzweifelter Söhne aus vornehmen Familien angesichts der Dekadenz der römischen Welt, und einige Tatkräftige wirkten im Mönchshabit wieder zurück in die Welt, die sie verlassen hatten. So etwa, gut dokumentiert von seinem Schüler und Nachfolger, der heilige Severin in Österreich um die Wende zum 5. Jahrhundert; so hundert Jahre später der ebenfalls vornehme Römer Benedikt von Nursia, der westliches und östliches Mönchtum studierte, ehe er Lebensregeln verfaßte, die im lateinischen Abendland grundlegend geworden sind bis zum heutigen Tage.

Zugleich mit dem Christentum hatte das christliche Mönchtum die irische Insel erreicht und dort große Verbreitung gefunden. Das könnte man für eine

Wie ein grotesker Höllensturz wirkt diese »Bestiensäule« aus dem 12. Jahrhundert im Dom zu Freising, auf der Dämonengestalten einander und einzelne Menschen zu verschlingen suchen.

Kuriosität am Rande halten. Es ist durchaus anders zu sehen. Rings um die Irische See, den Sankt-Georgs-Kanal und den Ärmelkanal hielt sich die Grundlage keltischer Kultur. Das Meer verband Bretonen und Briten, Skoten, Waliser und Iren. Die Angeln und Sachsen beengten diesen Zivilisationskreis mit ihrer Einwanderung im 6. Jahrhundert, die Wikinger beunruhigten ihn, aber erst die Normannen zerstörten ihn durch ihre Eroberung 1066 und die folgende jahrhundertelange Bindung der englischen Insel an den Kontinent. Daß zuvor schon die Alte Welt die Inseln an den Kontinent gebunden hatte, fast mehr als die moderne, ist unserem Geschichtsbild nicht so recht gegenwärtig. Allerdings hat die keltische Insel- und Stammeswelt mit ihren vielen Kleinfürsten nie zur Konsolidierung gefunden, sie blieb, wie Toynbee lakonisch sagte, eine »Fehlentwicklung«.

Für diese Inselkultur gewann das Mönchtum große Bedeutung. In Irland entstanden einige große Abteien, teils unter der Herrschaft der Kleinfürsten, die in ruheloser Rivalität um ein Oberkönigtum rangen. In diesen Kämpfen erscheint die Kirche oft wie ein stabiler Untergrund, aber außerstande, die Konsolidierung des Landes zu fördern. Dem ersten irischen Bischof Palladius um 430 folgte der tatkräftige Patricius (Patrick, 385–461), noch aus römischer Tradition. Seither wurde das irische Christentum von Mönchen getragen, die Wanderbischöfe stellten, mitunter auch große stadtähnliche Siedlungen aufbauten und dort eine größere Anzahl abhängiger Männer und Frauen in ihren Diensten hatten. Als um die Wende vom 6. zum 7. Jahrhundert die inzwischen eingedrungenen und im Süden und Westen verbreiteten Angeln und Sachsen in England christianisiert wurden, halfen irische Mönche mit.

Den irischen Mönchen, noch ohne Benediktinerregel, galt die Missionsreise, die Nachfolge Christi im fremden Land, als die höchste Lebensprobe zur Vollendung christlichen Daseins. Schon in Irland bildeten sie neben den keltischen Druiden, den heidnischen Priestern und Dichtern, eine besondere Gesellschaftsschicht zwischen Kriegern und Knechten: Intellektualität auf religiöser Grundlage. Das kontinentale Europa hatte namentlich südlich der Alpen, in

In irischen Klosteranlagen dienten Rundtürme auch der Zuflucht, wie dieser am besten erhaltene sorgfältig gefügte Turm aus dem Kloster des heiligen Molaise auf der Insel Devenish aus dem 6. Jahrhundert.

Südfrankreich, auf den Ägäischen Inseln und in der Felseinsamkeit des griechischen Festlandes, Mönchssiedlungen gebildet. Dabei entwickelte sich ein Wechselspiel zwischen Eremitage und Kloster. Das Eremitendasein galt mitunter als die vollkommenere Lebensform. Denn das Klosterleben förderte nicht immer das gemeinsame Gotteslob, sondern konnte auch zu rüder »Gottesknechtschaft« verarmen.

Das Mittelmeer-Mönchtum war von der Inselsiedlung Lérins an der Riviera und von Tours aus im südlichen und westlichen Frankreich heimisch geworden. Mit der Ankunft des irischen Mönchsmissionars Kolumban auf dem Kontinent verbreitete sich ein neuer Impuls aus dem Westen. Der Ire gründete mit seinem Gefolge Klöster im nördlichen und östlichen Frankreich, von denen Luxeuil zum bedeutendsten werden sollte, und tat sich zusammen mit den fränkischen Großen, die das römische Gallien erobert hatten. Dabei entstanden nun Klöster nicht nur in den alten römischen städtischen Zentren, sondern auch in Wald und Sumpf, und mit Selbstverständlichkeit entwickelte sich daraus ein besonderes Verhältnis der Mönche zur Arbeit und damit zu »weltlicher« Wirksamkeit. Das fränkische Klosterwesen trat in Kontakt mit dem fränkischen Landesausbau, noch einmal verstärkt durch eine neue Gründungswelle unter dem Angelsachsen Winfried – Bonifatius (†756) seit dem Anfang des 8. Jahrhunderts. Jetzt reichte die Gründungswelle zugleich mit der fränkischen Macht in einem großen Halbkreis von Utrecht über Erfurt nach Chammünster im Bayerischen Wald und zum Mondsee im Salzkammergut.

Die Klosterburg St. Michel steht auf einem keltischen, dann römischen Kultberg in einer Entwicklung, die allgemein die antiken oder vorchristlichen sakralen Merkpunkte in der Natur mit christlichen Heiligen »vermenschlichte« und zur Sakrallandschaft neuer Art zusammenfügte. Der Michaelskult wurde hierher im 8. Jahrhundert vom unteritalischen Monte Gar-

Gleichzeitig war dieses Mönchtum, das aus irischen und englischen Gewohnheiten nicht im selben Maß der Weltflucht diente wie das mittelmeerische, eine enge Verschmelzung mit der herrschenden Oberschicht eingegangen. Adelige Söhne wurden Mönche, adelige Fräulein gründeten Damenstifte. Die Klostergründungen auf Königsbesitz, die sich im 8. Jahrhundert zusammen mit der Ausbreitung der karolingischen Macht langsam nach Osten verbreiteten, wurden als »Reichsklöster« zu besonderen Stützen von Verkehrsverbindungen, Wirtschaft und Kultur. Sie entstanden an allen wichtigen Paßstraßen, sie organisierten die erste Welle fränkischer und bayerischer Kolonisation im 8. Jahrhundert und scheinen dabei auch mit der Überlegenheit ihrer Lebensformen und des mehr oder minder schulmäßig verbreiteten Wissens von Landwirtschaft und Gartenkultur nicht nur geistliche, sondern auch ökonomische Entwicklungen gefördert zu haben. Sie wurden zu einem besonderen Betätigungsfeld christlicher Kulturarbeit in den Händen Adeliger. Vor der Jahrtausendwende ist uns kein Mönch mit Namen bekannt, der nicht adeliger Herkunft gewesen wäre.

Nun waren die Herren aber zu Krieg und Jagd und keinesfalls zur Handarbeit geboren. Hier traf sich das Denken barbarischer Oberschichten mit dem römischen, wo man gleichermaßen die Handarbeit als opus servile, als Sklavenwerk verachtete. Es gab zwar auch Diener in den Klöstern, aber im wesentlichen waren die Klostergemeinschaften doch auf Selbstversorgung ausgerichtet, so daß die Handarbeit allein schon aus Lebensnotwendigkeit ergriffen werden mußte. Mehrfach überliefert die Klosterliteratur jener Zeit das bündige Pauluswort, das auch uns noch bekannt ist: »Wer nicht arbeitet, soll auch nicht essen!«

Dazu gab es biblische Anweisungen, etwa in den Paulus-Briefen, und frühe Zeugnisse des Nutzens der Handarbeit in den Lebensbeschreibungen der ersten Mönche, beim Kirchenvater Augustinus und vor allem in der Mönchsregel des heiligen Benedikt, die sich seit dem 7. Jahrhundert verbreitete. Zwar wird die Arbeit dabei keineswegs als Tugend gepriesen, sondern als Notwendigkeit; als Mittel auch, um, nach Benedikt, vom schädlichen Müßiggang

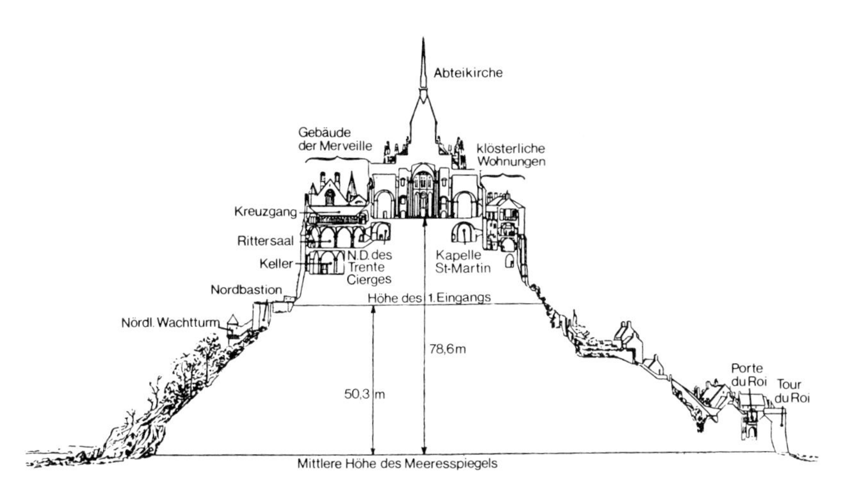

gano übernommen, auch die Reliquien. Im 10. und 11. Jahrhundert bauten Normannenherzöge, im 12. ihre Nachfolger als englische Könige und im folgenden Jahrhundert die französischen Herrscher weiter an Befestigung und Kloster, wo zuerst ein Kollegiatkapitel, später Benediktinermönche angesiedelt waren.

Die ganze Kunst klösterlicher Buchherstellung galt oft dem künstlerischen Schmuck der Anfangsbuchstaben, der Initialen, vor größeren Textabschnitten. Buchstabe I im Johannesevangelium, aus einer Handschrift des 12. Jahrhunderts.

abzulenken. Aber sie wird befreit vom Beigeschmack der Ehrlosigkeit, sie wird, wenn auch nicht Selbstzweck, so doch Verdienst. Mit diesem Vorzeichen wird sie in die mittelalterliche Welt getragen. Damit legte das Mönchtum vielleicht noch nicht den Grund zum abendländischen Arbeitsethos; aber es räumte die Hindernisse hinweg.

Insgesamt entwickelte sich aus der Klosterkultur, wohl gerade weil sie aus der Herrenschicht ständig rekrutiert werden mußte, eine neue Gesellschaftsgruppe zwischen Herren und Knechten, auch wenn ihre Träger diese adelige Herrenschicht an Zahl gewiß nicht überstiegen. Die Mönchsarbeit war keine Knechtsarbeit mehr. Auch der Lebensweg eines Mönches in dieser aus Handgreiflichkeiten komponierten Welt umging die Kennzeichen des einen wie des anderen, um ein neues Drittes anzuzeigen und auszufüllen. Die Mönchskutte war einfach und schmucklos, aber sie umhüllte manchen Herrensohn von höchstem Rang. Das Mönchsleben war dem Spaten näher als dem Schwert, aber an keines gebunden und auf das Jenseits gerichtet. Ohne Frau, ohne Kind, zwar Diener, aber dem höchsten Herrn unterstellt, im gemeinsamen stundenlangen Chorgebet Tag und Nacht dem Gotteslob als eigentlicher, sichtbarer Bestimmung zugewandt – so schob sich das Mönchtum als eine soziale Gruppe eigener Art in den Dualismus von Herren und Knechten. Ohne persönliches Eigentum, ohne eigenen Willen im Sinn der Mönchsregel und ohne weltliche Strebsamkeit traten die Angehörigen der Oberschicht in den Dienst der Gemeinschaft und begannen aus dieser Zwischenstellung mit ständiger Armenfürsorge durch die Reichsten oder deren Kinder eine besondere gesellschaftliche Klammer auszubilden, die nicht auf dem Schwert, nicht auf Macht und Unterdrückung beruhte, sondern durch die Liebe zu werben und zu sorgen suchte im Dienst der allen gemeinsamen christlichen Lehre. Das war ein neuer, die vorchristlichen Religionen mit ihrem bloßen Zusammengehörigkeitsstreben weit überragender Baustein der mittelalterlichen Welt.

Karl der Große hatte seine Reichsklöster ganz in seinen Dienst gezogen. Seine »Renaissance« hatte sich über diese Klöster verbreitet. Noch strenger hatte sein Sohn, Ludwig der Fromme, die Klosterreform als kaiserliche Aufgabe betrachtet. Denn man muß bedenken, daß die Dutzende von im Land verstreuten Klöstern, ohne Oberaufsicht und ohne Zentralisation, förmlich einer ordnenden Hand bedurften. Ludwig hatte aus Aquitanien den reformeifrigen Abt Benedikt von Aniane († 821) für ein paar Jahre an die Spitze dieses Reformwerkes gestellt. Die Impulse wirkten fort. Jetzt wurde die Benediktinerregel verbindlich für alle fränkischen Klöster.

Ohne grundsätzliche Wendung gegen die Verbindung zu Königen und Fürsten suchte das Mönchtum besonders nach den Zerstörungen und Plünderungen durch Wikinger, Sarazenen und Madjaren eine Betonung seiner Eigenständigkeit. Es war eine Vielzahl von Reformbewegungen, die sich, oft über die persönlichen Beziehungen der Äbte, von einem Kloster zum anderen fortpflanzten. Endlich wuchs daraus im 10. Jahrhundert so etwas wie Zentralisation. In Gorze bei Metz, in St. Maximin bei Trier, in St. Victor bei Marseille und vornehmlich in der von Herzog Wilhelm I. von Aquitanien bei Mâcon neugegründeten Abtei Cluny (909/10) entstanden Reformzentren, die sich der Rückbeziehungen der von ihnen reformierten Klöster versicherten und so allmählich ein Netzwerk von Filiationen bildeten. Die größte Wirkung erreichte

Cluny; nicht nur, weil sich dieses Kloster um die philologische Erarbeitung eines »quellentreuen« Wortlauts der Benediktinerregel bemühte und anderen Klöstern dadurch, manchmal auch nachdrücklich, zur Übernahme strenger Lebensformen verhalf, sondern auch, weil sich die kluniazensische Reform im Lauf der nächsten Generationen in Frankreich, in England, in Spanien verbreitete, auch in Reichsitalien und in der Schweiz. Dabei forderte sie mitunter so enge Abhängigkeit, daß nicht mehr Äbte, sondern nur absetzbare Prioren den einzelnen Klöstern noch vorstehen durften. So entstanden Verbindungen in weiträumigen Beziehungen, wie sie Europa bis dahin nicht hervorgebracht hatte. Hinzu kam, daß die Kluniazenser sich von jeder anderen kirchlichen oder weltlichen Aufsicht frei gemacht hatten und nur dem heiligen Petrus und seinem irdischen Stellvertreter unterstanden. Das Mönchtum besann sich jetzt also auf seine Eigenheit, organisierte sich und bekam besonderes Gewicht.

Die lateinische Klosterkultur erreichte Spanien vom Norden und verbreitete sich mit dem Gang der Reconquista. Die Klöster wurden wichtig für die agrarische Erschließung des Landes, die Architektur erreichte unter islamischen Einflüssen bemerkenswerte Eleganz, wie auch hier im ehemaligen Benediktinerkloster San Miguel de Escalada in der Provinz Léon; 10. Jahrhundert.

Die Reste des Klosters San Miguel von außen. Fünfschiffige Basilika mit einem Turm, der zugleich zur Verteidigung diente.

Die Kluniazenser

Das kluniazensische Klosterimperium war kein geschlossenes Land. Eine so zielbewußte Territorialpolitik entwickelte sich erst seit dem 12. Jahrhundert. Einstweilen sammelte man noch in der alten Weise; die Grundvoraussetzungen zentraler Raumpolitik waren noch nicht im Schwange. Besitz wurde addiert. Also war der Klosterbesitz verstreut von Mittelengland bis über die Pyrenäen, ergänzt durch kräftige Inseln im Einzugsgebiet des Po und am unteren Tiber. Man sprach vom Mönchskönig von Cluny, der übrigens in Südfrankreich mit dem »Kirchenstaat« der Klosterkommunität von St. Victor in Marseille konkurrierte. Eine Folge großer Persönlichkeiten regierte das kluniazensische Klosterimperium. Fünf langlebige Äbte hatten nacheinander fast zweihundert Jahre hindurch diese Würde in Händen, von Abt Odo († 926) bis Abt Hugo († 1109). Währenddessen verbreitete sich in Deutschland, westlich der Mosel, eine andere Reformbewegung vom oberitalienischen Kloster Fruttuaria, und eine dritte, noch umfangreichere, die von Hirsau im Schwarzwald ausging, reichte von links und rechts des Rheins über Süd- und Mitteldeutschland bis an die Elbe. Eine neue Übersicht zählt 855 Reformklöster in West- und Mitteleuropa im 10. Jahrhundert. Insgesamt gab es 973 in Deutschland einhundertacht, hundert Jahre später dann schon mehr als siebenhundert.

»Die stillsten, wertvollsten und aufbauendsten Revolutionen der Geschichte« (A. Blazovich) sind weder in ihrer ökonomischen noch in ihrer geistigen Bedeutung recht abzuschätzen. Die Benediktinerregel verpflichtete, in guter Absicht, die arbeitsamen und bedürfnislosen Kommunen im 57. Kapitel bei allen Klosterprodukten zu wohlfeileren Preisen, als sie Weltleute bieten könnten. Zum Glück für die ökonomische Entwicklung Europas wurde diese Regel nicht immer beachtet. Aber drastische Klagen der Weltleute über die Klosterkonkurrenz gibt es genug. Sie verstärkten sich, je mehr Marktbeziehungen die ökonomische Entwicklung hervorbrachte. Andererseits stößt man auch im Hinblick auf die frühe Marktwirtschaft immer wieder auf das Organisations- und Leistungsvermögen der Mönche.

Das dichte Netz der Klosterkultur in West-, Mittel- und Südeuropa vermittelte sicherlich nicht nur wirtschaftlichen und geistigen Fortschritt, sondern es wurde augenscheinlich auch immer wieder zum tragenden Gerüst für das Kirchengebäude. Als Cluny gegründet wurde, um 910, residierte in Rom Papst Sergius III. Er hatte zwei seiner Vorgänger umbringen lassen und verdankte seine Würde sehr unwürdigen Zuständen – die wir heute in wissenschaftlicher Distanz als aera meretricum bezeichnen, als Ära der Huren. Auch einige seiner Nachfolger stiegen mit solcher Gunst auf den päpstlichen Thron, darunter sein Sohn Johannes XI., so wenigstens nach dem Bericht eines Zeitgenossen. Damals entstand die Legende von der Päpstin Johanna. Aber man muß nicht nach Rom blicken, um unwürdige Geistliche in allen Rängen der kirchlichen Hierarchie auszumachen, Kirchenämter, die verschachert wurden, und Bischöfe, die ihr Amt ihren Söhnen vererbten, wie in Nantes und in Quimper. Immer lassen sich solche Entartungen mit einem schwachen Kaiser- oder Königtum in Verbindung bringen. War die Kirche unter diesen Umständen überhaupt imstande, ohne die weltliche Macht, aus eigener Kraft, zu Erneuerung und Reform zu finden?

Die organisierte Verbindung der reformierten Klöster schuf ein neuartiges Beziehungsgeflecht. Klosterherrschaften zeichnen sich als Regionen ab.

Das Kloster Cluny hatte in diesem Zusammenhang, gerade in der chaotischen französischen Situation, wohl die schwierigsten Aufgaben zu lösen, aber

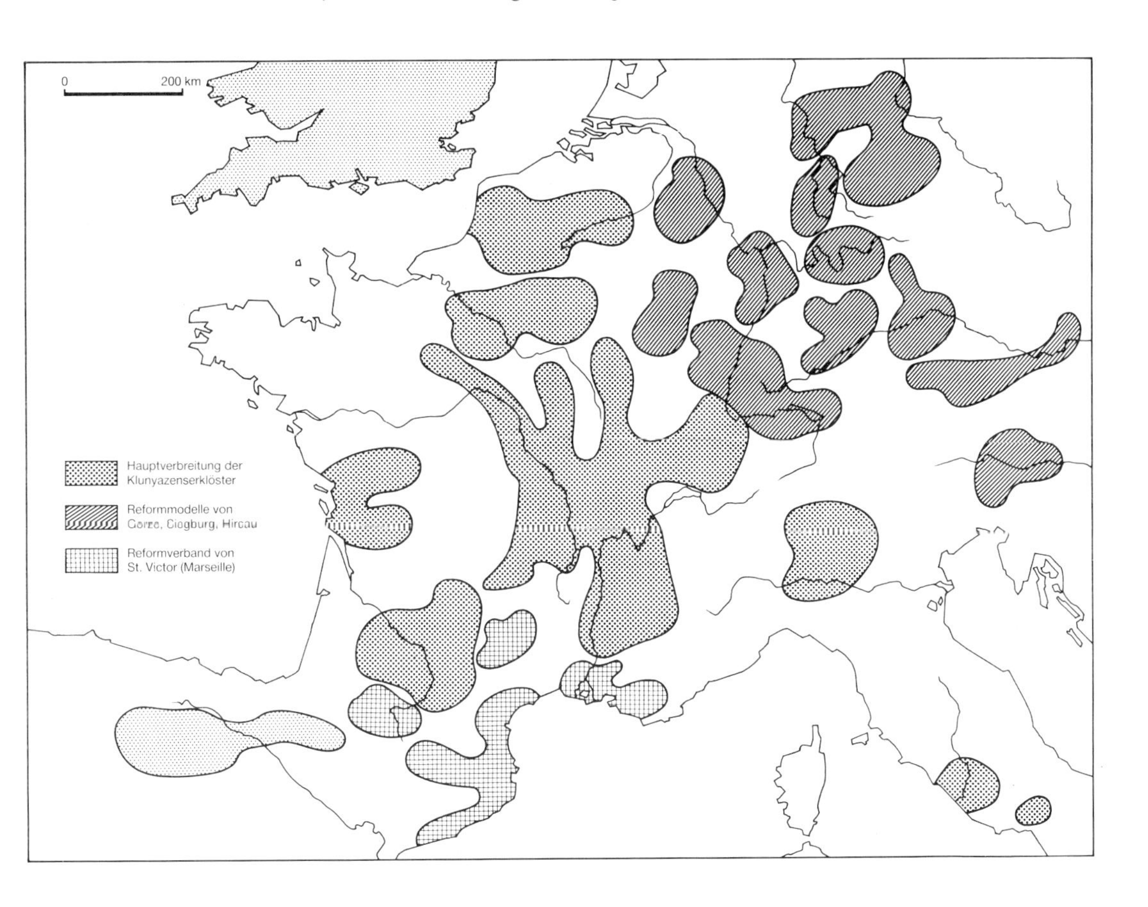

Fleischverzehr war in den meisten Mönchsorden verboten. Aber Fische kamen zu gewissen Jahreszeiten auf den Tisch des Refektoriums, so daß auch der Fischfang mit Netz oder hier mit der Angel zum Alltagsleben im Kloster gehörte, wie nach dieser Darstellung in einer Initiale aus einer Handschrift des Zisterzienserklosters Heiligenkreuz in Österreich.

es stellte auch die größten Ansprüche und entwickelte atemberaubende Konsequenz. Herzog Wilhelm von Aquitanien, »der Fromme«, der Gründer Clunys, folgte der Sorge um das religiöse Leben und um sein eigenes Seelenheil. Unter seinem Schutz nahmen die Benediktiner von Cluny von vornherein eine Sonderstellung ein: Ihre Abtei sollte weder Bischof noch König, sondern niemand anderem als dem heiligen Petrus verantwortlich sein und seinem irdischen Sachwalter, dem Papst. Deshalb wollten sich die Mönche selbst den an sich unentbehrlichen weltlichen Schutzherrn wählen und ihn auch wieder verlassen können. Mit dieser Schutzherrschaft, der Klostervogtei, notwendig für Gericht und Polizeigewalt auf Klostergut, war bisher von Adeligen viel Mißbrauch getrieben worden.

Das Leben in der reformierten Mönchsgemeinschaft sah zunächst vor, die wirtschaftliche Lebensfähigkeit eines jeden Konvents wiederherzustellen, die in den Wirren des 9./10. Jahrhunderts oft verfallen war. Sie war unabdingbar für das kluniazensische Mönchsleben, das dem Gebet, dem im Chorgebet faßbaren Gotteswerk gewidmet war, sieben Stunden am Tag. »Cluny war keine Stätte des Denkens«, schrieb J. Dhondt, »man betete dort unablässig.« Weder die Arbeit noch die Seelsorge wurden hier gepflegt, es sei denn in stellvertretendem Gottesdienst für alle Gläubigen, die in der geordneten Klostergemeinschaft mit ihren prächtigen Kirchenbauten ein Abbild des himmlischen Jerusalem suchten. So gerieten auch die Kirchen der Reformer, vorab die Erzabtei in Cluny selber, in Dimensionen ohne jeden Realitätsbezug – wenn wir an Kirchenbesucher denken. Aber nicht für die Gläubigen, sondern Gott zu Ehren wurden die Kirchen gebaut, und da galt nicht die Frage nach irdischem Fassungsvermögen. Nächst dem Chorgebet richtete sich der besondere Gottesdienst in den Kluniazenserklöstern auf Musik. Auch darin, in Gesang und Orgelspiel, äußerte sich die entrückte, keineswegs enthusiastische, sondern in »nüchterner Trunkenheit des Geistes« erstrebte Distanz von der Welt.

In dieser Distanz wandten sich die kluniazensischen Klöster auch weit eher den Toten zu als den Lebenden. War an sich ihr Kirchenbild bestimmt von einem Männerbund in geistlicher Liebe, so folgten sie diesen Verpflichtungen über das irdische Dasein hinaus, festgehalten in Verbrüderungsbüchern, in Gebetsdiensten an den Totengedenktagen. Aus Cluny stammt das Totengedenkfest, das die katholische Kirche noch heute begeht, der Allerseelentag am 2. November. Allerdings war dieses Gedenken doch auch mit einer Erinnerung an die Lebenden verbunden. Eher heidnisch als spezifisch christlicher Brauch, wenn auch in christlicher Liebe, wurden nämlich aus Anlaß des Totengedenkens die Armen zum Mahl geladen und auch beschenkt. Diese Verpflichtung, durch die Auflagen der Stiftungen von Mal zu Mal wachsend, besonders in der Erzabtei selbst, war langfristig eine Fehlkalkulation. Sie überstieg im 12. Jahrhundert bereits die finanziellen Möglichkeiten der Klosterwirtschaft, führte zu Entbehrungen im Konvent und ist wohl mit schuld am Verfall der Reformgemeinschaft. Zwar blieb die Mutterabtei, wie die meisten Niederlassungen ihrer Vereinigung, erhalten bis zur Französischen Revolution, die nicht nur den Orden auflöste, sondern auch die erhabene romanische Basilika brutal zerstörte. Aber das religiöse Interesse sank, das die Kluniazenser bis dahin trug und das in so unerhörter Weise ihre Gemeinschaft in wenigen Jahrzehnten hatte wachsen lassen, nicht nur durch Anschlüsse bestehender Klöster, sondern auch durch den Zustrom von Novizen für das Mönchsdasein und durch die »Bekehrung«, die Konversion Gläubiger jeden Alters, die fortan als Konversen im weiteren Klosterverband lebten, als Laienbrüder.

Nur aus einem brennenden religiösen Bedürfnis läßt sich der fast zweihundertjährige Siegeszug der Reform erklären, und es fällt auch nicht schwer, besonders die feudale Anarchie in Frankreich zu jener Zeit mit diesem Erfolg in Verbindung zu bringen; gewiß nicht die allein denkbare und vor allem nicht die einzige Reaktion. Aber schon zu Ende des 11. Jahrhunderts war der Drang nach mönchischer Askese stärker als nach liturgischer Zelebrität, es entstanden neue Orden, die mehr der religiösen Einsamkeit und härterer Lebensführung galten. Auch Doppelklöster wurden gebaut, die erstmals dem religiösen Bedürfnis von Frauen besondere Daseinsmöglichkeiten gönnten. Nordostfrankreich gab mit neuen Gründungen den großen Orden des folgenden Jahr-

Der Speyerer Kaiserdom ist als himmelanstrebende Gottesburg ein Schaustück romanischer Eleganz in Deutschland, während westwärts in Frankreich schon die transparente Kunst der Gotik entwickelt wurde. Heinrich III. begann mit dem Bau, unter Heinrich IV. wurde er vollendet und nahm schließlich auch den Sarg des gebannten Saliers auf.

Der »meditierende Mönch« entstand in der Schreibschule des Zisterzienserklosters Heiligenkreuz. Er gehört zu einer Figurengruppe, die gute und schlechte Mönche einander gegenüberstellt.

hunderts Namen und Gestalt: den Zisterziensern aus Cîteaux 1098, den Prämonstratensern aus Prémontré 1120, und noch gegen Ende des 11. Jahrhunderts entstand in La Grande Chartreuse die erste Kartause. Ein Deutscher nichtadeliger Herkunft, Bruno von Köln, steht an ihrem Anfang. Unweit von Cluny bildete sich ein nicht sehr zahlenstarker, aber hochgeachteter Orden, einer der solidesten im Kosmos des Mönchstums: Carthusia nunquam reformata, quia nunquam deformata! »Die Kartause wurde nie reformiert, weil sie nie entartet war«, hieß es später. Viel Gelehrsamkeit ging aus diesen Kartausen hervor, eine Massenbewegung niemals. Es gab nur etwa eintausend Kartäusermönche zur Zeit der Reformation.

Zunächst gehörte die Zeit dem kluniazensischen Mönchtum. Es bestimmte nicht nur in Frankreich, wo es die größte Ausbreitung fand, das religiöse Weltverhältnis; es beeinflußte sogar für ein halbes Jahrhundert, unter Otto III., Heinrich II. und Heinrich III., den Kaiserhof. Nur wirkte schließlich die historische Dialektik. Nicht die Kooperation von Cluny mit den Kaisern, sondern der kluniazensische Widerstand veränderte die mittelalterliche Welt. Dazu war aber etwas vonnöten, was wir heute als einen »Marsch durch die Institutionen« bezeichnen würden.

Kirche und Könige

Investiturstreit: Ein Begriff aus unseren Schulbüchern, eines der wenigen Themen, die überhaupt noch auf den Lehrplänen zu finden sind, ein politisches Schlagwort, das uns noch heute geläufig ist. »Nach Canossa gehen wir nicht!« hatte Bismarck im sogenannten Kulturkampf vor mehr als hundert Jahren ausgerufen, um angebliche Machtansprüche des Katholizismus zu brandmarken.

Investitur heißt Einsetzung. Es geht um das Recht, Bischöfe, wenn nicht zu ernennen, so doch mindestens rechtsgültig in ihr Amt einzuführen. Nach dem Recht der Urkirche sollten Bischöfe von Klerus und Volk gewählt werden. Nach dem Herkommen wurden sie von den Königen ausgewählt und eingesetzt, überall im lateinischen Abendland, im alten karolingischen Kernraum geradeso wie an der Peripherie. Nach der Natur der Dinge ließ sich erwarten, daß irgendwann in dieser Frage Rivalität zwischen Kirche und Königen ausbrechen würde; nach der Entwicklung der Dinge ist es aufschlußreich, daß diese Rivalität im letzten Viertel des 11. Jahrhunderts Gestalt annahm und daß sie zunächst, wiewohl die ganze lateinische Christenheit betroffen war, nicht zwischen Bischöfen und Königen, sondern zwischen Papst und Kaiser ausgetragen wurde; geführt zunächst nicht als politischer Streit, sondern als prinzipielle Auseinandersetzung um die gedanklichen Grundlagen von Herrschaft und Weltordnung. Insofern wurde der sogenannte mittelalterliche Universalismus, die umstrittene Einheit der lateinischen Christenheit unter Kaiser und Papst, gerade durch diese Rivalität der beiden Universalmächte auf besondere Weise sichtbar.

Die Auseinandersetzung zwischen Kaiser Heinrich IV. (1056–1106) und namentlich seinem päpstlichen Widersacher Gregor VII. (1073–1085) gehört

Ein eindrucksvolles Zeugnis kaiserlicher Selbstdarstellung aus dem frühen 11. Jahrhundert: Heinrich II., unmittelbar von Gott gekrönt, mit Unterstützung von Heiligen in derselben Gebetshaltung, die von Moses in der Bibel berichtet wird, mit Schwert und Reichslanze, die wiederum von Engeln in himmlische Obhut genommen sind. Der Kaiser ist hier sichtlich und zuallererst Gottes Sachwalter in der Welt.

zu den beliebten Themen der deutschen Mediävistik. Dadurch sind uns Briefe und Traktate, eine ganze erst allmählich aufgedeckte Streitschriftenliteratur und dazu die diplomatischen Akten besonders gut bekannt. Aber es hat auch lange gewährt, bis man lernte, den Rechtsstreit im breiten Zusammenhang nicht nur mit der politischen, sondern vornehmlich mit der gedanklichen und gesellschaftlichen Entwicklung zu sehen. Denn 1076 zerriß nicht nur der päpstliche Bannfluch über einen Kaiser und die nach Jahresfrist folgende Buße von Canossa den kaiserlichen Anspruch auf geistliche Führung in der Christenheit, der sich, wie aller Herrschaftsmythos, danach nicht wieder glaubhaft reparieren ließ. Der sogenannte Investiturstreit wurde auch nicht nur zum Turnierfeld kaiserlicher und päpstlicher Rechtsgelehrter, die aus diesem Anlaß zum erstenmal gegeneinander antraten: Die ganze Auseinandersetzung sah darüber hinaus zum erstenmal in der abendländischen Geschichte den politischen Einsatz bisher anonymer und ohnmächtiger Massen. Und das betraf die politische Entwicklung im Abendland mindestens so sehr wie das Schicksal kaiserlicher und päpstlicher Herrschaftsansprüche. Es handelt sich hierbei, ähnlich wie bei der kirchlichen Forderung nach Freiheit, um ein Ergebnis der Reformbewegung – letztlich der Klosterreformen und des Gottesfriedens des 10. Jahrhunderts –, das unversehens politisches Gewicht gewonnen hatte.

Man muß sich nur einmal umsehen in Europa um das Jahr 1070. In England hatte Wilhelm gerade das Königtum gewonnen, den einheimischen Adel durch sein Normannengefolge ersetzt, ebenso auf die Bischofssitze mit einer Ausnahme Normannen, Franken oder Lombarden berufen. Die englische Kirche

Bei aller Demut empfand sich das Mönchtum doch als der vollkommene Stand innerhalb der Christenheit. Das zeigt dieses Altarbild von Jan Polack vom Ende des 15. Jahrhunderts. Der heilige Benedikt, der Mönchsvater der lateinischen Christenheit, in zentraler und lehrender Position auch im Kreis der Kirchenlehrer, umgeben von seinen geistlichen Söhnen und Töchtern.

war fest in seiner Hand. In Skandinavien versuchte Erzbischof Adalbert von Bremen ein Patriarchat aufzubauen, ein ungeheurer Anspruch, denn es gab kein allseits anerkanntes Patriarchat im Abendland außer dem von Rom. Sein Versuch mißlang, die skandinavische Kirche wurde vom dänischen König im Erzbistum Lund organisiert. In Polen und Böhmen regierten König und Herzog unangefochten über die Kirche im Erzbistum Gnesen oder im Bistum Prag, das um diese Zeit, freilich vergeblich, sich dem Mainzer Erzbistum entziehen wollte. In Ungarn hatte es in den fünfziger Jahren eine heidnische Opposition gegeben. Sie war besiegt worden, und gerade um 1070 war sogar für kurze Zeit wieder ein Lehensverhältnis zum deutschen Reich hergestellt. In Unteritalien hatten Normannenfürsten, ursprünglich Söldner, die Herzogtümer Benevent und Capua aufgebaut. Sie waren päpstlich anerkannt und belehnt worden, aber sie blieben ungebärdige Lehensleute für den Papst, wie sich bald zeigte. Die spanischen Kleinkönigreiche am Südhang der Pyrenäen blieben selbständig in ihrer Kirchenpolitik. Frankreich, Deutschland und Oberitalien, der Kernraum des alten Karolingerreiches, bildeten das eigentliche Problemfeld.

Dabei hatten sich die politischen Verhältnisse in Frankreich und in Deutsch-

land recht unterschiedlich entwickelt, im kirchlichen Bereich nicht weniger als bei der Organisation der weltlichen Macht. In Frankreich war die karolingische Dynastie fast achtzig Jahre später als in Deutschland abgelöst worden, 987, und bald danach im Mannesstamm erloschen. Verdrängt wurde sie durch den Grafen von Paris Hugo Capet (987–996), dessen Nachkommen in »wunderbarer Fruchtbarkeit« bis zur Französischen Revolution regierten, als Kapetinger, Valois, Bourbonen. Es gab da also, anders als im deutschen Mittelalter, nicht alle drei, vier Generationen einen Dynastiewechsel mit allen möglichen Erschütterungen der Königsmacht. Es gab statt dessen, regelmäßig bis ins 12. Jahrhundert, die Erhebung von Söhnen zu Mitregenten schon bei Lebzeiten der Väter, was die Nachfolge unvergleichlich stabilisierte.

Das war aber der größte Aktivposten in der Position des französischen Königtums zu jener Zeit; andere Vergleichsmomente zur deutschen oder zur englischen Königsherrschaft zeigten eher die französische Ohnmacht. Im 11. Jahrhundert regierte der König der Franken, rex Francorum, mit Zuverlässigkeit eigentlich nur seine eigene Domäne, den Familienbesitz im Zentrum des Pariser Beckens, mit verstreuten Gütern in der Landschaft Berry und an der Kanalküste. Dazu kamen einige Reste des karolingischen Erbes und im Lauf der Zeit ein paar bei guter Gelegenheit erworbene Grafschaften. Besonderen Belang hatten in dieser bescheidenen Herrschaftsmasse allenfalls gut zwanzig Bistümer, darunter das Erzbistum Reims, die der König indirekt beherrschte,

Die Kirche der Benediktinerinnen in Ottmarsheim im Oberelsaß entstand um die Mitte des 11. Jahrhunderts und gilt als die vollständigste und fast gleich große architektonische Nachbildung der Aachener Pfalzkapelle. Sie ist damit auch ein Beleg für die kaiserlichen Einflüsse auf das geistige Leben in den »Reichsabteien«.

indem er Bischöfe einsetzte und bei Sedisvakanz die Einkünfte einzog. Kein anderer Herzog oder Graf in Frankreich hatte eine vergleichbar große Verfügungsgewalt über Bischofssitze. Dieser engere Raum direkter oder indirekter königlicher Herrschaft war aber keinesfalls geschlossen. Wohl um das Zentrum der Königsmacht, die alte Grafschaft Paris, konzentriert, war er doch vielfach unterbrochen durch den Besitz anderer Herren, sowohl Klöster wie weltlicher Großer.

Diese weltlichen Großen, Herzöge oder Grafen, hatten untereinander kaum vergleichbare Herrschaftsstrukturen aufgebaut. Theoretisch waren sie allesamt als Lehensleute an den König gebunden. Aber in der politischen Wirklichkeit handelte es sich dabei um eine sehr fragwürdige Einheit. Bekanntlich war Mittel- und Südfrankreich vom Norden getrennt durch eine Sprachgrenze, die man nach der Bezeichnung für das französische »Ja« als Langue d'oïl im Norden und Langue d'oc im Süden gezogen hat. Diese Grenze wird unterstrichen durch die römischen Rechtstraditionen, die im südlicheren Frankreich schriftlich weiterwirkten, während der Norden noch jahrhundertelang nach

Sizilien, bis ins 11. Jahrhundert noch Stützpunkt der Sarazenen, wurde von den normannischen Herrschern danach nicht nur in der diesen Eroberern eigenen effizienten Weise verwaltet, sondern auch mit Bauwerken eines besonderen Stils geschmückt, in dem sich Normannisches und Italienisches mit arabischen Elementen traf. Monreale, der Berg des Königs oberhalb von Palermo, zählt zu den beeindruckendsten Beispielen dieser Architektur.

Gewohnheitsrecht lebte. Dieselbe Grenze bezeichnet nun aber auch den Einfluß des französischen Königs. Vom Regierungsantritt der Kapetinger an bis ins 12. Jahrhundert besaß jenes Languedoc kaum mehr wirksame politische Bindungen an das Königshaus in Paris. Es gibt zwischen 987 und 1108 zum Beispiel keine einzige königliche Urkunde für einen Empfänger im Languedoc. Die Fürsten aus dieser Region besuchten den König nur selten, wenn überhaupt, und das Herzogtum Gascogne hielt sich so unabhängig, als gehörte es gar nicht zu Frankreich, was im späteren Mittelalter die englischen Juristen im Streit mit der Krone von Frankreich auch ernsthaft behaupteten. Drei andere große Kronvasallen, der Graf von Flandern im Norden, der Herzog von Burgund im Osten und der Graf von Toulouse im Süden waren überdies im 11. Jahrhundert nicht nur Lehensleute des französischen Königs, sondern auch des Kaisers – zumindest für einen Teil ihrer Gebiete – und mithin doch sehr unzuverlässige Vasallen. Aber auch die anderen, die allein den König von Frankreich als ihren Oberherrn anerkannten, ließen es an gehörigem Eifer fehlen, so daß ihre Vasallentreue im Kriegsfall am besten nicht auf die Probe gestellt wurde. Gegebenenfalls leisteten sie Widerstand.

Allein die Normandie unterschied sich von der inneren Unordnung der politischen Beziehungen in allen französischen Territorien. Hier hatten die Normannenherzöge seit 921 das Gebiet nach einem straffen Lehenssystem organisiert. Es gab in diesem Herzogtum keine Eigenbesitzungen, sogenannte Allodien. Alles war Lehen, alles war von den Herzögen verliehen und unterstand in strenger Bindung ihrer Aufsicht. Nur: Ihre eigene mangelnde Lehenstreue zum französischen König bildete das Problem Frankreichs im Mittelalter überhaupt.

Die Lage wäre für den König von Frankreich vielleicht noch fataler gewesen, hätte es nicht innerhalb der großen Herrschaften, bei den Herzogtümern und Grafen, ganz ähnlich ausgesehen mit der Herrschaftsordnung wie im gesamten Königreich. Über die oft zersplitterten, kaum eine größere Ansiedlung ungeteilt umfassenden Grundherrschaften weltlicher und geistlicher Herren erhoben sich Burgherrschaften, Kastellaneien, châtellenies, von unterschiedlicher Ausdehnung, zehn Kilometer im Durchmesser oder mehr. Hier waren Burgherren als Amtleute von Fürsten Träger politischer Gewalt, aber mit sehr unterschiedlicher Effizienz. Es gab eine gewisse soziale Mobilität. Wer sich zum Waffendienst ausrüsten konnte – und das war nicht billig, man rechnete für Roß und Rüstung im 10. Jahrhundert den Gegenwert eines Bauernhofes –, der durfte auch ein Vasallenverhältnis bei einem Großen, einem Grafen, einem Kastellan oder einem geistlichen Herrn suchen. Mehr noch: Er durfte mehrere solcher Verpflichtungen eingehen, um für seinen Dienst auch auskömmlich belohnt zu werden, und in jener Zeit war das beinahe die Regel. Das minderte natürlich den Wert seines Dienstes in der Hand seiner verschiedenen Herren. Man hat deshalb auch geurteilt, die Bindung an Sippe, Herkommen und schließlich der ritterliche Ehrenkodex, wie ihn die Kirche zu lehren suchte, seien wirksamer gewesen für das politische Verhalten des Adels auf unterer Ebene als die Lehenspflichten. Dieser ritterliche Ehrenkodex trug seit dem 12. Jahrhundert auch zur Standesbildung bei, mit dem sich der französische Adel vor weiteren Aufstiegswilligen abschloß.

Einstweilen war die französische Adelsgesellschaft aber noch »weit entfernt

Das französische Kalksteinrelief aus dem 12. Jahrhundert zeigt ein Streitroß mit Hufbeschlag, etwa seit dem 9. Jahrhundert, mit Trense (nur undeutlich), mit Steigbügel, seit dem 7. Jahrhundert, und darauf den Reiter mit Kettenhemd, eine seit dem 10. Jahrhundert verbreitete Feinschmiedetechnik, noch ohne großen Kopfschutz, sondern nur mit kleinem Eisenhut, noch ohne Gesichtschutz. Der Schild, noch ohne Wappen, zeigt in alter Weise einen ornamentalen Schmuck. Schwertarm und Schwert sind übergroß geraten. Aber auch dabei sind zeitgenössische Eigenheiten deutlich: der Kettenhandschuh und der große Schwertgriff, der im Notfall auch den Einsatz beider Hände gestattete.

vom Bild einer Pyramide, bei der die Treue aller Vasallen über aufeinanderfolgende Stufen schließlich dem König zugute gekommen wäre ... ihre Struktur ist horizontal, nicht vertikal« (Robert Folz). Aber eben dieses so geschwächte Königtum besaß einen wichtigen Wechsel auf die Zukunft: sein Ansehen. Das war nicht politisch bestimmt, wie man in dieser Situation leicht denken könnte, es war geistlich motiviert. Die Königssalbung mit dem heiligen, vom Himmel stammenden Öl in Reims verlieh eine besondere Weihe und erhob über alle Menschen. Schon dem zweiten Kapetingerkönig, Robert dem Frommen, der, zunächst als Mitregent, von 988 bis 1031 regierte – eine lange Zeitspanne, wichtig für das Ansehen eines Dynasten –, schrieb man wundertätige Kräfte zu. Noch sein entfernter Nachfahre, Ludwig XVI., wird wenige Jahre vor der Französischen Revolution ein Krankenhaus besuchen, die Kranken berühren, namentlich die an Skrofulose leiden, und dabei sagen: »Ich heile dich!« Und er wird selbst dann noch Glauben finden.

Es war der französischen Monarchie und besonders ihren klerikalen Helfern, aus deren Gedankenwelt die Kraft der Dynastie sich speiste, als eine große Aufgabe vorgegeben, die Königsmacht zu restaurieren. Es war klar, daß dabei ein kluger Weg im Verhältnis zum Papsttum gesucht werden mußte und zu finden war. Denn anders als in Deutschland hatte der König von Frankreich niemals mit dem Papst um die Vorherrschaft rivalisiert. Anders als in Deutschland beruhte auch nicht ein erheblicher Teil der Königsmacht auf dem Reichsfürstentum von Bischöfen.

Gerade diese Verhältnisse hatten die Position der römischen Kaiser und deutschen Könige um die Mitte des 11. Jahrhunderts so sehr von der französischen entfernt. Zwar gab es einen ausgesprochenen Anspruch auf Oberherrschaft der Kaiser über andere Könige nur in der kaiserlichen Hofpoesie, aber die Wirklichkeit ließ leicht daran glauben: Dänemark, Polen und Ungarn hatte Kaiser Heinrich III. Mitte des 11. Jahrhunderts in Lehensabhängigkeit gebracht. Auch Böhmen stand in einer solchen Bindung. Die Normannenfürsten in Unteritalien, in den zwanziger Jahren von den langobardischen Herzögen von Salerno, Capua und Benevent gegen die Sarazenen als Söldner zu Hilfe gerufen und statt dessen dort bald selber zu Herren geworden, hatten Kaiser und Papst gehuldigt. Das Reich bestand an sich aus drei Königreichen, nämlich Deutschland, Italien und Burgund, und der Kaiser hatte buchstäblich keinen Widersacher im lateinischen Abendland; allenfalls in seinem eigenen Reich, aber auch da stand keine grundsätzliche Gefährdung der Kaiserherrschaft zur Debatte. So wurde der Romzug Heinrichs III. zur Kaiserkrönung 1046, sieben Jahre nach seinem Herrschaftsantritt, auch zu einer besonderen Demonstration kaiserlicher Macht.

Kaiser Heinrich III.. Fortan läßt sich beobachten, wie bis ins Spätmittelalter der Herrschersitz immer weiter ausgestaltet wird.

Heinrich und Hildebrand

Um 1045 hatte es gleichzeitig drei inthronisierte Päpste gegeben. Nicht als Rivalen – zwei hatten resigniert –, aber doch als Ergebnis unbezweifelbarer Mißwirtschaft und Ineffizienz. Der Kaiser, nicht der Papst, hatte eine Synode nach Sutri einberufen, alle drei für abgesetzt erklären und einen deutschen Reichsbischof an ihrer Stelle wählen lassen, einen Mann aus der Kaisersippe, Suitger von Bamberg. Er nannte sich Clemens II. (1046–1047). Mit ihm begann eine Reihe teils kurzlebiger deutscher Pontifikate, die nacheinander fünf Deutsche auf den Stuhl Petri brachte. Ihre Regierungszeit bedeutete ein Reformjahrzehnt für die Kurie. Für die Kirchenreform im breiteren Sinn freilich, wie sie sich aus der Mönchsreform entwickelt hatte und für Klerus und Laien als auch für die Kirchenorganisation fruchtbar werden sollte, war schon vorher der Grund gelegt worden. Sie erhielt nun Verstärkung und Förderung von höchster Stelle.

Wir wollen uns nicht von den Fakten jagen lassen, von einer dichten Ereigniskette, besonders in der Rückschau. Man bringt sie oft direkt mit dem Lebensweg Kaiser Heinrichs IV. in Verbindung. Der war 1050 geboren worden, von Abt Hugo dem Großen von Cluny aus der Taufe gehoben, wurde dreijährig gekrönt und sechsjährig, nach dem frühen Tod Heinrichs III., Herr über die Königreiche Deutschland, Burgund und Italien. Zweifellos aufgewachsen in einer Atmosphäre christlicher Reform, unter kluniazensischen Einflüssen, die den Vater, die Mutter, Agnes von Poitou, die schließlich den Schleier nahm, und nicht wenige seiner Umgebung bestimmten. Den zwölfjährigen Prinzen entführte Erzbischof Anno von der Rheininsel Kaiserswerth. Der junge Herrscher stürzte sich vergeblich in den Strom, um der Gewalt zu entfliehen. Ein gutes Verhältnis zwischen dem Mündel und seinem solcherart selbsternannten Vormund war danach nicht mehr zu erwarten. Der Sechzehnjährige, mündig geworden, wählte den Erzbischof Adalbert von Bremen zu seinem besonderen Ratgeber, einen stolzen Kirchenfürsten, der ein nordisches Patriarchat erstrebte und schließlich dem Neid der Fürsten weichen mußte. Heinrich, machtbewußt, aber schwankend, hatte sich neunzehnjährig vergeblich von seiner Kinderehe mit Berta von Savoyen lösen wollen, so daß einer der gewichtigsten Reformtheologen, Petrus Damiani, als päpstlicher Legat gegen diese königlichen Absichten einschreiten mußte. Das mag die Sympathien des jungen Königs für das Reformpapsttum nicht verstärkt haben. Zwei Jahre später entschied er nach alter Gewohnheit über die Einsetzung eines Mailänder Erzbischofs und erfuhr dabei die Bannung seiner Räte. Zu fest war in dieser Frage allmählich die päpstliche Haltung geworden, und nicht nur das: Die Reformer hatten inzwischen eine dritte Kraft in das künftige Duell mit den

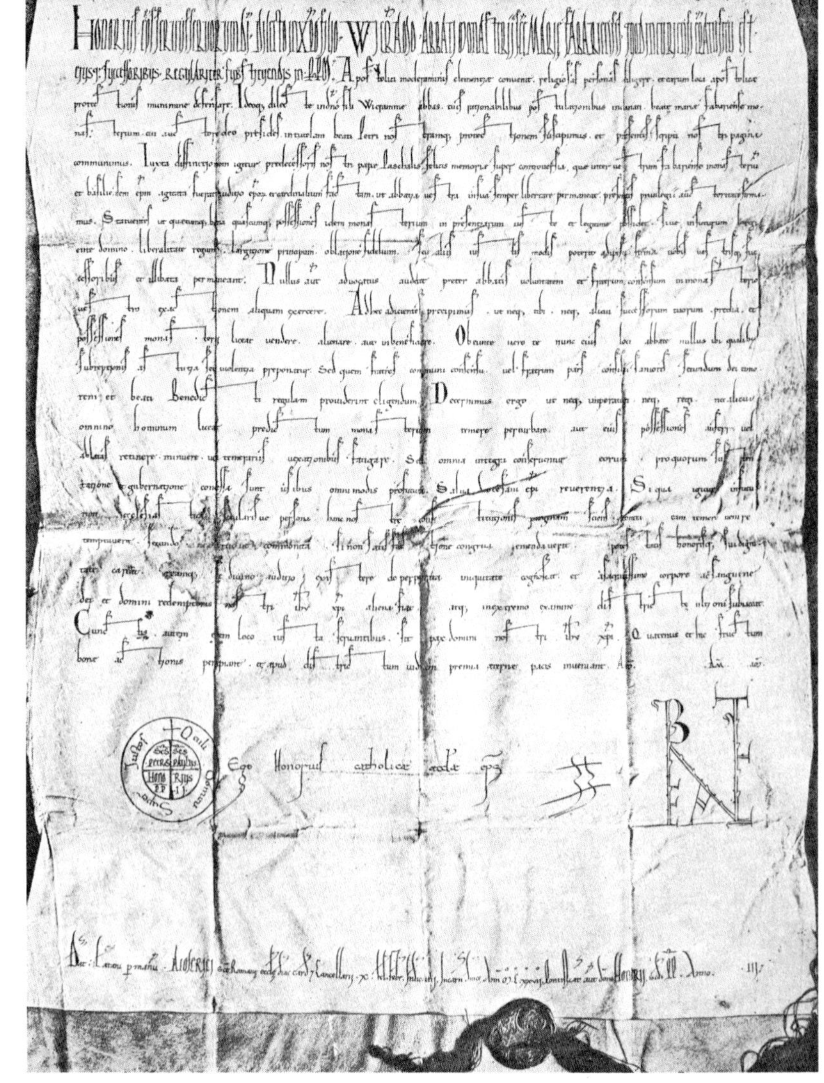

Das kirchliche Schriftwesen war zunächst beispielhaft für das weltliche. Pergamenturkunden mit Siegeln entwickelten sich danach, mehr oder weniger ästhetisch perfektioniert, an allen Kaiser- und Königshöfen. Die kunstvolle, in den jeweiligen Kanzleien geübte Urkundenschrift wurde zur Sicherung vor Fälschungen besonders gepflegt, ein weiterer Echtheitsschutz neben Siegel, Monogramm und Unterschrift. Das Pergament des Papstes Honorius II. von 1127 zeigt deutlich zwei solcher Zeichnungen: links den Wahlspruch »Oculi Domini super Justos«, rechts im Monogramm ein »Benevalete«; dazwischen die Unterschrift Ego Honorius catholicae ecclesiae episcopus … subscripsi. Das Doppel-S als Kürzel für dieses Wort dient zugleich als Unterschrift, nicht der Name.

Die Urkunde des Papstes Innozenz III. von 1208 macht ein neues Entwicklungsstadium deutlich: regelmäßige kalligraphische Gestaltung, ohne graphische Fälschungssicherungen. Allein das Bleisiegel blieb gleich. Es wurde an der Kurie traditionell von zwei Mönchen geprägt, die Analphabeten sein mußten.

Königen einbezogen, das fromme Kirchenvolk. Im Streit zwischen Papst und Kaiser meldete sich zum ersten Mal »das Volk« als politische Kraft. Nicht genug: Es warf sein Schwert in die Waagschale, wo bisher nur die Waffen der Großen galten. In der Stadt Mailand hatte sich, wie auch anderwärts in Oberitalien, eine Reformbewegung gebildet, geführt von Pfarrern und Rittern, niederem Klerus also und niederem Adel, und forderte ihrerseits die Reinheit der Kirche und die Abkehr von käuflichen Würden. Sie wandte sich gegen die Einsetzung von Bischöfen auf andere Weise als durch die Wahl von Klerus und Volk und die Bestätigung durch den Papst.

Es ist bezeichnend, daß diese dritte Kraft, die religiöse Volksbewegung, in ihrer räumlichen Verbreitung mit den am dichtesten besiedelten, städtereichsten, damals fortschrittlichsten Regionen der lateinischen Christenheit in Oberitalien und Südfrankreich identisch ist. Wie überhaupt die gesamte Auseinandersetzung zunächst im alten Zentrum des lateinischen Abendlandes geführt wurde und erst mit generationenlanger Verspätung auf die Peripherie übergriff. Die Mailänder Volksbewegung, die sich selber geradewegs mit dem Willen Gottes identifizierte, als placitum Dei, hat in ihrem Aufstandscharakter revolutionäre Momente. Nicht nur wegen dieses Selbstbewußtseins, nicht nur wegen des radikalen Anspruchs auf »Wahrheit« und »höhere« Rechtfertigung ihrer Unternehmungen. Auch die Art, wie sie sich selbst organisierte und sich als politische Bewegung des Mittelstands innerhalb der eigenen Stadtgesellschaft gegen die Oberschichten stellte, diese Oberschichten aber moralisch desavouierte und damit das ganze politisch-religiöse Gesellschaftssystem verwarf, nicht um die Religion abzulehnen, sondern gerade um aus eigener Religiosität ein Gegenmodell zu schaffen, nimmt künftige revolutionäre Aktionen in der abendländischen Gesellschaft vorweg. Die Radikalität der Mailänder, von ihren Gegnern verächtlich als Lumpenpack bezeichnet, als Pataria, fand eine Weile päpstliche Unterstützung. Straßenkämpfe wurden unter päpstlichem Banner geführt und der gefallene Führer, der Mailänder Ritter Erlembald, als Märtyrer verehrt. Aber der Satz, daß nur würdige Priester gültige Sakramente spenden könnten, wurde päpstlich denn doch nicht akzeptiert; er hätte das ganze hierarchische Gebäude in Gefahr gebracht.

Zurück zum königlichen Protagonisten des alten Systems. Heinrich zeigte sich zunächst unbeeindruckt von der Bannung seiner Räte in der Mailänder Erzbischofssache, aber er schrieb zwei Jahre später, 1074, eine demütige Selbstbezichtigung an den gerade neu gewählten Papst Gregor VII., deren »bisher in Rom von einem König nie gehörte Sprache selbst den Empfänger in Erstaunen versetzte« (Harald Zimmermann). Ein Erfolg seiner Territorialpolitik um die Harzer Silbergruben gegen die Sachsen machte ihn zwei Jahre später siegessicher. Damals, im Januar 1076, berief er eine Bischofssynode, die den Papst Gregor VII. für abgesetzt erklärte. Dieser Schritt war überstürzt, folgenschwer, und zeigt auch eine erstaunliche Unkenntnis über die politische Entwicklung jener zwanzig Jahre, die seit dem Tod seines Vaters vergangen waren. Wir könnten, mit der Arroganz der Nachgeborenen, den jungen König und seine Räte leicht belehren, wer jener Papst war, den man auf der Wormser Synode mit einem Federstrich glaubte absetzen zu können, und was das Papsttum in den letzten zwanzig Jahren nicht nur innerhalb der kirchlichen Administration, sondern vor allem als politische Macht in Europa erreicht hatte. Hatte doch Wilhelm von Volpiano, einer der bedeutenderen Reformäbte aus kluniazensischer Schule, dessen Werk weithin nach Oberitalien, Deutschland und Polen wirkte, schon 1031, zu einer Zeit, als das Kaisertum noch gefestigt schien, konstatiert: »Die Macht des römischen Kaisers, der noch unlängst alle Monarchen der Welt verpflichtet waren, wird jetzt in den verschiedenen Provinzen von mehreren Zeptern ausgeübt, während die Macht, im Himmel und auf Erden zu binden und zu lösen, als unantastbares Vermächtnis der geistigen Macht Petri zufällt.«

Seit 1056 hatten die römischen Päpste mit Umsicht eine überlegene diplomatische Position aufgebaut. Grundlegend war dabei eine neue Regelung der Papstwahl, denn im Gegensatz zu den dynastischen Monarchien war die Nachfolgefrage, noch dazu bei den oft kurzen Regierungsspannen der allesamt im reiferen Alter Erwählten, in der Tat besonders wichtig. Das Papstwahldekret von 1059, erlassen von Nikolaus II., zuvor Bischof von Florenz, der aus Burgund stammte und ebenfalls zur Reichsaristokratie gehörte, regelte zum ersten Mal das Wahlverfahren. Die Reform war grundlegend und gilt mit Verfeinerungen eigentlich noch heute. Danach ist die Wahl des Papstes den Kardinälen vorbehalten, Klerus und Volk von Rom sollen nur beipflichten. Die Entscheidung fällt nicht zugunsten der Mehrheit, sondern, nach einem alten und elastischen Prinzip, zugunsten der »Vernünftigeren«. Natürlich war das doch auch in der Zukunft mit Mehrheitsentscheidungen ziemlich identisch. Der Kaiser, der bislang der Wahl zustimmen mußte, wenn er sie nicht überhaupt, wie

Provinzialkonzilien: Eine spanische Konzilsdarstellung aus der Mitte des 13. Jahrhunderts zeigt in ihrer Schematik noch immer König und Erzbischof an der Spitze und läßt auch Mönche auf der unteren Ebene an der Diskussion teilhaben.

Heinrich III., veranlaßte und lenkte, wird in diesem Reformdekret sehr diplomatisch behandelt. Als Institution nennt ihn der Text überhaupt nicht; er erwähnt nur Achtung und Ehrerbietung vor dem gerade lebenden König und künftigen Kaiser, eben Heinrich IV. Und der Text beläßt es dabei, daß diese kluge Verhüllung zu Rätseln und zu sehr unterschiedlichen Interpretationen Anlaß gab – schon bei den Politikern jener Zeit und noch bei den Historikern heute.

Auf dieser Grundlage wurde Diplomatie betrieben. Die Päpste beanspruchten, auf der Basis der Konstantinischen Schenkung, die Herrschaft über sämtliche Inseln, über die nahen, Sardinien, Korsika oder Sizilien, ebenso wie über das ferne England. Die päpstliche Diplomatie, wie sich besonders aus dem umfangreichen Briefregister Gregors VII. erschließen läßt, nahm Verbindung auf mit der ganzen nördlichen und östlichen Peripherie des lateinischen Abendlandes und stellte sich als die Führungsmacht der Christenheit dar, während der kaiserliche Hof keine entsprechende Rolle spielte. In Polen, Böhmen, Ungarn und in Skandinavien wurde diese Diplomatie wirksam, auch das Königreich Aragon erschloß sich ihr, und schließlich huldigten auch die Normannen in Unteritalien nur noch dem Papst und nicht mehr dem Kaiser. In dieser Lage konnte man nicht die Absetzung eines Papstes durch einen Brief vornehmen, am wenigsten die Gregors VII.

Gregor, Papst von 1073 bis 1085, war als Mönch Hildebrand (geboren etwa 1020) an die Kurie gekommen, Vertrauter Gregors VI., des einzig Ehrenwerten unter den 1046 abgesetzten oder zum Rücktritt gezwungenen Päpsten, den er nach Deutschland in die Verbannung begleitet hatte. Er kannte Cluny – vielleicht war er 1048 dort auch Mönch geworden –, kam 1049 nach Rom zurück, wurde Abt und bald auch päpstlicher Legat in besonderen Missionen. Seither wuchs sein Einfluß an der Kurie. Sein Name knüpfte nicht nur an jenen

Deckelbeschlag eines Evangelienbuches mit Gold, Edelsteinen, Elfenbeinschnitzereien und antiken Gemmen; Rhein-Maas-Gebiet, 11./12. Jahrhundert.

unglücklichen Vorgänger, den er in die Verbannung geleitet hatte, sondern sollte vornehmlich an Papst Gregor I. erinnern, der so wie er selber als Mönch zur päpstlichen Würde gekommen war. Gregor I. ging als Gregor der Große in die Kirchengeschichte ein; Gregor VII. als heiliger Eiferer. Aber die Heiligsprechung vollzog erst das 17. Jahrhundert. Seiner Gegenwart war er in mancher Hinsicht eher unheimlich, ein »heiliger Satan«.

In mehr als zwanzig Jahren hatte Gregor mitgeholfen beim Aufbau der politischen Position des Reformpapsttums. »Sankt Peter hatte ohne Abmachungen mit Höfen die Nachfolge des östlichen und westlichen Kaisers angetreten« (Hermann Jacobs), und Gregors eigene päpstliche Unternehmungen wenige Jahre später bestätigen einen solchen Anspruch. Der Mönch Hildebrand, »Sohn des Zimmermanns«, war offenbar der erste Papst seit Jahrhunderten, der nicht dem Adel und nicht den hochgeborenen Familien entstammte; seine Überzeugung, auserwählt zu sein, mag daher um so kräftiger gewirkt haben. Vom März 1075 stammt ein päpstliches Exposé in 27 Sätzen, das dem Papst eigentlich die absolute Gewalt in der Kirche und die oberste in der Welt einräumt. Er kann nicht nur Bischöfe ab- und versetzen, sondern auch Untertanen vom Treueid entbinden, er kann Gesetze erlassen, was bislang nach antiker Tradition als ausschließliches Kaiserrecht galt, ja mehr noch: Dem Papst kommt schon zu Lebzeiten der Rang von Heiligkeit zu. Gregors Nachfolger haben sich gegenüber solchen Formulierungen sehr vorsichtig verhalten. Aber die Bresche war geschlagen.

Diesen Gregor also konnte der 26jährige römische, noch nicht zum Kaiser gekrönte König tatsächlich nicht auf dem Korrespondenzweg absetzen. Die Quittung für einen solchen politischen Fauxpas war der päpstliche Bannspruch kaum einen Monat später. Und so unerhört eine solche Anmaßung eines Papstes noch vor Generationsfrist erschienen wäre – nicht nur politischer Opportunismus, sondern eben auch der Aufstieg des Reformpapsttums in Politik und geistlichem Ansehen wirkte. Eine Gruppe deutscher Fürsten fiel von Heinrich ab, drohte mit einer Gegenwahl, die päpstliche Legaten gerade noch verhinderten, und zwang den König schließlich zu einer Aktion, in welcher der Papst seine Glaubwürdigkeit für die christliche Reform offenbaren mußte, nicht als Politiker, sondern als Priester.

So ist der Zug des Königs im Winter 1076/77 mit Frau und Kind und kleinem Gefolge über die Alpen zum Papst wohl richtig gedeutet. Der Papst war seinerseits schon nach Deutschland aufgebrochen und flüchtete jetzt auf die Festung Canossa, die seiner Anhängerin und Gönnerin, der Markgräfin Mathilde von Tuscien gehörte. Dort klopfte der König im Büßergewand an, drei Tage lang, und nicht zuletzt die Fürsprache der Markgräfin und das Wort des Abtes Hugo von Cluny im päpstlichen Gefolge sollen ihm Gehör verschafft haben. Legende, das Nachraunen derer, die dabeigewesen sind, wie auch immer: Der Papst mußte bekennen, daß er auch Priester war und daß seine ureigenste politische Waffe, der Bannstrahl, jetzt doppelschneidigen Cha-

Canossaszene. Heinrich IV. kniet vor der Markgräfin Mathilde von Tuszien, der Schloßherrin von Canossa, und dem Abt Hugo von Cluny, zu jener Zeit im Gefolge Papst Gregors VII. Dazu der Text: »Der König ersucht den Abt, er bittet Mathilde …« Die Sicht der päpstlichen Seite auf den im einzelnen unbekannten Hergang!

rakter zeigte. Die Verweigerung der Absolution hätte ihn vor der ganzen Christenheit ins Unrecht gesetzt.

Was blieb, war keinesfalls nur der Ruf bußfertiger Selbstüberwindung für den König; es war der Abschied vom kaiserlichen Anspruch auf ein unmittelbares Gottesamt und die Anerkennung der päpstlichen, der geistlichen Superiorität. Mochten kaiserliche Anwälte auch noch jahrzehntelang in anderem Sinn argumentieren – sie bezeugten damit nur ihre Einfallslosigkeit. Die »Reichstheologie« im alten Sinn war zerschlagen. Die vernünftigste, die glaubhafteste und haltbarste Argumentation in diesen Zeiten fand der Jurist Petrus Crassus aus Ravenna, der sich erbot, dem Kaiser mit Argumenten aus dem römischen Kaiserrecht zur Seite zu stehen. Dieses antike Kaiserrecht, im zeitgenössischen Historismus hoch angeschrieben und unerschüttert durch den päpstlichen Bann, war theoretisch tatsächlich die beste Stütze den Päpsten gegenüber – wenn man nicht, wie später Barbarossa, sich geradewegs auf die Überlegenheit der Macht berief.

Zurück zu den Ereignissen: Trotz seines Bußgangs fand Heinrich bei seiner Rückkehr ein schwieriges Deutschland vor, einen Gegenkönig, den die Fürsten gewählt hatten, und eine bürgerkriegsähnliche Situation. Der Papst traf keine Entscheidung zwischen Heinrich und dessen Widersacher Rudolf von Rheinfelden, aber er verbot 1078, jetzt erst, mit klaren Worten die Investitur von Bischöfen durch Könige, nicht nur in Deutschland, sondern im gleichen Maße auch bindend für König Philipp I. von Frankreich. Schicksalsgenossen? Es gibt Briefe Heinrichs an Philipp, aus denen so etwas wie das Bewußtsein einer Schicksalsgemeinschaft herausgelesen werden kann, aber es kam zu keiner Aktion der Könige gegen den Papst.

Zunächst war Heinrich auch mit seinem Wiedersacher beschäftigt. Drei Jahre nach Canossa erneuerte der Papst seinen Bann. Das wirkte weniger, wie alle Wiederholung, und war zudem auch schlecht begründet. Denn jetzt erst behauptete der Papst, in Canossa nicht den König, sondern nur den Menschen vom Kirchenbann gelöst zu haben, aber das entsprach nicht recht den Tatsachen und kostete Anhänger in einer Auseinandersetzung, die in bisher unbekanntem Ausmaß Politik vor der Öffentlichkeit entfaltete, um Stimmen zu gewinnen. Der Streit der beiden Weltherren rief in Deutschland nicht nur die Fürsten auf den Plan, sondern auch das Volk. Vor den Augen der Fürsten verschoben sich die Gewichte der Macht. Heinrich setzte den Gegenkönig, Rudolf von Rheinfelden, als Herzog von Schwaben ab und übergab die Herzogsgewalt Friedrich von Büren, der später auch von Hohenstaufen hieß. So kamen die Staufer in die große Politik. Eine militärische Entscheidung zwischen den beiden spiegelt Macht und Mythos wieder: Das Aufgebot des Gegenkönigs behauptete sich, aber Rudolf selber verlor in dem Treffen die rechte Hand, die Schwurhand, und starb an dieser Wunde. Ein Gottesurteil! Die Gegner Heinrichs, unbesiegt, wählten einen Luxemburger. Aber der war kein Widersacher mehr.

Also konnte sich Heinrich nach Italien wenden. Die zweite Bannung durch Gregor hatte er – mit Hugo Candidus, einem abgefallenen Kardinal als Zeugen, der vorgab, im Namen aller Kardinäle zu sprechen und der schon 1076 im selben Sinn gewirkt hatte – neuerlich mit einer Absetzung Gregors VII. beantwortet und diesmal auch gleich für die Wahl eines Gegenpapstes gesorgt. Er zog nach Rom, das ihm zunächst die Tore verschloß. Eine zweijährige Belagerung und werbende Manifeste hatten schließlich Erfolg. 1084 zog Heinrich im Triumph in die Ewige Stadt ein, sein Gegenpapst wurde als Clemens III. inthronisiert, und eine Woche danach wurde Heinrich mit seiner Gemahlin gekrönt.

Aber auch das entschied nichts auf die Dauer. Papst Gregor war vor dem Kaiser in die Engelsburg geflüchtet. Man muß sich die Topographie der Stadt vor Augen halten: Rom, zum großen Teil ein Ruinenfeld, dazwischen einige antike Bauten wie das Kolosseum, das Pantheon oder eben die Engelsburg, ursprünglich das Grabmal Kaiser Hadrians. Diese Bauten sind von überwältigender technischer Leistung, konnten nicht nachgeahmt und, als Festungen verwendet, auch nicht eingenommen werden. So blieb mitten im Mittelalter die Überlegenheit der alten Welt auf eine sehr realistische Weise deutlich.

Der Kaiser verließ Rom mit seinen Truppen, denn der Papst bekam Entsatz durch die unteritalischen Normannen. Aber Robert Guiscard, der ihn befreite, ließ seine Leute so ungestüm in der Stadt hausen, daß sich der Papst danach ohne Schutz nicht mehr darin aufhalten wollte. Eine tragische Befreiung. Er zog mit den Normannen südwärts und starb am 25. Mai 1085 in Salerno. Bis zuletzt fühlte er sich als Sieger; bis zuletzt sah er sich in der Rolle des verfolgten Propheten. Mit einem Bibelvers hat er das noch bekräftigt.

Aber auch für Heinrich war der Gang der Dinge nicht unproblematisch: Sein Papst wurde nicht allgemein akzeptiert, der Großteil der römischen Kardinäle wählte in der Nachfolge Gregors den Abt von Monte Cassino, wieder einen Mönch, und danach den bedeutenderen Urban II. (1088–1099). Auch der kam aus dem Kloster und hatte, selber Franzose, sein erstes geistliches Amt als Prior von Cluny errungen. Er vermochte der Reformpartei wieder Anhang zuzuführen, vermittelte geschickt eine monströse Ehe zwischen dem jungen Bayern-

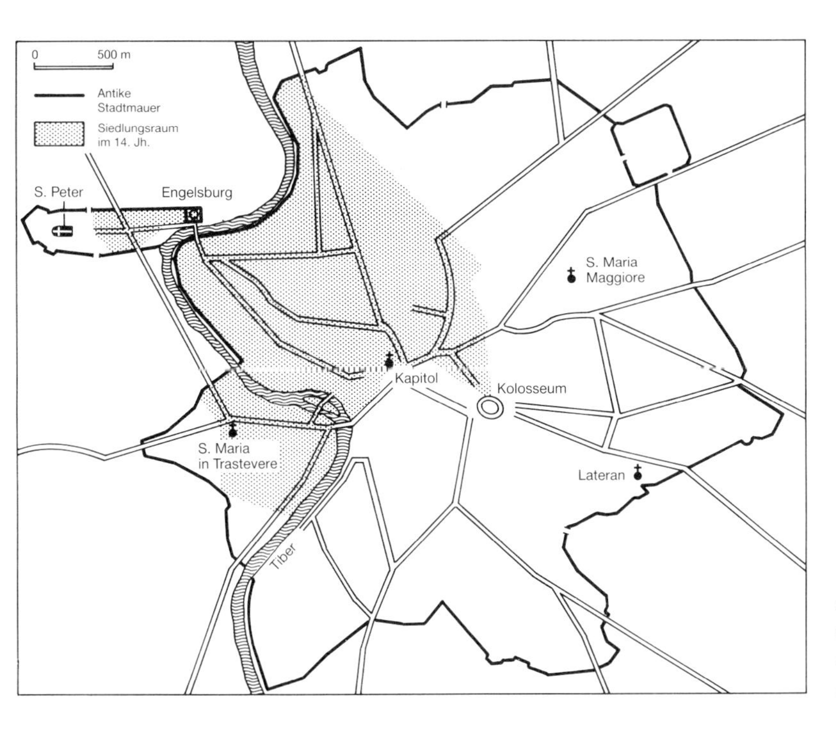

Stadtmauer und Hauptstraßen des antiken Rom – darin das mittelalterliche Siedlungsareal.

herzog Welf IV. und der ältlichen, verwitweten Mathilde von Tuscien, ließ damit die Alpenpässe sperren und schnitt Kaiser Heinrich den Rückweg ab. Der hatte gerade versucht, Oberitalien ganz zu erobern. Die Normannen, anderweitig beschäftigt, behinderten ihn nicht. Aber die Festung Canossa widerstand seinen Truppen 1092, und die lombardischen Städte schlossen 1093 einen Bund zu seiner Abwehr: Mailand, Lodi, Cremona, Piacenza. Der erste Städtebund in der mittelalterlichen Geschichte.

So waren also auch die Städte eine neue Macht im Streit der Großen auf dem politischen Schachbrett. In Deutschland ging währenddem Manegold von Lautenbach um (1030–1103), ein Klosterschüler, der in Paris studiert hatte. Er zog als Wanderlehrer mit seiner Frau durch West- und Mittelfrankreich, wurde nach ihrem Tod Mönch in Lautenbach, floh vor dem Kaiser ins Stift Raitenbuch in Bayern und war jederzeit ein eifriger Seelsorger und Bußprediger. Manegold predigte, daß es zwischen König und Volk etwas ähnliches gäbe wie einen Treueid im Lehensverhältnis, ein pactum, und wenn der König sich nicht daran halte, sei er abzusetzen. Mehr noch: Manegold predigte Haß, er zerschnitt die gemeinsame christliche Grundlage und forderte, gefallene Anhänger Heinrichs nicht christlich zu begraben und nicht für sie zu beten. Das ist dieselbe Enthumanisierung der Widersacher, deren sich später die europäischen Revolutionen bedienen werden. Aber eine Revolution entstand aus dem Investiturstreit noch nicht.

Revolutionäres tat sich allerdings in Frankreich. 1095 hatte der Papst auf einer Synode in Piacenza den Kaiser, der am Gardasee festsaß, noch mit seiner zweiten Gemahlin kompromittiert. Praxedis, eine Fürstentochter aus Kiew, berichtete Abnormitäten aus ihrer Ehe. Heinrichs Sohn Konrad war unterdessen zum deutschen König gekrönt und in Abwesenheit des Vaters Regent in Deutschland geworden, zur päpstlichen Partei übergegangen, hatte Absolution gefunden und fiel nun dem Vater in den Rücken. Da zog der Papst nach

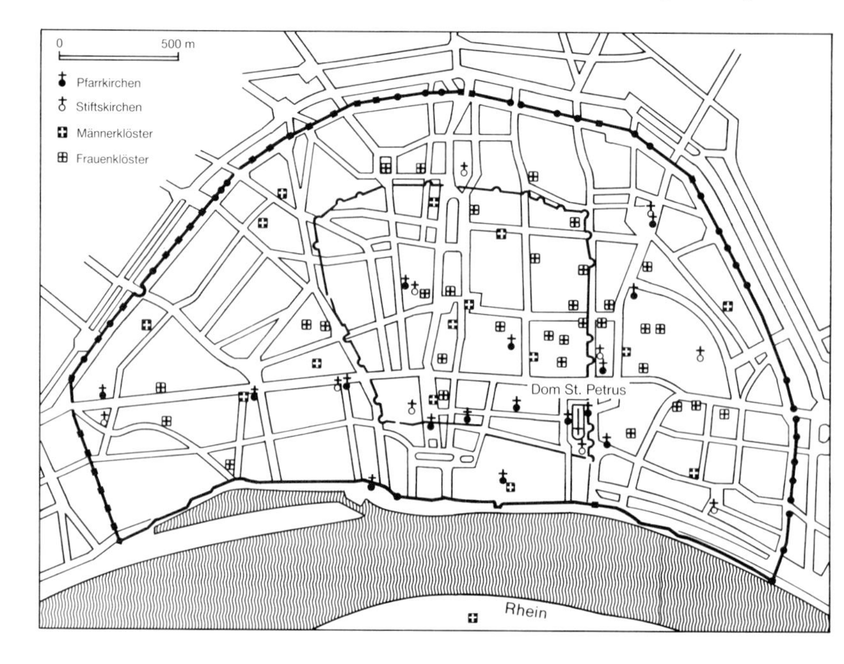

Aus römischem Kern wuchs das mittelalterliche Köln gleichmäßig nach drei Seiten. Kirchen und besonders die vielen Frauenklöster zeigen Siedlungsdichte und religiöse Intensität.

Frankreich weiter und verkündete zu Weihnachten 1095 der Christenheit, vornehmlich der französischen, eine neue große Aufgabe: das Heilige Land zu befreien! Die Losung fand Begeisterung. Deus le volt! Unter päpstlicher, nicht unter kaiserlicher Führung brach das christliche Abendland auf zu seiner ersten großen Expansion auf blutigen Wegen, gerechtfertigt als Wiedereroberung. Angeführt von Fanatikern wie dem Mönch Peter von Amiens, ergossen sich im nächsten Frühjahr Scharen von armen Leuten von Frankreich nach Osten und mordeten und plünderten zunächst unter den Judengemeinden an Maas und Rhein, oft gegen den ausdrücklichen, aber ohnmächtigen Widerstand der Stadtherren. Ihre Spur verliert sich dann in Ungarn. Man schätzt fünfzig- bis siebzigtausend Menschen, die auf dem langen Landweg ins Heilige Land verschollen sind.

Um einen politischen Kompromiß

Endlich, 1097, konnte der Kaiser, ohnmächtig und verzweifelt, den Weg nach Deutschland finden. Ein Jahrzehnt war ihm noch vergönnt, seine Stellung neu zu festigen und sich gegen seine eigenen Söhne zu behaupten. Konrad wurde abgesetzt, Heinrich, der zweite Sohn, mit großen Hoffnungen und Sicherheitseiden zum König gekrönt, aber auch er fiel vom Vater ab. Das hatte nicht nur Gründe in der Papstpolitik, sondern hing auch mit dem Interessenbündnis zusammen, das der Kaiser zu den jungen Städten und dem aufstrebenden Ministerialenadel aus ursprünglich unfreien Leuten im Herrendienst zu schlagen suchte. Worms, Köln, Lüttich waren unter diesen Umständen Stützen des Kaisers. Der deutsche Hochadel konnte dagegen den Kaisersohn für sich einnehmen. Der Vater, vom Sohn verraten und verhaftet, demütigend zur Auslieferung der Reichsinsignien gezwungen, stützte sich schließlich auf die städtische Hilfe und rüstete sich zu einem Waffengang mit dem eigenen Sohn. Davor starb er unverhofft am 7. August 1106 in Lüttich. Fünf Jahre später ließ ihn der Sohn im Kaiserdom zu Speyer beisetzen, um dessen Bau und Vollendung der tote Kaiser sich sehr bemüht hatte.

Wir wissen nicht, ob Heinrich IV. ein frommer Kaiser war oder ein verruchter; wir wissen, daß sein Widersacher Gregor ein genialer Diplomat gewesen ist und zugleich von seiner göttlichen Mission erfüllt war. Das kann man seinem großen Briefwechsel und jenem dictatus Papae von 1075 entnehmen, der allerdings nirgendwo in der Papstpolitik unmittelbar durchschlug. Wunschtraum oder Geheimkonzept? Heinrich, den das Schicksal, nicht nur die Folgen seiner eigenen Standhaftigkeit, so sehr in ein Herrscherdrama verwickelt hatte, verzieh auf dem Totenbett allen seinen Feinden. Gregor hat, wie berichtet wird, in seinen letzten Stunden dem Kaiser und dem Gegenpapst nicht verziehen.

Der Streit um die Investitur von Bischöfen wurde 1107 mit dem englischen wie mit dem französischen König beigelegt, auf unterschiedliche Weise. Philipp I. von Frankreich empfing den Besuch des Papstes Paschalis; worauf sie sich einigten, läßt sich aber nur den Fakten ablesen. Die etwa zwanzig Bischöfe im königlichen Machtbereich, deren Ernennung der König vorgenommen hatte, wurden nun, offenbar aber doch mit königlicher Zustimmung, vom Domkapitel gewählt, geweiht, und danach vom König ohne weitere Symbole in ihre weltliche Herrschaft eingesetzt. Das galt für die »königlichen« Bischöfe. Einige Große in Frankreich schlossen sich diesem Vorgehen anscheinend an, andere mit Sicherheit nicht. Die Lage wurde wahrscheinlich nur theoretisch geklärt durch eine Unterscheidung zwischen geistlichem und weltlichem Amt der Bischöfe, die vornehmlich Ivo von Chartres definierte, und es blieb dabei doch sehr anders als in Deutschland. Anders war die Entwicklung auch in England. Hier kam es zu einer Vereinbarung, wonach Prälaten und Äbte zwar gewählt wurden, aber unter königlicher Aufsicht, und ihre weltlichen Würden vor der Weihe empfingen. Das heißt: Die englische Königsmacht behauptete ihre Position in der englischen Kirche, jetzt und in Zukunft.

Die deutschen Verhältnisse wurden schließlich ebenfalls geregelt, und zwar mit umfassender Gründlichkeit. Das hing natürlich damit zusammen, daß es in Deutschland ein »Reichskirchensystem« gab, daß Bischöfe und die Äbte der alten Klöster zugleich Reichsfürsten waren und weltliche Herrschaft trugen. Jene »Systematik« kam daher, daß die alten Kaiser mit der Kirche nach Belieben schalteten und walteten; gegenüber der Reformkirche war jetzt ein hartes Feilschen vonnöten.

Dazu war Heinrich V., der seinen Vater aus politischem Opportunismus verraten hatte, aber gleich nach des Vaters Tod gegen das Papsttum Front machte, offensichtlich der rechte Mann. Nach einigen Vorverhandlungen, auch nach

Eine kleine Dorfkirche in dem alten Urphar – Überfahrt – am Main erinnert an die weltgeschichtliche Auseinandersetzung: um 1300 entstand hier das Fresko von Christus, der zwei Schwerter im Mund trägt, das heißt, die Lehre von der Ebenbürtigkeit geistlicher und weltlicher Gewalt. Der Investiturstreit war zu dieser Zeit schon über die Gleichrangigkeit hinweggegangen; in wechselseitigem Kampf hatten sich gerade um 1300 Kaisertum und Papsttum aufgerieben.

Das Decretum Gratiani, die im 12. Jahrhundert zusammengestellte und letztlich allgemein anerkannte Sammlung kirchlicher Rechtssätze, nach einer Münchner Handschrift aus dem 14. Jahrhundert. Die Zusammenstellung half mit, das Organisationsgerüst der römischen Kirche zu einer Rechtsinstitution zu gestalten.

dem unrühmlichen Ende seines Gegenpapstes, zog er nach Rom, begegnete Paschalis II. in seinem Heerlager vor den Toren bei Ponte Mammolo und akzeptierte einen Vorschlag des Papstes, in dem die Kirche auf alle weltliche Herrschaft verzichtete, nicht auf alle Güter allerdings, und der mit einem Schlag die mittelalterliche Herrschaftsstruktur so sehr veränderte, wie es Hunderte Kirchenreformer noch lange danach sich wünschten. Verzicht auf Herrschaft bedeutete andererseits Verzicht des Herrschers auf Eingriffe in das Kirchengefüge. Damit hatte die päpstliche Seite die völlige Freiheit der Kirche auf dem Verhandlungstisch offeriert – aber auch ihren Verzicht auf unmittelbare Machtausübung.

Das Angebot scheiterte nicht etwa am Kaiser, sondern an den deutschen Reichsbischöfen. Man weiß freilich nicht, wie weit der Kaiser auf dieses Scheitern spekuliert hatte. Jedenfalls zog einer der fürstlichen Prälaten gar sein Schwert gegen den Papst, und um so glaubhafter konnte der Papst danach in kaiserliche Schutzhaft genommen werden. Dort unterschrieb er eine andere Übereinkunft, die dem Kaiser ohne jede Einschränkung das Investiturrecht zusprach.

Das wurde natürlich von päpstlicher Seite abgelehnt, soweit sie nicht gefangensaß. Schließlich einigte man sich noch einmal elf Jahre später, 1122 zu Worms, im ersten Konkordat der Kirchengeschichte – in einer schriftlichen Übereinkunft zwischen gleichberechtigten Vertragspartnern also – auf die kanonische Wahl der Prälaten in Gegenwart des Kaisers und auf die anschließende weltliche Herrschaftsübergabe durch das Zepter, im deutschen Reich *vor* der kirchlichen Weihe, in den Reichen Italien und Burgund danach. Diese wechselweise Übereinkunft galt übrigens nach dem Vertragstext nur namentlich für

Heinrich V. Sie wurde nie prolongiert. Die langfristigen Folgen zeigten sich in Deutschland abhängig vom politischen Profil des jeweiligen Herrschers. Wer das Heft in der Hand hatte, wie Barbarossa eine Generation danach oder Karl IV. zweihundert Jahre später, der trieb zielbewußte Bischofspolitik im Sinne der alten Reichsordnung verhältnismäßig ungehindert. In Burgund aber und besonders in Italien, wo die Reichsbischöfe jetzt an kaiserlichem Rückhalt verloren, wurden sie in den Städten bald Opfer der heraufdrängenden Kommunalbewegung.

Der Investiturstreit schien beigelegt, seine Ursachen nicht. Letztlich wurde der Kampf zwischen Päpsten und Kaisern fortan fast ununterbrochen fortgeführt, in diplomatischen Aktionen, in theoretischen Distinktionen und periodisch in militärischen Auseinandersetzungen, bei denen sich die Päpste auf die »dritte Kraft« stützen konnten, auf die oberitalienischen Städte, die in ihrem Freiheitsstreben gegen kaiserliche Aufsichtsrechte mit ihnen gemeinsame Interessen hatten. In diesem Kampf ging die staufische Dynastie nach 1250 unter.

England hatte das Investiturproblem auf die für das Königtum annehmbarste Weise gelöst, und es mußte dort sozusagen nicht mehr darüber gesprochen werden. Fast erliegt man dem Vergleich, daß auch die englische Reformation auf eine ähnlich lakonische Weise vonstatten ging. Der König machte sich anstelle des Papstes zum Kirchenherrn, und es gab nur wenig Widerstand dagegen und nur einen Märtyrer. In Frankreich schließlich und endlich waren die Verhältnisse einstweilen so unklar wie die königlichen Machtbefugnisse im Land. Mit der königlichen Festigkeit wuchs aber auch da die Unabhängigkeit. Nicht gegen die Investitur, sondern kurzerhand gegen die Oberherrschaftsansprüche des Papstes über den französischen Klerus im ganzen zog 1303 König Philipp IV. mit seinen Juristen zu Felde, und wieder sei das Ergebnis vorweggenommen: Er setzte den Papst durch einen Stoßtrupp in seinem eigenen Palast gefangen und demonstrierte damit die Machtverhältnisse. Denn die Macht des Papstes beruhte nun einmal auf nicht mehr und nicht weniger als auf dem Glauben. Und das war eine sehr elastische Basis.

Cluny, das letztlich den Kampf um die Kirchenfreiheit am Klostermodell entwickelt und nach und nach die entscheidenden Köpfe an die Kurie gesandt hatte, zählte um die Mitte des 12. Jahrhunderts rund 2000 abhängige Abteien und Priorate. Bis dahin hatte es auch die vielleicht prächtigste und jedenfalls größte Kirche des lateinischen Abendlandes erbaut, ein sakrales Werk als Selbstzweck, ein reichgeschmücktes Abbild des himmlischen Jerusalem. Freilich bringt man diesen Bau auch schon mit der Überforderung der finanziellen Mittel des Klosters in Zusammenhang, damit, daß sein Mittelschiff einstürzte und daß Abt Pontius 1122 wegen Verschwendung abgesetzt wurde. Ihm folgte der sparsame, aber großmütige Petrus Venerabilis (1122–1156), der schon zu Lebzeiten als der »Ehrwürdige« galt. Die zweihundertjährige große Epoche von Cluny ging jedoch ganz anders zu Ende. Neuere Forschungen zeigen eine besondere Entwicklung vom strengen Abt Odo, der zuerst seine Mönche zur militia Christi machte und damit so großen Zulauf beim französischen Adel fand, bis zum Klosterhumanismus des 12. Jahrhunderts, wie ihn Petrus repräsentierte. Dazwischen steckt eine ungeheure Erziehungsarbeit des westeuropäischen Adels, die mit dem kluniazensischen Marienkult auch die höfische Laienkultur vorbereitete. Diese Wechselwirkung zwischen Mönchtum und Gesellschaft, die den westeuropäischen Adel erfaßte und zum feinen Hofdienst Gottes in bis dahin unerhörter liturgischer Pracht erzog, um die Toten und die Lebenden zu verbinden, die Zeit mit der Ewigkeit, war eine besondere, für das Nachdenken über die stille Fernwirkung der scheinbar weltabgekehrten Klosterkultur erregende Erkenntnis. Zum zweiten Mal, nach den karolingischen Reichsklöstern, prägte das Mönchtum Geist und Gesellschaft; aber der erste und der zweite Impuls in dieser Entwicklung unterscheiden sich deutlich. Eine dritte Welle, der Asketismus und volksnahe Lebensstil von Zisterziensern, Prämonstratensern und den zugehörigen Frauenklöstern, wird kurz nach dem großen Streit zwischen Papst und Kaiser im 12. Jahrhundert der Klosterkultur wiederum ein neues Gesicht geben – noch aristokratisch geprägt. Im 13. Jahrhundert sollte mit den Bettelorden schließlich ein vierter Impuls ein neues Mönchswesen schaffen, ein drastisches Gegenbild zur Adelskultur, um damit das Bürgertum und die städtischen Massen auf neue Weise anzuziehen.

Darüber ist dann die prägende Kraft des Mönchtums allerdings verebbt.

Nicht in Rom, sondern in Cluny stand im 12. Jahrhundert die größte Kirche der Christenheit. Der Bau von 187 m Länge und 50 m Höhe, fünf Längs-, zwei Querschiffen und sieben Türmen bot die äußerste Vollendung romanischer Architektur. In der Französischen Revolution wurde er großenteils zerstört.

Die Geste der Weltentsagung am Königstor von Chartres: Der Heilige weist die Wirren der Welt zurück. Um 1150.

Zum mönchischen Monopol, wie es Cluny und seine Parallelen in der christlichen Geistigkeit übten, hatte sich Laienkultur seit dem 12. Jahrhundert konkurrierend entwickelt. Das Spätmittelalter, das 14. und 15. Jahrhundert brachte keine neuen Orden hervor. Laiengemeinschaften schlossen sich ohne feste Lebensregel und damit genaugenommen außerhalb der kirchlichen Disziplin oder an ihrem Rande in eigenen, aber der Kirchenaufsicht nicht mehr im selben Maß unterstellten Häusern zusammen. Wenn man Mittelalter und Mönchtum in feste Relationen kultureller Gemeinschaft bringt, dann ist diese Laisierung des Klosterwesens geradeso sprechend für den Niedergang einer Epoche wie schließlich die Beobachtung, daß offenbar die Lebenskraft des alten Mönchtums zur Erneuerung durch neue Orden im 14. und 15. Jahrhundert zu schwach geworden war. So wurde auch die Tendenz der Kurie gegen alle Neuerungen im Ordenswesen nicht erschüttert.

Zwar bereicherte das Mönchtum nach der Reformation, in der frühen Neuzeit, den Weg der Christenheit noch einmal durch Neugründungen; zwar wird noch bis zum heutigen Tag in der katholischen wie in der nichtreformierten orthodoxen Christenheit das Lebensideal nach dem Mönchtum bestimmt, zwar definiert die Kirche noch heute offiziell das regulierte Mönchtum als »Stand der Vollkommenheit«. Die Reformatoren des 16. Jahrhunderts aber hatten das Klosterideal ersetzt durch die ausschließliche Rechtschaffenheit des Laienlebens und das asketische Verdienst verdrängt durch Gnadenwahl oder Prädestination.

Die Dreiständeparole

Was heißt Gesellschaft? Kann man von einer mittelalterlichen Gesellschaft sprechen? Begriffsprobleme drücken manchmal Historiker allzu sehr, besonders deutsche, aber wenn man aus Hilflosigkeit davor zurückscheut, moderne Begriffe mit zeitgebundenem Inhalt auf mittelalterliche Verhältnisse anzuwenden, dann kann man über das Mittelalter überhaupt nicht mehr sprechen. Nachdem wir nun einmal im 20. Jahrhundert leben und seine Sprache gebrauchen, sollte man sich auf die Fähigkeit von Zuhörern und Lesern verlassen, auf Kollegialität und guten Willen, und nach der Empfehlung des englischen Philosophen Bryan Maggie Begriffe finden, die dem, was man sagen will, jeweils am nächsten kommen. Also möchte ich von einer mittelalterlichen Gesellschaft sprechen und vertraue darauf, daß man sie von jener Gesellschaft unterscheidet, die heutzutage einen Bestandteil in der Formelreihe »Politik, Wirtschaft, Kultur und Gesellschaft« bildet.

Die mittelalterliche Gesellschaft umfaßte nämlich die ganze Christenheit als Societas christiana. Bereits der griechische Staatsdenker Aristoteles († um 321 v. Chr.) unterschied aber zwischen Staat und Gesellschaft. Seine Schriften wurden seit dem 12. Jahrhundert nach und nach bekannt und von der Hochscholastik diskutiert. Bis dahin hatte das frühe Christentum Bezeichnungen und Bilder für die Gesamtheit der Menschen geprägt, mit der stärksten Nachwirkung wohl der nordafrikanische Bischof und Kirchenvater Augustinus von

Hippo († 430). Die »Gesellschaft« des Augustinus, die civitas, war Gottes oder des Teufels, und die civitas terrena, die irdische Staatlichkeit, war nach dem Verständnis des Kirchenvaters aus beidem gemischt. Niemand konnte nach Augustinus wissen, ob er in dieser gemischten Welt zur Gefolgschaft Gottes oder des Teufels gehöre. Die irdischen Ordnungen folgten irdischen Notwendigkeiten und bekamen damit ihr eigenes Recht; heiligen konnte sie der Kirchenvater nicht. Und er verwahrte sich dagegen, den römischen, seit einiger Zeit verchristlichten Staat als heilig anzusehen und sein Geschick mit dem Willen Gottes gleichzusetzen.

Siebenhundert Jahre trennen Aristoteles von Augustinus, den griechischen von dem römischen Denker, den Gründer einer umfassenden theoretischen Wissenschaft und einen der profundesten Theologen der frühen Christenheit. Beide hielt das Mittelalter hoch in Ehren. Aristoteles galt als »der Philosoph« schlechthin, Augustinus zählte zu den vier »Kirchenvätern«. Aber keiner von beiden wurde recht verstanden. Erst spät, im 13., 14. und 15. Jahrhundert, fanden einzelne Theoretiker zu treffenden Interpretationen, doch auch dann blieb die Theorie fernab der Wirklichkeit.

In Wirklichkeit war die mittelalterliche Gesellschaft zwar »umfassend«, aber sie wurde von tiefen inneren Gräben durchzogen. Sie war, sagen wir leichthin, ständisch gegliedert, aber wir wissen nicht recht anzugeben, was denn ein »Stand« gewesen sei. Und auch in der Zeit selber, in den langen Jahrhunderten der mittelalterlichen Welt, wechselte die Vorstellung davon. Dabei begriff sich die mittelalterliche Gesellschaft selbst wenigstens bis ins 12. Jahrhundert überwiegend »archaisch«, als eine geschlossene Gruppe unter göttlicher Führung, als Gottesreich, gerade so, wie es Augustinus nicht gemeint hatte. Das Heil dieses Reiches hing ab von der Tradition des römischen Imperiums unter »römischen« Kaisern und wurde vermittelt durch das Gottesgnadentum der Könige. Innerhalb dieser politischen Ordnung, geprägt vom Kaisertum und seinem Abbild in den einzelnen Königreichen, lebten die Menschen als Bauern und als Könige, als Fürsten und Ritter, als Bürger und Bettler – je nachdem, wie sie geboren waren. Lebten sie auch, »wozu« sie geboren waren?

Die mittelalterliche Gesellschaft erscheint immobil; dieser Schein entsprach der Wirklichkeit nicht. Es gab Mobilität in der mittelalterlichen Gesellschaft, je länger, je mehr. Die kirchlichen Würden waren von vornherein hierarchisch abgestuft und kannten »Laufbahnen«. Herrendienst oder Rodearbeit, Gelderwerb, Kriegserfolg oder intellektuelle Leistung waren die Vehikel zum möglichen Aufstieg im weltlichen Bereich; natürlich auch Glück oder Zufall. Als Prinzessin oder als Taglöhnersohn geboren zu sein, war ohnedem schlechthin lebensbestimmend. Von den Ausnahmen erzählen die Märchen.

Natürlich wurde auch nachgedacht über diese Ordnung der Gesellschaft, nach der einer der Herr war und der andere sein Knecht. Hugo von Trimberg hatte um 1300 einen Bestseller verfaßt und erklärte da den tiefgreifendsten sozialen Unterschied, daß den einen, den Herren wie den Klerikern, ein Leben ohne Mühsal bereitet war, während die meisten Menschen die Feldarbeit zu Boden drückte, auf verblüffend einfache Weise. Unterwegs in einem Dorf umringten ihn die Bauern: Wie geht das zu, fragten sie, daß wir uns plagen müssen und du ein müheloses Dasein führst? Das heißt immerhin: Sie fragten schon um 1300 und sahen dabei in Hugo nicht nur einen, der es besser hatte, sondern auch einen, der eine Antwort wissen mußte; eine Antwort vielleicht aus der Welt der Bücher, die ihnen verschlossen war. Die Antwort kam aus dieser Welt, vom Buch der Bücher, aus der Bibel. Ernst genommen, gibt sie Zeugnis von einer gnadenlosen Weltsicht, von einem lapidaren Schicksalsdenken, weit entfernt von der Frohbotschaft des Evangeliums. »Ihr seid die Nachkommen Chams«, lautete die Antwort, »den sein Vater Noah verfluchte und zum Knecht bestimmte. Und deshalb müßt ihr Knechte sein!«

Die Bauern hörten's und waren's womöglich sogar zufrieden, wenn es nun einmal in der Bibel so geschrieben stand. Der schlagfertige Hugo hatte ihnen einen Bescheid gegeben, der nicht erst seinem Kopf entsprungen war. Man erzählte das oft, um den Unterschied zwischen Herren und Knechten als gottgegeben zu erklären. Wenn wir uns dieser Parabel annehmen, dann sollten wir aber auch im 5. Buch der Genesis den biblischen Bericht überprüfen: Noah hatte sich bekanntlich betrunken, er lag entblößt im Zelt, und sein Sohn Cham wußte nichts Besseres, als diese Nachricht seinen Brüdern zuzutragen. Die aber handelten dezent: Sie bedeckten den Vater, sie wußten mit Überlegung und mit Fürsorge sein Ansehen zu wahren. Cham wurde vom Vater danach der Knechtschaft seiner Brüder unterstellt, weil er sich als unbesonnen erwiesen hatte, damit auch als unselbständig, unfähig, das Rechte zu tun. Bedenkt man die Parabel auf diese Art, dann wird wohl deutlich, was das biblische Exempel auf seine Weise zu sagen hatte. Beim selben Autor Hugo von Trimberg lesen wir überdies:

Pfaffen, ritter und gebure
sint all gesippe von nature
unt syln gar brüderlichen leben

Pfaffen, Ritter, Bauern: Hugos »Gesellschaft« trennt drei Bevölkerungsgruppen voneinander und ruft gleichzeitig ihre gemeinsame Menschlichkeit ins Gedächtnis. Auf dieser »natürlichen« Rechtsgrundlage der allgemeinen Gleichheit steht seine Forderung nach Brüderlichkeit.

Hier ist umschrieben, was das gesamte Mittelalter eigentlich bewegte, wenn es über gesellschaftliche Ordnungen nachdachte. Kein Nachdenken im strikten Sinn einer wirklichkeitsbezogenen Theorie, und doch durch keine Wirklichkeit zu widerlegen: Wenn man versucht, die Vielfalt der Lebensbezüge in der mittelalterlichen Gesellschaft, die im Laufe der Jahrhunderte sich allmählich ausformenden Standesgrenzen sozusagen nach einem gemeinsamen gesellschaftlichen Imperativ zusammenzufassen – mithin ganz absieht von Burgen und Schlössern, von Kirchen und Klöstern, von Dorf und Stadt und auch davon, daß es den einen geboten war, nichts anderes zu tragen als Leinen, während die anderen dazu auch Seide haben durften, diese Zobelpelze und jene Hermelin –, wenn man also versucht, drei Lebensbereiche aus der Vielzahl von Rängen und Titeln, von gesellschaftlichen Bindungen und Grenzen herauszuheben (und heute noch sind »aller guten Dinge« drei), dann wird man diese Zusammenfassung Hugos nicht ersetzen können. Sie trägt etwas in sich von den Grundvoraussetzungen der mittelalterlichen Welt.

Da war die ganze Gesellschaft mit dem Schwert zu schützen, in ihrer inneren Ordnung und nach außen. Und es war selbstverständlich, daß diese militärische Macht sich auch unmittelbar umsetzte in Herrschaftsgewalt. Ein wich-

Das »Schutzmantelmotiv« ist im bildlichen Marienkult seit dem 13. Jahrhundert üblich. Im Spätmittelalter wurde es auch auf männliche Heilige übertragen. Karl der Große als Schutzmantelheiliger, der den Heiligen aus seiner Sippe Zuflucht gewährt, eine Darstellung des 15. Jahrhunderts, bildet in diesem Zusammenhang immerhin eine Besonderheit.

tiger Unterschied zu unserer Gegenwart; aber alle kritischen Versuche, an dieser Gemeinsamkeit von Kämpfen und Herrschen zu mäkeln, auch alle Überlegungen, etwas anderes als eigentliche Lebensbestimmung und Rechtfertigung des gesellschaftlichen Daseins für den mittelalterlichen Adel auszumachen, übersehen eben die Notwendigkeiten, die einem jeden Angehörigen dieses Standes in die Wiege gelegt wurden. Ob auf einer ärmlichen Ritterburg oder unter fürstlichem Baldachin, der bewaffnete Einsatz des Lebens in einer gewaltsamen Auseinandersetzung war gleich. Das Schwert wurde so tatsächlich zum Symbol für eine gesellschaftliche Gruppe, deren Beziehung dazu vom Recht bis zum Monopol, von der Möglichkeit bis zur Ausschließlichkeit reichte. Ein Schwert führen, in den nachmittelalterlichen Jahrhunderten zierlicher Lebensart einen Degen, und reiten: Reitstiefel und Handschuhe begreifen wir noch heute als Attribute des Herrenstandes – ohne große Theorie.

Daraus entwickelte sich eine bestimmte Lebenshaltung, in zeitlichen Spielarten, die man abgrenzen und durch unseren ganzen Kulturkreis verfolgen kann, in abertausend persönlichen Varianten, die niemand überblickt. Wer mit dem Schwert zugleich herrscht und beschirmt, entwickelt nicht nur, ob kleiner oder großer Herr, ein besonderes Selbstbewußtsein, sondern er sucht auch bei sich selbst nach der rechten Einstellung zum gewaltsamen Sterben, das er verbreiten oder erleiden muß. Der bittere Tod, der gerechte Tod, der Heldentod – der Tod in jeder Form reitet immer mit im Gefolge dieses Standes, und die Kunst, das allzu menschliche Ende eines jeden Daseins auf eine besonders eindrucksvolle, auf »vornehme« Art zu überwinden, verschafft ihm geradeso Respekt wie die blanke Macht des Schwertes an sich.

Freilich ist da noch eine Beziehung zum Tod, die über unser Räsonieren hinausgeht, Relikt einer weit älteren Daseinsbewältigung in magischen Formen. Daß ein jeder Zweikampf, ja auch daß ein Krieg seine Rechtfertigung aus seinem Ende findet, nicht aus dem Anfang, wie wir heute denken; daß nicht der gerechte *Grund* einen Krieg rechtfertigt, wie die scholastische Gelehrsamkeit ausführlich definieren wird, sondern daß die gerechte *Sache* siegt und also an ihrem Ausgang erkannt wird, das kennzeichnete diese Einstellung, ohne daß man sie nach Konsequenzen weiterspinnen oder ein System daraus machen dürfte. Wer das Schlachtfeld behauptet, der hat eben seine Sache behauptet in einem uralten Gedankengefüge, das die Götter noch sehr nahe den menschlichen Geschicken wähnt. Mit diesem Positivismus wird allerdings die Umkehrung der Werte durch die Kreuzesreligion wieder aufgehoben. So zeigt auch das frühe Mittelalter einen siegreichen Gefolgsherrn Christus am Kreuz, nicht den von aller Welt verlassenen Schmerzensmann. Eine solche Nähe zu Tod und Gottesurteil, zu ererbter Besonderheit, umgibt die ganze Lebenssphäre dieser Menschen mitunter mit dem ersten und letzten Kennzeichen des Außergewöhnlichen, das alle Gesellschaften zu verleihen wissen: mit dem Geheimnis. Auch das steckt heute noch in unseren Köpfen. Weit entfernt, von der Begegnung mit dem Numinosen schockiert zu sein, stoßen wir doch noch immer auf Spukgeschichten – ein ganzer Schatz des Wissens von der Wiederkehr der Toten – im Zusammenhang mit dem adeligen Lebenskreis. Es spukt von Rechts wegen nur auf Schlössern.

Garbenbündel, stilisiert, oder eine Ladung Seilerware? Der kurze Kittel des Arbeitsmanns jedenfalls und seine Körperhaltung sind ganz wirklichkeitsnahe; Notre-Dame, Paris.

Auf der anderen Seite stehen die Leute, denen die Arbeit aufgetragen ist. Das ist ihnen allen gemeinsam. Arbeit heißt Mühsal. Sie ist ursprünglich Sklavenwerk. Sie ist auch ursprünglich Bauernwerk, und deshalb begegnet uns in der mittelalterlichen Dreiteilung auch immer wieder der Bauer symbolisch für die Welt der Arbeit. Die Entwicklung des städtischen Lebenskreises wußte den Ertrag dieser Arbeit zu vervielfachen, die Mühe zu mildern, sie erfand für das eine Maschinen und gebrauchte für das andere Geld. Aber zu arbeiten, bäuerlich wie bürgerlich, um davon für sich selbst zu sorgen und eben für die anderen beiden gesellschaftlichen Gruppen, das wurde zur besonderen Aufgabe dieses Standes und schließlich, bei aller Ungenauigkeit gesellschaftlicher Bezugsetzungen, zu jener Aufgabe, die sich als tauglichste Unterscheidung im Lauf der Entwicklung zeigte. Denn bald wußte auch die bürgerliche Welt sich zu wehren, und einzelne ihrer Mitglieder verstanden es zu reiten und das Schwert zu führen und herrenmäßig zu leben wie die Adeligen auch. Aber es gab eben keinen rechten Adeligen, der mit eigenen Händen sein Brot erwarb, sieht man ab von finanziellen Beteiligungen an Handelsgeschäften oder den Ähnlichkeiten im Alltag eines reichen Bauern und eines armen adeligen Grundherrn.

Im »Elend der Handarbeit« schließlich und endlich ein »Lob der Handarbeit« zu singen, bedurfte es jahrhundertelanger Entwicklung. Das Mönchtum lieferte entscheidende Anstöße zur Veränderung. Denn die Mönche in der lateinischen Christenheit waren, zumindest bis zur Jahrtausendwende, zum größten Teil adeliger Herkunft und beugten sich doch dem benediktinischen Gebot der Handarbeit. Freilich war diese Handarbeit nicht als Selbstzweck gedacht und ihr Lob, was man oft übersieht, deshalb auch beschränkt. Sie war Mittel zum Zweck, körperliche Kasteiung, um vom sündhaften Müßiggang abzuhalten. Der Fluch aller Arbeit war mit der Vertreibung aus dem Paradies gegeben, und der Begriff von irdischer Mühsal schloß ihn bereits ein. Die Befriedigung rechtschaffener Arbeit wußten die Arbeiter auch nur halbwegs zu empfinden, und die Mühsal war besonders deutlich, solange das Äquivalent des persönlichen Gewinns in eigener Verantwortung fehlte. Das vielberufene europäische Ethos der Arbeit ist ein Ethos des Mittelstandes. Erst die wirtschaftliche Revolution des Hochmittelalters brachte es hervor.

Die Sense als Produkt verfeinerter Schmiedekunst ist seit dem 13. Jahrhundert für die Grasmahd belegt, und in weiterer Verbesserung seit dem 14. auch zum schwierigeren Getreideschnitt. Der Schnitter mit Wetzstein von Notre-Dame in Paris zählt zu den frühesten Zeugnissen.

Zuvor muß noch etwas zu denen gesagt werden, die Hugo von Trimberg als Pfaffen bezeichnet. Das sind alle jene, die nicht mit dem Schwert leben und eigentlich auch nicht von der Arbeit: die, welche zu beten haben. Es ist ganz deutlich, daß diese besondere Funktion jenen Bezugskreis umfaßt, nach dem man das Mittelalter oft als eine »heile« Welt bezeichnet, als eine Gesellschaft, die letztlich im Jenseits begründet ist, als frommes Zeitalter. Aber wir wissen gut, daß jemand, der betet, deshalb noch nicht gegen die Sünde gefeit ist. Auch ist der Begriff von der »heilen« Welt offenbar als Selbstdarstellung zu sehen. Es besteht also keine besondere Auszeichnung darin; der Stand der Betenden impliziert keine Wertung für die übrige Gesellschaft, sondern nur eine Kennzeichnung, die allerdings weit deutlicher als anderes das Mittelalter in seinen Grenzen zeigt: Solange ein Zehntel der Bevölkerung oder mehr von den anderen willig bei Ansehen und Reichtum gehalten wurde dafür, daß es göttliches Heil garantierte; solange man nicht durch das eigene Beten ersetzen wollte, was das Gebet dieses guten Zehntels in sich schloß, so lange war diese dreigliedrige Welt in ihrem Zusammenhalt durch nichts zu ersetzen. Das geistliche Amt wog schwerer als die Fähigkeit, sich zu wehren oder zu arbeiten. Erst die Vorstellung von einem allgemeinen Priestertum aller Christen zur Reformationszeit löste es auf und gliederte den Klerus in die Gesellschaft ein, ließ ihn heiraten und nahm ihm das Außergewöhnliche der Gnadenvermittlung.

Mit radikaler Deutlichkeit wurde das allerdings nur im neuen Gemeindeverständnis von Kalvinisten und Täufern verwirklicht. Damit wurde die moderne Gesellschaft freilich nicht auf einer ganz neuen Grundlage errichtet, es wurde nur ein anderer Akzent gesetzt. Der kleine Mahnvers des Hugo von Trimberg trägt ihn schon in sich: »... sint all gesippe von nature«. Die natürliche Gleichheit aller Menschen, wie sie der Augenschein lehrt und wie sie nachdenkliche Köpfe immer wieder aller gesellschaftlichen Rangordnung entgegenhalten, hatte das Christentum behauptet und mit antikem Humanismus bestätigt. Mehr noch: Das Christentum hatte dieser Gleichheit eben nicht nur mit Worten, sondern auch durch viele Aktionen Gewicht gegeben und zumindest glaubhaft gemacht, was eben auch Hugo in Erinnerung bringt: »... unt syln gar brüderlichen leben«.

Wo bleiben eigentlich die Schwestern? So vollkommen uns diese dreigliedrige Gesellschaftsordnung erscheint, die in genialer Einfachheit ein Bezugssystem aufstellt, das unter der gegebenen Weltauffassung die einen unentbehrlich macht für die anderen und in seiner Geschlossenheit gerade durch die lakonische Pointierung wirkt, so deutlich wird die mittelalterliche Welt als Männergesellschaft gedacht und angesprochen. Das heißt nicht, daß Frauen ausgeschlossen, auch nicht, daß sie unterdrückt sind. Sie werden nicht angespro-

Karl der Große hatte den lateinischen Monatsnamen fränkische Entsprechungen hinzugefügt, aus unklarer Tradition. Sie waren, anders als die lateinischen Bezeichnungen, nach dem Jahreskreis des Bauern eingerichtet und sind uns in hochdeutscher Version noch heute bekannt. Sie erinnerten auf ihre Weise jedermann an die Bauernarbeit und regten immer wieder zu Darstellungen des Bauernlebens an. Vignetten aus einem Augsburger Kalender 1488.

chen, weil sie sozusagen kein Thema sind. Sie werden mitgedacht, und ihre Bedeutung und Notwendigkeit bezweifelte kein »Mensch«. Allein an diesem Wort wird die altertümliche Sprech- und Denkweise deutlich, die uns noch heute geläufig ist: Das Wort »Mensch« kommt von »Mann«, ähnlich wie schon im Griechischen und Lateinischen. So hatte die Frau einfach keine Stimme in der Öffentlichkeit. Die Kirche war ein Männerbund, in der ihr zu schweigen befohlen war, wie in weltlichen Gemeinschaften auch. Ihre Rolle wurde damit nicht unterschätzt; eher rückte sie in die Nähe des Numinosen, heidnisch gefärbt wie christlich. Sie war die Vermittlerin des Teufels beim Sündenfall und die Mittelsperson Gottes bei der Erlösung. Von Eva zu Maria: Eine Einschätzung aus der Männerwelt. Man kann freilich auch sagen: Sie hütete das Feuer und sie gebar die Kinder. Beides schlägt Bezüge, auch für uns noch anschaulich, über die einfache Wirklichkeit hinaus, dorthin, wo man glaubt und betet.

In dieser Männerwelt spielen aber noch andere, unausgesprochene Inanspruchnahmen mit, um jene dreigeteilte Gesellschaftsdefinition als Quelle recht zu deuten. Pfaffen, Ritter, Bauern nach Hugo; Beter, Krieger, Arbeiter nach vielen anderen Formeln oder lateinisch, als Gebot an alle: tu ora, tu rege, tuque labora! Beten, regieren, arbeiten also, dies ist uns jeweils aufgetragen, so schrieben die Baseler noch 1517 auf ihr Rathaus. Hinter diesen Funktionen stehen die Stände, und doch sind damit namhafte Gruppen zusammengezogen: Mönche und Weltpriester, Ritter und Fürsten, Bauern und Bürger. Man könnte auch an ganz andere Einteilungen denken; man könnte den Unterschied zwischen den Herrschern und den Beherrschten hervorheben oder den zwischen der gläubigen Christenheit und ihren Priestern, zwischen Laien und Klerus also, oder den zwischen aller Christenheit und den Mönchen, auf deren Schultern jahrhundertelang der Aufbau der Kirche ruhte. Man könnte nach der Unterscheidung zwischen Stadt und Land fragen, die jahrhundertelang alle Lebensumstände bestimmte, nach der zwischen Franzosen und Deutschen, Engländern und Iren, Russen und Polen, Unterschiede, die uns leichter in den Kopf kommen, wenn wir die Gesellschaft Europas einteilen sollen. Warum ist statt dessen gerade die Dreiheit von Schutz, Gebet und Arbeit entwickelt worden, über alle anderen Möglichkeiten hinweg?

Die alte Welt kannte nur Herren und Knechte. Das frühe Mittelalter belegt diese Sicht hinlänglich. Steckt in der Dreiteilung also nicht eine ganz neue Konzeption aus wechselweiser Anerkennung? Zwar läßt sich zeigen, daß eine solche Dreiteilung auch außerhalb Europas verbreitet war, daß sie insgesamt eine Rolle spielt bei der indogermanischen oder indoeuropäischen Sprachengruppe. Man könnte denken, das mittelalterliche Europa, nachdem es erst einmal zur Ruhe gekommen war nach den großen Wanderungsbewegungen der Germanen und Slawen und nach den Einfällen von Wikingern, Sarazenen und Madjaren, habe sich dann eben auch auf jene Dreiteilung besonnen. Und dennoch, aus welchen Gründen auch immer, steckt in dieser Dreiteilung ein gewaltiger Wandel gegenüber dem Gesellschaftsbild bis zur Jahrtausendwende, das nur Herren und Knechte gelten ließ. Zwar hatte schon Plato, der andere jener zwei großen Griechen am mittelalterlichen Philosophenhimmel, im vierten Jahrhundert vor Christus seinen Idealstaat ebenfalls dreigeteilt. Plato wurde im Mittelalter erst seit dem 12. Jahrhundert bekannt. Die dreiglied-

Tu supplex ora, tu protege, tuque labora: Du bete demütig, du schütze, du arbeite, vermittelt Christus der Welt mit ausgebreiteten Armen, und unter seinem Segen sind die drei gesellschaftlichen Gruppen vereint – die Arbeitenden als Bauern mit der Hacke symbolisiert. Frauen fehlen in diesem Bild, weil die Gesellschaft oft nur von Männern repräsentiert wurde.

rige Gesellschaft von Betern, Kriegern und Arbeitern kam aber schon zu Anfang des 11. Jahrhunderts ins Gespräch, sie griff um sich, sobald die konsolidierten Königreiche intensivere Lebensformen entfalteten, und war danach im 12. Jahrhundert im Westen unbestritten. Zur selben Zeit umschreibt der erste polnische Chronist die ganze Gesellschaft noch als Krieger und Bauern.

Der Anstoß kam vielleicht aus England. König Alfred der Große hatte um die Mitte des 9. Jahrhunderts schon von gebetman, fyrdman und workman gesprochen, und in England war diese Dreiteilung anscheinend niemals in Vergessenheit geraten. In die große Politik geriet diese Losung aber in Frankreich, durch Adalbero von Laon († 1030), einen der vornehmsten, politisch aktiven Bischöfe, und durch seinen Cousin Bischof Gerhard von Cambrai. Adalbero hatte sich mit einem langen Mahnschreiben an König Robert von Frankreich gewandt, um ihn zu stärken und auf seine Feinde hinzuweisen. In seiner Argumentation setzt er die rechte Weltordnung gegen bedrohliche Neuerungen:

> »Dreigeteilt ist das Haus Gottes, das man als Einheit glaubt:
> Die einen beten, die anderen kämpfen und andere arbeiten.
> Diese drei sind vereint und leiden keine Spaltung.
> Durch die Aufgaben des einen Teils werden auch die beiden anderen bedacht,
> Im Wechsel der Pflichten erwächst allen Trost.«

Als Bischof Adalbero, aus französischem Hochadel, diese Verse zur Mahnung an seinen König schrieb, dem er selbst zum Thron verholfen hatte, legt er Wert darauf, Schutz und Schirm des Landes eben gerade in königlichen Händen zu wissen, nicht in der aufkeimenden Friedensbewegung bei den Volksmassen unter mönchischer Führung. Für eine Zeit mag es damals, in der ersten Hälfte des 11. Jahrhunderts, so ausgesehen haben, als ob die von Cluny reformierten und zusammengefaßten Klöster miteinander überhaupt eine neue Gesellschaft errichten wollten. In diesem Sinn wendet sich Adalbero auch spöttisch gegen den »Mönchskönig« Odilo von Cluny. Er argumentiert wahrscheinlich mit einer Losung, die er nicht selbst erfunden hatte. Aber er macht diese Losung zum politischen Instrument.

Adalberos Erörterung verrät aber auch besondere soziale Aufmerksamkeit. Wieder kann außer acht bleiben, wie weit ihm dafür ein Primat gebührt. Karl der Große und seine Zeit hatten nur zwei Gesellschaftsfunktionen für erwähnenswert angesehen, zwei Aufgaben für das Ganze: die Christenheit zu schützen und für sie zu beten, Adel und Klerus also im weitesten Sinn, persönlich repräsentiert durch Kaiser und Papst. Die Dreiteilung, nach längerer, im einzelnen ungeklärter Vorgeschichte zuerst, wie gesagt, in England belegt und dann vielleicht von da auf den Kontinent übergreifend, hatte sich aber besonders der arbeitenden Mehrzahl aller Menschen angenommen und ihnen einen Platz neben den beiden anderen eingeräumt, ihre Notwendigkeit ausdrücklich anerkannt und aus der Machtposition der Gegebenheiten, aus der lakonischen Anspielung auf Cham und seine Nachkommenschaft einen funktionalen Zusammenhang geformt. Adalbero ging noch weiter. Ganz ohne Beschönigung umschrieb er das Elend der Mühseligen mit einer Deutlichkeit, »die im früheren Mittelalter nicht ihresgleichen hat« (Otto G. Oexle): Kein Herr lebt ohne die Arbeit seiner Knechte, und eigentlich sind nicht die Bischöfe und Könige die Hirten ihrer Herde, sondern sie werden von denen geweidet, nämlich ernährt, die sie zu weiden vorgeben. Adalbero sagt das anscheinend ganz ohne sozialen Antagonismus. Er konstatiert das Elend der Handarbeit. Als Ausgangspunkt von wechselseitiger Hilfe, als Hinweis auf die Notwendigkeit einer jeden Aufgabe für das Leben der ganzen Gesellschaft kann eine solche Aussage in aller Deutlichkeit aufgestellt werden, ohne daß damit der Ruf nach Veränderung verbunden wäre. Unausgesprochen bleibt, daß auch das Leben der Krieger im Einsatz für die beiden anderen Gruppen seine Mühsale kennt und das Leben der Betenden Kraft verlangt.

Adalbero hatte den Mönchen, die von Cluny her Frankreich und bald das ganze Abendland organisieren wollten, die eine Generation zuvor Kaiser Otto III. in ihren Bann gezogen hatten und eigene Friedensmilizen aufstellten, um ihren Gottesfrieden zu verteidigen, in seiner Dreiteilung keinen eigenen Raum gegönnt. Während der kluniazensische Einfluß noch seinem Höhepunkt zustrebte – personal und punktuell in der Forderung des Kluniazensermönches Hildebrand als Papst Gregor VII. nach dem obersten Rang in aller Christenheit –, war die dreigeteilte Gesellschaftsordnung schon dabei, dem gesamten Klerus einen bestimmten und unentbehrlichen Platz anzuweisen in der Gesellschaft, aber nicht die Herrschaft. Unter den Arbeitenden wurden zunächst immer wieder die Bauern angesprochen. Auch das Handwerk war »Bauernarbeit«; Städte hatten zu Anfang des 11. Jahrhunderts noch keinen besonderen Platz. Die »Krieger« schlossen alles ein, was zu Pferde saß, ohne die ältere Unterscheidung zwischen adelig und nichtadelig; man folgte damit einer Tendenz, die sich zu jenen Zeiten breitmachte und uns den übergreifenden Begriff vom »Ritter« hinterlassen hat. Auch der König zählte dazu.

450 Jahre nach dem Tod Adalberos hat sich das Bild radikal gewandelt. Ein Memminger Flugblatt von 1487 zeigt, unter dem traditionellen Reichsadler, eine revolutionäre Deutung des Reiches und seiner Stände: nicht vertikal, sondern im Kreis, nach einer Gliederung, die gleichwohl für Kaiser und Fürsten im oberen Rand noch eine Vorzugsstellung bietet; ein in der Wirklichkeit unbekannter »Senat- oder Rittermeister« tritt in hervorragende Position; in die Mitte sind die Handwerke gesetzt. Der ganze Bau ruht auf einer Stadtmauer mit der Inschrift: »Das ist der gemeine Nutz«. Diese Darstellung zeigt mit seltener Deutlichkeit das Streben nach einer direkten Verbindung zwischen dem »gemeinen Mann« und dem Kaiser, eine der wichtigen Tendenzen der Krise des Spätmittelalters, die in Deutschland schließlich im sogenannten Bauernkrieg zur bewaffneten Auseinandersetzung um eine neue politische Ordnung führte.

Es läßt sich viel darüber spekulieren, welche Elastizität eine solche Dreiheit besaß und inwieweit sie geeignet war, sozialen Protest aufzulösen, solange die Aufgaben eines jeden Teils des dreigegliederten »Hauses Gottes« und die Heilsverheißung für die christliche Gemeinschaft auch nur einigermaßen glaubhaft gelebt wurden. Diese Glaubhaftigkeit war nicht durch das Versagen einzelner zu erschüttern. Sie konnte, als sozialer Imperativ, immer wieder erneuert werden. Sie hat dem Mittelalter auch einen besonderen sozialen Frieden beschert, nicht in einer »heilen« oder doch zumindest heilsweisenden Gedankenwelt, sondern im tatsächlichen Geschehen. Größere soziale Protestbewegungen können bis in die Mitte des 14. Jahrhunderts als unerhört gelten. Auch die langwährenden Kämpfe zwischen Städtebünden und Fürsten, besonders die Auseinandersetzungen zwischen dem lombardischen Städtebund und den Kaisern im 12. und 13. Jahrhundert, waren keinesfalls Erschütterungen der gesellschaftlichen Ordnung, auch kein Sozialprotest, sondern Machtkämpfe um einzelne Freiheiten, nicht um Freiheit an sich.

Andererseits öffnet die Dreiteilung bereits das Tor zu einer großen Veränderung. Womöglich ist sie auch schon davon beeinflußt. Unter dem Schutz von »Rittern« und »Pfaffen« wird nämlich der Arbeit funktionale Teilhabe am Ganzen gewährt. Das aber auf eine andere Weise als in der römischen Fabel des Menenius Agrippa: Der hatte den aufsässigen Plebejern erzählt, daß ein rechter Gesellschaftskörper auch des Magens bedürfe, der nicht arbeitet und dennoch ernährt werden muß, zum Wohle des Ganzen. Das Bild vom »Gesellschaftskörper« lief in der lateinischen Lektüre des Mittelalters nebenher. Da gab es Kopf und Füße, Arme und Bauch – aber das dreiteilige Schema, ernstgenommen, wägt einen Teil so ernsthaft wie den anderen. Es bleibt abstrakt, es wertet nicht nach Haupt und Gliedern. Geradeso traten auch die Herren seit dem 11. Jahrhundert zurück, als es galt, den Knechten freien Raum für Arbeit in eigener Verantwortung zu schaffen. Damit wurde allmählich ein besonderer Lebensraum der Arbeitenden anerkannt, eben in funktionaler Gleichheit mit Politik und Religion, und nicht etwa nur die ökonomische Leistung, auch nicht irgendwelche inneren, gesetzmäßigen Entwicklungen der Produktionsverhältnisse, sondern das weite Feld »Tätigkeit« im Leben derer, denen weder der Krieg noch das Gebet Unterhalt bot.

Das lateinische Europa hat vergleichsweise wenig fremdes Land erobert und nicht allzu viele fremde Reiche beherrscht. Wohl spielten Eroberungszüge mit aller fadenscheinigen Rechtfertigung und kriegerischen Grausamkeit auch im Mittelalter eine Rolle, Kreuzzüge bezeichnenderweise, doch im Vergleich zum römischen Weltreich, zu den Zügen Alexanders oder zum Herrschaftsraum des Islam von Persien bis nach Spanien blieb die lateinische Christenheit trotz der Vielzahl ihrer Königreiche in ihrem angestammten Raum. Dagegen hat keines der genannten Weltreiche jene innere Entwicklung durchlaufen, die im lateinischen Europa die ganze Vielfalt der gesellschaftlichen Kräfte ausbreitete und dabei der Mehrheit, jenem in fester Herrschaftsbindung lebenden Dreiviertel, eine eigene Entfaltung durch Arbeit eröffnete. Die Entwicklung setzte ein im Nordwesten und verbreitete sich vom nördlichen Frankreich und den Niederlanden aus als Umwälzung der Landwirtschaft, gefolgt von sprunghafter Verbreitung des Städtewesens. Damit, nicht durch seine Eroberungen, wuchs das lateinische Europa über die Entwicklungsgrenzen der alten Hochkulturen hinaus.

Die Benediktinerabtei Conques in Südfrankreich entstand vielleicht schon im 6. Jahrhundert, wurde 730 von den Sarazenen zerstört und blühte unter Karl dem Großen von neuem auf. Die Kirche aus der Mitte des 11. Jahrhunderts zählt zu den eindrucksvollsten romanischen Bauten des Landes und läßt noch heute etwas erahnen von der Wucht wie der Einsamkeit der frühen klösterlichen Gottesburgen.

Belogradschik, »die kleine weiße Burg«, eine Festungsanlage in Nordbulgarien, zwischen westlichen und östlichen Machtbereichen, Bollwerk auch gegen frühe türkische Einfälle. Die klösterliche Einsamkeit einer kompromißlosen Landschaft wandelte sich in Kriegszeiten und wurde zum Hintergrund wilder Grausamkeiten.

San Gimignano, eine Kleinstadt, seit dem 10. Jahrhundert bekannt, seit 1354 im florentinischen Herrschaftsverbund, bezeugt noch heute mit 13 Wohntürmen die Wehrhaftigkeit der alten Kaufmannsfamilien im mittelalterlichen Stadtbild.

Der Anteil des Mönchtums an Lebensformen und wirtschaftlicher Entwicklung der mittelalterlichen Jahrhunderte ist schwerlich zu überschätzen. Beten und arbeiten lehrten die Mönche bekanntlich, nämlich personenbezogene Frömmigkeit und das Lob der Handarbeit, die vordem Knechtswerk war. Tausende von Klostergründungen dienten der zeitgenössischen Infrastruktur. Die Abtei Maria Laach, 1093 gegründet, hat ihre romanische Kirche aus der Mitte des 12. Jahrhunderts fast unverändert bis heute erhalten.

III
»Agrarische Revolution«

Neue Technik – neue Organisation

»Um den Joachim kümmere ich mich gerade soviel wie um das fünfte Rad am Wagen!« Den Joachim werden wir noch kennenlernen. Hier geht es zunächst um das fünfte Rad am Wagen. Das Sprichwort gilt noch heute. Auch unsere Wagen rollen noch auf vier Rädern, und vielleicht wäre vieles anders, wenn sich um 1100 nicht der Fahrzeugbau des zweirädrigen Karrens angenommen hätte, um ihn länger und stärker zu bauen, so daß er fortan zwei bis drei Tonnen tragen konnte, auf vier Rädern, mit einer ausgeklügelten Drehvorrichtung an der Vorderachse. Denn diese Neuerung war notwendig, um ein vierrädriges Fahrzeug zu lenken. Ein Karren kam mit einer starren Querachse aus. Wichtiger noch war die größere Zugkraft, die man für den neuen Wagen brauchte, für die longa caretta, den langen Karren, wie ihn die Italiener nannten. Diese größere Zugkraft beruhte auf einer neuen Technik, das Zugvieh anzuschirren. Merkwürdig: Schon vor viertausend Jahren hat sich das Pferd der menschlichen Geschichte zugesellt, es erscheint uns wie ein selbstverständlicher Bestandteil der alten Welt, und doch haben die Europäer ziemlich lange gebraucht, bis sie recht mit diesem Tier umgehen konnten. Vielleicht diente es zunächst den Göttern und erst später den Menschen.

Jedenfalls haben bei uns zunächst die Griechen und erst viel später die Römer mit Pferden umzugehen gelernt. Aber sie ritten noch ohne Steigbügel. Auch war das antike Zugpferd eigentlich sehr dilettantisch angeschirrt: Auf Tausenden von Vasenbildern und Mosaiken läßt sich gut erkennen, daß die Tiere nur Lederriemen um Hals und Brust trugen, womit sie zwar kleine Lasten ziehen und auch vor dem beweglichen und leichten Streitwagen laufen konnten, aber ihre Kraft war nicht voll genutzt; die Riemen schnitten ihnen ins Fleisch. Erst nach der Jahrtausendwende verbreitete sich bei uns, vielleicht nach chinesischem Vorbild, ein ledergepolsterter Holzkragen für die Pferde, an denen man fortan die Lederriemen festmachte, so daß sich die Tiere in der Zugbewegung fest einstemmen konnten. Durch dieses Kummet wurde ihre Zugkraft um mehr als das Doppelte gesteigert. Nun konnte man sie auch mehrfach anschirren: nicht mehr zu zweit, zu dritt oder zu viert nebeneinander, wie die antiken Bilder zeigen, sondern paarweise hintereinander, und das steigerte ihre Zugleistung noch mehr.

Auch der Ochs trug seitdem bei uns nicht mehr ein Holzjoch auf dem Nacken. Ihm wurde ein gepolstertes Holzbrett zwischen die Hörner geschnallt, in welches das Tier nun seine ganze Kraft stemmen konnte. Langsamer als das Pferd, war seine Zugleistung größer. Und welcher Fortschritt erwuchs aus dieser neuen Zugkraft für die gesamte Landwirtschaft! Übrigens kann man den alten Zeiten noch heute begegnen: Noch heute ziehen die weißen umbrischen Ochsen im Apennin zu zweit unter dem Holzjoch am Nacken

Clonmacnoise (gälisch Cluain Mac Nois) ist ein berühmtes Zentrum irischer Klosterkultur. Um die Mitte des 6. Jahrhunderts gegründet, bald mit bedeutender Schule und Bibliothek, wurde hier keltische Kunst noch im 12. Jahrhundert intensiv gepflegt, so daß neben dem lateinischen Chronicon Scotorum, einer bedeutenden irischen Geschichtsquelle bis 1140, auch das älteste erhaltene gälische Buch entstand. Auf dem berühmten Friedhof wurden die Könige von Connacht begraben. Die Engländer zerstörten die Siedlung 1552.

Ein Reisewagen des Spätmittelalters mit Gabeldeichsel und eigens gesicherten Radnaben.

zweirädrige Karren. Dort genügt das. Die schon seit langem hochentwickelte antike Landwirtschaft mit Oliven- und Weinbau konnte seit je auf leichtem und fruchtbarem Boden ihr Brot verdienen. Das dunkle Brot des Nordens mußte dem Boden schwerer abgerungen werden. Und als man das lernte, setzte mit einem Schlag eine dynamische Entwicklung ein, die der Süden nicht kannte, nicht benötigte und dessen Schwung ihn deshalb auch nicht berührte. Südlich der Alpen und in Südfrankreich kam der große Sprung voran durch die Entwicklung der Städte. Im Norden mußte erst eine »agrarische Revolution« den Boden bereiten. Erst aus den neuen Äckern wuchs dann, nach dem alten lateinischen Sprachbild für das geistige Leben, »Kultur« aus Bauernarbeit.

Dazu gehörte freilich mehr als eine neue Zugkraft. Nicht nur der neue Wagen, wie ihn um 1170 die Äbtissin Herrad in einem Bilderlexikon festhielt, sondern auch ein schwerer Räderpflug mit asymmetrischer Pflugschar, welche die aufgehobene Erde gewendet zurücksinken ließ. Die Egge zur Bodenpflege, eiserne Spaten, Beile und Sägen, Sensen mit langen, feingeschmiedeten Klingen, zunächst für das Gras, später auch für die Getreidemahd: ein Bündel neuer Werkzeuge in der Hand des Bauern.

Das mußte bezahlt werden. Wir wissen nicht, wie sich die Neuausstattung finanzieren ließ. Wir wissen überhaupt viel zuwenig von der Verbreitung der Neuerungen. Denn Bauern reden wenig und schreiben nichts, und hätte nicht ein interessierter Mönch ab und zu die Arbeit auf den Feldern mit Pinsel und Feder festgehalten, bliebe eigentlich nur der Acker selbst als Quelle für den Historiker. Dort schrieb der Bauer Jahr für Jahr auf seine Weise Geschichte.

Von der Form der Äcker weiß man, seit wann der schwere Wendepflug in langen Furchen schmale Rechtecke bearbeitet, während die älteren Pflugformen am besten in Feldquadraten eingesetzt wurden, weil man mit ihnen oft kreuz und quer den Boden zerkleinerte. Ebenso wichtig war es, zu einem neuen Flursystem eine ganze Gruppe von Bauern zusammenzufassen, damit sie gemeinsam ihre Felder im jährlichen Wechsel entweder mit Winterfrucht oder mit Sommerfrucht bestellten oder aber für ein Jahr brachliegen ließen, um das Vieh darauf zu weiden, auch zur natürlichen Düngung. Diese »Dreifelderwirtschaft« beginnt auf karolingischem Königsgut im 8. Jahrhundert. An der Flurform läßt sich beobachten, daß sie sich langsam verbreitete, meist im Rahmen der Klosterwirtschaft, bis sie schließlich im 12. Jahrhundert auch östlich der Elbe heimisch wurde.

Die Flurform ist überhaupt eine besonders zuverlässige Quelle für den Historiker. Sie zeigt, wie man seit dem 11., 12. Jahrhundert die alten Siedlungsinseln auszuweiten wußte, Wald rodete, Sumpf trockenlegte und das Meer an der Nordseeküste durch Deiche allmählich zurückdrängte. Der Landesausbau, offenbar erzwungen durch Bevölkerungsdruck, stellte seinerseits wieder Menschen in seinen Dienst und reizte zur Bevölkerungsvermehrung. Damit erst hob sich allmählich das Lebensniveau der nördlichen Lande in die Nähe des Südens.

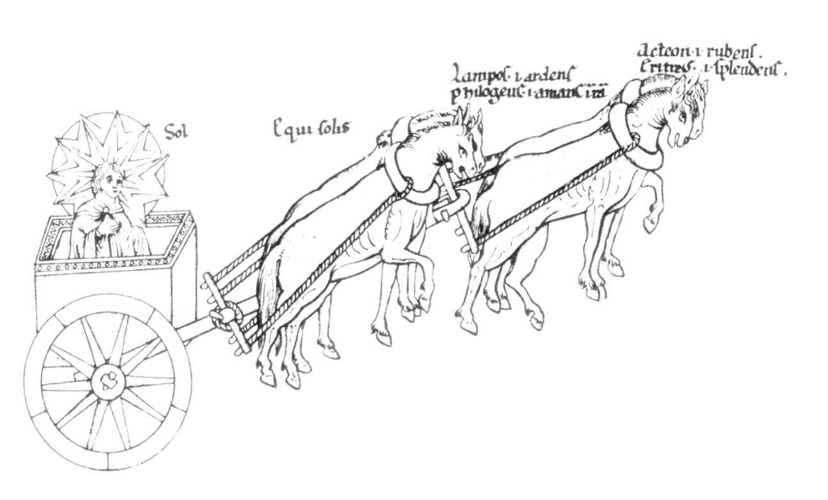

Der Hortus deliciarum der Äbtissin Herrad von Landsberg zeigt Pferde mit Kummet – dazu noch in jener vierspännigen Schirrweise, die bis in unser Jahrhundert geradeso üblich war. Anstelle einer vierrädrigen caretta longa ziehen die Tiere hier einen Zweiradkarren, den Sonnenwagen, den die Antike zuvor stets als Quadriga darstellte – sie kannte die Möglichkeit des Mittelalters, paarweise anzuschirren, noch nicht!

Nicht nur die militärische, sondern womöglich auch die technische Überlegenheit der Normannen soll der Wandteppich belegen, den Odo, Bischof von Bayeux, Bruder des Eroberers Wilhelm und später Graf von Kent, wahrscheinlich selbst in Auftrag gab. Der 70 m lange und etwa einen halben Meter hohe Leinenstreifen zeigt in achtfarbiger Wollstickerei im Mittelfeld das politische Schicksal, darunter vielfach das Leben der Unterschichten und darüber bisher noch nicht klar gedeutete Fabelwesen. Hier ist ein landwirtschaftlicher Arbeitsgang besonders wichtig, der die Aussaat hinter einer Egge zeigt. Das Pferd, am Zaum geführt, ist mit einem Kummet angeschirrt, in der neuen, gerade seit dem 11. Jahrhundert verbreiteten Weise, die seine Zugkraft beachtlich erhöhte. Die Egge trägt eiserne Zinken, und auch das ist eine besondere Verbesserung, während man zuvor die Ackerschollen mit Knüppeln zerkleinerte. Unten: Pflügen nach dem Teppich von Bayeux: ein Maulesel als Zugtier, augenscheinlich in der alten Schirrweise ohne Kummet. Der Pflug mit Rädern, Sech zum Vorschneiden, eiserner Schar und Streichbrett zum Wenden der Schollen.

Begreift der Nordeuropäer des 20. Jahrhunderts überhaupt die historische Attraktivität dieses Südens? Ein Klima, in dem man auch im Winter nicht um sein Leben fürchten mußte, in dem es weithin keinen Kältetod gab, auch keinen lähmenden Frost und nicht die Leiden kalter oder verräucherter Wohnhöhlen. Polnische und russische Historiker haben sich sehr bemüht, ein mittelalterliches Synonym für Bauern in ihren Gegenden vom ehrenrührigen Beigeschmack zu befreien; Bauern heißen da in den Quellen »die Schmutzigen«. Auch bei uns kann »Bauer« noch ein arrogantes Schimpfwort sein. Der römische Bauer, der »Agrikultur« trieb, stand einer kultivierten Lebensform näher.

Vor diesem Hintergrund muß man den Landesausbau als die Grundlage für den gewaltigen wirtschaftlichen und demographischen Aufschwung des nordalpinen Europas sehen; als eine Intensivierungsbewegung, die zwischen dem Ende des 11. und der Mitte des 14. Jahrhunderts die Bevölkerung Englands von eineinhalb auf wohl annähernd fünf Millionen wachsen ließ, die französische von sechs Millionen gar auf 22 Millionen beinahe vervierfachte, die deutsche von fünf auf 15 Millionen anhob, wenn man Schätzungen glaubt. Ein Wachstum um das Drei- bis Vierfache wird überall angenommen. Es schuf Flurformen, wie wir sie erst mit der modernen Agrarorganisation verändert haben, mit Bodenreformen und Flurbereinigungen. Es rang dem Wald und dem Ödland in Heide und Sumpf mehr Ackerboden ab, als wir heute nützen, und es machte den Menschen endlich zum Herrn über die unwirtliche Wildnis. Der bedrohliche, riesige Wald, unbekümmert gerodet, dehnte sich seitdem nicht mehr übermächtig aus. Man konnte seinen Weg darin behaupten, und das schlug sich nieder in der Vorstellungswelt des späteren Mittelalters und gerann im Märchen. Die drei Brüder, die den rechten oder den unrechten Weg durch den Wald fanden, auch im moralischen Sinn, das unerschrockene Schneiderlein, das arglose Rotkäppchen, aber auch die Geißenmutter mit ihren sieben Kindern erzählen von der überwundenen Waldgefahr.

Das Land wurde dichter besiedelt. Zwischen zwanzig und achtzig Menschen auf dem Quadratkilometer trug es jetzt, und das wäre ohne städtische Siedlungen nicht möglich gewesen. Es entwickelten sich ganze Stadtlandschaften, in Flandern, um das Pariser Becken, an Saône und Rhône, den Rhein entlang

und schließlich auch an seinen süddeutschen Nebenflüssen. Auch wenn in diesen Regionen nur Flandern mit der oberitalienischen Städtedichte konkurrieren konnte, so veränderte sich dadurch doch die Lebensweise vieler Menschen, nach neueren Einsichten vielleicht eines Viertels der gesamten Bevölkerung. Sie »verstädterten«; gewöhnten sich daran, in den engen Stadthäusern zu leben, die man immer noch als Hofareale zählte, oft mit Stallungen, Scheunen, Hinterhäusern. Die Gast-»höfe« tragen noch heute die alte Bezeichnung und mitunter auch noch die alte Baugestalt. Im dichten Umgang, im Lärm, auch in der auf jener Zivilisationsstufe geringen städtischen Hygieneentwicklung, im steten Gespräch mit den Nachbarn und schließlich in einem Gemeinschaftsbewußtsein, das auch Brücken schlug über arm und reich, entwickelten sich die Bürgergemeinden.

Aber es veränderten sich nicht nur die Siedlungsbilder, sondern es verwandelten sich auch ganze Landschaften. Die neuen Dörfer, die neuen Städte kamen miteinander in Kontakt, auf Märkten und bei Wallfahrten. Es setzte eine dichte Bewegung auf den Straßen ein, und der Waffenschutz, den früher nur die reitenden Herren mit dem Schwert sich selbst oder ihren Untertanen bieten konnten, wurde nun durch Friedensbereiche jedermann zugänglich; man war geschützt durch Verträge oder allgemeine Vereinbarungen, wie sie die Gottesfriedensbewegungen für bestimmte Personen oder bestimmte Zeiten gewährten. Nicht nur die neuen Siedlungen, sondern auch die neuen Straßen schufen ein anderes Dasein.

Das galt auch für die Bauern. Wir wissen von der Geschichte der bäuerlichen Siedlungen weniger als von den städtischen, vor allem sind wir nicht hinlänglich informiert über die älteren Siedlungsformen vor dem Landesausbau. Wir wissen, daß es aus spätrömischer Tradition – die den Verhältnissen der Barbarenvölker in gewisser Weise ähnelte – Herrenhöfe gab und von ihnen abhängige Pächter und daß diese Herrenhöfe im 11., 12. Jahrhundert zugunsten eines überwiegenden Pachtsystems aufgelöst wurden. Aber wir wissen nicht so genau, wo und wie Pächter und Herren ursprünglich wohnten, mit anderen Worten: Die Geschichte des Dorfes ist uns in ihren vielfältigen Entwicklungen noch nicht recht bekannt. Es gab Regionen mit bäuerlichen Einzelhöfen, und es gab andere Landschaften, von denen sich zumindest sagen läßt, daß Dörfer als Ergebnisse landwirtschaftlicher Planung, als Wirtschafts- und Rechtsgemeinschaften erst mit dem Landesausbau entstanden.

Oft läßt sich das an den Ortsnamen ablesen. Wie bei uns die alten Siedlungen alte Namen tragen und dazu die Silbe -ing oder -ingen, wie Gundelfingen oder Freising, so weisen die alten Dorfnamen auch in England oder in Skandinavien auf Herrenhöfe mit ihren Bauern. Im westslawischen Bereich, bei Polen und Tschechen, wird man durch die ältesten Ortsnamen an einen Plural erinnert, der mit den ursprünglichen Kleinstämmen zusammenhängt, etwa »bei den Lučanen« oder »den Litomeritzen«. Jüngere Dorfnamen sind oft zu Zeugen für den Landesausbau geworden – manchmal die einzigen. Villeneuves, Neudörfer, heißen neue Siedlungen in Frankreich, les essarts, artigues, Rodungen. Landgewinnungen gelten als sauvetés, als Gebiete der Sicherheit für die Siedler, oder als bastides, Bastionen, zu denen sie als städtische Siedlungen bisweilen anwachsen. Die nova terra, das Neuland, wird um 1050 zu einem festen Begriff in flämischen Urkunden. Hier und in Frankreich scheint die neue Sied-

Der Mittelmeerraum blieb von der »agrarischen Revolution« des Nordens unberührt. Klima und Boden waren seit der Antike gehörig erschlossen, die Agrartechnik des Nordens hätte eher geschadet, der Wendepflug und die Dreifelderordnung zu Bodenerosionen geführt. So pflügt jener byzantinische Bauer nicht aus Primitivität, sondern dem lockeren ariden Boden angemessen noch im 11. Jahrhundert mit dem Haken und benötigt dementsprechend auch nicht die neue Vorspanntechnik des Nordens für seine Ochsen.

lungswelle zuerst um sich gegriffen zu haben. Auch in England war nach dem frühen Landesausbau durch Angelsachsen und Dänen im 12. Jahrhundert die Rodung von Wald und Sumpf im Gange. Cleared land entstand vornehmlich im Westen und Nordwesten, auch auf der irischen Insel.

Im nördlichen Europa gab es einen Bevölkerungsdruck, seit um die Jahrtausendwende die junge Generation nicht mehr in Wikingerzügen das Land verließ. In Dänemark entstanden nun Dörfer, Einzelhöfe rückten zusammen. Seit dem 13. Jahrhundert traten Dorfgemeinschaften als Rechtsträger auf. Eine Ursache für diese Konzentration lag wohl darin, daß man damals in Dänemark den schweren, tiefgreifenden Räderpflug für die Bodenkultur einführte, und der war oft Gemeinschaftsbesitz. So legte er auch dörfliche Siedelgemeinschaften nahe, ähnlich wie die Dreifelderwirtschaft, die zur selben Zeit dort die Agrarorganisation bestimmte. Weder der schwere Pflug noch die dreigeteilte Flurorganisation drangen dagegen nach Norwegen ein. Hier blieb es bei Einzelhöfen, auch in den zahlreichen neuen »Rud«-Siedlungen, ein neuer Ortsname, der an das Roden erinnert, ähnlich wie unsere deutschen »rode«-, »rot«- oder »rath«-Orte. Schwedische Bauern fuhren auch übers Meer, ähnlich den englischen. Sie siedelten sich an der finnischen Ostseeküste an, in einer meist menschenleeren Waldwildnis, im 12. und im 13. Jahrhundert, während Finnland unter schwedische Herrschaft kam. Auch das ist den Ortsnamen abzulesen.

Großen Umfang erreichte der Landesausbau in Mitteleuropa. Eine erste Welle hatte schon im 8. und 9. Jahrhundert die alten Siedlungsinseln erweitert. Unsere vielen Ost-, Nord-, West- und Sund- (auch Sont-)Orte waren damals entstanden, nach Himmelsrichtungen bezeichnete Zusiedlungen zu alten Herrenhöfen, oft in Königsbesitz. Bayerische Siedler hatten sich im Alpenraum mit romanischen vermischt, in »Wall«- und »Walch«- (Welsch)Orten, die Täler erschlossen und die unteren Lagen urbar gemacht, während sich vom Hannoverschen »Wendland« über Ostfranken bis nach Niederösterreich slawische Siedlungen verbreiteten, an Rezat und Pegnitz, auch mit gefangenen Slawen (Geiselwind) und Klosteruntertanen – Abtswind in der Nähe von Würzburg.

Eine neue Welle des Landesausbaus griff erst nach den Madjarenstürmen im 11. Jahrhundert um sich. Sie schloß an die europäische Entwicklung der »agrarischen Revolution« an. Dabei zeigten einzelne deutsche Landschaften unterschiedliche Aktivität. Besonders wichtig wurde für den später von der Wissenschaft so bezeichneten »inneren Landesausbau« in Deutschland das Rheingebiet mit seinen Nebenflüssen. Hier lagen am Hauptstrom von Köln bis Basel Altsiedelräume, auch mainaufwärts und an der Mosel. Im Norden verband der Hellweg, eine alte Salzstraße, keltisch benannt, das Rheinland mit den

Der Zweiradkarren, ein uraltes Gefährt, ist in den Mittelmeerländern noch heute zu finden. Die kunstvolle Bemalung dieses Wagens ist jedoch ein historisches Zeugnis besonderer Art: Es ist Karl der Große, dessen Legenden hier dargestellt werden und vom Begriff seines Kaisertums selbst noch im fernen Sizilien zeugen.

fruchtbaren, von alters her besiedelten Lößflächen von Münster, Soest und Paderborn. An der Sieg und im Westerwald, an der Lahn und um Limburg gab es ebenfalls alte Siedelräume. Von hier aus wurde seit dem 10. Jahrhundert allmählich Neuland erschlossen, zunächst in den Niederungen, dann bachaufwärts im naßkalten Sauerland bis in höhere Waldregionen und schließlich im Westerwald.

Die Sense zählt zu jenem Bauernwerkzeug, das Metaphern bildete. Eine Erfindung des Mittelalters, wurde sie vom 12. bis 14. Jahrhundert allmählich verbessert und ist seitdem unverändert in Bauernhänden. Grasmahd um 1260, Monatsbild aus Polen.

Der Rhein war vom 10. bis zum 13. Jahrhundert die Schlagader des deutschen Lebens. Damit hing die besondere, kontinuierlich über dreihundert Jahre wirkende Kraft des Landesausbaus in seinem Raum zusammen, und weil sich die alten Straßen sowie der Lastenverkehr nach Flüssen und Bächen richteten, schuf das ganze Flußsystem auch besondere Zusammenhänge von Freiburg bis nach Wesel. Dieses Netz zog sich bis in den Schwarzwald, die Eifel und die nördliche Schweiz, war manchmal von weltlichen Herren angelegt, wie den Zähringern, die Bern und Freiburg gegründet haben, manchmal von ausgreifenden Klosterherrschaften organisiert, Reformklöstern wie Hirsau oder St. Blasien im Schwarzwald, der Reichsabtei Prüm in der Eifel oder dem noch ehrwürdigeren Fulda, das im Laufe der Zeit den größten klösterlichen Güterkomplex in Deutschland überhaupt zusammentrug.

Das zweite große deutsche Flußsystem an der Donau hat nie dieselbe Bedeutung gewonnen wie der Rhein mit seinen Nebenflüssen. Die ältere Forschung ging von schwäbischen »Urdörfern« aus. Auf den fruchtbaren alten Siedlungsinseln, den sogenannten Gäuböden vom Allgäu bis zum Kraichgau, Lößböden auch hier, hat sich das bäuerliche Leben von den Anfängen der alemannischen Stammesbildung im 7. Jahrhundert an angeblich in kleinen Siedlungszentren entwickelt. Nach Ortsnamen, Flurformen und Bodenfunden sind bisher jedoch nur Einzelhöfe nachweisbar, ähnlich wie im Süden Englands, im Münsterland oder auch in der unmittelbaren östlichen Nachbarschaft, auf den bayerischen Gäuböden. Aus frühen Erbteilungen entwickelten sich, wie überall, Weiler, die hier – nach dem römischen Wort für einen Gutshof, villa – oft auch zu Ortsnamen geworden sind, von Badenweiler bis Weil der Stadt. Es gab auch hier seit dem 10. Jahrhundert ein allmähliches Wachstum von Rodungsland, wobei geradeso wie anderwärts die Siedler in Gruppen zusammengeschlossen wurden und Dörfer gründeten – vom Berner Oberland bis zum Bayerischen Wald.

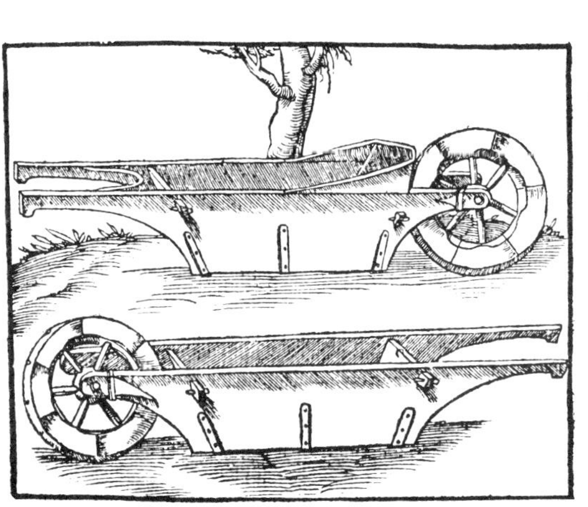

Der Schubkarren ist eine genuine Erfindung des Mittelalters. Diese geniale Vereinigung von Rad und Hebel, im Englischen technisch exakt als wheelbarrow, im Deutschen ursprünglich genauso als Radber, das heißt Radträger bezeichnet, ist offenbar im Zusammenhang mit der neuen Agrartechnik entwickelt worden.

Ähnliches gilt mit Siedlungsverspätungen auch für die Hochebenen und die Höhenzüge nördlich der Donau bis ins hessische Oberland. Der Wald verschwand allmählich zwischen dem 11. und dem 14. Jahrhundert, und auch das blieb in Ortsnamen erhalten, von Schwendi bis Pfaffengschwendt. Am Ende wollte niemand mehr ein Hinterwäldler sein.

In Norddeutschland, soweit es damals reichte, von Westfriesland bis Jütland, war kaum Wald zu roden, sondern Marschland einzudeichen oder Geestland unter den Pflug zu nehmen. Moore wurden erst in den neueren Jahrhunderten kultiviert. Auch hier gab es vor dem Landesausbau des 11., 12. Jahrhunderts keine Dörfer. Nach den sehr kleinräumig wechselnden Bodenqualitäten hatten sich die Behausungen der Bauern lose gruppiert, in Drubbeln, wie die Forscher sagen, aber größere, geordnete Dorfsiedlungen lassen sich erst der Flurentwicklung des Landesausbaus entnehmen.

Auch das östliche Mitteleuropa zeigt ein sehr ähnliches Bild. In Polen, Böhmen, in Ungarn, das damals bis in den Karpatenbogen reichte, und im heutigen Jugoslawien gab es bäuerliche Siedlungskerne aus der Landnahmezeit, gelegentlich erweitert, im ganzen aber doch nur eine Kette von Inseln auf Böden, die sich mit leichten Pflügen bearbeiten ließen und nicht immer die besten waren. Auch von den ländlichen Siedlungsformen im östlichen Mitteleuropa gibt es keine schriftlichen Nachrichten. Das wenige, was sich den Ortsnamen und Flurformen oder gelegentlichen archäologischen Funden ablesen läßt, zeigt keine großen Unterschiede zum älteren westlichen Europa. Auch hier gab es, ein bißchen später als im Westen, erste Impulse zur Ausweitung der agrarischen Grundlagen; auch hier zunächst nur über kurze Entfernungen in der nächsten Nachbarschaft. Auch hier mußte den Rodenden ein besonderes Entgegenkommen geboten werden, geradeso wie der Schutz vor Verfolgungen in Frankreich oder Abgabenfreiheiten überall. Und auch hier haben wir von den Neuregelungen eine besondere Nachricht über die Ortsnamen. Whola und lhota tauchen nun in Polen und Böhmen auf, »Freiheiten«, und das läßt auf besondere Vereinbarungen mit den Siedlern schließen, noch ehe ein besonderes Rechtsinstrument dafür entwickelt ist.

Vom 12. Jahrhundert an war der Landesausbau dann Anlaß für großräumige Bevölkerungsbewegungen. 1106, ein oft zitiertes Datum, siedelte der Bischof von Bremen Flamen an der Weser an. In der Folgezeit machten sich Scharen von Landsuchenden auf den Weg über die alten Ostgrenzen des Reiches, nicht spontan, sondern nach Werbungen durch geistliche und weltliche Grundher-

Zwei Generationen vor der normannischen Eroberung pflügte man in England vielleicht noch mit dem Haken – es sei denn, die byzantinisch beeinflußte Vorlage schlug durch gegen die Realität: der Bauer im Vordergrund zeigt jedenfalls noch die alte und im Mittelmeerraum auch unverändert beibehaltene, hinreichende Art, den Boden mit einem Holzpflug, aus Astgabeln entwickelt, nur aufzureißen und davor Ochsen in der alten Weise mit einem Nackenjoch zu spannen. Harley-Psalter, frühes 11. Jahrhundert.

Die neue Technik in einer Darstellung aus Ostengland, um 1340: Eggen mit Balkenegge. Die Krähen werden mit der Steinschleuder vertrieben.

ren, und erhielten Rodeland in Thüringen, in der Mark Meißen und in Brandenburg. Vom Umfang dieser Bewegung hatte man einst freilich allzu phantastische Vorstellungen. Neuerdings hat man die Zahl der Ausziehenden auf etwa zweihunderttausend geschätzt. Die Lebensbedingungen waren sicher hart, die Rodearbeit schwer, aber den in ihrer Heimat vielfach von räumlicher Enge oder Eheverboten aus Landknappheit Bedrückten eröffneten sich weite Perspektiven, so daß sich binnen hundert Jahren ihre Anzahl schätzungsweise verdoppelte. Nehmen wir diesen Umstand auch als eine Aussage über das, was in den Köpfen der Neusiedler vorging und wovon uns kaum ein Bericht erhalten ist: Die neuen Lebensmöglichkeiten schufen eine ungeheure Aufbruchstimmung. Aus diesem Reservoir speiste sich zwei, drei Generationen später noch eine neue Siedelwelle nach Schlesien, Polen und Böhmen. Ähnliches hatte seit dem 11. Jahrhundert der Zuzug auf Einladung der ungarischen Könige in die Slowakei und nach Siebenbürgen bewirkt.

Im Gegensatz zu den älteren deutschen Geschichtsbüchern, in denen man von »Kulturträgern« sprach und an Millionenzahlen glaubte, werden wir die Bedeutung jener Bevölkerungswelle nicht überschätzen. Wir werden sie aber auch nicht verschweigen, wie man das aus Unsicherheit wegen der nationalistischen Übertreibungen in den letzten vierzig Jahren bisweilen getan hat. Wir werden vielmehr sagen, worauf sich polnische, tschechische, ungarische und deutsche Forscher gerade in den letzten Jahrzehnten trotz aller Schwierigkeiten ihrer Gespräche in erfreulicher Weise geeinigt haben: Diese Einwanderungsbewegung löste den in der Tat so sichtbaren Entwicklungsprozeß im östlichen Mitteleuropa nicht aus, der fortan bis zur großen Pest um 1350 und manchmal auch noch darüber hinaus weiterwirkte; aber sie gab ihm ganz entscheidende Impulse. Die Neusiedler waren keine »Kulturträger«, sondern Bauern und Handwerker, oft nachgeborene Söhne, meist junge Paare, manchmal fast mittellos. Aber sie brachten Erfahrungen mit, und sie wurden von erfahrenen Leuten aufgenommen, von einer mittleren Unternehmerschicht von Werbern und Rodespezialisten, von Leuten, die Kapital vorstrecken konnten und bald sogar in einem früh erwachten Agrarkapitalismus mit Renditen spekulierten. Sie wurden schließlich privilegiert und beschützt durch weltliche und geistliche

Die Zisterze Altenberg bei Köln gründete mehrere Klöster in Polen, wie die hier abgebildeten Lekno (Luckna) und Lynda (Lond). Bis ins 16. Jahrhundert waren diese Abteien vornehmlich oder ausschließlich von deutschen Mönchen besiedelt. Die Darstellungen von 1517 sind heute im Staatsarchiv Düsseldorf.

Die Monatsbilder im Psalter von Limoges aus dem 13. Jahrhundert für Juni, Juli, August und September erinnern an den sakralen Bezug des täglichen Brots und damit auch der Bauernarbeit, wiewohl der Bauer in der mittelalterlichen Literatur eher Spott erntete. Erst das 15. Jahrhundert, wohl im Zusammenhang mit großflächigen Bauernaufständen, läßt seine Wertschätzung zumindest unter dem lesenden Publikum erkennen.

Grundherren, durch Barone und Könige, die eine solche Form wechselseitiger Entwicklungshilfe richtig einzuschätzen wußten. Und sie waren, in natürlicher, situationsbedingter Auswahl, unternehmungsfreudig und offenbar auch leistungsfähig. Denn die meisten dieser Siedelunternehmen hatten Erfolg.

Wir werden aber auch, nach dem modernen Wissensstand, diese große deutsche Ostbewegung, an der sich übrigens auch Flamen und Wallonen beteiligten, nach dem Umfang des mittelalterlichen Reiches in europäischem Kontext zu vergleichen und damit neu zu deuten wissen: Nach Parallelen im nördlichen Spanien, in Wales und in Irland, in Südfrankreich, in Finnland und in Dalmatien. Überall dort sind ebenfalls Siedlergruppen über große Entfernungen unterwegs gewesen: aus Oberitalien, aus Südfrankreich, aus England und aus Schweden. Die Ergebnisse waren ungleich im Hinblick auf die künftige Entwicklung der Nationalitäten. Der größte Teil dieser Siedler ging, wenn auch nicht ausnahmslos, in den neuen Gastvölkern auf. Daß die Deutschen im Osten zu einem erheblichen Teil über sechs-, siebenhundert Jahre ihre Sprache erhielten, hängt vielleicht mit ihrer Zahl zusammen, jedenfalls mit dem Schutz, den sie in ihrer neuen Heimat genossen, und mit dem dichten Städtenetz, das im gleichen Zusammenhang von ihnen gegründet wurde. Dabei haben sie ihrerseits besonders in Mitteldeutschland, zwischen Elbe und Oder, und in Schlesien altansässige Slawen in sich aufgenommen.

Die Geschichte des europäischen Landesausbaus ist auch mit der Geschichte des Dorfes verbunden, wie sich gezeigt hat. Nicht, daß es etwa vorher oder außerhalb seines Verbreitungsgebietes keine »Dörfer« gegeben hätte; aber offenbar ist mit dem Landesausbau das Dorf zu einer besonderen Körperschaft geworden. Das leitet sich ganz einfach her aus den Rodeaufgaben, die man in Gruppen zu bewältigen hatte, nicht unter Führung und Anleitung eines Herrn, sondern unter Gleichen. Damit hat die neue Entwicklung eine wichtige gesellschaftliche Veränderung in Gang gebracht, von deren Verbreitung die neuen Dörfer Zeugnis ablegen: Die wirtschaftenden Menschen, die laboratores oder auch agricultores, wie sie in lateinischen Zeugnissen des 11. Jahrhunderts genannt werden, die Arbeiter oder Bauern, waren nicht nur in einer besonderen, zweckmäßigen, systematischen Weise für die Rodungsaufgabe organisiert; sie wurden dabei auch in einem gewissen Maß selbständig; sie wurden zu Vertragspartnern.

Diese Entwicklung hat nicht mit einem Schlag eingesetzt. Einzelne Gruppen von »Arbeitenden«, mit denen man Verträge schließt, kann man schon im 8. oder 9. Jahrhundert beobachten, etwa eine Gruppe von Kaufleuten, die auf Vertragsbasis mit einem König »zusammenarbeitet«, seinen Schutz genießt und dafür Abgaben zahlt. Aber jetzt wird ein solches »Vertragsverhältnis« allgemein verbreitet. Die Folgen dieses neuen Rechtsverhältnisses reichen weit in die Zukunft und sind doch auch unmittelbar in der Gegenwart spürbar. Wer beispielsweise im englischen Landesausbau einen Vertrag mit dem Grundherrn schließt, gilt fortan als freier Mann. Das macht die neue Entwicklung besonders anschaulich. Verträge werden im übrigen zunächst einmal besprochen, nicht aufgeschrieben; es sind Abmachungen, deswegen auch nicht überliefert, aber sie haben eine plausible Vorgeschichte in Frankreich, wo die gesamte Entwicklung schon früh einsetzt, oder in Flandern, später überall. Um

die Mitte des 12. Jahrhunderts entsteht in Frankreich das Modell für die Vereinbarungen mit Rodewilligen. Die »Charte« für Lorris-en-Gâtinais 1155 und die »Loi de Beaumont« von 1182 geben im Rahmen einer besonderen Flurverfassung einem jeden Siedler auf Neuland die Freiheit, das heißt das Recht, seinen Boden zu vererben und gegebenenfalls auch zu verlassen und ohne Zwang und Erlaubnis zu heiraten; an die Stelle des Frondienstes treten festgelegte Abgaben. In ähnlicher Weise hat sich in ganz Europa dieser neue Komplex von Freiheiten verbreitet, erfaßte Hunderttausende in einer Gesellschaft, deren Mitglieder zu mehr als drei Vierteln in landwirtschaftlicher Arbeit die Nahrungsgrundlage für sich und die anderen schufen, und griff schließlich auch über als Gleichstellung auf das Altsiedelland. Kurz und gut: er wurde zur Grundlage für einen neuen europäischen »Mittelstand«, auf dem Land und in dem allmählich vor unseren Augen wachsenden Städtenetz. Das veränderte die europäische Gesellschaft binnen weniger Generationen und unterschied sie fortan von allen anderen Gesellschaften, welche die Weltgeschichte hervorgebracht hat: Der in eigener Verantwortung frei wirtschaftende Mensch mit begrenzten, allmählich wachsenden politischen Rechten lebte noch jahrhundertelang unter dem politischen Rahmenwerk, wie es Adel und Kirche geschaffen hatten, war Untertan von Kaisern und Königen und glaubte sich mit ihrer Hilfe in eine göttliche Ordnung eingefügt. Aber er hatte, in seiner Welt, eine eigene »Freiheit«; nicht jene, die uns heute politische Unabhängigkeit sichert, sondern wirtschaftliche Verfügungsfreiheit und das Recht, unter irgendeinem »Herrn« Gemeinschaft zu bilden mit seinesgleichen und über seine Wirtschaftsweise, sein ökonomisches Dasein und die dafür notwendige politische Bewegungsfreiheit wenn nicht allein, so doch mit zu entscheiden. Auf dieser Grundlage wuchs ein neues gesellschaftliches Bewußtsein.

Dieses Bewußtsein wuchs aber noch in eine andere Dimension. Der gesamte Landesausbau als eine europäische Bewegung verbreitete, wiewohl er gewiß nur einen Bruchteil der Bevölkerung unmittelbar betraf, doch ein neues Lebensgefühl und eine neue Auffassung von den menschlichen Möglichkeiten. Was sich bisher im Althergebrachten bewegt hatte, das ließ sich nun vor aller Augen planend verändern. Und das nicht nur an den Höfen der Könige, sondern vor den Augen armer, unwissender und weltferner Bauern. Wir wissen nichts von einer vergleichbaren Beweglichkeit zur Zeit der sogenannten Landnahme in Europa vor dreitausend Jahren, als die Italiker auf die Apenninhalbinsel kamen, oder als vor anderthalb Jahrtausenden die Langobarden sich in Italien festsetzten, die Goten in Spanien oder die Slawen im östlichen Mitteleuropa. Gewiß werden Wanderzüge, oft auch nur Sickerbewegungen in kleinen Gruppen, mit entsprechenden Emotionen begleitet gewesen sein und mentalitätsbildend für Generationen gewirkt haben. Wir können uns nur in die Mutmaßung vertiefen, daß alle diese Bewegungen unter der Führung irgendwelcher »Herren« vor sich gingen, denen man eine mehr oder minder ausgesprochene Verbindung zum Schicksal, zu Heil und Tod, zum Numinosen zusprach, um Orientierung im Dasein zu finden. Jetzt, unter den Umständen einer zwar noch immer von der politischen Führungsschicht, von Klöstern, von Magnaten und Königen angeregten Ausbaubewegung, ist ein weiträumig planendes Denken im Spiel, das nicht nur in all den »laboriosi«, den mühselig Arbeitenden, die mit dem Werk ihrer Hände die ganze Gesellschaft tragen,

Vertragspartner sucht und sie damit auch zur Mitverantwortung heranzieht, sondern das auch darangeht, die Welt und die Möglichkeiten des Menschen mit neuen Augen zu sehen.

Diese Entwicklung überstieg freilich die Lebensspanne von dreißig oder vierzig Jahren, die den Menschen damals im allgemeinen vergönnt war, und nur selten war einer imstande, die weiteren Zusammenhänge zu überschauen; noch seltener vertraute sie jemand der Feder an. Walter von der Vogelweide, einer jener wenigen unter den Hunderten ritterlicher Dichter, die Frauen und Abenteuer in der Volkssprache und deshalb auch oft mit ungelehrtem, aber gegenwartsnahem Freimut besangen, hat jene Veränderungen mit scharfsinnigen Beobachtungen angesprochen. »O weh, wohin verschwanden alle meine Jahre ...«, so hebt eine seiner besonders persönlichen Dichtungen an, als Lebensrückblick, als Elegie. Da beklagt er die Wandlungen, die nicht nur seinen persönlichen Zustand betreffen, sondern auch seine Gesellschaft und gar seine Umwelt: »... Gehauen ist der Wald, gebreitet ist das Feld!« Das etwa in Süddeutschland um 1215. Als junger Mann sah er's noch anders, aber nun: »Nur daß das Wasser noch so fließt, wie es weiland floß«. Und tatsächlich: In einer gerodeten Landschaft kann man am ehesten noch das hydrographische Netz als unverändert betrachten. Im übrigen aber ist in jenen Jahren der Wald in Deutschland tatsächlich auf das heutige Maß zurückgedrängt worden, wohl mehr als die Hälfte mußte weichen, wenn auch nicht in der kurzen Lebensspanne des fahrenden Ritters von der Vogelweide. Aber auch die Menschen haben sich verändert, beobachtet der Sänger, die Menschen seiner Umgebung und seines Standes. Hofleben war früher eitel Spiel und Freude, und jede Art von höfischem Zeitvertreib war Selbstzweck. Jetzt aber ist ein neuer Zug in seine Standesgenossen geraten, jetzt »kennen sie nichts als Sorgen«. Jenes »Sorgen« ist nicht besonders gekennzeichnet, und doch paßt es sehr gut zum gerodeten Wald und dem gebreiteten Feld: Walters Standesgenossen und die größeren Herren, an deren Höfen er »Milde« genießt, sind wirtschaftlich beweglicher geworden. Es werden Siedler angesetzt, Meier eingesetzt, Abgaben eingezogen in gemünzter Form, mit der sich länger als ein Jahr haushalten läßt. Es wird geplant: Damit ist eine neue Lebensweise erschlossen.

Bei alledem muß man freilich bedenken, daß der Adel sich im allgemeinen fernhielt von unmittelbarer Teilhabe an der wirtschaftlichen Intensivierung. Er stellte sein Land zur Kolonisation, aber er beschränkte sich auf den Rentenertrag. Die adelige Gutswirtschaft war eher im Schrumpfen, abhängiges Gesinde wurde eher in Pachtverhältnisse der neuen Rodefreiheit entlassen, als daß sich die Herren in eigener Gutswirtschaft am großen Landesausbau beteiligt hätten. Zu herrschen, nicht zu wirtschaften stand jedenfalls im Vordergrund. Aber daß diese Herrschaft die Wirtschaftenden als Partner akzeptierte, wurde offensichtlich zum besonderen wirtschaftlichen Impuls.

Ein Holzstamm wird mit Keil und Schlegel gesprengt. Wird dabei nicht eine leichte intellektuelle Selbstverspottung deutlich? Handschrift aus Cîteaux, 12. Jahrhundert.

Aktiver waren hier die geistlichen Grundherren. Den Mönchen galt zuvor schon Arbeit als Lebensaufgabe. Nach neuesten Erkenntnissen waren es möglicherweise Klöster überhaupt, die den Siedelprozeß inszenierten oder ihm doch zuerst besondere Formen gaben. Ihnen lag es von vornherein auch näher, im arbeitenden Menschen einen Partner zu sehen, nach jenem Ora et labora, das man als Merkvers für die Benediktregel aufgestellt hat. Von den Mönchen gingen jedenfalls in ganz Europa besondere Siedelunternehmen aus, sowohl von den alten Benediktinerabteien, welche in Frankreich die ersten sauvetés schufen, markiertes Terrain zum Schutz für Siedelwillige, als auch von neuen Orden, die gerade im Zusammenhang mit asketischer Handarbeit zu Ende des 11. Jahrhunderts von Frankreich ihren Ausgang nahmen. Zisterzienser waren es vor allem, von deren neuem christlichen Impuls noch die Rede sein wird. Gegründet 1086 im burgundischen Cîteaux unweit von Cluny und eine Generation später zur europäischen Bewegung anwachsend, gingen sie für hundert Jahre als »Rodeorden« in die Waldwildnis, fast immer an Bächen, der wirtschaftlichen Bewegung voran und begannen danach, freilich mit nachlassender Ordensdisziplin, selbst Pächter anzusetzen und von Grundrenten zu leben, genehmigt durch ihr Generalkapitel 1216. War schon die landwirtschaftliche Musterkultur durch das alte Mönchtum spätestens seit den engen Verbindungen mit der weltlichen Herrschaft unter Karl dem Großen von besonderem Nutzen für die Landwirtschaft, so ist jetzt im 11. und 12. Jahrhundert die Siedlungsexpansion von England bis nach Polen ohne die klösterliche Förderung nicht recht zu denken. Auch damit haben die stillen Mönche in ihrer Weltferne kräftig mitgeholfen, die Welt zu verwandeln.

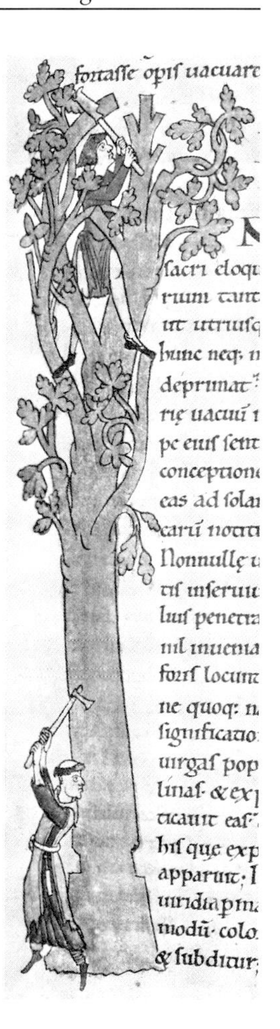

Aus derselben Handschrift: Zisterzienser beim Baumfällen. Ein Mönch mit dem Hackbeil, ein Laienbruder ohne klerikale Weihen, daher ohne Tonsur, in der Baumkrone – und wir erfahren nebenbei etwas von der Technik der schweren Rodearbeit.

Das tägliche Brot

Eine jede Produktion steht in Wechselwirkung mit ihren Konsumenten. Für die Agrarproduktion des Mittelalters gilt freilich: So ausgeprägt wie heute war die Wechselwirkung nicht. Das hängt damit zusammen, daß die Bauern auf ihren Feldern bargen, was alle brauchten, und man mußte sich nach reichen oder mageren Ernten richten. Schlimmstenfalls, in Hungerjahren, besser gesagt in Hungerwochen vor neuen Ernten, aß man Wurzeln und Gras. Immerhin muß man die Erzählungen von frommen Einsiedlern, die sich weitab von den Menschen überhaupt nur von Wurzeln und Kräutern nährten, nicht für bloße Erfindung halten.

Zisterzienser bei der Getreideernte, nicht ganz zufällig im Buchstaben Q, den seine Figur füllt, mit dem Ausdruck von Mühsal in seiner Arbeitshaltung. Er führt in der Rechten eine gezähnte Sichel. Anfang des 12. Jahrhunderts, als die Zeichnung entstand, war das noch das ausschließliche Erntegerät. Sensen zur Getreideernte sind mit fortgeschrittener Produktionstechnik erst aus dem 14. Jahrhundert bekannt.

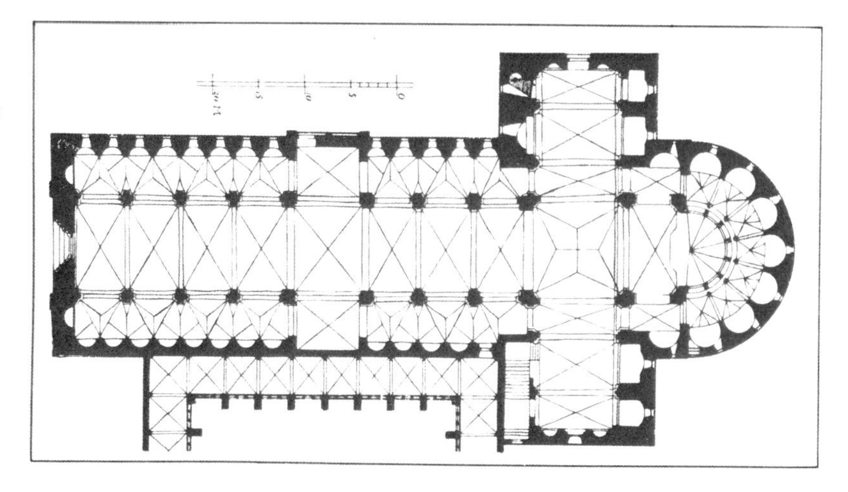

Die Zisterze Heisterbach entstand um 1200. Aus dieser Zeit stammen Kloster- und Kirchenbau, nach der Aufhebung des regional bedeutenden Klosters 1803 zum großen Teil abgerissen. Die Chorapsis gilt als bedeutendes Zeugnis der frühen Gotik in Deutschland.

Wenn es genug zu essen gab, dann stand Getreide im Mittelpunkt. Schon Christus lehrt seine Jünger, um das tägliche Brot zu beten, und darin ist alle Notdurft eingeschlossen. Treulich bewahrt das die »Chronik auf der Zunge«: Alles, was wir nach unseren Eßgewohnheiten allmählich in den Mittelpunkt rückten, Fleisch, Gemüse, Obst, ist in jenem sehr vitalen Latein der »fränkischen Spätantike«, die zur Grundlage wurde für die mittelalterliche Kultursprache, einfach companaticum – ein »Zubrot«, ein Brotbegleiter. Wir haben das in unserer Sprache bewahrt, wenn wir vom Abendbrot reden oder auch noch die Bezeichnung Mittagbrot kennen, in Bayern die Brotzeit zur Arbeitspause. Wir stehen noch, mit Sinn für alte Redensarten, in Lohn und Brot, wir anerkennen zumindest den flachen Humor, wonach wir irgendwo unsere Brötchen verdienen. Der Arbeitgeber hat dabei den Brotgeber noch nicht ganz verdrängt. Im Englischen übrigens wurde er vor tausend Jahren zum Adelstitel:

Kreuzgänge um die Innengärten der Klöster gehören zum festen Bauplan, dienen der überdachten Verbindung einzelner Gebäudeteile und der Meditation – aber sie sind auch Begräbnisort an jener Stätte, die ohnehin dem Übergang in die Ewigkeit gewidmet war. Die Reste des Zisterzienserklosters Thoronet, 1146, sind Hunderten anderer Kreuzgänge ähnlich – ob in wuchtiger Romanik, wie noch hier, oder wenig später in schlanken gotischen Formen.

Lord kommt von hlavord, der die Brotlaibe verwahrt, und der Compagnon, aus späterer Zeit des Handwerkerlebens, ißt mit mir das Brot.

Welches Brot? Aus bestem, aus weißestem Weizenmehl in der Antike. Schlechtere Weizensorten, auch weniger ertragreiche, wie Spelt oder Dinkel, der in Süddeutschland einer lieben kleinen Stadt den Namen gab, galten als Sklavennahrung oder Viehfutter, wie auch Roggen oder Hafer. Dabei waren natürlich Klima und Bodenqualität entscheidend. Beides schuf von vornherein ein Hemmnis für die nordalpine Landwirtschaft und war die Ursache, weshalb sich die Barbarenwelt so mühsam aus ihrem gewaltigen Entwicklungsrückstand erhob. Aber einmal in Schwung, nahm sie die große Herausforderung um so kräftiger an. Die Weizenanbaugrenze in Mitteleuropa liegt heute im nordöstlichen Deutschland, und am nördlichen Alpenrand etwa bei achthundert Metern. Auch in den wärmeren Jahrhunderten des Mittelalters wuchs hier wie in Polen und in Skandinavien das dunkle Brot des Nordens.

Getreidemahd, hier Anfang des 14. Jahrhunderts noch mit der Sichel, als Fronarbeit unter Aufsicht.

Wichtiger noch war die Klimagrenze für unsere Ernährung mit Fett. Der Mittelmeerraum lebt seit Jahrtausenden von Olivenöl, in Mühlen gepreßt, einst in Amphoren versandt. Der Norden mußte sich da mit verschiedenen tierischen Fetten behelfen. Die Grenze des Olivenanbaus erinnert an Kulturgrenzen. In Frankreich ist sie nicht gerade die Trennungslinie, aber doch ein kräftiger Akzent für die zahlreichen Unterscheidungen des südlichen Raumes Languedoc nach Sprache, Rechtskultur und Lebensweise vom Languedoïl; in Oberitalien markiert sie beinahe den Ausdehnungsraum des klassischen Römertums. Das tierische Fett des Nordens wurde am ehesten vom Schwein gewonnen, gesalzen oder geräuchert konserviert, oder es kam von Milchprodukten, worunter die wenig haltbare Butter die geringste Rolle spielte. Es hieß nämlich nicht nur, Nahrung zu gewinnen, sondern auch, sie haltbar zu machen. Also war die Käserei ein guter Weg, Eiweiß und Fett aus Milch für lange Zeit zu konservieren. Auch da gibt es eine interessante Grenze. Man kann im europäischen Raum nämlich solche Länder unterscheiden, in denen Kochkäse produziert und weiterverarbeitet wird zu hochwertigem Hartkäse wie dem Emmentaler oder dem Edamer, und andere, deren Käseproduktion eigentlich auf dem Quark beruht: das alte Germanien und der slawische Osten. Dort war offensichtlich auch im Mittelalter die Käseproduktion der Alpenländer, Frankreichs, Italiens und Spaniens nur Importgut.

Wir nähren uns von Kohlehydraten, Fett und Eiweiß. Das letztere stammte vor allem von der Milch, die überall eine so große Rolle spielte, daß sich darüber nachdenken läßt, ob sich ohne das Rind unsere Kultur überhaupt hätte entwickeln lassen. Auch Fleisch spielte dabei eine wichtige Rolle, im Norden stärker als im Süden. Die unterschiedlichen Akzente folgen nicht nur sozialen Abstufungen, wie wir das heute zu sehen gewohnt sind, sondern auch zeitlichen. Mit der Intensivierung des Ackerbaus im Hochmittelalter verbreitete sich die Getreidenahrung und damit überhaupt eine breitere Ernährungsgrundlage. Seit dem Spätmittelalter wuchs der Fleischverbrauch, diesmal deutlich in sozialer Differenzierung.

Gemüse, nach unseren Ernährungsvorstellungen allein schon diätetisch unentbehrlich, war im Mittelalter Brotersatz. Bevor die Kartoffel als billiges Nahrungsmittel zur Verfügung stand und ehe der im Spätmittelalter aus dem Orient übernommene Reis eine größere Rolle spielte, ernährten sich die armen Leute von Erbsen, Bohnen und von Kraut; aber das wurde oft nicht fett.

Die Nahrungsmittel aus der Hand des Bauern mußten vom Handwerk weiterverarbeitet werden, ehe sie an Herd und Tisch gelangten. Eigentlich entstand dieses Handwerk aus einer uralten Arbeitsteilung, welche die Nahrungsbereitung den Frauen zugewiesen hatte. Der Müller entlastete jedenfalls die Frau von den Plagen der Steinmühle mit einer eigentlich aufwendigen, seit dem 4., 3. vorchristlichen Jahrhundert verbreiteten wassergetriebenen Anlage. Die Windmühlen, leichter, aber weniger leistungsfähig, waren seit dem 12. Jahrhundert viel weiter verbreitet als später. Schon um 1080 gab es in England Tausende Wassermühlen. Oft sorgte der Grundherr für den Mühlenbau, es gab Mahlzwang für die Bauern gegen Abgaben. Der Müller gewann auf dem Land Amtsfunktionen.

Der Bäcker, dem er in die Hände arbeitete, blieb dagegen lange ein Stadthandwerker. Der Bauernhof bedurfte seiner nicht. Bald spezialisierten sich auch die fleischverarbeitenden Handwerke, die in manchen Regionen Südeuropas noch heute zwischen Fleisch- und Wurstverarbeitung unterscheiden, in Österreich zumindest dem Namen nach zwischen »Fleischer« und »Selcher« (Räucherer). Daß unser Metzger dem älteren Wort für Fleisch noch näher ist, haben wir vergessen, außer bei der Mettwurst und im grausamen »Gemetzel«; wir wissen auch längst nicht mehr, daß die Fleischverteilung für eine Sippe ursprünglich ein sakraler Akt war, in uralter Erinnerung an die Hordenbeute. In der milden Zivilisation der Getreidenahrung haben wir uns immerhin noch beim Brotbrechen den christlichen Kult der frommen Dankbarkeit gesichert, bis hin zur Sanktifizierung, gar zur Deifizierung des Opferbrotes.

Die Baukunst der Zisterzienser war nach der zentralistischen Organisation dieses Ordens recht einheitlich und von schlichter, nach der Klostergröße oft allerdings monumentaler Schönheit. Türme, Zierate, Innenschmuck der Kirchen fehlen bei den asketischen Zisterziensern.

Im heiligen Brauch ist das festgehalten, was dem einzelnen an frommer Meditation nicht zugemutet werden kann: die Nahrungsgewinnung als fromme Rückerinnerung an das göttliche Spenderprinzip. Die Verbindung zwischen Ernährung und Existenz blieb aber auch in ihrem harten Realismus gegenwärtig. Gut ernährt zu sein, war vor noch gar nicht langer Zeit auch ein Sozialprestige: »Suppe macht Wampe, Wampe macht Ansehen, Ansehen geht in Kauf.« Im Italienischen steht popolo grasso für die Fetten, die Großkopfeten in bayerischer Version, die städtischen Oberschichten; popolo magro für das gemeine Volk.

Von Bauern und plattem Land

Das »platte Land« ist weithin zu übersehen – jedenfalls da, wo man »platt« spricht – und nicht gut zu verteidigen. Es fehlen Mauern und Türme. Deshalb ist es »platt«. Diese niederdeutsche Unterscheidung von Stadt und Dorf hat einen tiefen historischen Sinn. Das Dorf, überall, nicht nur in Norddeutschland, war unbefestigt, wenn es um Macht ging, und deshalb auch anfällig in seiner gesellschaftlichen Ordnung. Die Dorfgemeinden wurden erst bei der spätesten, umfangreichsten, aufwendigsten agrarischen Ausbaubewegung, eben der im östlichen Mitteleuropa, allmählich mit bedeutsamen Freiheiten und Rechten bedacht. Sie galten dem einzelnen wie der Gemeinde, sie ermöglichten eine begrenzte wirtschaftliche und politische Selbständigkeit, einen eigenen Gemeinderat, der mit dem Schulzen Gericht hielt, oft eine eigene Mühle, gemeinsame Nutzung von Wald, Wasser und Weide. Im generationenlangen Wirtschaftswachstum Europas, das neue Hände stets brauchen, neue Esser nicht fürchten mußte, entwickelte sich, bei allen lokalen Unzulänglichkeiten, daraus so etwas wie ein Stückchen »heile Welt des Mittelalters«, ein, ökonomisch gesprochen, »goldenes Zeitalter der Handarbeit« (Wilhelm Abel).

Zu Anfang des 14. Jahrhunderts scheinen die Agrarreserven erschöpft, nur im Osten standen sie noch offen. Bevölkerungsdruck drohte, Hungersnöte verbreiten sich, Hungerepidemien brachen aus. Von 1347 an geht für hundert Jahre stets von neuem der Schwarze Tod durch Europa. Die Hälfte, in manchen Gegenden gar zwei Drittel der Bevölkerung fallen ihm zum Opfer. Das Wirtschaftswachstum ist zerbrochen, die einigermaßen stabile Dynamik für lange Zeit gestört. Die Mächtigen zwingen die Bauern allmählich in neue Abhängigkeiten. Die Bauern wehren sich. 1358 entbrennt in Frankreich ein weitreichender Aufstand, die Jacquerie, und was bis dahin unerhört war im mittelalterlichen Europa, wiederholte sich in England, in Böhmen, in Deutschland, in Ungarn immer wieder in den nächsten zweihundert Jahren: Die Bauern rebellierten.

Wir müssen noch weiter vorausschauen, um ihr Schicksal recht zu verstehen. Die Bauern konnten ihre Position in der europäischen Gesellschaft im großen und ganzen nicht behaupten. Nach der großen Krise des Spätmittelalters zwang der wachsende Absolutismus von Fürsten und Königen die Bauern in das Staatsganze, der Adel bedrückte sie mit einer »neuen« Leibeigenschaft; erst die »aufgeklärte Staatlichkeit« besann sich wieder auf sie und suchte, zum Wohle des Ganzen, ihre wirtschaftliche Selbständigkeit von neuem zu wecken. Der Herzog von Savoyen seit 1762, Kaiser Josef II. 1781, die Französische Revolution 1789, Stein und andere deutsche Reformer seit 1807, schließlich die europäische Revolution von 1848 schufen schrittweise »Bauernbefreiung«. Aber ist sie eigentlich bis heute verwirklicht?

Die Mobilität, die Beweglichkeit im Raum und in sozialen Positionen, bot mit dem Aufbruch der »agrarischen Revolution« über Landesausbau und Siedlungsbewegungen für die Bauern eine wichtige Basis gesellschaftlichen Aufstiegs. Neue Bodenbindungen schränkten sie ein. Die »Bauernbefreiungen« suchten sie wieder herzustellen. Aber naturgemäß ist der Bauer durch sein Produktionsmittel, den Boden, nicht gleichermaßen mobil wie ein Industriearbeiter. Überdies haben ihn zum großen Teil Kollektivierungen und Kolchosen im östlichen Europa heute von neuem an den Boden gebunden, soweit er überhaupt, enteignet, noch als Bauer bezeichnet werden kann. Aber ist der Bauer denn bei uns, in der offenen Gesellschaft, wirklich ein gleichberechtigter Partner? Ist er nicht, geboren und gebunden in seinem Stand, der letzte, der die Immobilität der mittelalterlichen Welt noch austragen muß, der Existenzverlusten, Heimatverlusten, Orientierungslosigkeit preisgegeben ist und dennoch zur Verkörperung von »heiler Welt« zitiert wird? Jedenfalls bleibt in den Bauern, gleich in welcher Wirtschaftsform, die allgemeine »Bodenbindung« des menschlichen Daseins verkörpert, und vielleicht sind unsere modernen Agrarpläne in dieser Hinsicht weniger glücklich geraten als die große Öffnung im Landesausbau des Mittelalters.

Ein neuer »Mittelstand«

Der mittelalterliche Mittelstand ist zweifellos vom modernen zu unterscheiden; aber es gibt auch Gemeinsames. Der moderne Mittelstand wird ökonomisch definiert, auch nach dem Einfamilienhaus und dem Familienfahrzeug. Der mittelalterliche Mittelstand war Geburts- und Rechtsstand und bedeutete: persönliche Freiheit, die Fähigkeit zu erben und zu vererben nach eigener Wahl, auch zu heiraten ohne grundherrliche Erlaubnis und, bis ins 13. Jahrhundert, im Strafverfahren seine Unschuld nicht durch ein Gottesurteil beweisen zu müssen, etwa durch einen Zweikampf, sondern durch eine festgelegte Zahl von Männern aus dem eigenen Stand, die mit ihrem Eid für die Glaubwürdigkeit eines Beschuldigten bürgten. Das hieß vor allem, im Rahmen bestimmter Möglichkeiten aus eigenem Antrieb und eigenem Wagnis zu wirtschaften zum eigenen Gewinn, von dem nur festgelegte Abgaben zu leisten waren, an Grundherrn, Kirche oder Stadtgemeinde, so wie wir heute unsere Steuern bezahlen. Übrigens waren solche Abgaben in vielen Regionen des mittelalterlichen Europa geringer oder kaum höher als unsere modernen Steuersätze.

Mittelstand bedeutete also alles in allem eine weitgehende persönliche und wirtschaftliche Verfügungsfähigkeit; damit verbunden war nur eine begrenzte politische Freiheit. Man lebte als Nachbar unter Nachbarn, man bildete

»Gemeinden« aller Gleichberechtigten, man wählte daraus Ausschüsse, Räte, Bürgermeister, soweit im Laufe der Zeit die Erlaubnis von den Herren erkauft oder erkämpft worden war. Denn niemand lebte ohne Herrn im Mittelalter. Die Stadtgemeinden hatten Stadtherren, die Dorfgemeinden Grundherren, und jedes Recht, etwa auf selbstgewählte Stadträte, den eigenen Bürgermeister, das Schöffengericht mit Beisitzern aus der Gemeinde oder das eigene Rathaus als Zentrum städtischer Selbstverwaltung, mußte erst erworben werden. Es war dann ein »Privileg«, eine besondere, vom Herrn gewährte und eifersüchtig durch die Jahrhunderte gehütete »Freiheit«.

Ein solcher Mittelstand bildete sich durch den Landesausbau auf den Dörfern und, meist in seinem Gefolge – manchmal, wie in Schlesien und Preußen, gleichzeitig oder in geplantem Zusammenhang damit –, in den neuen Städten. Dabei konnten die Städte mit ihren drei Grundrechten von Selbstverwaltung, Markt und Mauer ihre mittelständischen Freiheiten besser verteidigen als die unbefestigten Dörfer. In jedem Fall war der Mittelstand am besten geschützt durch das langanhaltende Wirtschaftswachstum, solange man nämlich, im Zusammenhang mit der wechselweise bedingten Vermehrung von Wirtschaft und Bevölkerung jener Zeit, Küsten eindeichte, Wälder rodete, Heideland umpflügte; solange man bei ständig wachsender Nachfrage Bauern und Handwerker benötigte und dabei auch ständig die Einkünfte der Grundherren wuchsen. Dafür gewährten und wahrten die Grundherren auch die begrenzte Freiheit des Mittelstands. Das gab zunächst einmal ein solides Fundament für das bäuerliche Leben. Es schuf, wenn man so sagen kann, ein existenzfähiges Mittelbauerntum in allen Regionen des Landesausbaus, seit man die Hufen zu vermessen wußte. Die Rechtsfreiheiten der Rodebauern teilten sich im 12. und 13. Jahrhundert auch den Altsiedlern mit, zuerst in England, in den Niederlanden und in Frankreich, in Deutschland und später auch in Böhmen und in Polen. Abgesehen von allen Schwankungen und regionalen Unterschieden umfaßten die Bauernstellen Landgrößen zwischen sechzehn und fünfundzwanzig Hektar, und selbst als man im 16. und 17. Jahrhundert im östlichen Mitteleuropa, in Ostelbien, in Polen, in Ungarn, in den böhmischen Ländern wie auch in England die bäuerlichen Rechte aus der Rodezeit einschränkte, auch Bauernstellen kassierte, Bauern »legte« und größere Latifundien bildete, unterschied sich die Ausgewogenheit der Fluren im nördlichen Europa noch immer vom südeuropäischen Großgrundbesitz, der noch heute oft Tausende von Hektar umfaßt.

Die starke Burg des Mittelstandes aber blieb die Stadt. Hier entwickelten sich formende Kräfte für die ganze europäische Zivilisation. Auch das tragen wir mit uns in der ungeschriebenen »Chronik auf der Zunge«: Zivilisation kommt von civiltà. Civitas heißt die Gesamtheit aller Bürger, aller cives. Die antike römische Stadtrepublik lieferte dazu ein großes Vorbild. Zwar ein unerreichtes Vorbild, denn alles war ein bißchen feiner im alten Rom, als es das städtische Selbstbewußtsein im 11. Jahrhundert aufgriff, um jeder Stadt das Wahlrecht für eigene Konsuln zu geben, die Stadträte nämlich; aber das antike Beispiel gab Selbstgefühl. Aus den Städten und ihrem Recht rührt ein bedeutender Beitrag zu unserer Zivilisation, und am Ende des Mittelalters suchten die Fürsten und Könige nach dem Vorbild der Stadtbürger in ihren Landen Staatsbürger zu erziehen und Landfremde »einzubürgern«. Citoyen, citizen, cittadino in den romanischen Ländern, Bürger in Mitteleuropa, im Deutschen und in deutschen Lehnwörtern, sprechen für die Verbreitung des neuen Rechtsstands: polgár in Ungarn, purkmistr bei den Tschechen und burmistrz in polnischer Variante nach niederdeutschem Vorbild.

Städte

Um die vielfältigen Wurzeln und die Eigenart des mittelalterlichen Städtewesens zu erkennen, müssen wir uns erinnern, daß alle Hochkultur seit Jahrtausenden überall in der Welt mit Stadtsiedlungen zusammenhängt, in Europa, in Asien wie in Amerika. Die Städte der alten Welt, auch im mittelalterlichen Islam, in Byzanz oder im altslawischen Raum, waren eigentlich Stadtherrschaften, mit Tempel und Burgbezirk. Nur selten, wie im klassischen Griechenland, gelang eine »Demokratisierung«, eine Gemeindebildung nämlich, bei der die Stadtherrschaft allmählich einer unterschiedlich bestimmten und begrenzten Bürgergemeinde weichen mußte. Die Städte des Mittelalters zeichnen sich dagegen gerade durch solche Bürgerbewegungen aus. Auf unterschiedlichen Wegen verbreitete sich ein vergleichbares Ziel, das die Stadtherrschaft schließlich in abstrakte Ferne drängte, besonders in den Städten, die nur dem König oder dem Kaiser untertan blieben und abgesehen von dieser »staatlichen« Bindung sich ganz selbständig regierten.

Ein romanisches Haus aus dem frühen 13. Jahrhundert im alten Siedlungskern von Soest. Als Steinbau hatte es ursprünglich wohl repräsentativen Charakter.

Burg, Stadtsiedlung und Siedlungserweiterung am jenseitigen Brückenkopf bilden in Varianten eine typische Kombination europäischer Residenzen. Krakau, hier nach einem Holzschnitt in Hartmann Schedels Weltchronik 1493, fand zudem noch besonderes Lob wegen seiner »gar ehrbaren gutsittigen Bürger« – allgemein hatte sich im 15. Jahrhundert bürgerliches Selbstbewußtsein auch literarisch niedergeschlagen.

Die ersten Etappen auf dieser Bahn scheinen in Italien erreicht worden zu sein. Auch hier aus ganz unterschiedlichen Verhältnissen. Die Küstenstädte Süditaliens unter byzantinischen Statthaltern, die küstenferneren unter bischöflichen Stadtherrn oder unter langobardischen Herrschern, in Mittelitalien päpstlich, im Norden kaiserlich beherrscht, zeigen doch alle im Lauf des 11. Jahrhunderts eine ähnliche Entwicklung. Die adeligen Kriegsleute der Stadtherren schließen sich mit reichen Kaufleuten, gestärkt und ermutigt durch den Aufschwung des Seehandels, zu »Kommunen«, zu »Gemeinden« also, zusammen und fordern Selbstverwaltungsrechte. Sarazenenkämpfe, Machtverfall des byzantinischen Kaisertums, Handelsaufschwung im nördlichen Europa und unerbittliche Konkurrenz lassen dabei die norditalienischen Städte allmählich wachsen. Mit dem wirtschaftlichen Aufschwung erstarkt auch das Bestreben nach politischer Mitbestimmung der Kommunen. Dabei ist in Italien wie in Südfrankreich die »Freiheit« der Stadtbewohner römische Tradition. Hier verdichtet sich schließlich ein Rechtsgefüge, das zum Modell für den Norden Europas wird, gleichzeitig Vehikel wie Symptom eines wachsenden »rationalen« politischen Ordnungswillens auf Vertragsbasis. »Stadtrecht« entsteht und verbreitet sich.

Was in Italien offenbar unter adeliger Führung zustande kam und von vornherein, auf antiker Grundlage, eine Stadt mit ihrem Umland umfaßte, so daß sich leicht Stadtstaaten bildeten, nahm im Norden einen etwas anderen Aufstieg. Die Stadt war nicht, wie in der römischen Antike, Zentrum eines Herrschaftsbezirkes. Sie blieb im Gegenteil isoliert, das Land beherrschte der Adel. Die Bürgergemeinden organisierten sich unter der Führung von Fernkaufleuten oder niederadeligen stadtherrlichen Amtleuten, die Städte wurden weit mehr »bürgerlich« als im Süden. In Italien wird man erst im späten 13. Jahrhundert nach innerem, meist rebellischem Heraufdringen unterer Schichten in das Stadtregiment den Adel aus den Städten vertreiben.

Gemeinsam ist hier wie da die innere Ungleichheit aller Stadtbewohner.

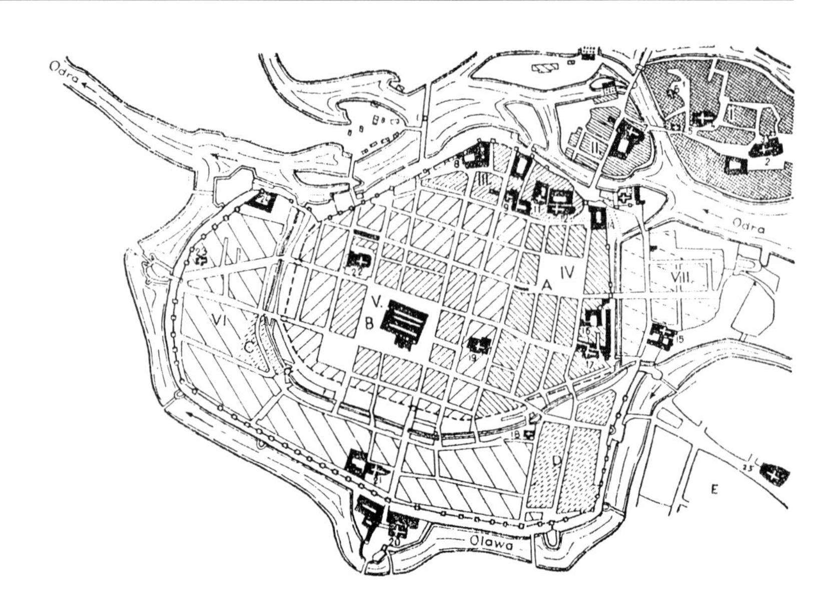

Die Grundrisse der drei nach Größe und Topographie sehr unterschiedlichen schlesischen Städte Breslau, Ottmachau und Tost zeigen Gemeinsamkeiten: die Trennung der neueren Anlagen aus der Zeit des Landesausbaus von älteren Siedlungskernen, Burgen beziehungsweise der Oderinsel; die Tendenz zur rechtwinkligen Straßenanlage auf Grund der umfassenden Siedlungsplanung. Je größer die Gesamtanlage, desto deutlicher treten die Merkmale hervor.

Anfangs, in den ersten Rivalitäten mit den Stadtherren, gelten nur diejenigen als »Bürger«, die es als Händler zu Reichtum gebracht haben, oder die ritterlichen Amtleute, wenn sie mit der Gemeindebewegung gemeinsame Sache machen. Sie schließen Verträge mit den Stadtherren, 1066 im flämischen Huy den ersten uns überlieferten im nordalpinen Bereich. Später werden alle zu Bürgern, die ein Haus in der Stadt besitzen, groß oder klein, schließlich auch solche, die eine vergleichbare Geldsumme zahlen und steuerfähig sind. Das alles nach dem alten Grundsatz, daß die Besitzgemeinschaft auch Grundlage ist für eine politische Gemeinschaft. Man muß etwas haben, das man verteidigen will, um zur Gemeinschaft zu zählen.

Die Bürgergemeinden verschwören sich. Das ist ein Rechtsakt in symbolischen Formen, noch heute mancherorts ein Erinnerungsfest. Sie bieten Freiheit in ihren Mauern, die ihnen der Stadtherr zu errichten gewährt hat, und das nicht nur den Bürgern, sondern allen Einwohnern. Zuzugsrechte werden dabei

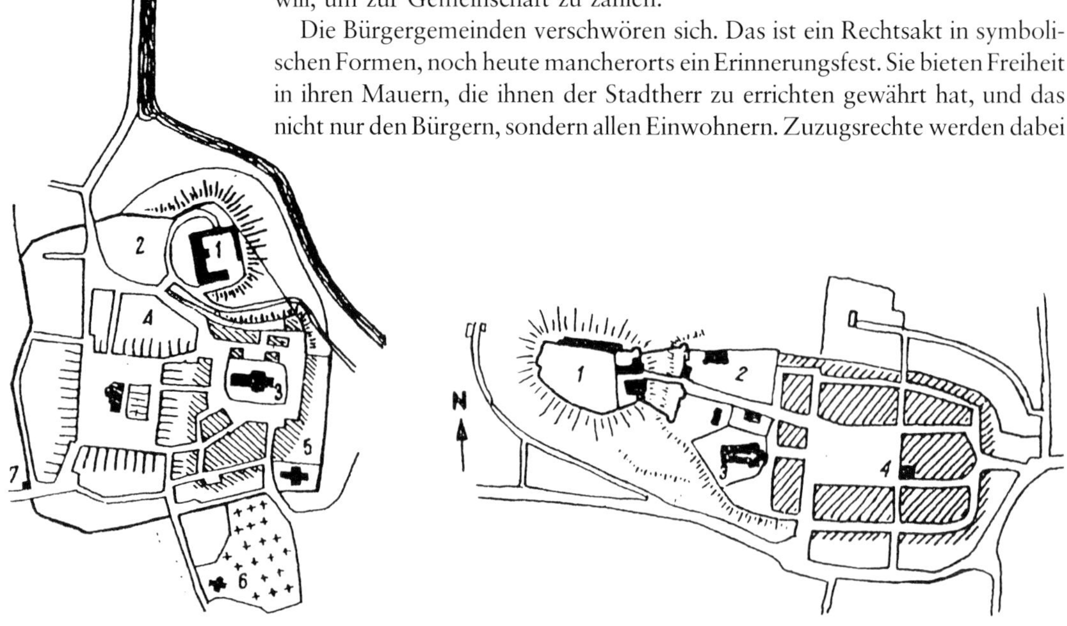

In Regensburg, der wichtigsten süddeutschen Handelsstadt im 12. und 13. Jahrhundert, zählt man noch heute rund 80 turmähnliche Festungsbauten der Fernkaufleute; auch kennt man noch ein Viertel »inter latinos«, wo sich die italienischen Fernkaufleute konzentriert hatten. Die Stadt verlor im Spätmittelalter ihre Bedeutung und hat deshalb um so besser ihr altes Bild bewahrt.

zum besonderen Problem. Wer »nach Jahr und Tag«, also nach gemessener Frist eines Jahres und einem eintägigen Säumniszuschlag, in der Stadt sich aufhält und von seinem Herrn nicht zurückgefordert wird, der gilt als frei. Hierbei ist zwar nur von Männern die Rede, aber Frauen folgen dem Männerrecht. Nach ungebundenen Frauen fragt niemand.

Das besondere Stadtrecht entwickelte sich aus dem Kaufmannsrecht. Es scheint zuerst auch nur den Kaufleuten gewährt worden zu sein, bis sich nach und nach der Kreis der Bürger ausweitete und alle an den Privilegien eines Ortes teilhatten. Das Marktrecht, die Erlaubnis, wöchentlich oder mehrmals jährlich öffentlich Markt zu halten auf einem bestimmten Platz, der dann unter Marktfrieden steht, vom Stadtherrn geschützt, war für die städtische Wirtschaft das Wichtigste. Lag die Stadt an einem der alten Handelswege, die mit erstaunlicher Kontinuität seit Römerzeiten ihre Trasse beibehielten, auch wenn der römische Straßenbau längst verfallen war, oder an einer der alten Karawanenstraßen der Barbarenwelt, die mit den wachsenden Bedürfnissen zu neuem Leben erwachten, so errang sie bald Überlegenheit. Furt-, Paß- oder Hafenorte waren dabei im besonderen Vorteil. Manche Gründung, die vor der Jahrtausendwende dem alten Fernhandel diente, ging zwar unter, wie Haithabu in Schleswig-Holstein in den Wikingerstürmen. Zur selben Zeit entstanden neue und blieben von Bedeutung, wie Nowgorod, »Neuburg«, für den Rußlandhandel oder Londonwyk, nach dem alten Londinium an der Themse. Das wurde im Spätmittelalter schließlich der wichtigste englische Handelsplatz und die Hauptstadt des Königreichs. Die Erinnerung an die Wikinger im Stadtnamen freilich ließ man fort.

Ähnlich wie in Oberitalien entwickelte sich auch in Flandern ein dichtes Städtenetz. Und hier wie dort wohnte in den Städten im Lauf des späteren Mittelalters ungefähr die Hälfte der Bevölkerung, eine Dichte, die der mittelalterlichen Welt sonst fremd war. Kaum ein Fünftel, nach neuesten Meinungen auch ein Viertel lebte im späteren Mittelalter städtisch, und doch wurden die städtischen Lebensformen mit ihrer im kleinen Raum überlegen zentralisierten Verwaltung vorbildlich auch für die großen Flächenstaaten. Die Stadt-

Die Porta Nigra, das »Schwarze Tor« von Trier, entstand um 175 n. Chr. und zählt zu den eindrucksvollsten Resten römischer Stadtkultur in Deutschland. Als Kirche und als Bastion in der mittelalterlichen Stadtbefestigung überdauerte der mächtige Bau. Der Blick in das innere Geviert zeigt die architektonische Ausdruckskraft.

Die Trierer fügten im 12. Jahrhundert einen romanischen Chorbau in anderem Stil und aus anderem Stein an die römische Porta Nigra an.

verfassungen wurden modellhaft weitergereicht in »Stadtrechtsfamilien«, ob es sich nun um Fernhandelsstädte handelte oder um kleine Landstädte für den Regionalmarkt. So kann man zwischen den bastides im Südwesten Frankreichs und den »Neu«-städten des Landesausbaus im östlichen Mitteleuropa als den am weitesten voneinander entfernten Gründungen doch auffällige Gemeinsamkeiten im baulichen Grundriß, in der Stadtorganisation und in der Verfassung finden.

Die Städtezahl wuchs sprunghaft seit dem 11. Jahrhundert. Um die Jahrtausendwende gab es in Deutschland schätzungsweise hundertfünfzig städtische oder noch erst stadtähnliche Siedlungen; zweihundert Jahre später etwa eintausend. Und um die Mitte des 14. Jahrhunderts, zu Ende des Wirtschaftswachstums und des Landesausbaus, gab es zwar nur wenige große, aber Hunderte mittlerer und, kleinste Siedlungen mit nur ein paar hundert Einwohnern mitgezählt, insgesamt dreitausend Städte. Nur eine Stadt im nördlichen Europa, nämlich Paris, erreichte damals wahrscheinlich einhunderttausend Einwohner, nach einem freilich umstrittenen Zählverfahren. Acht Städte umschlossen dreißig- bis vierzigtausend Einwohner. In Italien waren Großstädte häufiger. Allein in Oberitalien gab es beinahe so viele Städte mit mehr als zehntausend Einwohnern wie im ganzen übrigen Europa zusammen. Im islamischen Spanien hatte das Städtewesen dem Umfang nach seine größte Blüte erreicht. Cordoba, Sitz eines Kalifats, war wohl die volkreichste Stadt Europas; andere, wie Sevilla und Toledo, erreichten zumindest die Bevölkerungszahl europäischer Großstädte. Aber der Islam gewährte keine Bürgerfreiheit im europäischen Sinn.

Im lateinischen Europa wurden die mauerumwehrten Städte allmählich aber zur politischen Potenz. Ihre Bürgerwehren vermochten angreifenden

Das südfranzösische Carcassonne mit seinem doppelten Mauerkranz hat seinen Bauzustand aus dem 13. und 14. Jahrhundert bis heute erhalten. Typisch für vergleichbare Anlagen in ganz Europa ist dabei die Lage der Burg des Stadtherrn, Grafen und später Vizegrafen an der Peripherie der Befestigung, mit eigenem Maueranteil, und das ebenfalls selbständige Areal des Bischofs um die Kathedrale. Verkehrslage und Tuchgewerbe sicherten der Stadt an der Aude jederzeit Bedeutung.

Berufskriegern einigermaßen Stand zu halten, und wenn sie sich in Bünden zusammenschlossen, wie schon 1127 die flämischen Städte gegen ihren Grafen, um die Mitte des 11. und im 12. Jahrhundert die lombardischen Städte gegen die Kaiser und hundert Jahre später zum ersten Mal auch rheinische Städte gegen die deutschen Fürsten, wuchsen sie aufgrund ihrer strategischen Lage zu einer beachtlichen militärischen Potenz. Auf die Dauer waren solche Bündnisse der Geschlossenheit monarchischer Politik allerdings unterlegen. Auf Herrschaft über Land konnten sich, von antiken Zeiten her, nur die italienischen Städte stützen, und so reiften auch nur sie schließlich zu landbeherrschenden Republiken. Im nördlichen Europa gab es eine Ausnahme: Gestützt auf städtische Führung und als Städtebund erreichte später die Schweizer Eidgenossenschaft auf einem langen Weg politische Selbständigkeit. Die Städtebünde im hussitischen Böhmen dagegen konnten um dieselbe Zeit die monarchischen Bindungen nicht überwinden.

Weder im Verein noch in sich selbst waren die Städte einig. Stadtfreiheit genossen zwar alle Einwohner; aber mindestens ein Drittel davon keine Bürgerrechte, weil sie weder Haus noch Hof besaßen oder später keine gehörige Steuerleistung aufbringen konnten. Für gewöhnlich waren sie statt dessen Abhängige, Dienende, Lohnarbeiter, teils auch arme und elende Leute. Die Bürgergemeinde selbst aber war von vornherein geteilt durch ihr Verhältnis zur Handarbeit. Die kaufmännische Oberschicht lebte in den großen Städten rittermäßig, gewohnt, auf ihren Kauffahrten auch das Schwert zu führen. So glichen nicht wenige Handelsstädte im Innern einer Ansammlung von Burgen, turmähnlich, wie in San Gimignano, in Bologna, in Arles, in Brügge oder in Regensburg noch heute zu sehen ist. Diese bürgerliche Oberschicht entwickelte eigentlich kein besonderes bürgerliches Selbstbewußtsein, sondern richtete sich nach ritterlichen Idealen. Die Handwerker aber, zuerst in Italien und nach diesem Vorbild bald überall zu Zünften zusammengeschlossen, lebten bei aller kunstreichen Findigkeit nicht ausschließlich für die ökonomische Expansion, sondern unter geregelter Selbstbeschränkung. Zwar ging der technische Fortschritt allüberall durch ihre Hände. Aber das Lob der Handarbeit begründete erst spät ihr Selbstbewußtsein, erst zu jener Zeit, als eine allmählich wachsende Intellektuellenschicht im städtischen Leben Fuß gefaßt hatte und die Bedeutung wie auch die Eigenart der Handarbeit literarisch zu verbreiten verstand. Mit ihren Bischofssitzen, mit Stadtheiligen und vielen Kirchen suchten die Städte den Zentren des religiösen Lebens, den Klöstern, den Rang abzulaufen. Innerhalb ihrer Mauern nahmen dann auch die Universitäten ihren Sitz, hier verlangten die Laien nach eigenen Schulen. Als die Fürsten schließlich seit dem Spätmittelalter in die Städte zogen, um dort zu residieren, war das Bürgertum bereits auf dem Weg, die europäische Lebensform zu bestimmen. Die bürgerliche Ordnung rückte in den Mittelpunkt unseres Daseins, wenn es galt, die nationalen Gemeinsamkeiten in einen Begriff zu fassen, einen Staat zu umschreiben – Staatsbürger zu sein.

Wege, Waren, Währung

Die neue Stadtkultur lebte zum guten Teil von neuen Wirtschaftsformen. Wege, Waren und Geld hatten sich allesamt verändert und das neue Wirtschaften ermöglicht. Die Wege folgten vielfach noch den alten Römerstraßen, in Frankreich, in Spanien, in Süd- und in Westdeutschland. So war es durchaus sinnvoll, im 12. Jahrhundert eine römische Meilenskizze zu benützen, die von der Nordsee an die Adria führte und auch nordafrikanische Karawanenwege verzeichnete; ein dürftiges Kartenbild, abstrakt, im 12. Jahrhundert neu gezeichnet und uns überliefert aus den Schätzen des Augsburger Patriziers Konrad Peutinger. Die Römerstraßen waren einst in den ersten nachchristlichen Jahrhunderten nördlich der Alpen als Heerstraßen angelegt worden und dienten bald der aufblühenden Provinzialkultur. Lehmgestampft, sozusagen

Die Genehmigung zum Bau eigener Rathäuser als Zentren der Selbstverwaltung mußten sich die Bürgergemeinden im Laufe des 12., 13. Jahrhunderts erst erringen. Bei aller Bescheidenheit ihrer Fassadengestaltung sind die meisten deutschen Rathäuser aus jener Zeit doch repräsentativ. Der Marktplatz von Goslar mit dem Rathaus (rechts), das in seiner ursprünglichen Gestalt erhalten geblieben ist.

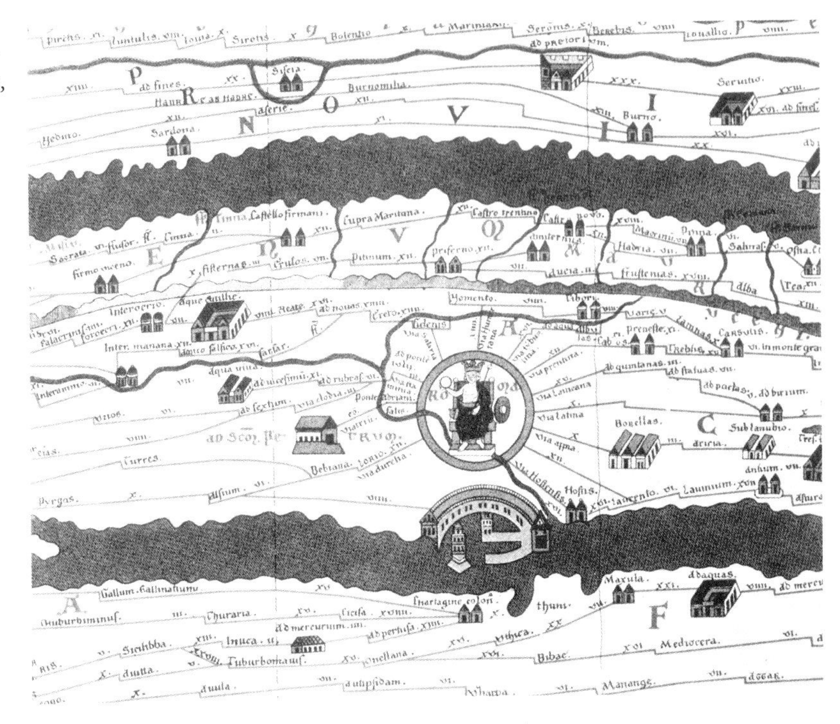

Ein Ausschnitt aus der im 12. Jahrhundert nach antiken Vorlagen gezeichneten, um 1500 in den Besitz des Augsburger Humanisten Konrad Peutinger übergegangenen Straßenkarte zeigt Mittelitalien und Rom (mit Kaiserbild). Flüsse, Gebirgszüge und Straßenlinien mit Meilenangaben dienen dem Reisenden zur Orientierung.

aus Naturbeton in ihrem Unterbau und danach mit Steinplatten belegt, trotzten sie den Jahrhunderten und sind oft noch heute als zweieinhalb Meter breite, flache Erddämme im Gelände zu identifizieren, wie im Ayinger Forst nahe bei München. Im Straßengeflecht der alten Römerwelt erkennen wir, wieviel gleichgeblieben ist bis heute, verblüffend oft auch in der Trassenführung, wieviel sich danach aber auch verändert hat, vor allem durch wachsenden Handels- und Straßenausbau im nördlichen und östlichen Europa.

Der Blutkreislauf der europäischen Kultur pulste zu jener Zeit in Schlagadern, die den Norden mit dem Süden verbanden. Erst als der Osten ausgebaut, die Bevölkerung dort verdichtet, ihre Herrschaften organisiert und auch ein freilich dünneres und regional beschränktes Städtenetz entfaltet war, trat der West-Ost-Handel in der europäischen Wirtschaft gewichtig neben die Verbindungen zum Mittelmeerraum. Man wird wohl nie entscheiden können, wo der Schwerpunkt lag, denn bis zum 16. Jahrhundert behauptete die Mittelmeerwelt mit ihren Importen das Feld – auch wenn man zuletzt versuchte, Einfuhren aus Südostasien nicht mehr den arabischen Karawanenweg und die Mittelmeerschiffahrt entlang nach Oberitalien und dann über die Alpen zu leiten, sondern auf der »Seidenstraße« nördlich des Himalaya ans Schwarze Meer und von da donauaufwärts oder den Dnjepr hinauf.

Der neue geographische Akzent schlug auch bei den Nord-Süd-Verbindungen durch; sie verlagerten sich ostwärts oder wurden doch zumindest durch östliche Straßen ergänzt. Zunächst war der Weg aus dem Mittelmeerraum über Marseille, Lyon, die Champagne bis nach Flandern wichtig. Er folgte Rhône-Saône-Maas, Schelde oder Seine, weil sich Landwege meist nach Flüssen orientierten. Das trug bei zu dem unerhört raschen Aufstieg von Flandern und Brabant als Städtelandschaften und machte die Champagne als jährlichen Treffpunkt der Kaufleute von Norden und Süden zu einer Messeregion. Aber schon im 13. Jahrhundert verlagerte sich der Nord-Süd-Handel ostwärts; jetzt wurden die Schweizer Alpenpässe wichtig, namentlich St. Gotthard und St. Bernhard, und damit gewannen auch bislang geschichtsferne Tallandschaften in den Zentralalpen politisches Gewicht. Der Kaiser bestätigte ihre Reichsfreiheiten und damit auch seine Verfügungsrechte. Schon zuvor waren die Herrschaftsgebiete von Turin und Savoyen wegen ihrer Pässe bedeutsam geworden, auch der Herrschaftsbereich der Zähringer in der Nordschweiz. Sie hatten einen städtischen Stützpunkt gegründet und nach einer wichtigen alten Straßenstadt in Oberitalien benannt, nämlich Bern (Berona) nach Verona. Aber eine feste Brücke über die Alpen wurde aus dieser Parallele nicht. Statt dessen wuchs die Bedeutung von Mailand als südlichem Brückenkopf der Alpenstraßen. Verona stieg empor, seit der Brennerpaß, mit 1300 Metern eigentlich der niedrigste Paßübergang und schon im 2. nachchristlichen Jahrhundert benützt, wieder gangbar gemacht und mit dem Fernpaß und Augsburg verbunden wurde. Die Schweizer Pässe führten zum Oberrhein, und die Rheinstraße gewann seit dem 12. Jahrhundert an Wichtigkeit. Von Augsburg teilten sich die Wege in Süddeutschland. Dort entstand das dichteste deutsche Städtenetz. Es wuchs unter kaiserlichem Schutz, und daß schließlich von achtzig Reichsstädten in Deutschland allein fünfzig im deutschen Südwesten lagen, verrät einen wirtschaftlichen Akzent, dem der kulturelle folgte. Unter anderem auch deshalb ist das Hochdeutsche auf oberdeutscher Grundlage entstanden und mußte im Norden des Reiches beinahe als Fremdsprache gelten.

Gleichzeitig wuchs auch das Wegenetz in Frankreich, in England und in Spanien. Aber das alles zählte wenig im Vergleich zu dem italienischen Handelsnetz. Hier waren Bari, Amalfi, Neapel, Pisa, Genua und vornehmlich Venedig seit Jahrhunderten die Mittler des Mittelmeerhandels, zudem Palermo und die bis ins 13. Jahrhundert unabhängige Inselgruppe der Balearen. In harter und nicht immer friedlicher Konkurrenz behauptete sich schließlich die oberitalienische Städtewelt, bevorzugt durch die kürzeren Landwege nach Norden oder, anders gesprochen, durch den unmittelbaren Kontakt zum aufstrebenden nordalpinen Raum. Lange Zeit hatte der Handel dabei auch dem Inselreich von Sizilien zu Reichtum verholfen, das im 11. Jahrhundert von sarazenischer Herrschaft befreit worden war, aber seine afrikanischen Verbindungen, zum großen Teil durch jüdische Vermittlung, aufrechterhielt. Neben Mailand, Venedig, Genua und Florenz in der Nachfolge Pisas, die im 13. Jahrhundert jeweils wohl an die achtzigtausend Einwohner erreichten, gab es in Italien ein dichtes Netz von kleinen Stadten, darunter nur wenige Neugründungen ohne römische Tradition, wie Ferrara oder Alessandria. An Städtedichte konnte mit dieser Landschaft zwischen Bologna und Verona, Turin und Aquileja nur der kleinere flämisch-brabantische Raum mithalten, der im Osten an die Maas, im Süden an die Champagne grenzte und in Brügge den Anschluß an den Seehandel fand. Brügge wurde vom »nördlichen Mittelmeer«, nämlich von Nord- und Ostsee, dabei geradeso als Brücke zum Festland angelaufen wie vom eigentlichen und alten Mittelmeer, trotz des Umweges über Gibraltar und Lissabon, weil der Seehandel zu jeder Zeit billiger transportierte, als das über Land möglich war.

Auf beiden Wegen erzwangen die Nachfrage und die Möglichkeit großer Gewinne umwälzende Neuerungen. Am Anfang war die Galeone im Mittelmeer allen anderen Lastschiffen weit überlegen an Größe und Schnelligkeit, angetrieben in Kombination von Ruder und Segel. Im Norden mußte man erst lernen, die flachen Boote der Wikingerzeit groß und tragfähig zu machen, und entwickelte im 13. Jahrhundert das kentersichere Kielschiff. Dann allerdings machte die Hansekogge für beinahe zweihundert Jahre ein loses, immer stärker wachsendes Bündnis von nord- und mitteldeutschen Kaufleuten beinahe konkurrenzlos zwischen Nowgorod und London.

Die Lage an Handelswegen bestimmte auch städtisches Schicksal. So zeigt Pisa noch heute deutlich Entstehung und Blütezeit im 11. und 12. Jahrhundert, ehe es in die Abhängigkeit der Florentiner geriet und in seiner Bedeutung zurücksank. Seither wirkt es wie eingeschlafen, aber seine Glanzzeit entdeckt man noch heute im Stadtbild. Auch Brügge, versandet im 15. Jahrhundert, überrascht noch immer durch die Präsenz seiner großen Zeit. So blieb auch Palermo im 13. Jahrhundert in seiner Entwicklung stehen, und Regensburg,

Die wichtigste Nord-Süd-Verbindung vom Mittelmeer rhôneaufwärts durch die Champagne nach Flandern fand in Brügge Anschluß an die Nordseeküste. Die Hafenstadt wurde im 13. und 14. Jahrhundert zum bedeutenden Umschlagplatz und zum Sitz eines Hansekontors. Das Rathaus aus dem späten 14. Jahrhundert bezeugt den Reichtum Flanderns und ist Ausdruck der neuen kommunalen Selbstherrlichkeit.

man sieht es noch, führte ein kärgliches Dasein, nachdem es sich bis ins 13. Jahrhundert mächtig entwickelt hatte. Es mußte hinter Nürnberg und Augsburg zurücktreten. In Frankreich sanken die Städte der Champagne um diese Zeit wieder zurück, in Spanien die von den Mauren aufgegebenen.

Reden wir von den Siegreichen! Es läßt sich in wenigen Worten gar nicht dartun, wie sich, anders als bislang in klösterlicher oder adeliger Bauweise, auf engem Raum, Haus an Haus, in Florenz oder Mailand, in Venedig oder Gent, in Paris oder Salamanca die Bürgerherrlichkeit darzustellen wußte. Erfolgreiche Kaufleute besaßen hier und dort oft fürstengleiche Einkünfte. 1293 betrug der Umsatz des genuesischen Seehandels dreimal soviel wie die Einkünfte des Königs von Frankreich. Selbst Lübeck, die führende Hansestadt, erreichte in seinen besten Zeiten, 1368, nur ein Zehntel davon. Dementsprechend blieb auch seine Einwohnerzahl unter der Grenze von zwanzigtausend. Die größte Ausdehnung unter allen nördlichen Städten verzeichnete übrigens, nach einer gewaltigen Stadterweiterung unter Kaiser Karl IV., die böhmische Hauptstadt Prag. Aber dem riesigen Stadtareal wuchs niemals eine entsprechende Einwohnerzahl zu; sie ist im Mittelalter wohl nie über die Grenze von dreißigtausend hinausgekommen. Unsere Angaben sind deshalb so unsicher, weil man nicht Menschen zählte, sondern Schornsteine, also Herdstellen, ohne dabei Hausbewohner auszumachen, oder überhaupt nur Häuser oder Steuerzahlende; obendrein hielt man die Ergebnisse solcher Zählungen für gewöhnlich geheim.

Stadtrecht war an den Ort gebunden, nicht an seine Bewohner, und im Mittelpunkt stand das Marktprivileg. Deshalb nannte man im Norden die neue Institution auch nach dem Platz: Die niederländische stad, die deutsche Stadt und auch noch das jiddische schtetl sind nichts anderes als die »Stätten« der neuen Lebensweise. Italienisch, spanisch und französisch hielt man sich an das Lateinische civitas. In den slawischen Ländern, im dritten Teil Europas, lernte man die Städte durch deutsche Vermittlung kennen, im Zusammenhang mit dem Landesausbau als Gründungsstätten. Und man übersetzte dementsprechend das deutsche Wort: Eine Stadt heißt deshalb ein »Platz«, miasto, město. Nur dort, wohin die neue Einrichtung sich nicht mehr erstreckte, im Russischen und bei den Serben, blieb die alte Bezeichnung für Siedlungskonzentration, die nichts anderes waren als Burgvororte ohne Bürgerfreiheit und die deshalb von Petrograd bis Belgrad noch heute die Bezeichnung »-burg« in der Nachsilbe tragen.

Woher kam nun der Reichtum der großen Städte, der die Mühen der Bauern, den Fleiß der Handwerker um das Hundertfache übertraf? Man handelte im Hinblick auf die beschränkten Transportkapazitäten vornehmlich mit Luxusgütern, und das bedeutete, aus dem Fleiß von Tausenden zunächst nur wenigen zuzuteilen: Samt und Seide, erst seit dem 13. Jahrhundert auch in Oberitalien und in Südfrankreich gewoben; Damast, nach der Stadt Damaskus benannt; Brokat und schwere Tuche aus der Schafwolle des Apennin und von der englischen Insel; Leinen, seit dem 13. Jahrhundert in Flachs-Monokulturen auch in höheren Mittelgebirgslagen gewonnen; schließlich Barchent, ein Gewebe aus Leinen und Baumwollfäden ägyptischer Herkunft. Er wurde wichtig für die Befriedigung gehobener Ansprüche und zunächst in Italien, seit dem 14. Jahrhundert auch in Süddeutschland verarbeitet. »In Samt und Seide gehen«, in Leinen oder in Lumpen, sind uns noch vertraute Redewendungen. Ein Hemd zu tragen, angenehmer und hygienischer Komfort, war selbst im 14. Jahrhundert noch nicht jedermanns Privileg, wie die Maler jener Jahrzehnte schildern, die bisweilen schon einen Blick ins Publikum gewähren. Auch das Märchen weiß das zu berichten: Der König, der das Hemd des Zufriedenen sucht, scheitert schließlich daran, daß sein einzig zufriedener Untertan, ein Schweinehirt, dergleichen nicht trägt.

Man handelt mit Salz, ein unentbehrliches Lebensmittel, und mit dem vornehmsten der Gewürze, das den Pfeffersäcken in verschiedenen Sprachen den Namen gab. Beides braucht man auch zum Konservieren, und das ist für den gesamten Lebensmittelhandel jener Zeit ein großes Problem: Heringe, gesalzen in Fässern, oder getrocknete Stockfische, auch mit dem Namen Kabeljau bezeichnet, verdreht aus dem portugiesischen bacalhau, nach dem lateinischen Wort für Stock, baculum. Man handelt mit Damaszener Stahl und mit Korinthen, Zucker, Zimt und Safran, das im Kinderlied noch heute den Kuchen gelb macht, mit Handwerksprodukten aus Keramik oder Leder und mit Holz, etwa mit Eschenstangen von der oberen Weichsel, aus denen die Engländer ihre berühmten mannshohen Bogen schnitzen. Es gibt, kurz gesagt, Feines und Kunstvolles aus dem Süden, Gegenstände des täglichen Gebrauchs vom Westen nach dem Osten, und Rohstoffe in entgegengesetzter Richtung.

Der Ost-West-Handel war also weniger diffizil. Es ging einfach um einen Austausch zwischen Rohstoffen und Fertigwaren, der schon vor der Jahrtausendwende einsetzte und auch noch den modernen Wirtschaftsbeziehungen zugrunde liegt. Zunächst nach dem Süden gerichtet, seit dem Landesausbau über den Westen, über die Niederlande, Nordfrankreich und Deutschland, an das Mittelmeer weitergeleitet, war es der Wald, aus dem das östliche Europa schöpfte, mit allem, was daraus hervorkam: Hölzer, Pelze, Honig, Wachs, Pech, Pottasche und mindestens bis ins 12. Jahrhundert auch Sklaven. Dazu die Heringe aus der Ostsee, eine wichtige Fastenspeise des Binnenlandes. Mit dem Landesausbau kamen dann seit dem 14. Jahrhundert im wachsenden Maß auch Getreidelieferungen nach Westeuropa, weichselabwärts, in Danzig verschifft, für die niederländischen Städte bestimmt.

Und überall Steine: Bausteine für Dome, für die reichen Stadthäuser, für Festungsbauten und Brücken, die seit dem 12. Jahrhundert an verschiedenen Orten entstanden und als Wunderwerke bestaunt wurden. Steine waren wohl das größte Massentransportgut des Mittelalters. Man kann an den erhaltenen Bauten den Umfang dieses Transports nach Kubikmetern abschätzen, und man weiß aus der Mineralogie ihre Herkunft zu bestimmen. Also läßt sich etwas über die Transportleistung sagen. Vielfach allerdings brach man die Steine möglichst an Ort und Stelle, oder man suchte den billigen Wassertransport, oder man legte, wie weithin in Paris, den Steinbruch für den Hausbau sozusagen im Keller an. Denn der Landtransport verteuerte die Ware schon nach wenigen Kilometern um das Doppelte.

Man muß sich die Transportleistungen auf allen Wegen klarmachen, um zu begreifen, was das Wort von einer »kommerziellen Revolution« (R. Lopez) bedeutet, die sich seit dem 11. Jahrhundert entfaltete. Zunächst ging es einfach um Austausch zwischen Nord und Süd. Danach verschob der Landesausbau die Rohstoffbasis nach dem Osten, während im westlichen und mittleren

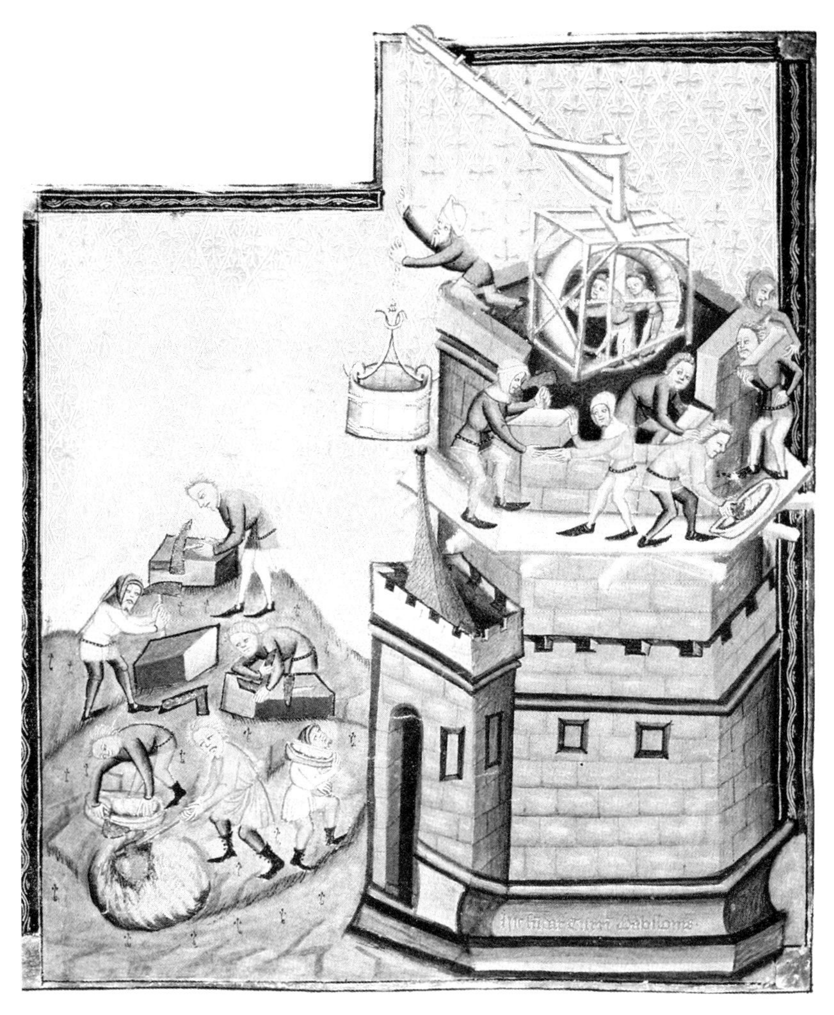

Der Turm zu Babel wurde nicht anders gebaut als jeder andere Kirchturm auch. Wir sehen den Kran mit Tretbetrieb, der mit dem Bau wuchs, ebenso wie die Gerüste. Wir erkennen die Bedeutung der Steinmetzen bei den üblicherweise aus weichem Sandstein errichteten Bauten, das Mischen des Mörtels und seinen Transport in »Vögeln« auf der Schulter – was wir auch heute noch bei kleinen Bauten beobachten können!

Europa sich eine eigene, wachsende Handwerksproduktion herausbildete. Tuche, Leinen und Barchent, Ton- und Eisenwaren, je länger, je feiner, gingen von da ostwärts. Gleichzeitig wurde der Westen zum Umschlagplatz für den Süden. Unmittelbare Handelskontakte in südlicher Richtung suchte das östliche Mitteleuropa erst später. Die alten Flußwege, einst von den Wikingern erschlossen, litten unter dem Einbruch der Mongolen in Osteuropa um 1240.

Damit sind die großen Zugstraßen des Fernhandels gekennzeichnet. Warum aber sollte der »agrarischen Revolution«, deren Bedeutung für Wirtschaft und Bevölkerung man gut versteht, nun auch noch eine »kommerzielle« folgen? Sehr einfach: Weil die großen Wirtschaftskräfte aus der durch den Landesausbau nun einmal gewonnenen Bevölkerungsdichte erst durch namhafte Geldströme in Bewegung gerieten. Und die flossen im Fernhandel Europas seit dem 12. Jahrhundert durch den ganzen Kontinent. Die Italiener als die unübertrefflichen Lehrmeister in diesem Metier brachten zuerst das große Geld nach Hause, aus ihren Kontakten mit der südlichen Küste des Mittelmeers und ihren Verbindungen nach dem nordalpinen Europa, das erst seit der allmählich um sich greifenden Agrarkonjunktur für sie zum interessanten Handelspartner wurde. Die Italiener waren Seefahrer. Im Landhandel spielten vor ihnen schon jüdische Kaufleute eine namhafte Rolle, deren Handelskarawanen von Spanien bis nach Kiew zogen, und gerade die Geschichte der ersten jüdischen Gemeindegründungen bestätigt diese Wirtschaftsgeographie: Sie liegen an den ältesten Fernstraßen zwischen dem Rhein und den Pyrenäen und verbreiteten sich im Lauf der Zeit zunächst ostwärts und dann entlang der Handelswege von minderer Bedeutung.

Die Unternehmungen zu Lande wie zur See waren riskant, finanziell wie persönlich. Man mußte sie recht kalkulieren und vor Räubern auf der Hut sein. Die Kaufleute des 11. und 12. Jahrhunderts waren gewöhnt, auch das Schwert zu ziehen und mit bewaffneten Knechten zu reisen. Ihre Söhne lernten aber bald, vom Kontor aus Waren und Geld zu dirigieren, und dementsprechend wuchs vom 12. Jahrhundert an auch der bargeldlose Zahlungsverkehr. Auch hier spricht das italienische Vokabular unseres Bankwesens für die Überlegenheit des Herkunftslandes: Konto, Disagio, Lombard. Der Zusammenschluß zu »Kompanien«, zu Gilden oder zu Hansen erforderte absolute Glaubwürdigkeit. Die jüdischen Kaufleute versicherten sich im gemeinsamen Mahl und im gemeinsamen Gebet der besonderen Glaubwürdigkeit ihrer Glaubensgenossen und machten aus dem Netz ihrer Niederlassungen als erste ein

Eine Hansekogge. Der Schiffskörper mit ungleich größerer Segelfläche als bisher, hat durch einen tief ins Wasser reichenden Kiel auch bei hohen Aufbauten Kentersicherheit gewonnen und vermag damit größere Lasten schneller zu befördern.

Kaufmannsalltag: eine Auseinandersetzung mit der marktschützenden Obrigkeit, der Warenstand, das Rechenbrett zum Umgang mit verschiedenen Münzsorten. Daß dieses Bild jüdische Kaufleute darstellt, unterscheidet es kaum von anderen. Aus der Rückschau hat man oft auch falsche Schranken errichtet und den Beitrag der jüdischen Bevölkerung zu Kultur und Wirtschaft der mittelalterlichen Welt damit unterschätzt oder isoliert.

Handelsgefüge. Auch die italienischen Kaufleute gründeten Gemeinden ihrer Landsleute an den Fernhandelsorten, erwirkten das Privileg, dort nach eigenem Recht zu leben, in innerer Selbstverwaltung, und diese Struktur stärkte zugleich auch das Kreditnetz. »Ihr sollt wissen, daß die Deutschen freie Leute sind!« Dieser vielzitierte Satz eines böhmischen Herzogs für Prager deutsche Kaufleute geht bis ins 11. Jahrhundert zurück. Er besagt nicht etwa eine besondere Rechtsqualität der Deutschen, sondern er bestätigt Kaufmannsfreiheiten, wie man sie in ganz Europa kannte.

Zwischen die Fernkaufleute schoben sich die Bänker, die Wechsler mit ihrer banca, auf der Geld ausgelegt und öffentlich mit Gewinn getauscht wurde, auch verliehen, und das weit lukrativer. Zuerst Kleinkrediteure, waren manche dieser Bankleute bald zu größeren Transaktionen imstande. Auch am Bankgeschäft kam es zu Beteiligungen. Beteiligungen mit Renditen gab es an Schiffsladungen, aber auch mit großen Summen seit dem 13. Jahrhundert am Landesausbau, wo mit Vorschüssen für umfangreiche Siedelaktionen gewirtschaftet wurde und mit Zinsen aus künftigen Grundrenten, deren Ansprüche man verkaufte wie Pfandbriefe. So begann ein Handelskapitalismus nach Kaufmannsrecht aus jüdischen, byzantinischen, arabischen und italienischen Gewohnheiten und Begriffen und gewann »internationale« Gültigkeit.

Das Rechnen, unentbehrlich für den Kaufmann, war dabei freilich noch auf einem sehr unbeweglichen Stand. Die Kaufleute aus dem lateinischen Europa benützten römische Zahlen, und weil man damit keine Dezimalpositionen markieren konnte, nahmen sie ein Rechenbrett zur Hilfe, den Abacus. Erst im 14. Jahrhundert lernten sie von den Arabern das schriftliche Dezimalsystem und damit auch die Null, die in der römischen Zahlenreihe fehlt: Jetzt konnte man zwar rascher die vier Grundrechenarten handhaben, nur haperte es bei der Zinsenberechnung. So kannte das Mittelalter nur gleichbleibende Verzinsung, ohne Zinseszinsen, auch keine Tilgungsrechnungen. Während man kurzfristige Kredite für gewöhnlich zwischen zehn und vierzig Prozent verzinste, wurden langfristige umgewandelt in »ewige Renten«. Auch die Zinsleistung im Landesausbau könnte man als eine »ewige Rente« ansehen.

Wie sieht es aber aus mit dem Geld bei dieser Art Kapitalismus? Die monetären Formen des Mittelalters folgen ein wenig anderen Gesetzen als heute: Geld ist gemünztes Edelmetall, aber doch nicht im vollen Nennwert; seine Valuta beruht auf allgemeiner Anerkennung, aber doch nicht ohne Rücksichten auf den Metallgehalt. Dahinter stecken bereits Inkonsequenzen, allerdings sehr lebenskräftige, und sie werden noch verstärkt durch die mangelnde Autorität, die den Geldwert garantieren könnte. Alle italienischen Handelsstädte schlugen ihre eigene Münze. Im nördlichen Europa war nur in England schon bald nach der normannischen Eroberung das Geldwesen zentralisiert worden; in Böhmen, seit dort die Silberfunde wuchsen. Im Südosten hatten die Byzantiner beim allgemeinen Zentralismus ihres Verwaltungsapparats ebenfalls eine zentrale Währung. Aber im alten Kernraum des Karolingerreiches, in Frankreich und in Deutschland, hatten große und kleine Herren die Münzprägung übernommen, mit unterschiedlichen Folgen. In Frankreich schließlich wieder zugunsten der Königsgewalt, in Deutschland in einer Vielfalt, die noch die Reichsreform des 16. Jahrhunderts vergeblich zu ordnen suchte.

Man prägte Silber in Europa, in kleinen Werten, mit dem Pfund, der Mark oder dem Schock als Gewichts- und Recheneinheit. Für große Geschäfte hatten nur die Byzantiner und die Araber Goldmünzen parat, die auch in Italien kursierten, bis man dort, zuerst in Florenz im 13. Jahrhundert, auch eigene Goldmünzen schlug. Der »Florentiner« fand dann auch Nachahmung bei Kaiser und Königen. In Holland und in Ungarn »gilt« er noch!

Das Nebeneinander von Gold- und Silberwährung schuf freilich auch Differenzen. Goldwährung war stabiler, ihr Fluß langsamer. Das Silber in jedermanns Händen verflüchtigte sich leichter, es wurde billiger gemünzt aus Geldbedarf, aber auch zwangsweise umgetauscht, »verrufen« durch die Obrigkeit und in minderer Prägung wieder ausgegeben. Das war eine Art Geldbesteuerung, weil sich ein effizienteres Steuersystem noch nicht verwalten ließ. Auch die Verwaltung hat ihre Technik, und ihre Wege und Irrwege muten uns im Rückblick manchmal so unbeholfen an wie die Maschinen aus alten Zeiten. Aber auch diese Maschinen entwickelten Kräfte.

Wenn das große Geld die große Wirtschaft trieb, dann kam es doch nur auf einen Haufen durch den Zufluß vieler kleiner Münzen. Also müssen wir auch danach fragen, wer das »Kleingeld« verdiente und auf welche Weise. Kleingeld: Wir gebrauchen den Ausdruck noch heute mit Selbstverständlichkeit, und haben doch als Gegensatz zum Kleingeld nicht große, dicke Münzen, sondern feines Papiergeld. Mittelalterliches »Kleingeld« hatte den Namen wirklich verdient: kleine Kupferscheiben, dünne Silberbleche, oft durchgeprägt als sogenannte Brakteaten. Sehr früh schon bedachte man die Münzen mit Fürstennamen und, nach römischem Beispiel, im 12. Jahrhundert gelegentlich auch mit Propagandalosungen, in der rechten Erkenntnis, daß solcherart ein Stück politische Kommunikation von Hand zu Hand ging. Nur konnte freilich der »kleine Mann«, der mit dem Kleingeld umging, diese Propaganda nicht lesen.

Daß er ein kleiner Mann war, und das heißt eben überhaupt ein Mann, verdankte er nicht zuletzt dem Kleingeld, denn zuvor war jemand entweder ein Herr, mit großem Geld, oder er spielte gar nicht mit. So eröffnete das Geld, seit es nicht mehr rar und ein gehüteter Hausschatz war, handgreiflich eine neue Umgangsebene, indem es wirklich von Hand zu Hand ging. Zwar trieb der kleine Mann nicht Fernhandel, aber seine Kaufmannschaft knüpfte die dünnsten Fäden des großen Handelsnetzes auf dem Lokalmarkt. Krämer, Bauern und Handwerker boten hier an, und jedermann war Kunde.

Daß das Handwerk seine Organisationsform ebenfalls der Antike entlehnt hatte, muß man aus vielen Gründen annehmen. Zwar fehlt die unmittelbare Überlieferung. Aber während wir an die römische Kirche glauben und das römische Recht, an das römische Kaisertum und die römisch-antike Bildung, verdienen auch die römischen Zünfte Erinnerung, die monopolia. Die Geschichte des europäischen Handwerks ist noch nicht geschrieben. Der Zusammenhang mit byzantinischer Überlieferung, die sich ebenso ununterbrochen im oströmischen Reiche hielt wie das Kaisertum, die Traditionen von den spätrömischen Zwangsorganisationen der Handwerker zur Zunftgeschichte Italiens sind vorerst noch ungenügend bekannt. Von dort hat sich mutmaßlich die Zunftbildung zugleich mit dem Städtewesen nach Norden verbreitet.

Der neue Mittelstand in Dorf und Stadt ist nicht einfach durch das Geld zusammengeschlossen worden, wie man denken könnte, aber das Geld allein trennte auch nicht. Vielmehr gab es noch eine ganz andere Differenzierung im mittelalterlichen Mittelstand, die noch in unserem Mittelstand mitunter nachwirkt. Es war die Handarbeit, welche die Lebensgemeinschaften nach ihrem alltäglichen Zwang innerhalb der Stadtmauern spaltete.

Da gab es die Reichen, die zuallererst Bürger geworden waren, ritterliche Diener des Stadtherrn und Fernkaufleute, bald versippt und verschwägert und in Bruderschaften und Gilden einander zu besonderer Treue verpflichtet. Die Grundlage ihres Daseins, namentlich der Fernkaufleute, war Herrschaft durch

Das Kölner Overstolzenhaus, vor der Mitte des 13. Jahrhunderts, bringt mit seiner starken, fast ornamentalen Fassadenstruktur einen italienischen Eindruck in die alte Handelsstadt. Der Familienname steht für das selbstbewußte Stadtpatriziat, wie andernorts etwa Heidenreich.

Geld und indirekt auch Geld durch Herrschaft im Rahmen »großbürgerlicher« Möglichkeiten. Zwar zeigten sie Bürgerstolz, aber ein »bürgerliches« Lebensideal entwickelten sie dabei nicht. Sie suchten vielmehr dem Adel ähnlich zu sein.

Wer von seinem Handwerk lebte, nicht von der Geldherrschaft, schloß sich mit seinesgleichen zusammen zu einem collegium oder monopolium, einer ars, Gaffel, Zeche oder Zunft. Auch damit war nicht nur das gemeinsame wirtschaftliche Interesse umschrieben, sondern eine Männerbruderschaft, eine Lebensgemeinschaft, in die man übrigens unter handwerklicher Gleichberechtigung im Spätmittelalter gelegentlich auch Frauen aufnahm. Die Seidenweberinnenzunft von Köln wird in letzter Zeit im Zusammenhang mit Frauengeschichte viel zitiert, vielleicht allzuviel.

Gleiches Handwerk strebte nach gleichem Recht und nach Selbstregulierung von Konkurrenz und Einkommen. Jahrhundertelang geradeso expansiv wie die gesamte mittelalterliche Arbeitswelt, entwickelten die Zünfte späterer Zeit vielleicht einen der wenigen einigermaßen geglückten Versuche, »Nullwachstum« zu regulieren. Auf diese Weise waren die städtischen Zünfte, die seit dem 11. Jahrhundert schriftliche Zeugnisse von ihrem Dasein hinterlassen haben, Gemeinden in der Gemeinde, wie die Gemeinden fremder Kaufleute, der Juden, der Klerikerkapitel und der Universitäten innerhalb der gleichen Stadtmauern.

So erklärt sich die mittelalterliche Stadt immer wieder in ihrer eigenartigen Pluralität als ein vielfaches Miteinander von kleineren und größeren Kollektiven, Lebensgemeinschaften, ineinandergefügt, dabei aber in ihrer Meinung von sich selber und von ihren Daseinszwecken im christlichen Kosmos deutlich unterschieden. Die Handwerker jedenfalls sollten nicht nach mehr, sondern nach »ehrlichem Broterwerb« unter den Regeln der Zunft streben. Nicht Geld, sondern die rechtschaffene Arbeit stand im Mittelpunkt ihrer Ordnungen, und sie haben dementsprechend auch eine besondere, sozusagen eine technische Innerlichkeit entfaltet anstelle der kaufmännischen Expansion in Wirtschaftsräume über weite Handelsstraßen. Nicht Wagnis und Gewinn, sondern Werktreue und Findigkeit wurden zur besonderen Leistung.

Einstweilen war die handwerkliche Leistung im nordalpinen Europa derjenigen des Mittelmeerraums noch lange Zeit unterlegen. Einzelne, in ihrer Zusammenhanglosigkeit mitunter rätselhafte Spitzenerzeugnisse, wie wir heute sagen, etwa der Bronzeguß von Hildesheim um die Jahrtausendwende, die Präzisionsarbeit der Gewölbetechnik im Sandstein der französischen Kathedralen, opus francigenum, oder die Emailleschmelzen der Goldschmiedekunst, namentlich auf den Reliquienschreinen zwischen Maas und Rhein, sind uns in ihren Traditionen nicht bekannt. Nur das Erhaltene spricht für sich. Die »Kunst«, und damit war die Handwerkstechnik gemeint, schlechthin alles, was man »konnte«, wurde ohne Theorie vermittelt und bis ins späte Mittelalter mündlich weitergegeben. Aber sie wurde gelehrt, und manchmal weiß man wenigstens vom Schicksal einzelner »Schulen«.

In diesen Komplex ist ein besonderes Kapitel europäischer Arbeitsgeschichte verwoben: Technikgeschichte, Kunstgeschichte, über einen langen Zeitraum hin Erfindungsreichtum in Methode und Form. Was aus Holz und Leder, aus Textilien und meist auch, was aus Steingut und aus Glas entstand, ist uns verloren. Die Grundlinien des Designs in der Architektur sind zu einer eigenen Stilgeschichte verarbeitet, aber zugleich ist darin eben auch die Technik des Umgangs mit dem Material eingeschlossen. Und immer wieder lassen sich römische Traditionen nachweisen. Die Werkzeuge eines Steinmetzen beispielsweise, soweit sie der Handarbeit dienen, sind noch heute in ihrer Form ganz ähnlich denen der römischen Antike. Die Hämmer des Schusters, des Zimmermanns, des Dachdeckers, des Schreiners oder des Schmieds waren schon im Mittelalter so unterschiedlich geformt, wie sie heute noch auf den Werkbänken liegen. Der Steinmetz übrigens hat seinen Namen nach einem Wort aus dem frühmittelalterlichen Latein, das im römischen Gallien entstand. Es ist mit dem französischen und dem englischen Wort für »Maurer« verwandt, maçon, mason. Römisches Handwerk!

Manche Kunst kam aus fernen Landen, etwa die spanische Art der Lederbearbeitung, der arabische Umgang mit Edelsteinen, das italienische Glasmachen. Dabei sind Leder, Glas und Seide, Steinbau- und Goldschmiedekunst oft mit ihren Meistern gewandert. Mit der Zeit haben sich die »biederen« Handwerke, deren Produkte man zum Leben brauchte, auseinanderentwikkelt, neue sind entstanden. Holz und Eisen, Ton und Stein, Leder und Stoff ließen Spezialisierungen zu. In Nürnberg zählte man im 14. Jahrhundert mehr als sechzig Zünfte für unterschiedliche Produkte der Schmiedekunst.

Mit der Spezialisierung wuchs aber auch der Fortschritt. Und auf Fortschritt war das scheinbar so traditionelle Handwerkertum durchaus gerichtet: »Wer ist Lehrling – der was begann; wer ist Geselle – der was kann; wer ist Meister – der was ersann.« Gesellenwandern wie Meisterstück hatten den Fortschritt und seine Verbreitung auf bedächtig kluge Weise institutionalisiert.

Auch wenn das mittelalterliche Handwerk erst allmählich seinem Höhepunkt zustrebte, so daß man um 1500 den höchsten Grad der Kunstfertigkeit erreicht glaubt, gab es in einzelnen Zweigen doch auch lange zuvor schon Höchstleistungen; etwa im Bronzeguß am Bernwardstor von Hildesheim, das eine hervorragende Relieftechnik zeigt, wie sie erst die Renaissance allgemein zu handhaben wußte.

Von armen Leuten

Handel und Handwerk, Waren und Wege bildeten, so könnte man denken, eine Sorge der Reichen; der Wohlhabenden zumindest, nicht aber der Armen, die nur ihren Bettelstab besaßen.

Ein Bettler war im schwedischen Mittelalter ein »Stabkerl«. Ein Bettelstab ist ein Wanderstab. Wir wissen nicht genau, wie man an den Bettelstab kam. Aus Skandinavien erfahren wir, daß man schon vor tausend Jahren damit herumlief, vielleicht, um das Brot zu erwandern, das man nicht erarbeitete, um soziale Lasten mit den eigenen Füßen zu verteilen. Das entspräche demselben Vorgehen, nach dem auch der König ohne zentrale Hofhaltung umherzog, um zu richten und um die aufgehäuften Vorräte auf seinen Gütern reihum mit seinem Gefolge zu verbrauchen. Zu betteln jedenfalls ist eine Möglichkeit des Überlebens in einer Gesellschaft, die für arme Mitmenschen nicht anders und nicht besser zu sorgen wußte, die sich aber doch einer gewissen Hilfsbereitschaft nicht verschloß, zumal wenn derjenige, der wandernd an die Tür klopfte, erkennen ließ, daß er nicht so schnell wiederkäme.

Bettler waren ausgeschlossen aus der Gemeinschaft und deshalb rechtlos. Denn Recht fand nur, wer einen Herrn hatte, eine Sippe, eine Gemeinde, Menschen, an die er gebunden war, so wie sie an ihn, zu gegenseitiger Hilfe. Der Bettler fiel allen zur Last und hatte deshalb keine Gemeinde. Es fehlte freilich nicht an Versuchen, daß sich auch Bettler zusammenschlossen. Das späte Mittelalter kennt sogar Bettlerzünfte. Aber zunächst und meist überhaupt heißt Betteln sich selbst ausschließen aus der Gemeinschaft der Besitzenden oder der Arbeitenden, heißt eben auch, Haus und Hof aufgegeben, verloren zu haben, zumindest ein Elternhaus, und nach Orten zu streben, wo Hilfe zu erwarten war. In der einfachen, altertümlichen Gesellschaft von grundbesitzenden Herren und abhängigen Bauern, wo man auch Arbeitsunfähige in der Gemeinschaft hielt und versorgte, waren die Bindungen fester. Daß ein Dorfarmer reihum auf den Bauernhöfen sein Essen fand, wußten noch unsere Großväter zu erzählen. Aber diese uralte und einfache Sozialhilfe versagte wahrscheinlich gerade dann, als die Herren anfingen, überzählige Abhängige aus der Fronhofsverfassung, dem Herrenhauswesen, dem manor, der villication, zu entlassen, viele zu Rodung, Stadtsiedlung und Aufstieg, andere ins Elend. Elend heißt nichts anderes, als »außer Lande« sein.

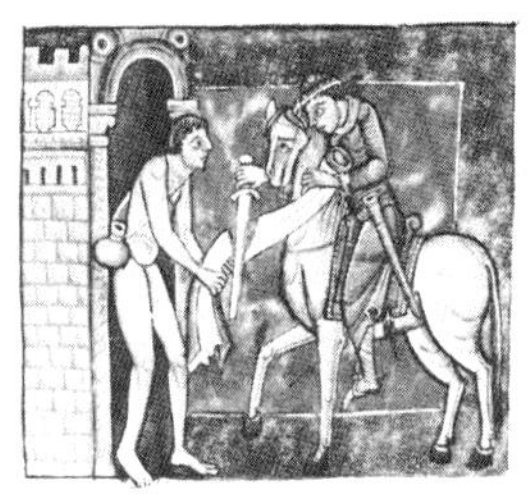

Die Legende vom heiligen Martin war als Urbild christlicher Sozialhilfe ein beliebtes Motiv bildlicher Darstellung. Unten: Augenärztin bei der Behandlung.

Die Armut ist uns zumindest in der Sprache altvertraut, und auch das Prinzip des Gebens und des Nehmens. Wir zählen heute etwa ein Drittel der Weltbevölkerung zu denen, die Mangel leiden, und sind bereit zu spenden. Wir reden vom Teilen. Aber wir meinen es nicht ernst damit, und vielleicht ginge unsere Kultur gar zugrunde, wenn wir nach dem Ratschlag des Evangeliums von zwei Röcken einen dem Armen gäben. Auch das christliche Mittelalter hat es nicht anders gehalten als die barbarische Vorzeit, und noch unsere in mancher Hinsicht nachchristliche Gegenwart weiß oft keine bessere Hilfe als das Almosen.

Das übrigens ist ein Wort aus der Sprache der Urkirche, das schon erstaunlich früh zu den heidnischen Germanen kam. Den Armen zu geben, war ein besonderes Kirchengebot und versprach Heil. Mit diesem religiösen Imperativ hat das Christentum freilich nichts Neues gebracht. Nicht nur, weil andere Weltreligionen, namentlich der Islam und das Judentum, dasselbe forderten und gewährten, sondern auch im Hinblick auf die natürliche menschliche Hilfsbereitschaft. Niemand hat damit die Gesellschaft verändert. Das christliche Mittelalter begreift seine Gesellschaft erstaunlich früh, zu einer Zeit, als die Entbindung vom Boden und seinen festen Ordnungen und der Besitzwechsel erst noch in ihren Anfängen standen, im 9. Jahrhundert schon, nach den Worten des Mönches Otfrid von Weißenburg, als die Gesamtheit von »arm und reich«. Den Armen sollte geholfen werden.

Den Armen hatte eigentlich seit der Urkirche die Abgabe des zehnten Teils von allem Besitz der Gläubigen gegolten. Der Kirchenzehnte, im Mittelalter durch die überlegene kirchliche Organisation lange Zeit die einzige allgemeine Steuerleistung, war im wechselnden Verhältnis der »Kirche« zugedacht, ihren Bauten, ihren Priestern, ihren Armen. Der kontinuierliche Abgabenfluß geriet in den einzelnen Ländern der Christenheit in unterschiedliche Kanäle, und kirchliche und weltliche Große hatten oft mehr von ihm als die Armen. Da mußten, ähnlich wie man die Bettler auf die Reise schickte, besondere Anlässe an Ort und Stelle helfen, die Last zu verteilen: Festtage, kirchliche und familiäre, Heiraten und Begräbnisse. Begräbnisse erreichten dabei einen besonderen Rang. Denn die Religion lehrte die Armen nicht nur als Hilfsbedürftige zu sehen, sondern sie mutete ihnen auch einen besonderen Gegendienst zu, den

Krankenhäuser oder auch nur -säle wurden zunächst von Klöstern, seit dem 12. Jahrhundert auch von frommen Bruderschaften, seit dem Spätmittelalter von städtischen Verwaltungen errichtet und unterhalten. Auch stellten die Städte eigens öffentliche Ärzte in Dienst, setzten Armenvögte und Bettelmeister ein, womit sie die klösterliche Sozialhilfe ablösten. Der Krankensaal im französischen Tonnerre macht den Umfang dieser Fürsorge anschaulich.

religiösen Dank dessen, dem geholfen wurde. Nach den Worten des Evangeliums, nach zahlreichen Lehrbeispielen aus den Heiligenleben, vielleicht sogar nach dem Volksglauben, der seine eigenen Wege zur Gerechtigkeit wußte, war das Almosen ein Weg zum Himmel. Die Gegengabe des Armen war sein Gebet. Kaum je war es von größerer Bedeutung als vor dem göttlichen Gericht. Die fromme Fürbitte als Gegendienst für christliches Erbarmen überschritt die Grenzen zum Jenseits, versprach Dankbarkeit in dieser Welt und sollte drüben ewig gelten. So wurden Almosen gespendet zum Gedächtnis an Verstorbene, am Todestag und zu seiner jährlichen Wiederkehr. Die besonderen Institutionen kirchlicher Mildtätigkeit, die Klöster, die täglich soziale Dienste leisteten mit ihrer »Armensuppe«, die man auch heute noch an Klosterpforten verteilt, vermittelten das fromme Geschäft. Sie übernahmen im Auftrag frommer Stiftungen die Pflicht zum Totengedächtnis und -gebet und teilten dabei besondere Almosen aus. Scharen von Armen, an einzelnen Gedächtnistagen zum Totenmahl geladen, besonders von den Klöstern der Kluniazenser, wurden mitunter eine schwere Belastung der Klosterwirtschaft.

Die Kirche hatte freilich noch ein anderes Heilmittel gegen die Armut zu bieten. Das war nicht von dieser Welt, denn der diesseitige Lohn ist schon im Evangelium nur den Kindern der Welt verheißen, und offenbar nur ihnen. Der Lohn des Jenseits aber schien den christlichen Armen dafür um so gewisser. Auch dies nichts Neues: Hatten doch seit den Zeiten der Urkirche alle Mönche auf Besitz verzichtet, und nur der Kompromiß der Kirche mit der Weltlichkeit bis zur Konsolidierung des christlichen Europa stand in einem merkwürdigen Gegensatz zum stets lebendigen Ideal der christlichen Armut. Eigentlich ist es eine billige Kritik an Kirche und Kultur, immer wieder diesen Gegensatz hervorzuheben; ein nachdenklicher Betrachter der menschlichen Dinge findet wohl auch zu dem Schluß, daß gerade ein solcher Gegensatz dem Wesen des Menschen entspricht. Die Verheißung des Paradieses führt eben nicht auch schon ins Paradies zurück.

Auch das Hôtel de Dieu in Beaune aus derselben Zeit stellt der städtischen Krankenfürsorge ein deutliches Zeugnis aus.

Zinsende Bauern; ohne Kopfbedeckung, aber mit gespornten Stiefeln und Haumesser als Zeichen seines Standes, überreicht einer einen »Herrenlaib« Käse, ein anderer bringt Hühner und Eier in Anerkennung seiner Abhängigkeit, ein dritter ein Lamm. Die Gaben besaßen Rechtscharakter, ebenso wie die Geste der Annahme durch den Herrn. Die Bauern sind keineswegs »arm« im sozialen oder materiellen Sinn, aber dem Mächtigen gegenüber sind sie Schutzbefohlene, Ohnmächtige, deshalb auch »Arme« im Verständnis der Zeit.

Von den Anfängen an also hatten Christen sich darauf besonnen, daß Christus arm war, und wollten auf dieselbe Weise seine Nachfolger sein. Im 11., 12. Jahrhundert, mit dem Schwinden der festen Bodenbindung, der wachsenden Mobilität und der Anziehungskraft der neuen Stadtsiedlungen, verbreiteten sich Armut und Reichtum unter den Hunderttausenden, die nicht edelfrei geboren und damit von vornherein freigestellt waren für die großen Abenteuer des Lebens, mächtig zu werden oder den Tod zu finden. »Mächtig und arm«, das alte Gegensatzpaar, potens et pauper, gewann einen neuen Sinn. »Edel und reich«, noch vom Nibelungenlied in einem Atem genannt, traten auseinander. Der Arme, der Ohnmächtige, geriet, eine fatale Folge der wachsenden Beweglichkeit, zwar ins »Elend«. Aber die Christenheit, nun besser belehrt durch Predigt und Evangelisation, besann sich auf die freiwillige Armut als einen sicheren Weg in den Himmel. Die Pfarreien, die sich netzartig übers Land verbreiteten, unterstützten dies durch Erzählungen aus der Bibel und Darstellungen an den Kirchenwänden. Christus nachfolgen: Schließlich war er uns als ein nackter Mensch am nackten Holz vorangegangen, nudus homo in nudo ligno – und dieses Bild des armen und gemarterten Dornengekrönten zog nun auch in die Kirchen ein. Es ersetzte dort das Bild des Weltenherrschers, Christus Pantokrator, das die alten, die »romanischen« Kirchen geboten hatten: Christus thronend in unnahbarer Majestät im Gewölbe der Apsiden, dort, wo einst die römischen Kaiser im Herrensaal, in der Basilika saßen. Christus Pantokrator erschien in den alten Kirchen, im Mosaik oder im Steinrelief, abstrakt, fern, als ein unnahbares Gegenüber. Christus am Kreuz wird plastisch dargestellt. Der gekrümmte, gepeinigte, ausgeblutete Mann kommt körperlich nahe. Mit wenigen Ausnahmen, wie etwa dem Gerokreuz in Köln, ist das der künstlerische Ausdruck einer religiösen Neubesinnung seit dem 11. Jahrhundert; es spricht für eine stärkere menschliche Begegnung, zeugt auch von gewachsenem Selbstbewußtsein der Gläubigen. Dieses Selbstbewußtsein war eben auch bestrebt, dem armen, so geschundenen Christus nachzuleben; in Armut und auf der Wanderschaft.

Die Mönchsreformer von Cluny hatten nach der apostolischen Armut nicht gefragt. Die persönliche Armut des Mönches war selbstverständlich, der Reichtum des gesamten Konvents hingegen erschien als Voraussetzung für den würdigen Gottesdienst. Eine aristokratische Frömmigkeit, deren Träger sich beschieden mit dem Verzicht auf menschliche Begierden, die aber nicht der weltlichen Macht im ganzen entsagten. Als die Idee von Cluny sich im Mönchtum durchgesetzt hatte und auch das Papsttum erfaßte, die kaiserlichen Ansprüche besiegte und die päpstlichen an ihre Stelle setzte – im Dictatus Papae 1074 mit dem ausdrücklichen Anspruch, alle zu richten und von niemandem gerichtet zu werden –, war der Bogen christlicher Weltveränderung fast überspannt. Er zerbrach nicht. Aber er weckte Gegenkräfte am anderen Ende der Skala. Es ist bezeichnend, daß dabei nicht nur dem Reichtum die Armut, der Herrschaft die Demut gegenübergestellt wurde, sondern daß erstmals auch Frauen auf besondere Weise die christliche Männerwelt zu verändern suchten.

Die religiöse Laienbewegung brach da auf, wo sich auch das dichteste städtische Leben entfaltete: in der Lombardei, in Südfrankreich, im nördlichen

Ein umherziehender Bettelbruder. Nachdem seit dem späten 13. Jahrhundert das Bettelwesen in den Siedlungskonzentrationen namentlich in Italien, Südfrankreich, den Niederlanden und dem Rheinland zur Massenerscheinung geworden war, bildeten sich offene religiöse Gemeinschaften. Nach unklarer Herleitung Begarden oder Beghinen genannt, wurden diese mehr oder minder institutionalisierten Laienkongregationen von der Kirche argwöhnisch geduldet.

Frankreich und in Belgien. Wanderprediger, besonders die Mönche Robert von Arbrissel, Bernhard von Thiron und Heinrich von Lausanne, sammelten um die Wende zum 12. Jahrhundert Scharen von Männern und Frauen um sich, um arm und unstet das wahre Leben der Apostel zu führen, Gottes Wort zu verkünden und zu hören und – verglichen mit anderen, ähnlich mobilen Massenbewegungen in der Geschichte, allerdings unausgesprochen und bald in der Auseinandersetzung mit der Amtskirche untergegangen – um die Welt zu verändern. Die Kirche gestattete eine solche Veränderung nur in engen Bahnen. Den Vorwürfen der Häresie wußten diese Prediger wohl zu entgehen, ähnlich wie ein deutscher Chorherr, Norbert von Xanten, der eine aussichtsreiche Diplomatenlaufbahn zugunsten der Wanderpredigt aufgab. Alle diese Prediger erreichten auch vorübergehend kirchliche Lizenzen für ihre Volksmission. Aber die Unruhe wurde der Hierarchie dann doch zu stark und der Angriff gegen die adelige Amtskirche allzu deutlich. So suchten die Wanderprediger schließlich Zuflucht in der Gründung neuer religiöser Orden, und die Massenbewegungen endeten hinter Klostermauern.

Immerhin entstand auch dabei etwas Neues: Doppelklöster. Eigentlich hatte es solche Einrichtungen, parallele Konvente für Mönche und Nonnen, schon in der alten Kirche gegeben. In Byzanz waren sie im 8. Jahrhundert endgültig verboten worden. In der westlichen Christenheit lebten sie wieder auf und wurden eine der aufregenden Neuerungen des 12. Jahrhunderts. Männer und Frauen gemeinsam an einem geistlichen Ort, getrennt nach den Baulichkeiten und vereint in der Kirche, häufig unter der Leitung der Äbtissin für die ganze Niederlassung, suchten in sublimiertem religiösem Eros gemeinsam klösterlich zu leben. Zwar wurde das männliche Priestertum dabei respektiert; doch drängten Frauen adeliger und bürgerlicher Herkunft in Scharen in solche Niederlassungen, vielleicht aus sozialer Not, vielleicht auch bisweilen ungeliebten Ehen entfliehend, vielfach offensichtlich religiöse Selbstverwirklichung

Bettler, Krüppel, Kranke gehören zum unvermeidlichen Bestand der spätmittelalterlichen Öffentlichkeit. Wo sie dargestellt wird, wie hier in einem festlichen Einzug, fehlen die bettelnden Ärmsten nicht. Holzschnitt in einem Augsburger Druck von 1477.

Eine Bettelgruppe. Bemerkenswert ist der Unterschied der Kleidung in der Gegenüberstellung; Holzschnitt des 15. Jahrhunderts.

suchend, auch wenn uns keine unmittelbaren Zeugnisse einer solchen Sehnsucht erreicht haben. Die neuen Doppelklöster in Frankreich, Westdeutschland, Belgien und England bestanden nicht lange. Der neue Orden des Norbert von Xanten, die Praemonstratenser, nahmen sich statt dessen der Frauen in großem Maß an, zogen sich allerdings gegen Ende des 12. Jahrhunderts von ihren weiblichen Mitgliedern wieder zurück. Dann waren es die Zisterzienser, 1098 aus der innermönchischen Reformdiskussion entstanden und ursprünglich der Volksbewegung fern, die zahlreiche weibliche Niederlassungen gründeten, pflegten und mitunter bis in die Gegenwart führten. Der religiöse Aufbruch der Frauen war damit allerdings nicht aufgefangen. Er suchte andere Kanäle und entwickelte im 13. Jahrhundert eigene Niederlassungen, die man Beghinenhöfe nannte. Ohne je kirchlich als Orden anerkannt zu werden, fanden die Beghinen weite Verbreitung, namentlich in Nordfrankreich, am Niederrhein und in den Niederlanden.

Weder die Kluniazenser oder die Zisterzienser noch die gregorianischen Reformer hatten die Rückkehr zur Apostelkirche, zu Armut und Predigt gefordert. Kirchenrecht und Theologie führten von diesem Weg eher ab. Gerade deshalb entstand aus der Armutsbewegung ein kritischer Widersacher innerhalb der Kirche, dessen Stimme bis in die Gegenwart nicht verstummte. Im Mittelalter drohte er das mühsam errichtete Kirchengebäude zu zerstören. Dabei war diese Bedrohung offensichtlich nur wenigen begreiflich. Sie wurde vielfach als Abweichung vom rechten Glauben bekämpft oder abgetan. Auch das übrigens nicht ohne die Unterstützung erregter Volksmengen; die Sympathien waren durchaus nicht einseitig verteilt. Mit der Forderung nach Belehrung durch die Bibel trugen die religiös erweckten Laien unmittelbar bei zur Auseinandersetzung um das Ohr und um das Herz der Ungelehrten. Die rusticani, die illiterati, die idiotae, unwissende Bauern vor der kirchlichen Gelehrsamkeit, waren ja nicht nur die besserwissenden Betrogenen, die gerechten Unterdrückten, sondern in ihrem biblischen Rigorismus auch die Protagonisten eines nach unten gerichteten Bildungsprozesses. Dabei konnten sie sich auf ein biblisches Anliegen berufen, alle Völker zu lehren, und der organisierten Kirche vorhalten, daß sie ihre Pflichten versäume. Damit begann eine Auseinandersetzung um das Gewissen jedes einzelnen. Die kirchliche Fürsorge hatte ihn zuvor nur mit ihrem Segen bedacht; jetzt wollte er überzeugt werden. Dennoch ist dieser Trend zur Fundamentalbildung nicht ohne weiteres einer jeden kulturellen Entwicklung förderlich. Der apostolische Rigorismus hätte uns die romanischen Dome vorenthalten, selbst die Pracht der schriftlichen Überlieferung und gar alle weltliche Kunst. Wer das »andere Mittelalter« um der lieben Gerechtigkeit willen sucht, muß sich vergegenwärtigen, daß ein gewisses Kulturniveau immer aus Überfluß rührt, Überfluß aber aus ungleicher Verteilung. Es zählt zur Eigenart einer Kultur, ihre Verteilungsmechanismen zu definieren und zu stabilisieren, und es gehört, nach unserem Werturteil, zu ihrem Niveau, dabei die Würde des einzelnen zu achten. Die Armutsdiskussion, unbekannt noch den Streitern der Kirche von Cluny, auch kein Argument im gregorianischen Papsttum oder in den wenigen überlieferten krichenfeindlichen Zeugnissen vor dem Investiturstreit, hat die mittelalterliche Christenheit fortan nicht mehr losgelassen, bis zur hussitischen Säkularisierung des Kirchenguts, zum reformatorischen Staatskirchentum. Zugespitzt auf die Frage nach der persönlichen Armut Christi in der theologischen Abstraktion der Spätscholastik, setzte sie die Köpfe in Bewegung und führte zu prinzipiellen Erwägungen über soziale Gerechtigkeit und über Zusammenhänge zwischen Reichtum und Kultur. Daß diese Diskussion, oft unter Lebensgefahr vorgetragen, nicht erstarrte, wurde wichtig für unsere Kultur, in der nicht nur Macht gegen Macht, sondern auch Macht gegen Ohnmacht ausgespielt wird. Macht und Ohnmacht ringen miteinander vor ein und derselben Christenheit und wollen da beide gerechtfertigt sein.

Ketzer

Die Abkehr von Christus ist so alt wie das Christentum selbst; Judas bezeugt es. Paulus, der sich bekehrt hatte und also den umgekehrten Weg gegangen war, zeigte besonderes Verständnis: Oportet et haereses esse – es muß auch Ketzer geben, schon allein, um die Erkenntnis des rechten Glaubens zu schärfen.

Das war der Kirche dann auch im Laufe der Geschichte aufgetragen. Die ersten Jahrhunderte sind voll von Streitigkeiten um die rechte Lehre Christi, und kaum war die Zeit der Verfolgung vorbei, mußten Konzilien die rechte

Lehre suchen, bestätigen und nun auch die römische Kaisermacht zu deren Behauptung in Anspruch nehmen. Die westliche Reichshälfte überwand danach alle Gefahren im Hort ihrer Klöster. Zwar wurden im Lauf der Kirchengeschichte nicht selten Mönche zu Häretikern, aber Häretiker gründeten niemals Klöster. Die ehrwürdigen Stätten des abendländischen Mönchtums in Südfrankreich, Italien und Irland bewahrten den Glauben, und ihre Missionare vermochten auch im 6. und 7. Jahrhundert bei den germanischen Großherrschaften, die sich auf römischem Boden gegründet hatten, vornehmlich bei den Franken und den Langobarden, den häretischen Arianismus zu überwinden. Er hatte im 4. Jahrhundert die Kirche beinahe gespalten und verbreitete sich danach am Nordrand des Reiches bei den Goten. Es ging um die Trinität, die Göttlichkeit Christi, um seine Menschwerdung und um die Transzendenz der Sakramente.

Eine neue, tiefgreifende und in ihrer Auswirkung oft unterschätzte Häresie ging im 7. und 8. Jahrhundert durch Byzanz. Diesmal führte der biblische Bericht vom Engelsturz dazu, im Satan den Erstgeborenen Gottes zu erkennen, der im Gegensatz zur transzendenten göttlichen Schöpfung die sichtbare Welt erschaffen habe. Alles Sichtbare ist also Teufelswerk. Der Weg zur Erlösung führt weg aus dieser Welt. Es ist dem Menschen möglich, sich selbst zu erlösen, indem er sich dem Überirdischen zuwendet in harter Askese, Verleugnung seiner Sinne und der Erwartung eines seligen Todes. Eine solche Lehre fordert schier Übermenschliches. Sie war deshalb auch nur für Eliten bestimmt. Unter wechselnden politischen Verhältnissen fand sie aber auch Anhänger und sogar kurze politische Selbständigkeit im 9. Jahrhundert am oberen Euphrat, an der südlichen Peripherie des byzantischen Reiches, ehe sie an den Nordrand verpflanzt wurde, in das neu bekehrte Bulgarien, und dort heidnische und gesellschaftliche Opposition unterstützte.

Im 10. und 11. Jahrhundert taucht dieser radikale Dualismus in Bosnien auf, einem ebenfalls neubekehrten Land, reformiert von einem Priester Bogomil; wohl mit den Kaufleuten gelangt er nach Südfrankreich und Oberitalien. Er wird unterdrückt und scheint lange Zeit verschwunden. Zu Ende des 12. Jahrhunderts trennt neuerlich eine dualistisch orientierte Lehre in Südfrankreich und der Lombardei den Himmel von der sündhaften Erde, rasch verbreitet durch Wanderprediger und eine breite Anhängerschaft. Die Wanderprediger allein vermögen den Gläubigen, auch nach sündhafter Verstrickung in die Welt, Zugang zum Himmel zu verschaffen, und sei es auf dem Totenbett durch das Consolamentum, die Taufe ohne Wasser durch Handauflegen zur Vermittlung des Heiligen Geistes. Sie allein sind die »Reinen«, griechisch, »katharoi«. Daraus ist im Italienischen gazari und im Deutschen das Wort Ketzer geworden.

Nur die Katharer sind also dem Wortlaut nach Ketzer. Das hat eine gewisse Berechtigung, weil viele andere »Ketzereien« nicht geradewegs dogmatisch vom Kirchenglauben abwichen, sondern von Autorität und Lehrgehorsam. Aber die Katharer wurden zum Sammelbegriff für »Ketzer« aller Art durch die Praxis der kirchlichen Gerichte. Glaubensdifferenzen, wie man sie zuvor mit einzelnen ausfocht auf Synoden und vor Bischöfen, mitunter ohne Konsequenzen für die Betroffenen, manchmal, bei Klerikern, mit Klosterhaft, wiederholt auch mit der traurigen Folge, daß die Volkswut einen Abweichler zu dem seit Heidenzeiten benützten Scheiterhaufen schleppte, sind in ihrer Qualität kaum unter dem Begriff Häresie zu fassen. Nicht selten handelte es sich um kirchlich noch Ungeklärtes, und vieles war folgenreich, wie vornehmlich der Streit Berengars von Tours mit seinen Oberen. Berengar, Archidiakon und Lehrer an der Domschule, wollte in der geweihten Hostie nicht den natürlichen Leib Christi erkennen, sondern nur sein wenn auch geheiligtes Symbol. Auf einigen Verhandlungen scheint ihm der römische Kardinal Hildebrand zugestimmt zu haben, der spätere Gregor VII. Er veranlaßte Berengar auch zu einer freilich vergeblichen Verteidigung in Rom und zitierte ihn 1079 als Papst noch einmal an die Kurie. Dort war man damals offenbar selbst unsicher über diese Frage. Berengar mußte schließlich widerrufen. Das Problem trennt die einzelnen Kirchen der Christenheit bis heute.

Unter solchen Umständen ist nicht einfach von Ketzerei zu reden, keinesfalls von der Entschlossenheit dazu. Entschlossen zeigte man sich eher auf der anderen Seite, als man ein, zwei Generationen später die »Theologie« erfand, den Versuch, Glauben zu beweisen und rational zu lehren.

Aus diesem Versuch erwuchsen die Scholastik und andere gewaltige Leistungen des spekulativen Geistes. Aber die Entwicklung führte auch zu Spannungen, an denen einzelne Denker fast zerbrachen. Das gilt namentlich für den »Aufklärer« Petrus Abaelardus, dessen Vernunfttheologie mit großem Optimismus das Geheimnis der Trinität zu erklären suchte, um dieses größte Hindernis zwischen Christen einerseits, Juden und Moslems auf der anderen Seite einer Verständigung zugänglich zu machen. Das gilt auch für seinen Kollegen Gilbert de la Porrée, selbst für den Verfasser eines jahrhundertelang benützten theologischen Lehrbuchs, Petrus Lombardus, und mit besonders weitreichenden Folgen eine Generation später für Joachim von Fiore, dessen Lehre uns noch einiges Nachdenken bereiten soll; den Zeitgenossen machte sie Kopfzerbrechen.

Soviel von den Theologen; unter Laien entstanden »Ketzereien« ebensowenig aus Nachlässigkeit oder Abkehr, sondern aus Eifer, nur daß dieser Laieneifer anderen Ausdruck fand. Er rief nach der Bibel in der Volkssprache, nach einer radikalen Lebensveränderung als Wanderprediger und sinnfällige Nachfolger der Apostel und nach der Predigtfreiheit für alle Christen. Die ersten beiden Forderungen wären womöglich noch zugestanden worden, auch wenn sie kirchlichen Lebensformen widerstrebten. Soweit sie im Rahmen der »rechten Lehre« blieben, führten alle apostolischen Wanderwege ins Kloster. Die Predigtfreiheit aber drohte die Kirche aufzulösen, geradeso wie die Forderung, die Sakramente nur von würdigen Priestern entgegenzunehmen.

Diese letzte Forderung war, anders als apostolische Armut und Laienpredigt, schon mit der Klosterreform von Cluny verbunden gewesen und hatte sich namentlich gegen den städtischen Klerus gewendet, gegen verheiratete, ihres Adelsrangs oder politischer Umstände wegen eingesetzte Prälaten, gegen Pfarrer also, Domherren und Bischöfe, die nach den Kriterien der Reformer ihr Amt unwürdig führten, als »Simonisten« oder »Nikolaiten«.

Auch in solchen Zusammenhängen konnte die Kirche das spätantike Verwaltungsreglement nicht verleugnen, und gerade bei der Ketzerbekämpfung stand sie im Begriff, sich noch stärker festzulegen. Dabei ging es natürlich auch um die Durchsetzung päpstlicher Interessen gegen die Kaiserpolitik. So kam es zu den Kämpfen der Patarener in Mailand gegen den kaiserlichen Erzbischof und seinen Anhang, von dem schon die Rede war. Als die Gregorianer in Rom gesiegt hatten, waren die radikalen Bundesgenossen nicht mehr ganz so willkommen. Die oberitalienischen Patarener glitten mit ihrem Reformeifer geradeso ins Abseits wie eine andere Laienbewegung, die in aller Demut, humilitas, ein Klosterleben in ehelicher Gemeinschaft aufbauen wollte. Ein solcher Versuch wurde immer wieder einmal unternommen, mit oder ohne religiöse Vorzeichen. Er gelang nicht. Auch die Humiliaten scheiterten.

So war denn also mehr Eifer da, als in den kirchlichen Bahnen Platz hatte. Neue Bahnen wurden aufgetan: neue Orden. Der Versuch der Humiliaten fand zwar keine Billigung, aber die Wanderprediger um die Wende zum 12. Jahrhundert waren zu Ordensgründern geworden, und in besonderer Weise fanden die von Norbert von Xanten zu Regel und päpstlicher Anerkennung geführten Prämonstratenser, nach dem französischen Gründungsort Prémontré, unter jungen Leuten Zulauf. Auch die Doppelklöster hielten sich noch eine Weile. Besonderes Gewicht aber gewann plötzlich eine neue Ordensvariante, die eigentlich ohne Beteiligung von Laien aus der Diskussion unter den Benediktinern hervorgegangen war. Zu Ende des 11. Jahrhunderts erschienen nämlich vielen die Kluniazenser ihrerseits als reformbedürftig, namentlich im Hinblick auf eine neue, harte Askese, auf Abkehr vom aristokratischen Prunk in Kirche und Liturgie und der damit verbundenen ausführlichen Zelebrität. Eine benediktinische Variante entstand in Cîteaux. Diese Zisterzienser machte zwanzig Jahre danach ein junger Feuerkopf auf einmal berühmt in Europa, so daß ihr Orden in den nächsten hundert Jahren mehr als zweihundertfünfzig Häuser umfaßte, Bernhard von Clairvaux.

IV
Geistliche, geistige und weltliche Abenteuer

Neue Ketzer – neue Orden

Die Häretiker des frühen 11. Jahrhunderts, die man in der Champagne, in Mainz, in Aquitanien, in Orléans, in Arras und dann wieder bei Turin aufspürte, die in Spanien, aber auch in Goslar ihre Lehren an den Mann bringen wollten und dabei verhört wurden, schienen vom östlichen Bogumilentum beeinflußt. Es kennzeichnet sie jedoch auch »in ganz verschiedenen Kreisen und auf sehr verschiedene Weise ein Drang, auf eigenen Wegen christlich zu leben und zu denken, statt nur der Kirchenlehre und den Priestern zu vertrauen« (Herbert Grundmann). Sie sind darin jenen protestierenden Laien zu vergleichen, die in Mailand mit dem Schimpfnamen Pataria bedacht, »Lumpenpack«, doch zu Helfern der kurialen Reformpartei wurden und den Segen Gregors VII. erhielten. Erst neunzig Jahre später tauchten wieder Abweichungen vom Kirchenglauben auf, 1143 zunächst in Köln, dann eine Generation später offenbar weitverbreitet und in einem Konzil ihrer »Bischöfe« bei Toulouse in ihrem Glauben fester auf den östlichen Dualismus ausgerichtet. Nun entstand aus den »Katharern« eine organisierte Gegenkirche. Daß der Dualismus zwischen Gott und Satan, dem sie fortan deutlicher anhingen, eigentlich die radikale Weltabkehr verlangte, einschließlich des Verzichts auf Kinderzeugung, verminderte die Anhängerschaft der »guten Christen« keineswegs, weder beim Adel, schon gar nicht dem südfranzösischen, noch in den Städten. Hatte doch auch die alte Kirche den Gedanken der stellvertretenden Askese eingeübt: daß die Mönche stellvertretend für alle der Welt entsagten und die Priester stellvertretend für alle beteten, um damit auch die Laien zu retten. Aber anders als viele Priester, die man des geistlichen Betrugs bezichtigte, lebten die »Reinen« zumindest in den Augen ihrer Anhänger mit missionarischem Eifer nach dem Vorbild der Apostel: wandernd, predigend, von ihrer Hände Arbeit, oft als Weber, so daß dieser Beruf in Südfrankreich auch zu einem Tarnnamen und zum Synonym für Ketzerei geworden ist.

Die Kirche zeigte sich zunächst einigermaßen hilflos. Nicht nur aus Schuldgefühl. Sie selbst hatte ja in einer inneren Reform die Laien zu Zeugen, zu Mitsprechern und damit auch zum religiösen Selbstbewußtsein aufgerufen. Die Anhänger des gregorianischen Papsttums waren vor und noch lange nach dem Investiturstreit aufklärend umhergezogen; die Wanderpredigt um die rechte Reform der Kirche war vielgestaltig, die Autorisierung unklar. Als sich der Lyoneser Kaufmann Waldes nach einem inneren Bekehrungserlebnis, wie es fortan noch von vielen berichtet werden wird, und nach biblischem Vorbild zur Verteilung seines Besitzes unter die Armen entschloß, sich von seiner Familie trennte und als Wanderprediger Gleichgesinnte anzog, entstand eine umfangreiche Laienbewegung, die sich um Kirchentreue bemühte. Auch diese Chance, die Ketzer mit ihren eigenen Mitteln zu schlagen, erkannte und nutzte die Kurie nicht. Waldes, der auf dem dritten Laterankonzil 1179 in Rom vielleicht sogar persönlich um Predigterlaubnis nachsuchte, traf dort, wie erzählt wird, auf einen Papst, der ihn umarmte und seinen Eifer lobte, aber auf abwehrende und arrogante Kleriker. Walter Map, der sich als burlesker Erzähler und Spötter von Rang in der Gunst des englischen Königs hielt, ein Weltmann ohne Sinn für fromme Einfalt, führte die »Waldenser« mit einer Begriffsdefinition aufs Glatteis und ließ ihre treue Unbeholfenheit im Gelächter untergehen. Ein paar Jahre später waren auch die Waldenser zu einer Gegenkirche geworden, die alle Verfolgungen überlebte, die erste Reformation in der westlichen Christenheit, wenn man so will, die aber im Untergrund blieb. Sie hielt sich bis in die neueren Zeiten konfessioneller Toleranz am Leben, und heute steht die waldensische Hochschule in Rom unweit des Vatikans.

Erst 1184 suchten sich die Päpste durch eine erste Erklärung in Glaubenssachen gegen die Abweichler zu wehren; zögernd, noch ohne ein rechtes Instrumentarium. Dann kam ihnen noch einmal der fromme Eifer aus Laienkreisen zu Hilfe: Eine ganz neue Art von religiösen Orden entstand, entschlossener noch als die an sich schon vom Vorbild abgewichenen Prämonstratenser, die apostolische Armut in radikalem Sinn aufzunehmen und ganz für Seelsorge und Bekehrung der verirrten Schafe zu leben, zumal der Katharer.

Die französische Handschrift aus dem 13. Jahrhundert zeigt der Ordenstracht nach einen predigenden Dominikaner vor einem unterschiedlich bußfertigen Publikum – wenn sich die verschiedenen Kopfhaltungen und Mienen so deuten lassen.

Im Sinn des Inquisitionsauftrags für die Dominikaner deutete der Volksmund auch den Ordensnamen um und setzte anstelle des Gründernamens Dominikus die Herleitung: Domini canes – Hunde des Herrn. Dem entspricht in diesem Florentiner Fresko aus dem 14. Jahrhundert auch die Darstellung der schwarzweiß gefleckten Hunde im Kampf mit Wölfen unter den predigenden und lehrenden schwarzweiß gekleideten Predigtbrüdern.

Zuerst war es der spanische Edelmann Dominicus Guzmán (1170–1221), der auszog, die Kirche in Spanien, in Südfrankreich und in Oberitalien zu retten. Als junger Domherr und Begleiter seines Bischofs lernte er den Umfang der Ketzerbewegung und die Vergeblichkeit kirchlicher Bekehrungspredigten kennen. Mit einem Leben in apostolischer Armut und Wanderpredigt suchte er der Kirche aufzuhelfen. Seine Ordensregel von 1218 schuf jedoch ein neues Mönchtum, nicht nur von den Benediktinern unterschieden, sondern auch anders als Zisterzienser und Prämonstratenser, die dem 12. Jahrhundert ihr Gepräge gegeben hatten. An die Stelle des ortsgebundenen, seinem Abt ergebenen, der Liturgie zugewandten Mitglieds einer kollektiven Gutswirtschaft trat der predigende, wandernde, bettelnde, aber wohlausgebildete Priestermönch neuer Art, der sich zum Leben unter der Ordensregel verpflichtete, aber ohne Ortsbindung, und der seinem auf drei Jahre gewählten Hausoberen nicht wie ein Sohn ergeben war, sondern, gleich einem Ordensritter, dem auf Lebenszeit gewählten Generalmeister persönliche Treue geschworen hatte. Albert Hauck hat die Verfassung der Dominikaner als »das Vollkommenste monastischer Korporationsbildung im Mittelalter« bezeichnet. Man muß diese Vorzüge aber im Zusammenhang mit der Zeit sehen: Dominicus und seine Berater hatten mit treffendem Blick nicht nur einen Weg gefunden, ihre Ketzermission glaubhafter zu machen als die Prälaten, sondern sie hatten auch dem wachsenden Städtewesen Rechnung getragen, seiner Gemeindeverfassung mit wechselnden Vorsitzenden und der neuen Mobilität. Zudem hatten sie den Orden von vornherein den neuen Studienmöglichkeiten erschlossen, und bald dominierten ihre Professoren an der jungen Universität Paris.

Auffällig ist die rasche Verbreitung des Ordens in Mitteleuropa. Der Nachfolger des Ordensgründers hieß Johann von Sachsen (1222–1237), und schon damals war der Orden von England bis Jerusalem verbreitet. Wie hundert Jahre zuvor den Zisterziensern und Prämonstratensern, so strömten jetzt Tausende junger Menschen den Konventen der Dominikaner zu. Um 1300, drei Generationen nach der Ordensgründung, schätzt man ihre Mitgliederzahl auf dreißigtausend und mehr.

Auf anderen Wegen, nicht unter Klerikern, sondern unter ebenso von der Idee radikaler freiwilliger Armut ergriffenen jungen Männern ohne kirchliche Bildung entstand der andere große Bettelorden, ebenso nach seinem Gründer benannt, dem Kaufmannssohn Franziskus von Assisi (1182–1226). Eine eigenwillige Persönlichkeit im Milieu einer reichen mittelitalienischen Stadt, über die wir besser unterrichtet sind als über manch anderes Lebensschicksal, sammelte er in demonstrativer Besitzlosigkeit junge Leute um sich, »Aussteiger« im Namen radikalen religiösen Ernstes. Die absolute Kirchentreue schützte den Laien Franziskus vor der Verfolgung. Die Einsicht zweier Päpste, Innozenz III. und seines Nachfolgers Honorius, verhalfen der ungeregelten Gemeinschaft zu festen Formen. Das sicherte ihr das Überleben vor widerstrebenden kirchlichen Oberen. 1223 wurde, nach zwei Anläufen, die Ordensregel päpstlich approbiert.

So entstand eine von den alten Orden weit abweichende Verfassung. Ein Generalminister, Provinzobere und Guardiane für die einzelnen Häuser lassen auch hier in der Ordensstruktur zentralistisches Denken in räumlicher Gliederung erkennen, wie es inzwischen auch die weltlichen Verwaltungen anstrebten. Die Ordensmitglieder sollten vom Bettel und, anders als die Dominikaner, auch von Handarbeit leben. Die elastischere, fälschlich mitunter demokratisch

Die Dominikaner, besitzlos, durch Predigt und Inquisitionsauftrag an Städte gebunden, spannen um 1300 ein Netz kirchlicher Aufsicht über die lateinische Christenheit.

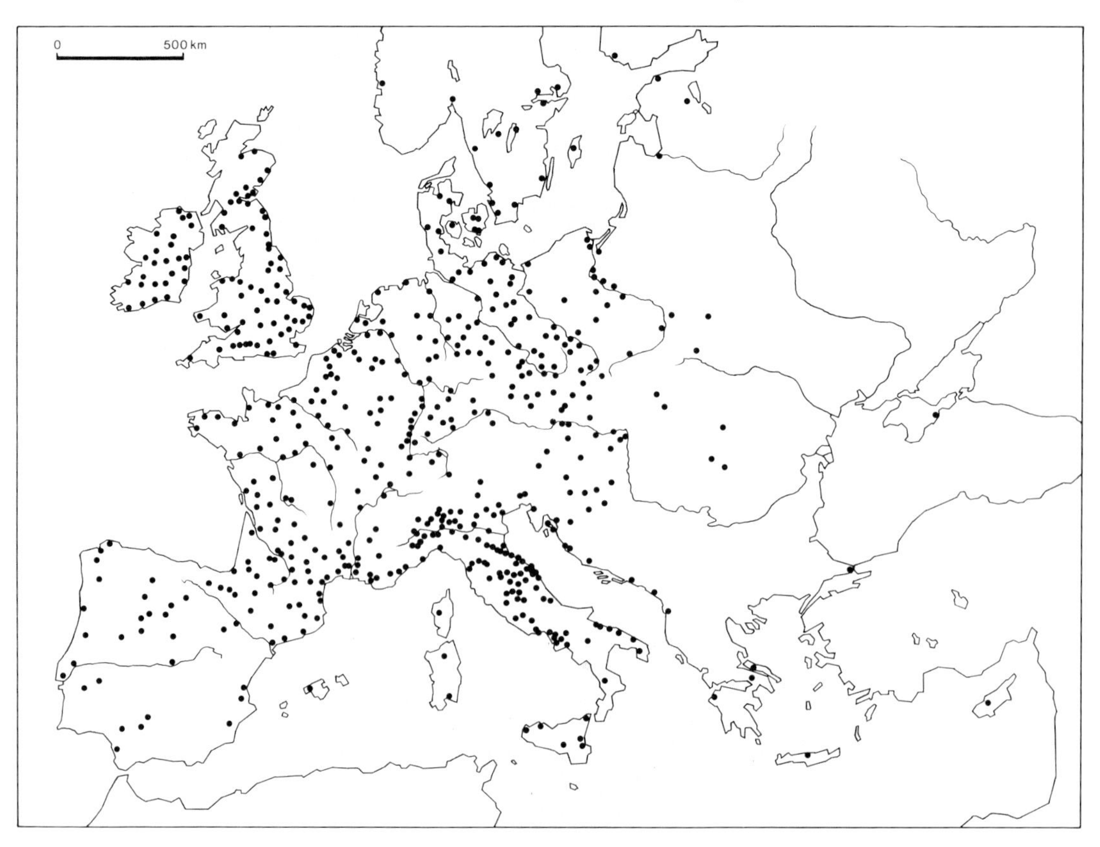

genannte Verfassung sieht den Ordenszweck allerdings nicht in der aktiven Predigt und Bekehrung wie die Dominikaner, die sich von Anfang an als »Predigerorden« bezeichneten; es entsteht vielmehr ein Zusammenschluß der »Minderbrüder«, der Armen und Geduldigen, die mehr durch ihr Vorbild als durch ihre Ziele wirken.

Das gilt vornehmlich für Franziskus, der, wenig jünger als Dominicus, sein Leben nach vierundvierzig Jahren in Ruhelosigkeit, Entbehrung und Ekstasen aufgezehrt hatte. Die Minderbrüder verbreiteten sich geradeso rasch und noch stärker als die Dominikaner unter der Christenheit, besonders in Städten. Der Zugang zu ihren Konventen setzte weder Bildung noch Vermögen oder Priestertum voraus. Um 1300 soll es vierzigtausend Franziskaner in der lateinischen Christenheit gegeben haben, untereinander nicht ganz einig über das rechte Ordensleben im Sinn des Gründers, wie sich noch zeigen wird, aber in mehr oder minder radikaler Armut Vertreter einer neuen, einer einhundert Jahre zuvor noch ganz unerhörten Kirchlichkeit.

Im Lauf des 13. Jahrhunderts entstanden insgesamt vier große sogenannte Bettelorden; eine Generation nach Dominikanern und Franziskanern, die so stark vom persönlichen Einsatz ihrer Gründer geprägt waren, wurden 1245 die Verfassung der Karmeliter und 1256 die der Augustinereremiten auf den Bettelordensstatus gebracht. Damit war diese Ordensidee endgültig sanktioniert. Beide Orden lebten aber etwas ferner dem religiösen Getriebe des städtischen Lebens, eher der Wissenschaft und der frommen Betrachtung zugewandt. Die

Der Bettelorden der Franziskaner errang mit seinen Niederlassungen und den angeschlossenen Laienverbänden (Tertiarier) Massenverbreitung, namentlich in Italien und an den großen Handelsstraßen. Seine Organisation der geistlichen Armut erreichte die ganze Christenheit entsprechend der Dichte des Städtenetzes.

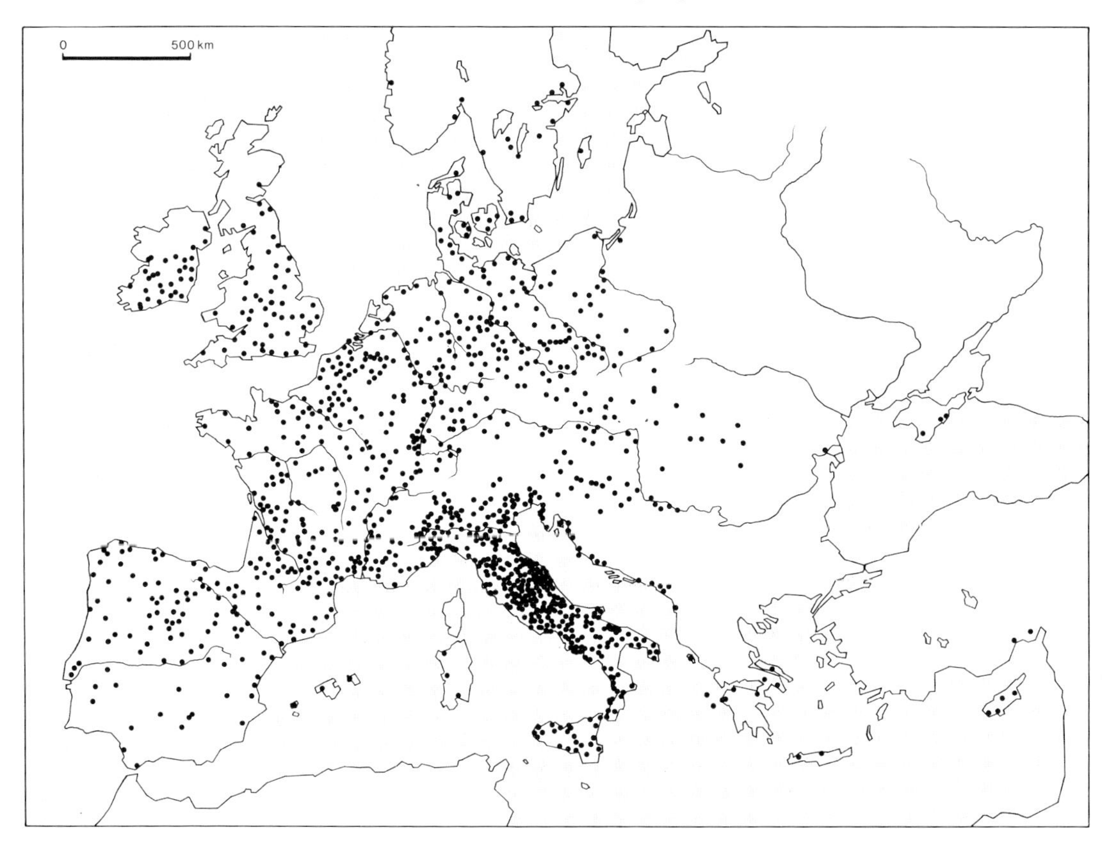

Die ehemalige Franziskanerkirche in Toulouse hatte in einem Schlußstein des Gewölbes das Bild des Ordensgründers festgehalten und ihn, mit den Wundmalen Christi, in der Offenheit seiner Zuwendung gezeigt.

Der heilige Franziskus nach der grandiosen Sicht Cimabues, etwa zwei Generationen nach seinem Tod. Giovanni Cimabue selbst zählt zu den großen Interpreten des pathetischen Personalismus im wegweisenden Aufbruch der neuen europäischen Malerei.

Augustinereremiten sollten zweihundertfünfzig Jahre später noch besonders von sich reden machen: als Orden Martin Luthers und vieler seiner Gefährten im ersten Aufbruch der deutschen Reformation.

Die Bettelorden bildeten eine späte, aber wirksame Antwort der organisierten Kirche Christi auf die Armutsbewegung, aber auch auf den religiösen Enthusiasmus Tausender Frauen. Dominikanerinnen verbreiteten sich rasch, in Deutschland schon seit 1226, etwa gleichzeitig mit den Männerklöstern. Franziskus fand ein noch deutlicheres Echo bei einer adeligen Tochter aus seiner Vaterstadt, die sein Leben nachahmte und zur Ordensgründerin wurde, die heilige Klara (1194–1253). In ihr ist die religiöse Frauenbewegung auf besondere Weise personifiziert, und mag es auch wirtschaftliche, persönliche, soziale Ursachen aller Art für den Zustrom von Frauen in klösterliche Sicherheit gegeben haben, ohne den religiösen Enthusiasmus wäre die ganze Bewegung unverständlich. Klara floh aus ihrem vermutlich wohlhabenden Elternhaus, wurde von Franziskus aufgenommen und gründete unweit von Assisi einen Frauenkonvent. Schließlich zog sie Mutter und Schwester nach. Der glühende Eifer bewegte die adelige Asketin bald zu Wundertaten, obwohl sie, schwächlich und in ihrer zweiten Lebenshälfte bettlägerig, die Verbindung zur Welt nicht suchte. Die Hartnäckigkeit aber, mit der sie die Lebensregeln ihrer Niederlassung und der in Italien rasch wachsenden Konvente vor Papst und Kardinälen weiter formte und verteidigte, läßt die religiöse Kraft in ihrem schwächlichen Körper ahnen.

Auch die Klarissinnen verbreiteten sich rasch außerhalb Italiens, und keine geringere als die böhmische Königstochter Agnes brachte den Orden nach Mitteleuropa. Aus ihrem Kloster in Prag ging später überdies ein männlicher Krankenpflegerorden hervor. Das erinnert daran, daß die Bettelorden mit städtischer Sozialpflege in den weniger entwickelten Stadtlandschaften Mitteleuropas etwas andere Aufgaben suchten als im Süden. In diesen Zusammenhang gehört auch der erstaunliche Einsatz von Königstöchtern für diese Aufgabe. Nicht nur die Prinzessin Agnes von Böhmen verließ den Königshof und führte ein Elendsdasein unter den Kranken der wachsenden Hauptstadt, sondern

Vielleicht die erste Darstellung der Landgräfin Elisabeth: als Allegorie der Misericordia inmitten der Werke der Barmherzigkeit. Hildesheim, Dom, Taufbecken 1230.

auch die Prinzessin Margarete von Ungarn, die Herzogswitwe Hedwig von Liegnitz, die Landgräfin Elisabeth von Thüringen. Verwandtschaft, Verbindungen zu den Bettelorden, die Zeitströmung vereinten sie; eben diese Zeitströmung gilt es zu begreifen.

Natürlich wirkte die fromme Bewunderung der freiwilligen Armut der Prinzessinen sozial integrativ; ihre Fama war den Kommunikationsformen der Zeit angemessen, und die Legenden, die sich zu Lebzeiten um sie rankten, gingen unmittelbar nach ihrem Tod in kultische Verehrung über. Aber auch Franz und Dominicus wurden von den Gläubigen spontan zur Ehre der Altäre erhoben. Die Kirche nahm die neuen Ideale auf und war dafür weit genug.

Von großer Bedeutung wurde die Verbindung der Bettelorden zu den neuen Universitäten. Der Aufbruch dieser Gemeinschaften, auf ihre Art ebenfalls »Ordensgründungen«, wird uns noch beschäftigen. Ihr Ansehen jedenfalls schien Dominicus bedeutsam genug, seinen Jüngern den Weg dorthin zu ebnen. Auch Franziskus, eigentlich der heiligen Einfalt ergeben, schloß den Nutzen des Studiums für religiöse Innerlichkeit nicht aus.

In diesem Zusammenhang brachten die Dominikaner unter anderen auch einen in Padua vom Ordensgeneral persönlich angeworbenen Studenten der Rechtswissenschaften nach seiner Grundausbildung zum weiteren Studium nach Paris, einen Deutschen, Albert von Bollstädt, von dem die Welt bald reden sollte. Dieser Albertus, aus unklaren Gründen mit dem Beinamen »der Große« bedacht, stellte ein reiches, ungewöhnlich arbeitsames und unerschrockenes langes Leben (1193–1280) ganz in den Dienst der großen Herausforderung christlicher Wissenschaft durch die griechische Philosophie. Wir werden davon noch hören. Einstweilen ist wichtig zu sehen, daß Albert, der erste deutsche Professor überhaupt, in Paris eine Ära der Bettelmönche auf den Kathedern heraufführte, mit Thomas von Aquin, seinem bedeutendsten Schüler, mit Robert Grosseteste, Johannes Bonaventura und Johannes Duns Scotus auf der franziskanischen Seite. Ein Protest des Weltklerus gegen diese Vormacht der Bettelorden 1256 blieb erfolglos. Beide Orden stellten noch hundert Jahre lang die bedeutendsten Köpfe ihrer Zeit.

Die neuen Hohen Schulen

Nicht die Allegorie im Dom von Hildesheim, sondern der Elisabethschrein in Marburg bleibt den Realitäten nahe: Da wirkt die Heilige leibhaftig unter den Elenden, und wir können nicht nur ihre Hingabe bewundern, sondern auch die Speisung eines Gelähmten und die Mahlzeit noch junger und rüstiger Armer beobachten. Aufmerksamkeit verdienen auch Trinkgefäße, Kleidung und Möbel.

Neue Ketzer und neue Orden, dazu die religiöse Frauenbewegung – gibt es wirklich Grund, Gemeinsamkeiten zu sehen? Und auf der anderen Seite die kirchliche Gegenwehr: Sehr spät erkannte Bereitschaft, die existentiellen, nicht die theologischen Argumente der Ketzerbewegung mit gleichen Mitteln zu erwidern, schließlich aber neue Verhärtung und ein allmählich wachsendes Regulativ theologischer Normen, nach denen die Kirche sich selbst definierte und andere zu verketzern wußte: wuchs auch das aus demselben Zusammenhang?

Vielleicht finden wir eine Antwort leichter, wenn wir noch mehr Fragen stellen. Zum Beispiel: Kann man in diesen Zusammenhang auch die merkwürdige Veränderung rücken, die um dieselbe Zeit das Schulwesen erfaßte, besonders die Domschulen an den Bischofssitzen und die Ausbildungsstätten für Rechtsgelehrte in Oberitalien, wo man nie aufgehört hatte, Rechtsakte an eine gewisse Schriftlichkeit und Gerichtsverfahren an rhetorische Gewandtheit zu binden, obwohl die Tradition zum geschriebenen römischen Recht auch da zunächst abgerissen war? Läßt sich derselbe Zusammenhang vielleicht auch in den Bauhütten finden, die, ganz anders in ihrer Art, im nördlichen Frankreich wie in Oberitalien über Jahrzehnte hin eine Konjunktur in religiösen Großbauten erfuhren und dabei neue Techniken entwickelten? In Nordfrankreich entstand das »gotische« Bauen, die »französische Art«, wie die Zeitgenossen sagten, mos francigenus. Aber auch in Oberitalien, in Pisa, in Lucca, in Pistoia, in Siena, in Orvieto, in Florenz entstanden Kirchen in Serienbauweise mit vorgefertigten Teilen, ähnlich wie in Speyer und Hildesheim, nur ohne die neue Wölbetechnik und ohne die Zieraten, ohne das »gotische Design«, wie es sich in Nordfrankreich und im normannischen Raum verbreitete.

Nicht zuletzt war auch in die adelige Gesellschaft neues Leben geraten. Man umbaute die engen Wohn- und Wehrtürme auf den Höhen, man ersetzte Erdwerk und Holzzäune durch steinere Mauern, man machte Wasserburgen wohnlich. Man legte überhaupt neue Burgen als größere Anlagen an, mit Herrenhäusern und beheizten Kemenaten um den alten, den ursprünglichen »Bergfried«, und nutzte sie schließlich, im Verwaltungsausbau, als Amts- und Herrensitze. Man lernte, neu, feiner zu leben. Man lud reisende Liederdichter ein, man suchte Feste zu geben, als Mäzen hervorzutreten, kurz: Ein neues Geltungsbedürfnis erfaßte die Größeren und Großen. All das bezog seine Möglichkeiten nicht nur aus neuer sozialer und räumlicher Mobilität, sondern auch aus verstärktem Ichbewußtsein. Schließlich aber, nach diesem Stichwort: Ist es erlaubt, dieses neue Ichbewußtsein gleichermaßen in wirtschaftlicher Unternehmungslust, religiösem Aufbruch und ritterlichen Abenteuern zu suchen?

Versuchen wir uns zunächst an dem Phänomen der neuen Universitäten. Zwischen 1150 etwa und dem Ende des Jahrhunderts entstanden in Italien, in Nord- und Südfrankreich, in England und Spanien neue Korporationen, nicht dem Ordensleben zugedacht, auch keinen wirtschaftlichen Zwecken. Meist an Domschulen untergebracht, aber mit eigener Organisationsform, bildeten sie

Begräbnisszene aus dem 14. Jahrhundert, Elisabethkirche Marburg. Die Heilige ist hier zweimal zu sehen: im Sarg, wobei die gekreuzten, nicht gefalteten Hände als alte Totenhaltung auffallen; danach als Seelenbild, klein, aber abweichend von anderen Seelenbildern nicht kindlich dargestellt. Über dem Sarg Maria als Himmelskönigin zwischen Christus und dem 1240 verstorbenen Landgrafen Konrad, im Totengewand der Deutschordensritter. Konrad ist hier als »Gründer dieses Klosters« apostrophiert und eigentlich auch in die Schar der Seligen erhoben. Er war der jüngste Bruder des 1227 auf einem Kreuzzug verstorbenen Gemahls der heiligen Elisabeth, hatte sich sehr um die Verehrung seiner Schwägerin verdient gemacht und trat 1234 in den Deutschen Ritterorden ein, der ihn in seinem Todesjahr zum Hochmeister wählte. Wieder verdienen die Armen besondere Aufmerksamkeit: diesmal sind es Bresthafte, mit Krücken, Handstützen, schlecht oder auch nur mit einem Hemd bekleidet.

Gemeinden, ähnlich den Kaufleuten, von überwiegend Ortsfremden, Weitgereisten, Reisenden. Junge Männer zumeist, mit Bildungsvoraussetzungen, die anderwärts schon als hinlänglich galten für kirchliche Karrieren, ohne Standesgrenzen. Dazu ältere, Lehrende, ohne Bindungen, von den Gaben der Belehrten lebend.

Die neuen Gemeinschaften hielt ein eigentümliches Ethos zusammen: nicht das Lehren und Lernen in Wechselseitigkeit, sondern gemeinsames Fragen. Mehr war das noch nicht, aber es wurde dennoch bald schulmäßig ausgebildet: Fragen, in fester Form an jene Texte gerichtet, die bislang als Autoritäten galten, Bibel und Welt zu erklären. Man fand einen Weg, die Auskünfte zu zergliedern, zu vergleichen, zu diskutieren. Als Diskussionsgemeinschaften sind die neuen Gruppierungen vielleicht am besten benannt. Was sie wirklich zusammenführte außer der Neigung, sich im Streitgespräch hervorzutun und dabei das geistige mit dem sozialen Abenteuer zu verbinden? Die juristische Schulung, auf der in Oberitalien der Akzent lag, gibt pragmatische Absichten an. Die Anziehungskraft französischer Schulen ist schwerer zu deuten.

Vielleicht verhelfen uns die Sorgen des berühmtesten dieser neuen Scholaren, Petrus Abaelards (1070–1142), zu mehr Einsicht. Seine »Privatschule«, offenbar nur abhängig von der Genehmigung des Ortsbischofs und im übrigen allen Interessenten zugänglich, sprach nämlich auch die schwächste Seite des neuen intellektuellen Lebens an. Schon diesem Erzphilosophen sagte man nach, daß er außer der Wahrheit auch noch Erfolg und Einkommen suche, laus et pecunia, also Lob und Geld. Waren die freien Magister zu dieser Zeit auf das Schulgeld der Studenten angewiesen, so suchten die Universitäten später noch nach anderen Einkünften. Tatsächlich hatte es bis zur Gründung der Bettelorden keine kirchliche Institution gegeben, für deren Lebensgrundlage nicht gesorgt war. Diese fatale Parallele verfolgt die Universitäten bis zur Gegenwart. Man behalf sich mit kirchlichen Pfründen. Seit 1265 verteilten die Päpste jährlich solche Benefizien, etwa Pfarr- oder Vikarseinkünfte, an bedürftige Magister, und die einzelnen Universitäten gewöhnten sich daran, jährlich bei der Kurie Stipendiaten vorzuschlagen. Aber dadurch entstanden natürlich auch damals schon Abhängigkeiten.

Bald nahmen sich Kaiser und Könige der Hohen Schulen an. Das Schutzprivileg Barbarossas von 1158, das ihm freilich keine sonderlichen Ausgaben bereitete, beruht vielleicht auf der Fürsorge spätrömischer Kaiser für Lehranstalten, von der das gerade in dieser Zeit und besonders in Bologna wieder gepflegte Gesetzeswerk Kaiser Justinians (527–565) Zeugnis gibt. Umfassende weltliche Fürsorge erfuhr eine Universität allerdings erst 66 Jahre später, 1224, als Kaiser Friedrich II., auch hier mit genialem Weitblick, in Neapel eine Ausbildungsstätte für seine Beamten gründete. Die spanischen Könige sorgten ebenfalls für Universitätsgründungen in jedem der Teilkönigreiche; Alfons der Weise von Kastilien und Léon (1223–1284) erließ die eingehendsten Statuten. Auch der König von Frankreich war in dieser Zeit einigermaßen um die Universität Paris besorgt, aber daneben entstand noch eine Reihe anderer; teils, wie Paris, mit dem Schwerpunkt auf der »philosophischen«, der Artistenfakultät und der Theologie, teils als Rechtsschulen. Außerhalb des königlichen Machtbereichs gab es seit 1180 eine besonders der Medizin gewidmete Hohe Schule in Montpellier, deren Lehrer teils von einer älteren Medizinschule in Salerno gekommen waren, wo bekanntlich auch der »arme Heinrich« Hartmuts von Aue Heilung suchte. Nicht minder bedeutsam scheint in Montpellier auch die Anwesenheit jüdischer Ärzte aus Spanien gewesen zu sein, die hier für eine Weile lehren durften und arabisches Wissen vermittelten, das freilich auch aus Salerno einfloß. Hier in Montpellier jedenfalls wurde, nach vorbereitenden Übersetzungen in Salerno, die Medizin zum anerkannten Bücherwissen, zur Fakultät. Und hier wie in Salerno lehrte diese Fakultät in enger Verbindung mit einem Hospital – die Universitätsklinik wurde also zugleich mit der medizinischen Fakultät geboren.

Städtische Universitäten in Italien, in Frankreich und eine kleinstädtische Gründung an einer Wegkreuzung in Oxford, von der sich bald Cambridge abspaltete, königliche Fürsorge in Neapel, in Paris, auf der iberischen Halbinsel – und keine Universität in Deutschland? Damit sind wir wieder bei der Frage, warum die Universität entstand. Das Motiv, das Herbert Grundmann sieht, »gelehrtes Interesse … spontanes Wissen und Erkennenwollen«, gilt heute allenfalls für künftige Privatdozenten. Es dürfte im 12. Jahrhundert nicht anders gewesen sein. Nur spielte da, beim diskursiven Wissenschaftsbetrieb der Zeit, die Lust an rhetorischer Selbstbehauptung eine größere Rolle, als sie unseren manchmal schläfrigen Kollegien abzugewinnen wäre. Das lehrt uns nicht nur das Selbstzeugnis Abaelards. Im übrigen aber scheint das geistige Leben in Deutschland noch durch die alten Domschulen befriedigt, so wie man die Dome vorerst noch romanisch baute und die »französische Art« gelegentlich ausdrücklich ablehnte. Weder die Reichsbischöfe in ihrer fürstlichen Position noch ihre weltlichen Standesgenossen zeigten sich an der Neuerung interessiert, zumal der Kaiser in der ersten Hälfte des 13. Jahrhunderts, Friedrich II. (1216–1250), vornehmlich in Unteritalien residierte und die zweite Jahrhunderthälfte ausgefüllt war mit dem Interregnum und danach dem mühsamen Wiederaufstieg der königlichen Macht unter Rudolf von Habsburg (1273–1291).

Aber damit nicht genug: Die Gesellschaft in Mitteleuropa war schwerfälliger als im Westen oder im Süden. Die Abenteuerlust des fahrenden Scholaren führte zwar einzelne nach Paris, Montpellier oder Bologna, aber das städtische Milieu in Deutschland war nicht in vergleichbarer Weise bereit zur Aufnahme von Studenten. Die große persönliche Herausforderung der neuen Orden, der Universitäten und, im Untergrund der Gesellschaft, auch der Ketzer wirkte in Deutschland weniger als in den mobileren Regionen, und die Tendenz nahm dabei von Westen nach Osten ab. Das zeigen die Niederlassungen der neuen Orden, das zeigen auch die Akten der Ketzerverfolgung, das belegen schließlich die Gründungen der neuen Universitäten. Von zahlreichen Fehlgründungen abgesehen, gab es um 1300 westlich des Rheins und südlich der Alpen fünfzehn, und erst eine neue Gründungswelle, ausgelöst durch Kaiser Karl IV., sollte in der zweiten Hälfte des 14. Jahrhunderts diese Zahl auf das Doppelte erhöhen; darunter waren auch Neugründungen in Mitteleuropa: Prag, Wien, Krakau, Heidelberg, Erfurt und Köln.

Eine Urkunde Kaiser Karls IV. für die Universität Siena von 1357 zeigt die kalligraphische Schönheit und die organisatorische Ordnung des kaiserlichen Kanzleibetriebs. Zum Siegel, von dem noch die Seidenschnüre vorhanden sind, trat seit Karl dem Großen das herrscherliche Monogramm als Kombination einzelner Buchstaben. Der Entstehungsgang der Urkunde im Kanzleibetrieb ist rechts unten auf dem Pergamentumschlag vermerkt.

In nomine sancte et individue trinitatis feliciter amen. Karolus quartus divina favente clementia Romanorum Imperator semper augustus et Boemie Rex Ad perpetuam rei memoriam. [illegible]

Wenn nun aber nicht nur der gelehrte Wissensdrang, sondern auch die persönliche Selbsterprobung und -behauptung des mobileren Individuums in »jenem so unglaublich schöpferischen 12. Jahrhundert« (P. Classen) der eigentliche Grund für die Schulgründungen war, dann darf man einen Niederschlag davon auch anderswo als in gelehrten Schriften erwarten. Auffallend ist zunächst der gedankliche Umbruch, der mit den neuen Schulen zusammengebracht wird:

»Es blühte einst das Studium / verwandelt ist's in Ekel nun ...«

Das klagt ein Vertreter der »alten Schule«, weil er Lehren und Lernen durch neue Formen, das breite Wissen von ehedem durch die formgewandte Diskussionstechnik der Neuerer verdrängt sieht. Einst mußte man viele Autoren lesen, um mitreden zu können, aber:

»weil nun die Teenager sogar / der alten festen Schulzucht bar
des Meisteramts sich unterwinden / so stolpern Blinde vor den Blinden.«

Wir haben recht gehört. Beklagt wird nicht nur ein Generationenproblem, sondern auch seine sozialen Folgen, die im freien Schulbetrieb den Konkurrenzkampf der Magister besonders folgenreich werden lassen:

»O Dialektik, Kunst genannt / wärst du doch niemals uns bekannt!
Die du viel Kleriker arm gemacht / und gar ins Elend hast gebracht!«

Universitäten sind nicht nur Lehrstätten. Sie sind auch Stätten der Begegnung, der Reife, der Entscheidung und der Begründung oft lebenslanger Freundschaften. Die Zwölf- bis Zwanzigjährigen, die sie bezogen – die Älteren namentlich an italienischen Rechtsschulen, wo sie auch starken Anteil an der Selbstverwaltung hatten –, kamen nicht nur in der Absicht, zu studieren. Sie wollten auch die Fremde erleben, die großen Städte, und der eigenartig lockende Ruf von Paris reicht bis in jene Zeiten zurück. So entstanden nicht nur Vorlesungsskripten, nicht nur Promotionsurkunden und Briefliteratur, sondern auch Trink- und Liebeslieder von hohem Rang. Meist Gelegenheitsdichtung, oft von Unbekannten oder Anonymen. Aber es gab auch einen Primas von Orléans und einen Erzpoeten, einen Archipoeta darunter, der in seiner »Beichte« ein packendes Zeugnis vitaler Wortkunst hinterließ. Sein Klang muß unmittelbar ins Ohr gehen:

»Estuans intrinsecus / ira vehementi,
in amaritudine / loquor mee menti.«

Lyrik zum Singen und auch Noten sind uns übermittelt. Lyrik, die man auswendig weiß, aber dennoch hat sie jemand aufgeschrieben. Merkwürdig: Am großen Aufschwung der Universitäten im 12. und 13. Jahrhundert ist Deutschland nicht beteiligt, aber den Großteil der Vagantenlyrik hat es auf seinem Boden bewahrt. Der Band entstand nicht an Ort und Stelle. Er war als Liederbuch gedacht, und nach Anhaltspunkten hat ihn vielleicht ein Unbekannter am Hof des Bischofs von Seckau zusammengestellt. Geistliche Lyrik! Jedenfalls sind uns aus der Klosterbibliothek von Benediktbeuern die Carmina burana überliefert, ein Schatz der Weltliteratur. Carl Orff hat sie mit seiner Musik wieder lebendig gemacht.

Junge Leute an zwei Würfeltischen: eine Szene aus dem Studentenleben. Zusammen mit vielen »Vagantenliedern« überliefert in den Carmina burana, der bayerischen Handschrift aus Benediktbeuern.

Neue Lehre – alte Lehre

Vom Ursprung der Universitäten weiß man nichts Rechtes; nur daß sie in der zweiten Hälfte des 12. Jahrhunderts entstanden; daß ihnen ein Privileg Barbarossas von 1158 den Weg bereitete, ursprünglich dem Schutz der Scholaren von Bologna zugedacht; daß der Papst seinerseits der kaiserlichen Förderung zwölf Jahre später kirchenrechtliche Hilfe hinzufügte und daß König Philipp II. um 1200 die spontan entstandene Gemeinschaft von Lehrern und Schülern in Paris als Korporation anerkannte, König Alfons VIII. von Kastilien um 1202 die Universität Valencia, die erste in Spanien. Solche Rechtsakte begleiten, aber sie erklären nicht die Entstehung der neuen Universitäten; noch weniger machen sie begreiflich, warum keine dieser neuen Hohen Schulen in Mitteleuropa entstand, wo doch der Kaiser der erste war, der die Scholaren von Bologna besonders zu schützen suchte, und mehrere alte Rechtsschulen, ähnlich der Bologneser, gleichsam unter den Augen des Kaisers gediehen, in Ravenna und Pavia, in Mailand, Mantua und Verona.

1179 schon bemühte sich das dritte Laterankonzil um eine Formulierung akademischer Lehrfreiheiten; 1234 wurden sie in das Kirchenrecht aufgenommen. Aber Neulinge unter den Lehrern sollten angelernt werden. Das erklärt manche Vorgänge; es macht auch begreiflich, daß es am Anfang der neuen Schulen so etwas gab wie Niederlassungsfreiheit der Magister und daß diese Magister eine neue Personengruppe bildeten, die sich allmählich korporierte. Petrus Abaelard erzählt in seiner Autobiographie einiges davon. Aber alles das erklärt uns nicht, warum derselbe Abaelard, erbberechtigter Erstgeborener, ein ritterliches Dasein aufgab, nachdem er seine geistigen Gaben entdeckt hatte. Statt mit Lanze und Schwert wollte er in geistigen Turnieren streiten. Diese Bemerkung zeigt, wie sich die neuen Abenteurer des Geistes fühlten. Papst Honorius III. sprach 1216 von »lukrativen Wissenschaften«, Jurisprudenz nämlich und Theologie. Einfältigere Leute vermuteten unter den Gelehrten bald den Stein der Weisen. In dieser Spannweite entwickelte sich das Ansehen der neuen Korporationen und auch ihr Selbstgefühl.

Magister und Scholaren zählten wie Bürger, Ritter, Bettelmönche zu neuen Typen in der Gesellschaft des lateinischen Europa. Die neuen Hochschulen blieben einzigartig in der damaligen Welt. Das schließt kein Werturteil ein. Es gab Philosophenschulen in Byzanz, aber die letzte, das Museion in Athen, scheint im 9. Jahrhundert untergegangen. Es gab Hochschulen für Koranschüler, aber die Universität in Kairo, die 1970 ihr tausendjähriges Bestehen beging, hat im 12. Jahrhundert um akademische Freiheiten in der islamischen Welt gerungen und sie nicht behaupten können. Die Entwicklung der europäischen akademischen Freiheit muß man unter zwei Perspektiven beurteilen: von oben und von unten. Monarchen und Päpste haben sie gutgeheißen, und die Magister hielten sie für unentbehrlich. Von unten her erwuchs sie aus dem Zusammenschluß von Lehrern und Schülern zu einer Gemeinschaft, zu einer »universitas«, die den neuen Generalstudien nach allgemeiner Anerkennung innerhalb der Städte dieselben Rechte verschaffte wie den Gemeinden von Kaufleuten, Juden oder Bettelmönchen auf städtischem Boden. Die allgemeine Anerkennung der inneren Ordnung dieser Universitätsgemeinden verbürgten Papst und Könige.

Universitäten verbreiteten sich nach undatierbaren, spontanen Zusammenschlüssen von Lehrern und Schülern in Bologna, Salerno, Paris und Oxford im 12. Jahrhundert in Gründungswellen. Die Datierungen zeigen Impulse um 1200, danach in der zweiten Hälfte des 13. Jahrhunderts und um die Jahrhundertwende in West- und Südeuropa; in Mitteleuropa erstmals in der zweiten Hälfte des 14. Jahrhunderts; eine letzte Welle bilden die deutschen »Fürstenuniversitäten« am Vorabend der Reformation.

Gewiß steht die Entstehung der Universitäten in einem Zusammenhang mit der von H. Rashdall so genannten »Renaissance des 12. Jahrhunderts«. Solche »Renaissancen« bestimmten den Rhythmus des Geisteslebens im lateinischen Europa und mußten von der lateinischen Kirche wohl oder übel übernommen werden, obwohl die Lehrautoren der Bildungssprachen großenteils heidnisch waren. Im frühen Mittelalter hatten zielbewußte Kaiser, Karolinger oder Ottonen, solche Renaissancen befördert. Die »Renaissance des 12. Jahrhunderts« wuchs spontan aus der Freude der Gelehrten an ihren Entdeckungen antiker Autoren, auch aus der Wiederentdeckung des römischen Rechts in Oberitalien, wie es Kaiser Justinian im 6. Jahrhundert hatte aufschreiben lassen.

»Renaissancen« also zählen zu den Eigenheiten des lateinischen Europa. Der byzantinische Kulturkreis behauptete, nicht ganz treffend, ungebrochene antike Tradition und hatte deshalb »Wiederentdeckungen« nicht nötig. Deshalb empfand man in Byzanz auch nicht die Dynamik von »Wiederentdeckungen«. Byzanz vermittelte auch keine Renaissancen in den von ihm für die christliche Kultur erschlossenen Regionen, weil es dorthin das Evangelium in der Volkssprache trug, slawisch und nicht griechisch. Renaissance und Universitäten fehlen deshalb beispielsweise der russischen Kultur bis zum 18. Jahrhundert. Der Mangel ist noch heute spürbar, trotz der intensiven und schließlich revolutionären »Verwestlichung« in Osteuropa.

Die Entstehung der Universität läßt sich aus dieser »Renaissance des 12. Jahrhunderts« freilich nicht ursächlich herleiten; vielmehr förderte wohl das eine das andere in gegenseitiger Steigerung, ein anschaulicher, aber nicht grundlegender Prozeß. Unsere Fragen sind mit einer solchen Einsicht nicht befriedigt. Vor den Universitäten bestanden Kloster- und Domschulen, das antike Schulwesen war zumindest fragmentarisch überliefert, und sein Gerüst, die sogenannten sieben freien Künste, läßt sich im Gegenteil auch als Hindernis für die neuen Schulen betrachten, das man organisatorisch nie ganz überwunden hat. Die philosophischen Fakultäten schleppten es, wenn man so will, bis ins 19. Jahrhundert mit, und ihre organisatorische Inkonsequenz bestimmt eigentlich noch die Universitätsdiskussionen der Gegenwart. Leicht hätten Dom- und Klosterschulen für die Vertiefung antiker Bildung einen tragfähigen Rahmen abgegeben, ohne daß sich deshalb neue Korporationen mit eigenem Recht und eigenen Freiheiten hätten bilden müssen. Was »Schule macht«, konserviert auch und widersetzt sich Neuerungen.

Daß gegenüber der »alten Schule« mit ihren sieben freien Künsten – Grammatik, Rhetorik, Dialektik, dazu Arithmetik und Geometrie, Astronomie und Musik – eine neue Schule, die Universität mit vier Fakultäten (Philosophie, Theologie, Jurisprudenz und Medizin) im Lauf eines guten Jahrhunderts entstand und allgemein nachgeahmt wurde, hängt nicht nur mit der neuen geistigen Regsamkeit zusammen; nicht nur mit der neuen räumlichen und gesellschaftlichen Bewegungsfähigkeit, die jeden einzelnen, Geld mehr oder minder vorausgesetzt, zum »Abenteuer des Geistes« einlud. Daß man die alte Schule überwand, kommt vielmehr auch von der neuen »Scholastik«, einem genialen Frage- und Antwortspiel, das Forschung und Lehre vereint und sich dabei in ständiger Diskussion entwickeln läßt. Diese »wissenschaftliche und pädagogische Leistung, die Schüler in großer Zahl anzog und oft jahrelang festhielt« (Joseph Koch) wurde nicht nur grundlegend für das Gemeinschaftsgefühl, für

Die Sieben Freien Künste, nach dem antiken Wissensbereich organisiert, sind hier in Magisterkleidern versammelt. Denn auch die Universitäten pflegten sie seit dem 12. Jahrhundert als unterste Fakultät, als Vorstufe höherer Wissenschaften, aus der sich schließlich im 19. Jahrhundert die philosophische Fakultät entwickelte. Hier stehen also, von rechts nach links, in anekdotischer Gesellschaft von Hund und Esel: Grammatik, Rhetorik und Dialektik. Dann folgen Arithmetik, Astronomie, Musik und Geometrie.

das Universitätsgefühl von Lehrern und Schülern, sie wurde auch zum Ausdruck der Verbindung von Lehre und Forschung, wie unsere Universitäten sie noch heute behaupten. Sie wurde gleichzeitig zum Schlüssel für den gesamten neuen Studienbetrieb durch die Kunst, Bücher einer »Vorlesung« anschließender Kritik zu unterziehen, schriftlich in Glossen und Kommentaren oder aber in der Disputation im Hörsaal. Die mittelalterliche Universität wurde dadurch zu einem Redeforum, auf dem sich eine neue Fähigkeit des Argumentierens, des Aufmerkens und der kritischen Replik entfaltete.

Geradeso aber wurde die mittelalterliche Kirche fortan ein Ort der Predigt, das Rathaus ein Raum von Rede und Gegenrede. Die ganze Gesellschaft erschloß sich in vorher unbekanntem Maß den Fähigkeiten des Argumentierens: im festen Schema auf den Lehrstühlen der Gelehrten, in der lockeren Form des Zwiegesprächs in den populären Lehrschriften und im öffentlichen Umgang. Dies alles war Ausdruck wachsender Mitsprachefähigkeit, nicht unbegrenzt, sondern innerhalb der neuen, sich bildenden Gemeinschaften, innerhalb der Stände, in der weltlichen Gesellschaft. Eine solche allgemeine, wenn auch nach einzelnen Ebenen gegliederte Mitsprache ging Hand in Hand mit einem allgemeinen Entwicklungstrend, der Bauern, Bürger und Grundherren, Adelige und Knechte im alten Verständnis, »Mächtige« und »Arme«, mündlich oder schriftlich zu Vertragspartnern gemacht hatte. Er warb alle Gläubigen für Reformen in der Kirche. Er offerierte neue Orden, und dies nicht etwa für ein Einstandsgeld, wie es 1179 ein Konzil verboten, aber die alte Klosterpraxis bis in die Neuzeit weitergeführt hatte. Dieser Trend erlaubte es auch niederen, gerade erst vom Herrendienst »befreiten« Adeligen, als Minnesänger vor Fürsten und Königen ein allgemeines Ritterideal zu propagieren, nicht etwa besondere Heldentaten exklusiv für »Große« nach Art der alten Balladen.

Scholastik ist also ein allgemeiner Appell an das Mitdenken jedes einzelnen und legt gleichzeitig den Grund zu einer Diskussionsgemeinschaft zwischen Lehrern und Schülern. In einer nicht recht faßbaren Vorzeit, durchbrochen nur von mancher persönlichen Ausnahme, wurde nämlich nicht in rationalem Sinne gedacht, sondern gedeutet. Wir können die Entwicklung nur begreifen, wenn wir ein wenig diesseits und jenseits dieser »Wasserscheide der Weltgeschichte« (Benjamin Nelson) Umschau halten.

Vorher und nachher wurden unterschiedliche Wege der Weltdeutung begangen, ohne daß ein vorsichtiger Betrachter sich auf ein »Erstmals« oder ein »Von nun an« festlegen wird. Im Gegenteil: Man ignoriert oft, daß im 12. Jahrhundert die ältere, die symbolistische Weltdeutung einen Höhepunkt an Aussagekraft erreichte, zur selben Zeit, als auch der Weltbegriff der Scholastik seine ersten Triumphe feierte. Dieser zweite Weg war der siegreiche, aber das schloß nicht aus, daß der erste sich noch lange hielt, als abgesunkenes Kulturgut, volkstümlich beinahe bis heute. Wenn die Leberblümchen, ein einfaches Beispiel, einen Lebertee ergaben, so deshalb, weil ihre Blätter dem Leberlappen ähneln. Heilung führte damit gleichzeitig zu einer Reintegration in den Kosmos. Diese »historischen Konzepte einer theoretischen Pathologie« (Heinrich Schipperges) bestimmten die Ganzheitsbetrachtung der Welt und des Menschen auf biblischem Fundament. »Alle Natur lehrt den Menschen. Alle Natur gebiert die Vernunft. Nichts im Universum ist unfruchtbar«, sagte Hugo von Sankt Victor († 1141). Die Dinge und die Worte haben ihre Bedeutung: »Darin ist das Wort Gottes der Weltweisheit weit überlegen, daß nicht nur die Wortklänge, sondern auch die Dinge bedeutungshaltig sind«, sagte Richard († 1173), ein anderer Gelehrter aus demselben berühmten Pariser Konvent der Augustiner-Chorherren.

Den wichtigsten Beitrag zu einer symbolischen Welt- und Zeitdeutung aus biblischer Spekulation lieferte um 1200 schließlich Joachim von Fiore (1130–1202). Als Zisterzienser, dann Gründer und Abt eines noch strengeren kleinen Konvents in Fiore in Kalabrien, sah er nicht nur, wie einige deutsche Mönchsgelehrte zur selben Zeit, im Mönchtum der Gegenwart die Vollendung des Christentums, sondern er spekulierte auch auf eine neue Ära, ein drittes Reich des Heiligen Geistes, in dem die Menschen unmittelbar von Gott erleuchtet wären, so daß sich alle äußere Ordnung, auch alle Kirchlichkeit damit erübrigte. Ein neuer Orden vom himmlischen Jerusalem sollte dem Umbruch der Zeiten vorangehen. Diese Mönchsutopie nährte heimliche Hoffnungen bei radikalen Armuts- und Erneuerungspredigern unter den Franziskanern. Für 1260 hatte Joachim die Verwandlung der Welt vorhergesagt. Seine Hoffnung zog immer wieder tiefsinnige Gedanken an, Ketzerglauben und Prophetien, und überdauerte die Jahrhunderte.

Wer deutet, schöpft Typisches. Man kann mit ihm darüber nicht gut diskutieren. Man muß seine Deutung anerkennen, die sich aus der Übereinstimmung seiner Theoreme zu einem Ganzen herleitet. Ohne die spekulative Kraft solcher Deutungen irrational nennen zu wollen, kann man sich leicht denken, daß ein Schulbetrieb auf solcher Grundlage einem Lehrer wohl Autorität verschafft, aber weit weniger Gemeinschaft bildet. Es gibt keinen diskursiven Wettstreit unter den »Kommilitonen« einer solchen Schule, auch keinen »Fortschritt« in ihrer Wissenschaft; nur mehr oder weniger eindringliche Deutungen dessen, was man schon immer zu deuten suchte. Eine jede Deutung ist entweder Wiederholung oder Neuschöpfung; sie sucht nicht, Autoritäten gegeneinander abzuwägen, und bei Divergenzen gerät sie leicht in hilflose Verwirrung.

Als übergroße Autorität der neuen Lehre galt »der Philosoph«, dessen Schriften man im 12. und 13. Jahrhundert, teils durch arabisch-jüdische Vermittlung, teils durch Übersetzung aus dem Griechischen im Traditionsraum von Byzanz, mehr und mehr entdeckte: Aristoteles (383-321 v. Chr.). »Einer der größten philosophischen Denker, mit Sokrates und Platon Begründer der klassischen philosophischen Tradition des Abendlandes« (H. Kuhn), fand damit den Weg

Eine Probe symbolhafter Bezugsetzung zwischen dem Alten und dem Neuen Testament: Gott verwirrte die Sprachen zur Strafe für den Turmbau von Babel, aber er gab den Aposteln zum Pfingstfest die Gabe der Sprachen zur Verkündigung. Nebenbei sehen wir mit noch heute ähnlichen Kellen die Maurer am Turm von Babel bei der Arbeit, die freilich gerade mit ihrer Verständigung die bekannten Schwierigkeiten haben – jedes Spruchband zeigt eine andere Sprache.

Tiervorstellungen – hier nach einem Bestiarium des 12. Jahrhunderts – zeigen, in der typischen Zuordnung der Schöpfung zu einem anthropozentrischen Heilsplan, Schönes und Staunenswertes.

nach Europa, gleichzeitig mit seinen Interpreten. Der persische Philosoph Avicenna (980–1037), der jüdische Denker Avicebron (1020–1070) und der Araber Averroës (1126–1198) hatten in ihren Interpretationen des großen Griechen die Vorstellung von einer Einheit Gottes mit der Welt entwickelt, die das Irdische zur Ewigkeit erhob, zur unvergänglichen Materie. Daran habe jeder einzelne Anteil mit seinem körperlichen Dasein, während sein geistiges Selbst, mit Gott Teil einer großen Weltseele, zwar unsterblich sei, wie auch die Christen lehrten, aber nicht individuell, nicht geprägt von der persönlichen Schöpfung durch Gott und nicht erhöht durch unverwechselbare Einmaligkeit, die auch im Himmel fortdauere. Einer solchen philosophischen Herausforderung war die symbolische Weltdeutung nicht gewachsen. Sie mußte sich ihr ganz und gar verschließen. Aber die scholastische Kunst, die Welt analytisch nach Begriffen zu ordnen, nahm diese Herausforderung auf und bestand sie nach hundertjährigem Kampf zumindest in den Augen der Christenheit. Das sicherte ihren Sieg über den älteren Symbolismus.

Scholastik entstand aber aus anderen Absichten. Sie entsprang aus dem Bedürfnis, die vielen gesammelten »Autoritäten« zu einzelnen Passagen der Schrift und zu Rudimenten der antiken Philosophie auf ihre Aussagen zu prüfen und entsprechend zu ordnen. So entwickelte sich eine Vorgehensweise, die sich durch ein strenges System auch didaktisch empfahl. Eine Aussage wurde

In nomine Dei summi – im Namen des höchsten Gottes – Incipit liber Isidori junioris Spalensis episcopi ad Braulionem episcopum script(us) – Hier beginnt das Buch Isidors des Jüngern, Bischof von Sevilla, an Bischof Braulion. Eine der rund tausend Handschriften, in denen das große Sammelwerk des spanischen Bischofs aus dem 7. Jahrhundert überliefert wurde, die »Etymologien«, eine Zusammenfassung des antiken Wissens aller Art in 20 Bänden. Etymologie, weil Isidor, auch das spätantike Überlieferung, die Ordnung der Welt schon im Wort begründet sah – eine Grundlage des mittelalterlichen Symbolismus.

zunächst mit entsprechenden Sätzen unterstützt, danach in Frage gestellt, schließlich auf ihre Schlüssigkeit reduziert und damit, wenigstens im interpretativen Zusammenhang, logisch bewiesen. Fortschreitend gewann das Vorgehen von einer Generation zur anderen größere Integrationsfähigkeit bis zu den sogenannten „Summenwerken“ um die Mitte des 13. Jahrhunderts, die in einem großartigen Begriffssystem alle Welterkenntnis mit den biblischen Aussagen zu harmonisieren suchten. Dabei waren sie ebenso aufs Ganze gerichtet wie auch die alten symbolistischen Deutungen. Nur wußte man jetzt einen Begriff vom anderen abzuleiten und war offen für alle diskursive Kritik und damit auch für den wissenschaftlichen Fortschritt. Anselm von Bec, Wilhelm von Champaux, Gilbert de la Porrée und vor allem Petrus Abaelard waren die großen Meister dieser Kunst, streitbare Magister. Tua res agitur, um deine Sache geht es, soll Abaelard seinem alten Kollegen Gilbert vor den kirchlichen Oberen ermutigend zugerufen haben – kein Bibelzitat, sondern Horaz! Über tausend Jahre hin fühlten sich die neuen Intellektuellen frei und auf die Kraft ihrer Argumente gestellt, ganz anders als die Mönche vor ihnen, die aus den geheiligten Bindungen der Ordnung die Welt und den Menschen zu deuten suchten. Frei und streitbar. Und darin zumindest standen die vielen Kleineren den wenigen Großen kaum nach.

Von Rittern

Sucht man nach Symbolgestalten für das Mittelalter, dann hat der Ritter wohl auch einen Platz. Helm und Panzer sprechen für eine ganze Epoche. Das soll keine Einengung sein. Das Mittelalter ist unverständlich ohne den Mönchshabit, den Bauernpflug und ohne seine Könige. Es ist auch unverständlich – und hierin hat ein neuer Forschungszweig wohl noch eine große Zukunft, ist er erst einmal zur Argumentation aus dem zeitgenössischen Rahmen gereift – ohne seine Frauen; unverständlich ohne die Königinnen und Prinzessinnen, auch die auf der Erbse; ohne die namenlosen Tausende, die den Schleier nahmen und in der Stille für ihre Mitmenschen weit wirksamer wurden, als der Historiker in seinen Quellen greifen kann; ohne die Bauern- und Bürgerfrauen, die sich klaglos mehr als die Männer mit einem widrigen Alltag plagten; ohne die Mägde, die Unversorgten und Ungebundenen, wohl mehr als ein Drittel zu jener Zeit, die »dienten«, vielleicht ein kurzes Glück fanden und ohne Kinder nicht selten ein elendes Alter. Das Mittelalter wäre auch nicht zu erklären ohne den Kaufmann, dessen Abenteuer, wie in den Märchen nachzulesen, die Welt erschließen halfen und ihre Schätze vom reichen Süden in unsere ärmeren Regionen lenkten. Auch läßt sich das Mittelalter nicht fassen ohne Gestalten wie Doktor Faustus oder Theophilus, ohne den Pakt mit dem Teufel und ohne den scholastischen Elfenbeinturm. Schließlich und endlich läßt sich behaupten, daß es auch ohne das Handwerk und seinen goldenen Boden kein Mittelalter gegeben hätte.

Der Ritter aber wurde zur Symbolfigur, weil er sich unter seinesgleichen ein so besonders beredtes Denkmal zu setzen wußte: nicht in Schlachten und

Reims, Westfassade. Die Enthauptung des Märtyrers Nicasius zeigt einen Gewappneten in zeitgenössischer Rüstung. Damals und bis über das Ende des Mittelalters hinaus suchte kirchliche Kunst die fromme Erinnerung zu vergegenwärtigen und hat uns damit viele kulturgeschichtliche Einzelheiten überliefert. Nur die zentralen Figuren des Heilsgeschehens blieben in zeitloser antiker Gewandung.

Turnieren, sondern merkwürdigerweise in literarischer Form. Die Ritterepik begründete die europäische Literatur in den Volkssprachen, überlebte ihre Zeit, wurde wiedergeboren in der Romantik und im erwachenden Nationalbewußtsein oft schlechthin mit der Volkstradition gleichgesetzt.

Lange Zeit galt es als ausgemacht, die mittelalterliche Gesellschaft durch ihre aristokratische Führungsschicht zu definieren. Neueren Einsichten erscheint das »Zeitalter des Feudalismus« vielgestaltiger. Aber das Ansehen der adeligen Stände, der einfachen wie der Hocharistokratie, ist bei diesen Einsichten eher noch gewachsen. Die verbreitete marxistische Definition vom Feudalzeitalter als einer Ausbeutung abhängiger Bauern durch Grundherren mit Hilfe außerökonomischer Gewalt, die im Rahmen schematischer Deutungen in den fünfziger Jahren nicht nur im östlichen Europa, sondern mitunter auch in der westlichen Welt recht grobschlächtige Mittelalterskizzen entstehen ließ, ist inzwischen zum guten Teil in der marxistischen Forschung selbst in Frage gestellt oder gar widerlegt worden. Mitunter entwickelte sich das in spannenden Forschungsdiskussionen, freilich oft in Sprachen, die man für gewöhnlich im Westen nicht liest.

Wie in der bäuerlichen Welt, so lebte auch im mittelalterlichen Adel ein in vielen Generationen geprägtes und verfestigtes Daseinsbewußtsein. Die Familienzugehörigkeit drängte zur Erinnerung, denn die genaue Kenntnis brachte Anteil am ererbten Besitz, und sie gewährte auch Teilhabe an erblichem Ansehen. Beides lebt in einem ungewissen, aber nicht weniger wirksamen Traditionsstrom: »Adel« kommt nämlich von einem alten Wort für »Erbe«.

Die alten Herrenfamilien, die gewohnt waren, Besitz und Ansehen unter ihre Kinder aufzuteilen, mußten um die Jahrtausendwende ihre Lebensgewohnheiten ändern. Die Sippenbindung trat zurück gegenüber dem Familienstammbaum. Der wurde nun an Herrensitze gebunden, und die Großfamilien, zuvor sippenhaft nach einem Gründer-Ahnherrn benannt und an immer wiederkehrenden Vornamen zu identifizieren, verzweigten sich in »Häuser«, die sich nach Burgen nannten und denen die Erbteilungen zum Problem wurden. Das Recht der Erstgeburt wurde erst spät in Familien- und Herrschaftspolitik umgesetzt.

Auch die Kriegskunst wandelte sich. Seit es in Europa Steigbügel gab, seit dem 7. Jahrhundert, saß man fest im Sattel und konnte mit schweren Lanzen manchen Stoß führen. Das veränderte die adelige Gefolgschaft. Lehensvergabe im Westen, mit Eid und Aufgebot in verbindlicher Rechtsform, und die lockere Anerkennung von »Verdiensten« durch Landvergabe im Norden und Osten schufen entsprechende Heere. Die Ausrüstung war teuer, namentlich vor der Vermehrung der Eisenproduktion und der Waffenschmiede im 12. Jahrhundert, aber auch noch danach durch immer neue Verfeinerungen. Jeder Lehensmann mußte sich selber rüsten. Umgekehrt schuf der Kriegsdienst aber auch Aufstiegsmöglichkeiten. In Kastilien wurde während der Reconquista jeder Bauer, der sich auszurüsten wußte, zum Caballero; in Deutschland stiegen Unfreie im Herrendienst zu Ministerialen auf und bildeten später den ritterlichen Adel; ähnliche, nach der Herkunft variierende Verhältnisse entwickelten einen kriegerischen Kleinadel in ganz Europa. Ein Lehensaufgebot verpflichtete allerdings nur zu vierzig Tagen Kriegsdienst, so daß die Kriegführung bald nicht mehr ohne Soldritter auskam. Aber das hieß meist nur zusätzliche Einnahmen für den gleichen Personenkreis.

Wie groß dieser Kreis war, läßt sich kaum schätzen. Vielleicht wird man mit der Vorstellung von fünf Prozent der Bevölkerung den Verhältnissen gerecht. Das heißt: Herren, Ritter, Knappen und Knechte, mit Damen, Frauen und Mägden, lebten auf großen oder kleinen Burgen, an fürstlichen Höfen, an Adelssitzen. Sie lebten anders als die Leute in den Städten und auf den Dörfern, anders als Mönche und Nonnen in ihren Klöstern, als die Kleriker in Konventen und Pfarrhäusern. Sie lebten »höfisch«, im Herrendienst, oder sie lebten

Der Ritterschlag, ursprünglich Initiationsritus für junge Männer, bald aber Auszeichnung für Kriegsteilnahme auch schon älterer, bedeutete die feierliche Ausrüstung vor Zeugen, in diesem Heerlager mit festlicher Musik; 14. Jahrhundert.

Der Utrecht-Psalter, um 830 entstanden, zeigt noch eine Festungsanlage, der das Charakteristikum der abendländischen Burgen fehlt. Vielleicht ist die vorliegende Skizze nach byzantinischem Vorbild entstanden. Die Burgen in West- und Mitteleuropa hatten dagegen zumindest einen Turm als Kern und letzte Verteidigungsbasis.

eben selbst ein solches Herrenleben. Es gibt wohl kein rechtes Bild, nur einfach davon zu sprechen, daß sich über Bürgern und Bauern eine dünne Adelsschicht als politische Elite erhoben habe. Man muß vielmehr den Lebenskreis dieser Menschen und ihrer Helfer und Diener im ganzen erfassen und berücksichtigen, wie Haus und Hof eines kleinen oder eines großen Herrn sich von einer bürgerlichen, bäuerlichen oder geistlichen Behausung unterschied, um jene fünf Prozent zu charakterisieren.

Der Adelige hatte nämlich ein »festes Haus«, einen »Sitz«. Das war nicht immer eine Burg. Es konnte auch ein Haus mit steinernem Fundament sein, in einem Dorf aus hölzernen Hütten; oder ein Haus mit leicht vorspringenden Erkern an den Ecken eines etwa quadratischen Grundrisses, die eine Verteidigung der Mauern ermöglichten, übrigens aus römischer Tradition. Aus diesem Grunde wurde in Städten mitunter der Erkerbau an Bürgerhäusern untersagt. Es konnte auch nur ein Laubenvordach sein, auf Holzsäulen, wie es noch heute in Polen ein Adelshaus von Bauernhäusern unterscheidet.

Die adelige Daseinsform ist jedenfalls untrennbar verbunden mit einem adeligen Haus, das bei Fürstenfamilien auch zum Synonym geworden ist, wie das Haus Luxemburg, das Haus Plantagenet oder das Haus Österreich. Ein »Haus« ist im Rechtsdenken jener Zeit ein besonderer Begriff. Wir haben noch heute eine Ahnung davon, wenn wir an »Hausrecht« appellieren. Als Rechts- und Friedensbereich ist das Haus die Domäne des »Hausherrn«, mit dem Dach als besonderem Symbol, nach dessen Vollendung man in Italien heute noch einen illegalen Neubau nicht mehr abreißen darf; Herd, Tür und Schwelle sind die sichtbaren Rechtsmarken, die eine familia, das heißt Hausherrn, Hausfrau, Kinder und Gesinde, »bergen« gegen die äußere Welt, die Natur und die Menschen. »Unbehauste« sind Außenseiter.

Das adelige Haus nun hatte eine besondere Aufgabe, nicht nur weil die familia des Herrn größer war, sondern auch weil im Rechtsverständnis der Zeit der Herr »edelfrei« war. Sein Haus diente nicht nur seinem Schutz, sondern auch seinen »Schutzbefohlenen«; seine Wehrhaftigkeit war nicht nur defensiv, durch Mauern, sondern auch offensiv über seine Grundfesten hinaus, durch Türme. Und ganz im Innern barg dieses adelige Haus auch noch einen sakralen Kern aus uralten Zeiten. An den großen »Häusern« der antiken Herrscher ist das noch deutlich, weil dort Herrschersitz und Tempelbezirk ursprünglich zusammenfielen. Der Adelssitz in der mittelalterlichen Welt hat davon ein Stück bewahrt: Die Burg diente, allerdings unabhängig von antiker Tradition, der sie freilich mehr verdankt, als man ihr ansieht, auch der Selbstdarstellung und sakralen Legitimierung der adeligen Oberschicht. Die Pfalzkapellen, Burgkapellen, Schloßkirchen im ganzen mittelalterlichen Europa zeugten davon. Bauern- und Bürgerhäuser dagegen umschlossen keine Sakralstätten. Auch die ersten Volkskirchen in der frühen Pfarrorganisation vor der Jahrtausendwende sind außerhalb des antiken Verbreitungsgebietes des Christentums, also in England, Frankreich, Deutschland, in Skandinavien und den westslawischen Ländern, Burgkirchen gewesen, sogar »Eigenkirchen« des Burgherrn, deren Rechtsverhältnisse erst der Investiturstreit zugunsten der Kirche veränderte.

Kirche und Schloß von Les Ternes, vor 700 Jahren errichtet, beherrschen noch heute die Landschaft mit der baulichen Sinngebung einer alten Zeit.

Burgen

Der Bau des Adelshauses im mittelalterlichen Europa hat verschiedene Wurzeln. Eine ist gewiß die »Halle« des Herrn, ein Fest- und Versammlungsraum, eigentlich aber auch ein Wohnraum für das Gefolge, ohne Wehrcharakter. Auch die ältesten Berichte von den Heroen der Barbarenwelt sagen eigentlich nichts von einem Festungscharakter der alten Herrensitze. So haben auch die Nibelungen ihr Ende in Etzels Festsaal gefunden, nicht etwa vor den Mauern seiner Burg. Dank glücklicher Umstände hat sich ein solcher Herrenbau bis heute erhalten, in Naranco, in Spanien, um die Mitte des 9. Jahrhunderts erbaut.

Der zweite, oft unterschätzte Traditionsstrom kommt aus der römischen Architektur. Er ist freilich nicht direkt belegt, sondern nur aus den Formen zu erschließen, aber auch aus den Berührungsmöglichkeiten. Anschauungsmaterial boten sowohl die antiken Kaiserbauten, wie sie etwa weit im Norden in der römischen Residenzstadt Trier im 3. und 4. Jahrhundert entstanden, oder die »Ewige Stadt« selbst, vor allem auf dem Palatin, oder der größte antike Kaiserpalast im dalmatinischen Split. Auch viele römische Wehrbauten hatten sich erhalten, etwa an den Verteidigungswällen in England, in Deutschland, in Ungarn und Rumänien gegen Barbareneinfälle, oder die Kastellanlagen für die römischen Garnisonen. Mauern, Tore und vornehmlich Türme in Stein wurden zum Teil weiter genutzt, namentlich bei innerstädtischen Herrschaftsbauten wie in Regensburg, in Arles und in Split, oder dienten zumindest als Anhaltspunkte. Die Porta Nigra in Trier als Torburg »stellt als solche den besterhaltenen und künstlerisch bedeutendsten römischen Wehrbau nördlich der Alpen dar« (W. Hotz).

Eine andere Tradition setzten offensichtlich die Normannen. Mit ihnen jedenfalls lassen sich Burganlagen in Nordfrankreich und in England im 10. und 11. Jahrhundert in Verbindung bringen, die nur aus einem Wohnturm bestehen, dem Donjon, ein Wort, das aus dominium herzuleiten ist und für die Funktion der Anlagen spricht. Solche Wohntürme sind als zentrale Anlage, nicht etwa als Bestandteil der Burgmauer, mit der Bezeichnung »Bergfried« auch künftig Kernstück allen Burgenbaues. Dazu hat sich im 12. Jahrhundert innerhalb kleinerer oder größerer Maueranlagen der Palas gesellt, der Herrenpalast, mit einer Anzahl von Gesindehäusern, auch Vorburgen, oft mit Wirtschaftsanlagen. Höhenburgen im Mittelgebirgsraum, in den Alpen und in den Berglandschaften Spaniens und Italiens sind dabei in ihrer Anlage zu unterscheiden von den Wasserburgen der nordeuropäischen Ebene.

Manche Burganlagen tragen schon früh ausgesprochenen Herrschaftscharakter. Dazu zählt der Versuch, Fürstensitz und Bischofssitz in eins zu ziehen, mitunter allerdings in voneinander getrennten und befestigten Komplexen, so wie in Regensburg die einzelnen Machthaber, Kaiser, Herzog, Burggraf und Bischof, einzelne »Pfalzen« nebeneinander besaßen. Im östlichen Mitteleuropa, wo die weltliche Herrschaftsbildung der Kirche voranging, mußten die Bischöfe am Herrensitz Wohnung nehmen. So entstand in dem schon um 900 ausgebildeten böhmischen Fürstensitz, auf dem Hradschin oberhalb von Prag,

Der Donjon, das »Dominium«, war ursprünglich Festungsbau, auch in Städten, wie dieser Turm im Stadtbild von Beaugency, andere in Regensburg oder in San Gimignano. Im Burgenbau wurden Festungstürme zum Kern der Anlagen.

Meist haben gerade die Haupttürme als ursprüngliche und zentrale Festungsanlage den Verfall der Burgen am besten überdauert und bilden noch heute markante Bezugspunkte, wie hier in Lienz in Osttirol.

ein bemerkenswert stabiles Herrschaftszentrum, wo Dom und Herrensitz ungetrennt beieinanderstehen, ähnlich wie sich zu dieser Zeit das französische Königtum zugleich mit dem Bischof von Paris auf der Ile de la cité etablierte. Auch die Grafschaft Flandern, ohne kirchliche Zentrale, hatte in der Burg von Gent sehr früh eine Burganlage als zentralen Herrschaftssitz. Der Kern ist ein mächtiger rechteckiger donjon, umgeben von einem weiten, mauerumwehrten Areal mit turmbewehrtem Tor, das eigens noch eine Außenbefestigung schützt, eine sogenannte Barbekane, hervorgegangen vielleicht aus Kreuzzugserfahrungen.

Der Burgenbau wurde im 11./12. Jahrhundert überall in Europa mehr oder minder entschieden als Königsrecht gehandhabt, und insofern ist seine Verbreitung gleichsam ein stabiles Unterpfand der Machtverhältnisse. Entschlossene Herrscher, wie Wilhelm der Eroberer in England, ließen nichtgenehmigte Befestigungen schleifen. Der Föderalismus in Deutschland vergab die Erlaubnis dazu als Fürstenrecht.

Allgemein waren im Lehenssystem Burgen an Oberherren gebunden, aber manchmal war der Burgherr nicht geradewegs ein Lehensträger, sondern hatte sich beispielsweise nur verpflichtet, mit Gegenleistung natürlich, seine Burg einem bestimmten Fürsten im Bedarfsfall »offen« zu halten. Offenburg hat daher seinen Namen. Ohne sonderliche Genehmigung geriet der Burgenbau auch in Frankreich vornehmlich zu einem Werk der Herzöge und Grafen, die bis ins 13. Jahrhundert hinein den größten Teil des Landes beherrschten. Rund hundert Burgen haben die Kreuzfahrer im Vorderen Orient hinterlassen, an der Küste, im Landesinneren, darunter Anlagen von riesigem Ausmaß wie den Crac des Chevaliers, der schon durch seinen Namen von der Herkunft der Tempelritter zeugt. Mitunter erforderten diese Anlagen ungeheure technische Leistungen, und es scheint, als wäre der europäische Burgenbau im Kolonialraum ins Gigantische gewachsen. Um die Höhenburg Saone, auf einem Bergsporn im Heiligen Land, vom übrigen Gelände abzutrennen, mußte man 170.000 Tonnen Fels abtragen.

Auch in Europa veränderte der Burgenbau die Landschaft. Die frühe Landschaftsmalerei zeigt das oft deutlicher als das gegenwärtige Landschaftsbild. Immerhin sind noch heute die großen Verkehrsstraßen des Mittelalters an Rhône-Saône, am Rhein, an der oberen Elbe und an den Paßübergängen der Pyrenäen und der Alpen von Burgen gesäumt. Namentlich Barbarossa brachte eine vielleicht noch immer zu wenig gewürdigte Absicht zu territorialer Herrschaft durch Burgenbau zum Ausdruck, zum großen Teil in den Gebieten unmittelbarer Königsherrschaft, im Elsaß, in der Rheinpfalz, am Main, an Pegnitz und Eger. Er handelte dabei allerdings in Familientradition, denn vom 12. bis ins 14. Jahrhundert erkannten immer mehr sogenannte »Landesfürsten« die Bedeutung des Burgenbaus für Landfrieden und -verwaltung ebenso wie für die Grenzsicherung. Friedrichs gleichnamiger Vater soll nach dem Wort eines Chronisten immer eine Burg am Schweif seines Rosses mitgeschleift haben. Man sieht, daß der Historiker durch die Groteske mitunter mehr Wirkung bei seinem Publikum erzeugt als durch abgewogene Aussagen.

Friedrich war aber auch ein großer Pfalzenbauer und -restaurator und brachte damit jenen Zweig des europäischen Burgenbaus zur Geltung, der den Kaisern vorbehalten war und sich deshalb auf Deutschland und Italien beschränkte. Darin war Karl der Große das Vorbild für alle künftigen Kaiser gewesen. Seine Aachener Pfalz – ein Wort, das sich aus Palatium entwickelte, Palast, palais, palazzo – wurde vorbildlich für die nächsten vierhundert Jahre Palastbau. Udo von Metz, Karls Baumeister, schuf unter Beteiligung anderer Mitglieder des Kaiserhofes eine Vereinigung von Sakralbau und Wohnbau, das Aachener Münster, einen Rundbau nach antikem Vorbild, und den Kaiserhof, den die Aachener später zu ihrem Rathaus machten, mit dem wuchtigen Eck-

Die Rekonstruktion der Aachener Pfalz zeigt eine großräumige Anlage im Sinn des kaiserlichen Anspruchs. Die Pfalzkapelle im Mittelpunkt war demnach durch einen gedeckten Gang mit einem Residenzbau verbunden, der noch heute in der Bausubstanz des Aachener Rathauses zu erkennen ist.

turm. Beides war durch einen Gang verbunden. Spätere Pfalzen Karls, namentlich Nieder-Ingelheim und Nijmwegen, ließ Barbarossa wiederherstellen. Die Zeitgenossen verstanden das zu Recht als eine Betonung der Kaisertradition, und Barbarossa unterstrich das noch durch entsprechende Inschriften, wie auf Kaiserswerth, einer Rheininsel bei Düsseldorf: zur »Zierde des Reiches«, weil er »die Gerechtigkeit festigen« wolle; überall herrsche Friede, verkündete der »Cesar Fridericus« als »Pfleger der Gerechtigkeit und sorgsamer Rächer der Untat«. Die Bauten wurden 1702 zerstört. Die Inschriften sind erhalten.

Barbarossa führte zum letzten Mal die karolingische Pfalztradition fort. Sein Enkel, Friedrich II., baute in Unteritalien als Kaiser anders. Seine kühnen, »modernen« Bauanlagen, zweifellos mit byzantinischen und arabischen Einflüssen, vielleicht aber auch nach eigenen Ideen des Kaisers, wie man immer wieder zu wissen glaubt, lassen feste Häuser entstehen, ungemein massive Steinbauten, zum Teil mit schrägen Wänden wie in Lucera oder als Oktogon wie das Castel del Monte. Die Bauidee hat bei einer Vielzahl von Varianten immer dieselbe Grundvorstellung eines massiven, organisch geschlossenen Steinbaus, möglichst mit einem Lichthof in der Mitte, der die Arkadengänge im Innern von oben bis unten erhellt. Die Ausstattung mit Mosaik und Marmor kann man nur erahnen. Lediglich beim Castel del Monte läßt sich beweisen, daß Friedrich II. mit seinen für die Zeitgenossen schon merkwürdigen Bauten in der süditalienischen Hügellandschaft fest abgeschirmte Plätze einer erhöhten Wohnkultur geschaffen hat. Zu- und Abwasserleitungen, vermutlich auch die Kühle der massiven Mauern und die Lichteffekte mögen den Herrscher auch hier als stupor mundi ausgewiesen haben – als Staunen der Welt.

Staunen kann bisweilen schon ein schlichter Burgenbau auf steilen Felsen erregen, um so mehr, als von manchen Burgen unglaublich kurze Bauzeiten überliefert sind, mitunter nur Monate, manchmal Jahresfrist. Das läßt sich sicher am leichtesten durch die Existenz von Bauhütten erklären, wandernden Werkstätten, die mit Dutzenden von Facharbeitern übernahmen, was die Hilfsarbeit der Fronbauern nicht zu leisten imstande war. Technisches Wissen ist in jener Zeit und noch lange fast nur mündlich tradiert worden. Die Künste der

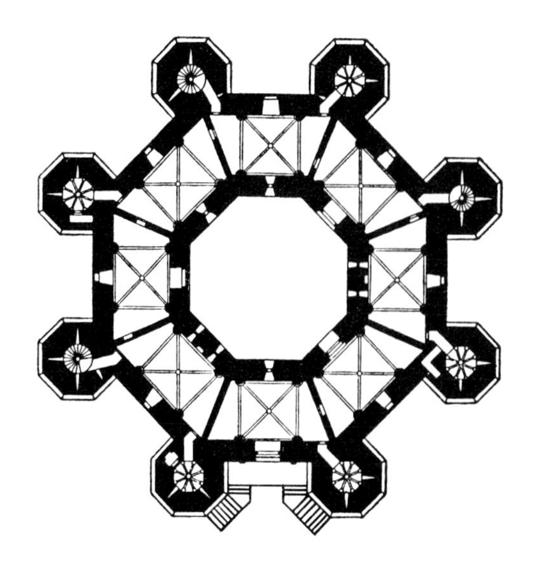

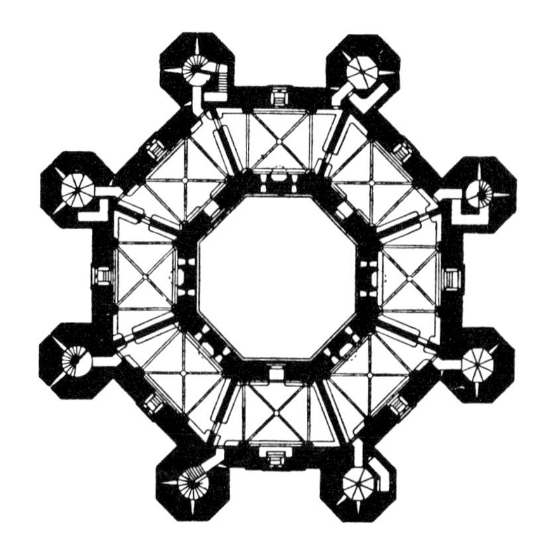

Der Grundriß von Castel del Monte zeigt in beiden erhaltenen Stockwerken ein ausgeklügeltes Spiel von Technik und Ästhetik, Wohnkomfort und kaiserlicher Erhabenheit im symbolischen Achteck, das schon die Kaiserbauten Karls des Großen auszeichnet. In Einzelheiten von der Baukunst der Zisterzienser und des Deutschen Ritterordens beeinflußt, der damals in unmittelbarer Nachbarschaft weite Gebiete verwaltete, war die architektonische Aussage des Bauwerks offenbar dem Kaisermythos Friedrichs II. als Endkaiser, ja als neuem Messias zugedacht. Nach neuen Forschungen war der Bau wahrscheinlich überkuppelt.

Bauarbeiten. Eine französische Handschrift von 1448 vermittelt in exemplarischer Anschaulichkeit einzelne Baustadien. Interesse verdienen die Turmgerüste, auch der Baufortschritt von Osten nach Westen, der aus Quellen zum Kirchenbau allgemein bekannt ist.

Statik, bei Festungsbauten mitunter noch waghalsiger, jedenfalls wichtiger als im Kirchenbau, die Einsicht in die Möglichkeiten von Mauern und Türmen an Ort und Stelle, Brückenbau und Erkerkonstruktionen haben die Werkmeister dem Pergament nicht anvertraut, allenfalls dem Reißbrett, der hölzernen Schreibunterlage. Im übrigen haben sie sich wohl nach sorgsam gehüteten alten »Faustregeln« gerichtet – auch das ein sprechender Begriff! Was man so aus »freier Hand« erschuf, scheint unter Barbarossa in einer »Palastbauhütte« konzentriert gewesen zu sein; dies jedenfalls vermutet Walter Hotz, und so kann man wohl die Verbindung zwischen Herrschaftsarchitektur und Kaiseridee, die Barbarossa an zahlreichen Pfalzrenovierungen erkennen läßt, in ihrer Ähnlichkeit am besten erklären.

Lehensrecht

Lehensherr und Lehensmann – Sonne und Mond (denn der Mond nimmt sein Licht von der Sonne »zu Lehen«) – in abweisender Haltung, nach der Rechtsgestik einander die Treue aufkündigend. Eine Darstellung aus dem »Sachsenspiegel«, dem deutschen Rechtsbuch des 13. Jahrhunderts.

Das Ethos der Ordnung zählt zu jenen Theoremen, mit denen der Mensch die Herrschaft über seinesgleichen rechtfertigt, vor tausend Jahren mehr noch als heute. So wie sich Kaiser und Könige immer wieder auf diese Notwendigkeit beriefen, so waren auch die Herren untereinander in ein Gefüge streng bewahrter Ordnung eingegliedert, nicht minder als die Knechte. Die verhältnismäßig geringe Beweglichkeit einer agrarischen Welt, in welcher der Boden die Menschen an sich band, verstärkte noch den statischen Charakter des Ordnungsgefüges.

Die Ordnung der Herren untereinander wurde bestimmt durch das Lehenswesen. Der lateinische Begriff dafür, Feudalität und Feudalismus, wird seit der Französischen Revolution auch gebraucht zur Bezeichnung des ganzen Mittelalters. Im engeren und eigentlichen Sinn aber heißt Feudalismus eine Verbindung zwischen Herren und Vasallen als Dienst und Gegendienst in wechselseitig gültiger Verpflichtung. Seit dem 8. Jahrhundert, offenbar als eine Erfindung der Karolinger, hatte dieses System das ältere einfache Gefolgschaftswesen abgelöst. Der Herr »lieh« seinem Vasallen ein »Gut« und empfing dafür dessen Dienste, vornehmlich zunächst Waffendienste. Der Lehensnehmer mußte »frei« sein, eben unabhängig von anderen Herrenbindungen. Der zwischen Herren und Vasallen geschlossene Vertrag war in symbolische Formen gekleidet, war wie alles Rechtsleben jener Zeit Ausdruck einer sinnbildlichen Ordnung der Gesten, Gebärden und menschlichen Zuwendung. Der Vasall legte seine Hände in die Hände des Herrn, gab sich damit in dessen Schutz und versprach dafür seinen Dienst. Der Lehenseid in dieser Form gewann damit auch den sichtbaren und einklagbaren Charakter eines Rechtsaktes auf Wechselseitigkeit.

Natürlich war diese Ordnung in Wirklichkeit nicht unbeweglich. Auch das Lehenswesen wandelte sich. Vom 8. bis zum 12. Jahrhundert über den größten Teil des lateinischen Abendlandes verbreitet, entwickelte es eine fein abgestufte Gesellschaftspyramide aus Ober- und Unterherrschaften, eine »Heerschildordnung« in deutscher Variante, in der »Fahnlehen« zum Symbol für ein Fürstentum auf oberster Ebene verliehen wurden, während ganz unten eine

Lehenseide durch Ergebung in die Hände des Herrn (links) und Eidesleistung mit Vormund. Hier wird die Bedeutung von Rechtsgebärden als verbindliche Symbolik anschaulich.

Vielzahl von »Einschildrittern« nurmehr Lehen nahm und keine vergab. Die Lehensordnung wurde damit für einige Jahrhunderte auch zum Grundgerüst von Staatlichkeit. Das Lehensrecht war oft die einzige legale Handhabe von Herrschaft, das Lehensgericht die entscheidende Instanz politischer Verantwortlichkeit, bis vom 12. Jahrhundert an sich allmählich die Adeligen, die Prälaten und schließlich auch die Bürger, mitunter auch Bauern eines »Landes« zu »Ständen« zusammenschlossen; als Repräsentanten aller Angehörigen ihrer Rechtsqualität und mit dem Anspruch auf die Vertretung des ganzen Landes entwickelten sie eigenes, nun eben »Landrecht« und stellten es selbstverantwortlich dem Fürstenrecht entgegen.

Eine genauere Umschau muß konstatieren, daß sich in einigen Bereichen des lateinischen Europa das Lehensrecht niemals durchsetzte oder erst spät und nur oberflächlich akzeptiert wurde, namentlich an der nördlichen und östlichen Peripherie des Kulturkreises, in Skandinavien wie in Polen, in Böhmen, in Ungarn und bei den Südslawen. Zwar entwickelten sich da vergleichbare Verhältnisse zwischen den Königen und freien und waffenfähigen Herren, die ihnen dienten, doch fehlten Lehenseid, Lehensrecht und Lehensgericht. Um so eher waren hier die landbesitzenden Herren bereit, sich gegen den Herrscher zusammenzuschließen, um ihre Interessen zu wahren und sich auch bald stellvertretend für das ganze Land zu erklären.

Frankreich, England, Italien und das Reich wurden, mit unterschiedlichen Gewichtungen, die klassischen Regionen des Lehensrechts. Die vollkommenste Ausprägung gelang in England nach der normannischen Eroberung, wo vorher nur ein loses Abhängigkeitssystem der Thegns von ihrem Herrn bestanden hatte, ähnlich wie in Nord- und Osteuropa. Jetzt wurde alles Land rigoros in Lehen aufgeteilt, was die Könige weder in Frankreich noch in Deutschland erreichten, wo sich große und mittlere Herren auch auf Eigenbesitz beriefen, auf Allodium, aus altem Herkommen und römischen Begriffen der Grundherrschaft. Und jeder Lehensträger in England wurde, über seinen unmittelbaren Herrn hinweg, noch durch Wilhelm den Eroberer 1086 auf den König als seinen obersten Lehensherrn vereidigt.

Bei schwieriger Beweislage, zunächst auch im Strafrecht und später noch lange zur Klärung von Besitzverhältnissen, behalf sich das Mittelalter mit Eidesleistungen bei festgesetzten Zahlen von »Eideshelfern«. So mußte, nach dem Sachsenspiegel des Eike von Repgow, Lehensbesitz und auch unabhängiger persönlicher Besitz (Allod) jeweils mit sechs Standesgenossen eidlich bekräftigt werden, die hier im Bild gemeinsam auf Reliquienschreine schwören.

Treueid über einem Reliquienschrein und standesgemäße Reihenfolge beim Durchschreiten einer Tür. Was uns heute noch als Höflichkeit geläufig ist, war einst bitterernste Rangfrage: Das Nibelungenlied läßt den Streit der Königinnen an der Frage entbrennen, wessen Gemahl ein Lehensmann sei und wer demnach den Vortritt an der Domtür habe.

Noch um die Mitte des 13. Jahrhunderts postuliert diese Illustration aus dem Sachsenspiegel, einer grundlegenden Sammlung von Rechtssätzen, eine Herrschaftsordnung auf der Grundlage der Einheit von Kaiser und Papst.

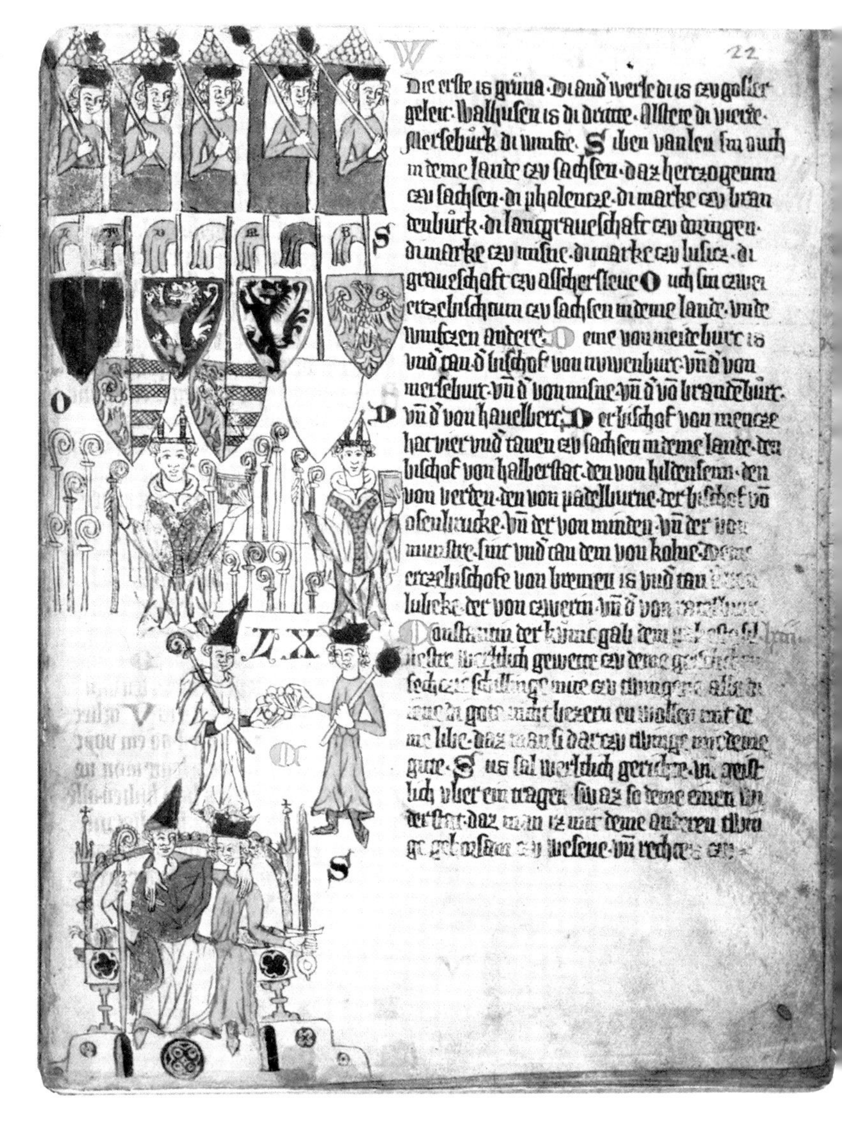

Minnedienst

Nicht das Milieu der Burgen und die Rangordnung des Feudalsystems, sondern die höfische Gesellschaft, ihr wohlberechneter Funktionsaufbau und ihre Meinung von sich selbst schufen Hofkultur. Die vielen großen und kleinen Höfe übernahmen alle etwas davon. In dieser Umgebung entwickelte sich Eleganz, Geist und auch der künstlerische Sinn einer Adelsgesellschaft, die sich vom Mönchsideal emanzipiert hatte, um auf ihre Weise zu leben. Der Gedanke des »edlen Dienstes« wurde, wie zur Rechtfertigung gegenüber der mönchischen Askese, zum Leitbild des adeligen Lebens, und die großen und kleinen Höfe sollten seine Schulungsstätten sein.

Dazu zählte »Minnedienst«, in ungeklärtem Doppelsinn zwischen »höherer« und »niederer« Minne, namentlich in Deutschland. Der Minnedienst gibt wenig Aufschluß über die Moral zwischen den Geschlechtern, aber er zeugt von einer literarischen Erotisierung gesellschaftlichen Umgangs, vor allem in Südfrankreich, seinem Entstehungsraum. Dabei hatte der deutsche, manchmal unkritisch gepriesene Minnesang einen schwereren Tonfall als sein französisches Vorbild. »Die Übertragung dieser französischen Literatur in eine weitgehend analphabetische Laiengesellschaft in Deutschland hatte zur Folge, daß die höfische Literatur hier eine ganz andere Funktion erhielt« (Joachim Bumke). Abstrakter, tiefsinniger, als aussageschwere »Weltanschauungsdichtung« entfernt von der spielerischen Intellektualität französischer Eleganz, auch weniger klangvoll und vital als auf ihre Weise die Vagantenpoesie.

Der Herrendienst, eigentlicher Inhalt adeliger Lebensführung, fand, bezeichnend für das unverbindliche Spiel mit Versen und Liedern, in dieser Ritterdichtung weit weniger Niederschlag. Konfliktstoffe, epische Themen aus alten Sagenkreisen wie die Artuslegende oder das Gralsmotiv, wurden christlichen Wertvorstellungen angepaßt, oder aber sie legten, wie das jüngere Nibelungenlied, Zeugnis ab von einer wachsenden Verrechtlichung im Gegensatz zu alten Blutsbindungen: In der alten Fassung rächte Kriemhild das Blut ihrer Brüder, in der neuen ihren Ehemann. Das eine wie das andere lebte vom westlichen Vorbild. Slawische Epik der Frühzeit hat sich nicht gehalten, und slawischer Minnesang entfaltete sich eher spärlich. Weit mehr belebten deutsche Minnesänger das slawische Milieu, besonders am böhmischen Königshof in der zweiten Hälfte des 13. Jahrhunderts, als in der »kaiserlosen« Zeit kein deutscher Königshof existierte. Auch in Oberitalien entwickelte sich Minnesang nicht auf die übliche Weise. Das hing wohl einfach damit zusammen, daß dort die Stadtkultur dominierte und die Adeligen in ihre Mauern zwang. Hofkultur gab es erst bei den Renaissancefürsten. Unteritalien hingegen, mit normannischen, staufischen, französischen und spanischen Höfen, entwickelte nicht nur Ritterdichtung, sondern sogar eine besonders elegante Form dafür, das Sonett. Der dolce stil nuovo der Petrarca-Zeit trug diese Versform als einen wichtigen Ver-

Gespräche um Schönheit und Liebe in höfischer Zelebrität um einen sechseckigen Brunnen: Abgehoben von seinem Thema, ist der mittelalterliche »Minnedienst« eines der Grundelemente adeliger Laienkultur.

Fiedel, Dudelsack, Flöte und Laute begleiteten den Vortrag der »Minnesänger«. Die sogenannte Manessische Liederhandschrift aus dem 14. Jahrhundert, heute in Heidelberg, zeigt links, inmitten der fürstlichen Jury, den bekannten Sänger Meister Heinrich Frauenlob, rechts Hiltbolt von Swanegow im stolzen Schmuck seines Wappentieres.

mittler der italienischen Hochsprache durch die reichen Bürgerhäuser. Allerdings wechselten dabei Themen und Empfindungen.

Mehr Aufmerksamkeit als die Themen verdienen die Wege der Vermittlung. Ohne Zweifel wirkten genealogische Verbindungen der Großen bei der Wanderung der Hofkultur von West nach Ost. Herzog Wilhelm V. von Aquitanien († 1030) zählte zu den großen Förderern der Troubadours, und seine Tochter Agnes († 1077) heiratete Kaiser Heinrich III.: ein wichtiger Verbindungsweg. Die fremde Kleidung, die bartlosen Gesichter und eben auch die »höfischen«, die höflichen Sitten im Gefolge der Kaiserin fielen in Deutschland auf, den jungen adeligen Leuten zur Nachahmung, den Geistlichen zum Ärgernis. Aber nicht einmal fromme Geschichten von göttlichem Zorn über die französische »Mode« konnte deren Verbreitung hemmen.

Die diesseitsbezogene, aber doch ans Jenseits gebundene Adelskultur, die sich da so selbständig gegen die Kirche behauptete, verdient einiges Nachdenken. Zunächst deshalb, weil dieses »Westlertum« die Umgangsformen nicht nur in seinen Ursprungsgebieten, sondern in ganz Europa noch heute beeinflußt. Nicht nur nach den Worten, sondern auch nach dem Inhalt haben wir feste Vorstellungen von »Höflichkeit«, von »Kavaliersdelikten« und von »ladylike«. Erst jetzt, im 20. Jahrhundert, mit unterschiedlichem Tempo in den verschiedenen Gesellschaftsordnungen Europas, werden solche Verhaltensformen abgetan. Die Auflösung der Familie im bindungslosen Großstadtmilieu ist ihnen ebenso abträglich wie die Anspruchsmentalität der Wohlstandsgesellschaft. Wer wollte heute noch »dienen«?

Der Turniersieger erhält den Kranz aus Damenhand. Lanze und Helm werden ihm im Triumph vorangetragen. Diese typische Szene aus der Manessischen Liederhandschrift gibt einen Eindruck vom Glanz der Hoffeste... Aber auch die Entspannung nach Turnier, Jagd oder Kampf, in weichen Kleidern und hier gar im Schoß einer schönen Frau war bildlich manifeste Hofkultur; nach derselben Handschrift.

Der Sinn für geistige Beziehungen zwischen den Geschlechtern, häufig auch erotischer Verzicht zugunsten »höherer Ordnungen«, ermöglichte seinerzeit ein idealisiertes Daseinsgefühl, aus dessen Spannungsbogen die ständische und schließlich auch die gebildete Oberschicht ihre Lebenskraft zog. Natürlich nicht ohne heimliche Abwege und häufige Nichtachtung, über deren Ausmaß allerdings keine festen Vorstellungen möglich sind. Es ist bezeichnend für die Kraft der Historie, daß die endgültige Ablösung dieser Lebensformen in unserer Zeit mit entsprechenden »Enthüllungen« über ihren Ursprung einhergeht. In Wahrheit ist nichts zu enthüllen; ein kluger Beobachter wird zu allen Zeiten das Ideal von der Wirklichkeit zu trennen wissen.

So entstand in der mittelalterlichen Adelswelt nicht gerade ein Gegenbild zum christlichen Lebensideal, wie es die Kirche entwickelt hatte, aber doch eine deutliche Abweichung von kirchlichen Leitvorstellungen, ein Laienideal auf eigenen Füßen. Es war natürlich nicht für alle Laien gedacht, im Gegenteil: Es verstand sich als Privileg der Oberschicht und bezog nicht nur einen Teil seiner Aussage gerade aus dieser elitären Abgrenzung, sondern auch seine Anziehungskraft rührte daher. Natürlich wußte es, wie alle anderen Gesellschaftsideale in der Weltgeschichte auch, die letzten Probleme des menschlichen Daseins nicht zu lösen. Es empfahl nur bestimmte Verhaltensweisen da, wo sich existentielle Entscheidungen üblicherweise gedanklich nicht mehr begründen lassen. Im Problemfall also hielt sich die adelige Mentalität an die »Mâße«, an den Mittelweg, an die wohlbemessene Askese, an Selbstdisziplin, die sich nicht nur christlich, sondern auch mit antiker Philosophie rechtfertigen ließ und

bei allem Dienst innerweltliche Zielstrebigkeit einschloß, anders als die mönchische Selbstentäußerung. Die große Liebesgeschichte von Tristan und Isolde, die alle Grenzen standesgemäßen und »maßvollen« Verhaltens sprengte, war aber weit verbreitet und gleichsam utopischer Teil höfischen Denkens.

Wie an den neuen Hohen Schulen, so wurde auch auf den Burgen das Buch wichtig für eine neue Lebensform. Freilich als Seltenheit, und man ging anders damit um. Ritter, die »so gelehrt waren«, nicht nur Bücher in der eigenen Sprache zu lesen, sondern auch französische Verse, stammten oft aus dem deutsch-französischen Kontaktraum zwischen Maas, Saône und Rhein. Die

Höfische Musik, in Sälen und Gärten gepflegt, entwickelte in ihrer Struktur seit dem 14. Jahrhundert allmählich die moderne Mehrstimmigkeit in Theorie und Notenschrift, dazu den festen Takt zur synchronen Stimmführung. Lautenspiel gehörte zum Erziehungsprogramm der adeligen Söhne.

Doppelsprachigkeit dort war gewiß ein wichtiges Bindeglied für die Vermittlung europäischer Kultur. Ritter aber, die nach festen Formen »dichteten« und ihre Gedichte aufschrieben, kamen auch in Deutschland meist aus der unteren Adelsschicht. Dem alten Hochadel galt, mit Ausnahmen, Schreiben als mühselige Handarbeit. So wuchs der »Minnesang« aus einem Berufsstand. Das allgemeingültige Ideal für den gesamten Adel kam zum erheblichen Teil aus adeligen Unterschichten, in Frankreich wie in Deutschland und ebenso, nachdem es sich dort verbreitet hatte, im östlichen Mitteleuropa.

Bemerkenswert ist der Anteil von Frauen am Dichten und Singen, zumindest in den ersten Generationen. Im provenzalischen Ursprungsraum der Minnedichtung, in »Occitanien« an der Mittelmeerküste zwischen Frankreich und Spanien, nennt man im 11. und 12. Jahrhundert etwa fünfundzwanzig weibliche »trouvers«, das heißt »Finder«, eben Dichter. Daß dieser Anteil zurückgeht, gehört wohl in eine größere Entwicklung, die seit dem 12. Jahrhundert allgemein in Europa eine ursprünglich stärkere Aktivität des weiblichen Elements allmählich in einen besonderen Pflichtenkreis verwies. Als Objekte blieben die Frauen freilich ein Grundthema aller Poesie; sie blieben auch in ihrer Rolle als Idealfigur wirksam als Korrektiv: Ihretwegen suchte man die ganze Mühe des Daseins zu rechtfertigen, in ihnen sah man die Verkörperung idealer Menschlichkeit. Aber dieses Gegenüber ist bereits das Konstrukt einer Männerwelt.

Die Haudegen wurden kultiviert durch »höfische Zucht«. Das erinnert auf merkwürdige Weise an das Schachspiel, das, mitgebracht von den Kreuzzügen, seit dem 12. Jahrhundert zum festen Bestandteil adeliger Lebensführung wurde. In diesem Kampfspiel ist die »Königin« oder die »Dame« bekanntlich die stärkste Figur. Auch in geistiger Paraphrase wird das Schachbrett zum Kampffeld der Geschlechter, spielerisch und doch geeignet, die Frau nicht nur nach der Figurenordnung, sondern ebenso als spielendes Gegenüber in ihrer Ebenbürtigkeit zu zeigen. Im Reiten, im Laufen leicht unterlegen, im Gespräch als Partnerin womöglich auch benachteiligt aufgrund einer gewissen Weltläufigkeit des Mannes, boten ihr die Regeln des Schachspiels Chancengleichheit in einer anspruchsvollen geistigen Auseinandersetzung. Bedeutsam ist, daß der »Dame« auf dem Brett die Rolle der mächtigsten Figur im Spiel erst im europäischen Milieu zugewachsen ist. Das indische Schachspiel und auch seine arabischen Vermittler kannten keine »Dame«. Der Großwesir, der statt dessen den König auf dem Schachbrett begleitete, hatte nur einen begrenzten Aktionsradius. Die Potenzierung der Figur und ihre Umbenennung fanden erst in Europa statt.

Jagd

Wesentlicher Bestandteil »höfischer Zucht« war eine Adelspassion, die man in ihrer atavistischen Verbindung zum adeligen Selbstbewußtsein bis heute noch nicht richtig einzuschätzen weiß. Es geht um die Jagd. Nach ihren Ursprüngen, aus ethnologischen Vergleichen, aus dem Welt- und Lebensempfinden alter Jägerkulturen lebt sie in gewissen lebendigen Rechten bis heute. Jagd ist nicht

Weder die Inder, die das Schachspiel erfunden haben, noch die Araber, durch die es im 11. Jahrhundert nach Europa kam, kannten die Figur der »Dame«. Ein eindrucksvoller Beleg für die Bedeutung, die man dieser Figur auf dem europäischen Schachbrett schon bald einräumte, ist diese Elfenbeinschnitzerei aus Süditalien; frühes 12. Jahrhundert.

Adelssport, ebensowenig wie das heutige Jagdwesen mit all seinen Facetten als Sportart zu beschreiben wäre; Jagd ist vielmehr Bestandteil einer uralten Gemeinsamkeit zwischen Mensch und Tier. Im wörtlichen und durchaus nicht ironischen Sinn bedeutet Jagd eine Nahrungsgemeinschaft, die alle Leidenschaft des Menschen zum Kampf herausfordert, aber die Beute auch mit ritueller Ehrung zu versöhnen sucht: Jagd ist unchristlich nach ihrem Hergang wie nach ihrem Zweck. Das Christentum hatte schon früh, unter Berufung auf die Apostelgeschichte, allein den Fischfang konzediert.

Venator, quia peccator – Jäger, weil Sünder. Im tiefsten Grund war hier das Mönchtum zur Attacke gegen die rauhe Weltlichkeit angetreten, und in den Lebensgeschichten der alten Heiligen Blasius oder Eustachius und des mittelalterlichen Hubertus suchte es nach Beweisen. Der Graf aus den Ardennen hetzte im 10. Jahrhundert bekanntlich einen Hirsch, als ihn das Zeichen des Kreuzes im Geweih des Tieres plötzlich zur frommen Erschütterung führte. Er wurde Mönch. Die Lust am Hetzen und Töten mit der geheimnisvollen Nähe des alten Adels zum Dämonischen, das in »Meister Braun«, »Meister Lampe« und »Reinecke« sich hinter Schutznamen verbirgt, war unvereinbar mit christli

Eine Dame auf Falkenjagd, aus dem Ingeborg-Psalter. Die Besitzerin freilich, Prinzessin von Dänemark, hatte kein gutes Geschick: 1193 sofort nach ihrer Eheschließung mit König Philipp II. Augustus verstoßen, wurde sie zum Anlaß eines langen Rechtsstreits und fand wohl wenig Freude am Glanz des Hofes.

Ein Eber wird gejagt. Erstaunlicherweise ist auch ein Kleriker mit dabei, dem Tier den Fang zu geben, obwohl für ihn die Hetzjagd verboten ist.

cher Selbstdisziplin. »Jagdglück« meint nicht allein die Tüchtigkeit des Jägers, sondern zeigt auch geheimnisvolle überirdische Gunst, es ist persönliche Auszeichnung, Korrespondenz mit dem Göttlichen aus einer längst vergangenen Welt.

Das standesbeschränkte Jagdrecht auf Hochwild fand schließlich Duldung bei der Kirche. Immerhin traten, als die Heraldik seit dem 12. Jahrhundert nach Tiersymbolen griff, die Metaphern des Frühchristentums vom gejagten Hirsch, den die teuflischen Hunde hetzen, von den Tauben, die den mordgierigen Falken ausgesetzt sind, und vor allem vom Lamm Christi in den Hintergrund. Nicht die friedfertigen christlichen Tiere, sondern Raubtiere hielten Einzug auf den adeligen Wappenschilden: der Adler, der Löwe, der Panther, der Bär und der Greif. Der Drache blieb durch eine byzantinische Konnotation als teuflisches Ungeheuer belastet; das Roß zog man nur selten heran, trotz seiner

Unter allen möglichen Jagdszenen zieht die Großwildjagd besonderes Interesse auf sich. Die Technik der Bärenfalle auf dem Teppich von Bayeux aus dem 11. Jahrhundert findet man noch vierhundert Jahre später; die Falle wird mit der Kraft eines herabgebogenen Astes geschlossen. Unten: Löwenjagd mit Schwert und Schild; auch die Karikatur fand schon Ausdruck.

engen Verbindung zum Rittertum; Fuchs und Hund blieben unehrlich, jeder auf andere Weise.

Jagdfieber und Jagdglück, die kannibalische Denkweise beim Wildverzehr – die Läufe zur eigenen Schnelligkeit, das Herz zum Mut, Hirschhoden für alternde Kavaliere –, haben sich noch bis in unsere Gedankenwelt gehalten. Die merkwürdige Sitte, etwas vom erjagten Hochwild zu mumifizieren, um sich sozusagen mit den Resten des toten »Feindes« zu schmücken oder sich davon gar Schutz zu versprechen – Gehörn, Gamsbart und Eberzahn: Diese Reste atavistischer Welthaltung blieben in Adelshäusern lebendig wie im Volksglauben. Wildern verhieß Teilnahme an dieser Lebensform und hatte deshalb weit höhere Anziehungskraft als etwa der materielle Nutzen. Überhaupt haben die Untersuchungen von Küchenabfällen gezeigt, daß der Anteil von Wildbret an der täglichen Nahrung meist überschätzt wird. Das widerspricht mancher zeitgenössischen Aussage. Aber wahrscheinlich stellte man die Jagd so hoch, daß man ihren Erfolg bisweilen übertrieb.

Bei der Inkonsequenz ideologischer Strömungen in einem vitalen Gesellschaftsgefüge fiel die Jagd schließlich doch noch unter die kirchliche Toleranz. Aber sie war und blieb verboten für Mönche, in den meisten Formen auch für Kleriker und selbst für Ritterorden. Hier gab es allerdings Jagderlaubnis zum Schutz vor Raubtieren, zur Übung im Armbrustschießen und, eingeschränkt, zur Ernährung. So wurde der Biber als vermeintlicher Kaltblüter eine Beute der Ordensritter.

Das Abenteuer der Selbstbehauptung

Mönche und Weltpriester, Ritter und Scholaren haben ihre Lebensideale zu Papier gebracht. Spanien, Frankreich, England und Deutschland zeigten sich davon besonders ergriffen. Es fällt auf, daß die italienischen Städte zunächst weder an der ritterlichen noch – von ein paar rühmenswerten, aber französisch beeinflußten Ausnahmen abgesehen – an der mönchisch bestimmten Literatur beteiligt sind. Statt dessen tauchen hier und in Südfrankreich seit dem 12. Jahrhundert »Fabeln« auf mit weitem literarischen Echo. Auch in den »nugae«, den Torheiten und Satiren des weitgereisten englischen Höflings Walter Map im dritten Viertel des 12. Jahrhunderts, ist ein Widerschein davon zu spüren. Diese »Fabeln« zeigen eine ganz andere Lebensauffassung. Hier kommt es darauf an, sich zu behaupten und seinen Anteil an Leben und Genuß zu ergattern, gleich auf welche Weise. List, Betrug, Aufhebung der Regeln des Maßhal-

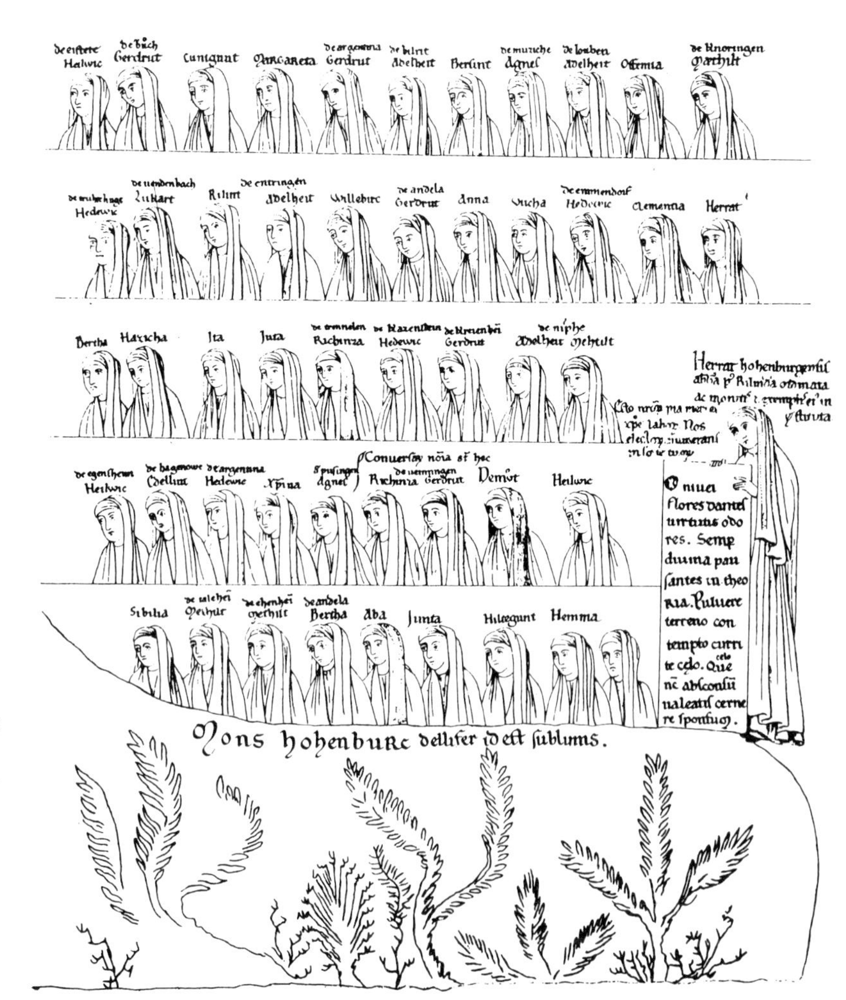

Herrad von Landsberg ließ in ihrem »Hortus« den ganzen Schwesternkonvent von Odilienberg zeichnen. Individuelle Züge in den 60 Figuren sind nicht auszuschließen. Von den Namensangaben tragen mehr als die Hälfte ein Adelsprädikat.

Die Selbstdarstellung von Hildebert und Everwin zählt zu den Kuriositäten in der Buchmalerei des 12. Jahrhunderts – nicht zuletzt, weil Hildebert noch den munteren Fluch hinzufügte, natürlich lateinisch: »Du elende Maus reizt mich oft zum Zorn, daß Gott dich verdamme!«

tens und der Selbstdisziplin spiegeln eine andere, eine mobile, eine antiständische Seite literarischer Reflexionen, wobei das Erlaubte zugunsten der eigenen Bedürfnisse recht weit gesteckt wird. Das Leben erweist sich unmittelbar als Kampf, mit List und Gegenlist. Übrig bleibt rauher Humor; so etwa im »Schneekind«, einem Versepos um die Jahrtausendwende. Das Schneekind entstand in einem langen Winter, als der Hausherr auf Reisen war, aus Schnee; anders wußte seine Frau den Hergang nicht zu klären. Der Heimgekehrte verkaufte es schließlich in die Sklaverei und konnte auch nicht mehr berichten, als daß das Schneekind nun geschmolzen sei.

Von der neuen Selbstbehauptung, die da zum großen Abenteuer aufbricht, dort an einer hohen Schule sich entfalten will, hier in den Städten des Südens zwischen Geld und Frauengunst Erfolge sucht, haben uns auch die Maler ein bißchen gezeigt, in kleinen Skizzen, verstohlen am Rand ihrer Bilder. Wo sie oft mit Feder und Pinsel große Kunst bezeugen, finden sich auch immer wieder einmal kleine Selbstporträts und Namenszüge. Die Äbtissin Herrad von Landsberg hat in einem berühmten Buch gar ihren ganzen Konvent porträtieren lassen – gewiß ein Unikum in einer angeblich noch so wenig persönlichkeitsbewußten Epoche.

Pfiffiger ist eine Skizze aus Olmütz: Da leben Hildebert und Everwin als »freie« Künstler, vielleicht aus Köln, wie Stil und Namen vermuten lassen. Der Bischof hat sie engagiert, zwei oder drei Bände haben sie für seine Bibliothek geschrieben und gemalt. Schnell bringen sie eine Atelierszene aufs Pergament: Ihr Tisch ist gedeckt; Hildebert, noch bei der Arbeit, ist dargestellt als der größere, ansehnlichere, also wohl der »Chef« des Teams. Auch Everwin sitzt eifrig auf seinem Schemel. In diesem Moment hat sich eine Maus auf den Tisch gestohlen und will mit von der Partie sein – Hildebert wird gleich etwas nach ihr werfen. So leben sie …

Amiens, Kathedrale: Engel und Heilige in der Mittelportalwölbung. Kann man sich eine deutlichere Demonstration des christlichen Personalismus denken?

V
Macht und Räume

Von Grenzen und Expansionen

Die mittelalterliche Welt kannte keine Grenzen. Die Römer hatten Grenzen festgesetzt, markiert mit Palisadenwällen und Türmen über Hunderte von Kilometern, in England, am Rhein und an der Donau, und auch als Grenze benannt: Der »Limes« wurde zum Begriff in den romanischen Sprachen. Die deutsche »Grenze« ist slawischen Ursprungs und bezeichnenderweise da entstanden, wo der deutsche Ritterorden in Ostpreußen sich vom polnischen Gebiet »abgrenzen« mußte. Grenze hieß im älteren Deutsch Mark, aber nicht als Linie, sondern als Grenzzone verstanden. Um scharf abzugrenzen, dem Gelände nach, sucht man zwar schon in den Beschreibungen des 13. Jahrhunderts nach Bergkämmen und Bächen, aber im Kartenbild weiß man das erst zu Anfang des 16. Jahrhunderts genau anzugeben, wie etwa das bayerische »Grenzvisir« den umstrittenen Grenzverlauf gegen Böhmen festlegt.

Nicht, daß man in älteren Zeiten den Wert von Landbesitz unterschätzt hätte; aber wie man erst seit dem 12. Jahrhundert Ackerland zu vermessen pflegte, ebenso legte man erst allmählich Grenzlinien fest, da, wo benachbarte Lande nicht durch einen bewaldeten Grenzsaum getrennt waren oder wo, wie in Spanien oder im heidnischen Osteuropa, eine stets latente Gefahr Grenzlinien beachten hieß und wo man gar »Verhaue« anlegte, halbgefällte Bäume, die fortan waagrecht weiterwucherten mit ihrem Astgewirr, um Grenzwald undurchdringlich zu machen.

Auch Territorialansprüche waren im selben Sinn oft unklar oder gegenläufig definiert. Der Kaiser galt als Herr der ganzen Christenheit, zumindest in dichterischer Umschreibung am staufischen Hof, aber die Wirklichkeit entsprach einer solchen Formulierung nicht. Der König von Frankreich beanspruchte das gesamte Erbe der westlichen Karolinger, aber im 10. und 11. Jahrhundert versäumten es die Großen des Landes, namentlich im Süden, auch nur Lehenshuldigungen zu leisten oder den Königshof zu besuchen. Der König von Kastilien führte im 11. Jahrhundert eine Zeitlang den Kaisertitel, weil er die Oberherrschaft über die anderen fünf spanischen Königreiche damit ausdrücken wollte.

So war die räumliche Ordnung der mittelalterlichen Welt lange Zeit im unklaren. Ihre räumliche Entwicklung vollzog sich währenddessen gleichwohl unter dem Primat politischer Herrschaft. Die maßgeblichen Kräfte der gesellschaftlichen, der wirtschaftlichen wie der kulturellen Gestaltung gingen bis ins 12. Jahrhundert vom karolingischen Zentrum aus, von jenem Raum, dessen Grenzen das Karolingerreich um 800 umschrieben hatte. Nordfrankreich und Flandern, die Provence und die Lombardei waren darin seit dem 11./12. Jahrhundert die Schwerpunkte des Handels und des gewerblichen Exports nördlich und südlich der Alpen. Als das Zentrum politischer Macht erwies sich im

Innern um die Jahrtausendwende das ottonische Imperium, das westliche Mitteleuropa zwischen Elbe und Maas, Isonzo und Rhône bis an die Grenzen des sogenannten Kirchenstaats auf der Apenninhalbinsel. Es gab Grenzstreitigkeiten. Aber grundsätzliche Zuordnungen waren in jenem konsolidierten christlichen Abendland nicht mehr in Frage gestellt, nachdem endlich auch die Normannen feste Plätze gefunden hatten: im 10. Jahrhundert in der Normandie, im 11. in Unteritalien und in England. Von 1016 bis 1061 hatten sich normannische Fürstensippen, unterstützt von ihren Gefolgsleuten, der unteritalischen Fürstentümer bemächtigt und dabei langobardische Fürsten abgelöst, von denen sie ursprünglich als Söldner herbeigerufen worden waren. Damit übernahmen sie allerdings gleichzeitig die Auseinandersetzungen ihrer ehemaligen Soldherren mit den byzantinischen Statthaltern, die da noch immer, namentlich im Küstenbereich, über eine zum Teil noch griechisch sprechende Bevölkerung regierten, mitunter auch offensiv. So war erst im 11. Jahrhundert die Stadt Troja in Kalabrien von einem solchen byzantinischen Katapan gegründet und in Erinnerung an die griechische Sagenzeit benannt worden. In keinem Fall fiel den Normannenfürsten die Legalisierung ihrer Eroberungen leicht; jedes Mal bedienten sie sich päpstlicher Legitimation. Wilhelm »der Eroberer« setzte mit päpstlichem Segen 1066 auf die englische Insel über, und seine Verwandten in Unteritalien, Robert Guiscard und seine Brüder, knüpften ebenfalls an die elastische päpstliche Politik an, die immer

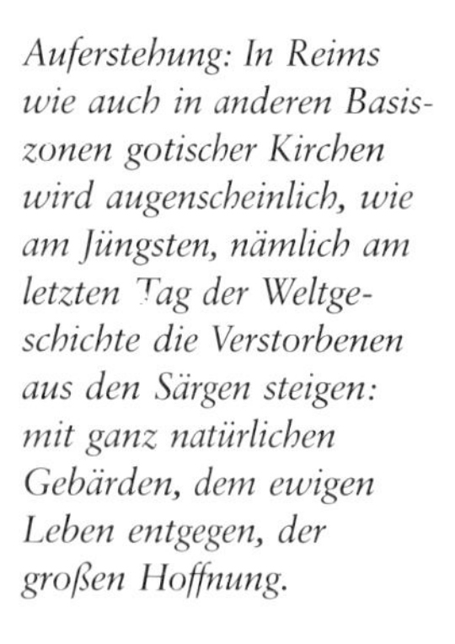

Auferstehung: In Reims wie auch in anderen Basiszonen gotischer Kirchen wird augenscheinlich, wie am Jüngsten, nämlich am letzten Tag der Weltgeschichte die Verstorbenen aus den Särgen steigen: mit ganz natürlichen Gebärden, dem ewigen Leben entgegen, der großen Hoffnung.

wieder bereit war, ihre Autorität für Vasallendienste einzusetzen. Aber weder der neue König von England noch die neuen Herzöge von Apulien oder, in der nächsten Generation, der neue normannische König von Sizilien, der die Sarazenen von dort verdrängt hatte, wurden aufrichtige päpstliche Lehensmänner.

Die Expansion des lateinischen Europa setzte unter päpstlicher Führung ein. Diese Führung suchte auch nach dem zugehörigen rechtlichen Ausdruck, nach einem Lehensverhältnis, wie denn die lateinische Kirche insgesamt nicht schlechthin durch die Religion, sondern konkret durch ein religiös legitimiertes Rechtssystem die Christenheit und damit eigentlich die Welt organisieren und zum Heil führen wollte. Man kann davon ausgehen, daß dieser Expansion Europas eine Phase der Intensivierung vorausging, des Kräftesammelns durch Landesausbau, Städtegründungen, Verwaltungsverdichtung, Vertiefung des Christentums und namentlich Verrechtlichung in Wort und Schrift. An den Brennpunkten der Entwicklung folgte die eine Phase sehr rasch der anderen. In Frankreich, wo sich zu Anfang des 11. Jahrhunderts die agrarische Revolution beobachten läßt, brachte zu Ende desselben Säkulums, 1096, der erste Kreuzzugsaufruf des Papstes Urban II. Zehntausende auf die Beine. Diese neue Massenbewegung trug die große europäische Expansion in die islamische, byzantinische oder heidnische Nachbarschaft, und alle Völker des lateinischen Abendlandes waren daran beteiligt. Drei sich allmählich ethnisch und nach ihrem Selbstbewußtsein herausbildende nationale Entwicklungsräume traten dabei allerdings im besonderen Maß hervor: Frankreich; das deutsche Reich, das sich seit dem Investiturstreit als regnum Teutonicorum immer wieder besonders angesprochen fühlte, obwohl es im Rahmen des Heiligen Römischen Reiches eigentlich keinen besonderen rechtlichen Status hatte; und schließlich die spanischen Königreiche. Aufmarschräume der Expansion waren die beiden großen Binnenmeere Europas, die gleichzeitig Brücken schlugen zu anderen Entwicklungsräumen mit sehr unterschiedlichem kulturellen Status: das Mittelmeer mit dem islamischen und dem byzantinischen »Gegenüber«, die Nord- und die Ostsee, an deren Küsten Finnen, Balten und Slawen noch fern vom Entwicklungsstand der christlichen Herrschaften siedelten.

Kreuzzüge

Das Christentum ist eine politische, nämlich auf das Zusammenleben der Menschen angelegte Religion; auf ein Zusammenleben ohne Gewalt. So hatten die Christen auch ursprünglich den Krieg abgelehnt, ehe der heilige Augustinus, einer der größten Deuter und Wegweiser, drei Bedingungen festlegte, nach denen sich Christen nicht nur gegen Gewalt wehren, sondern auch gewaltsam eine verlorene Ordnung wiederherstellen durften: einen gerechten Grund, eine rechte Absicht und die richtige politische Autorität, um beides zu erklären und auszuführen. Unter diesen Voraussetzungen war kein Missionskrieg zu führen, schon gar nicht ein politischer Expansionskrieg; aber man konnte Rechtsansprüche gewaltsam verwirklichen, namentlich im Hinblick auf die monarchischen Ansprüche fürstlicher Dynastien, ihre Erb- und Verwandtschaftsverhältnisse. Konnte man das Christentum schon nicht verbreiten, so durfte man es wenigstens schützen.

Natürlich weiß eine jede Gewalt sich selbst zu legitimieren. Das christliche Abendland war aus Gewalt hervorgegangen, nach dem Zusammenbruch der römischen Herrschaft, nach generationenlangen Konsolidierungskämpfen, nach dem gewaltsamen Einigungswerk der Karolinger. Aus Vorzeiten rührte die Regel, verletztes Recht durch die eigene Faust wiederherzustellen, und das Christentum war weder imstande, diese Regel aufzuheben, noch sie durch eine bessere Gerechtigkeit zu ersetzen. Ehe viel später der Staat das vermochte – ein Kriterium unter vielen, daß nun das Mittelalter zu Ende war –, hatten allerdings schon einmal die Mönche versucht, durch die Gottesfriedensbewegung im 11. Jahrhundert, die Kämpfe großer und kleiner Herren untereinander wenigstens zu beschränken. Und konsequenterweise erwuchs seinerzeit aus derselben Bewegung auch der Versuch, die Regelung durch bewaffnete Gewalt zu schützen, durch »christliche Ritter«, eingebunden in den Dienst am Ganzen, zum Schutz der Schwachen und der Kirche. Hier liegt eine der vielfältigen Wurzeln der Kreuzzugsidee, und sie entspringt dem gleichen Personenkreis, aus dessen Gedankenwelt schließlich der Papst, selbst Kluniazenser, 1096 zum ersten Kreuzzug aufrief. »Grundlage dieser sakralen Ideologie der Gottesmiliz war ein christlich interpretierter Feudalismus, in dem Christus selbst (vertreten auf Erden durch den Papst) oberster Lehnsherr der von ihren weltlichen Kriegszielen abgelenkten Feudalschicht« war (Rainer C. Schwinges 1987).

Die Benediktinerabtei Monreale in der Nähe der Königsresidenz Palermo wurde 1174 von König Wilhelm II. gegründet, ihr Abt 1183 zum Erzbischof erhoben. Die Mönche bildeten seither das Metropolitankapitel. Um diese Zeit entstanden die Kathedrale und der Kreuzgang des Klosters, die als Höhepunkt der Baukunst der Normannenzeit betrachtet werden. Die Mischung von byzantinischen, italischen und arabischen Elementen gestaltete sich zu einer neuen Einheit, im Wasserspiel des Brunnenhofes noch um ein akustisches Moment bereichert.

Das Christentum ist nicht nur eine politische, sondern auch eine im besonderen Maß historische Religion. Seine Lehren laden ein zur Retrospektive, nicht nur in der Zeit, sondern auch im Raum. Sie führen immer wieder zum Heiligen Land als dem Lebensraum Christi und der Apostel zurück. Diese Bindung an den Orient wurde in persönlicher Begegnung gepflegt, und aus dem lateinischen wie aus dem griechischen Gebiet der Christenheit machten sich jährlich ungezählte, aber wohl Tausende von Pilgern auf den Weg, nicht nur Christi Lebensstationen an Ort und Stelle zu »vergegenwärtigen«, sondern auch dafür den himmlischen Lohn zu erhalten. Wallfahrt war fromme Bußübung, und Buße schuf Gnaden. »Der Kreuzzug war eine konsequente Fortbildung der Pilgeridee« (Hans Eberhard Mayer). Nach christlicher Lehre ersetzte die Wallfahrt andere von der Kirche verhängte Bußübungen. Nach christlicher Praxis schuf sie »Ablaß« für Sünden. Die Brücke zwischen Himmel und Erde, Relikt archaischer Religiosität, suchten Wallfahrer wie Kreuzfahrer mit unbeirrbarer Sicherheit, und die Kirche, in ihrer Theologie eigentlich diffiziler, ergab sich der Volkspraxis. So wurde, wie zuvor schon im Bewußtsein der Wallfahrer, im Kopf der Kreuzfahrer nun erst recht der himmlische Gnadenschatz zur sichtbaren Verheißung, und die Märtyrerkrone lohnte den Einsatz des Lebens.

Berühmte Wallfahrtsorte statteten die Pilger mit Abzeichen aus, um den Besuch zu beweisen. Oft waren solche Zeichen, wie hier die Kölner, aus einer Legierung von Zinn und Blei gegossen. Wir sehen, etwa in natürlicher Größe, Vorder- und Rückseite mit der Darstellung der heiligen Drei Könige bei ihrer Huldigung.
Die (angeblichen) Reliquien der Drei hatte der Kölner Erzbischof 1156 aus dem besiegten Mailand nach Köln gebracht. Die Darstellung erinnert zugleich an die älteste »Wallfahrt« zum Christuskind nach biblischem Bericht.

Die kirchenrechtliche Praxis förderte schließlich noch solche Vorstellungen: Ein Kreuzfahrer wurde nach dem rechtlich bindenden Kreuzzugsgelübde von allen Schulden und anderen Verpflichtungen befreit oder auf Zeit gelöst; er selbst und auch seine Familie unterstanden nicht mehr der weltlichen Gerichtsbarkeit, sondern der kirchlichen. Jeder Angriff auf ihn oder seine Habe war mit kirchlichen Strafen zu ahnden. Das Kreuzfahrergelübde verhieß insofern nicht nur Bindung, sondern auch Freiheiten. Und wie zuvor schon die großen Wallfahrten in die Nähe der islamischen Welt geführt hatten, zum Grab des heiligen Jakob nach Santiago de Compostela im Nordosten der zum guten Teil islamischen Halbinsel Spanien, zum Grab der Apostel Peter und Paul, zum Erscheinungsort des Erzengels Michael am Monte Gargano in Unteritalien oder eben nach Jerusalem ins Zentrum der christlichen Erinnerung, so war die Kreuzfahrt jetzt dazu ausersehen, die heiligen Stätten als christlichen Ur- und Eigenbesitz aus der Herrschaft Ungläubiger zu befreien und das ganze umliegende Land dazu. Kreuzzüge waren bewaffnete Wallfahrten. Deshalb wurden sie auch bis ins 13. Jahrhundert einfach als Pilgerfahrten bezeichnet, und erst danach, französisch, lateinisch oder deutsch, mit dem besonderen, im modernen Hochdeutsch erst vor zweihundert Jahren wieder belebten Wort.

Der Historiker von Heeren hat damals, 1805, die Kreuzzüge an den Beginn der Revolutionsgeschichte gesetzt. Revolutionär im herkömmlichen Sinn war tatsächlich manches an dieser Massenbewegung. Nicht nur, daß Tausende, von ihrer Phantasie beflügelt, Haus und Hof verließen; die Kreuzzüge waren auch eine soziale Bewegung. Nach der Gleichheit vor dem Kirchenrecht waren Mann und Frau, gleich welchen Standes, zum Kreuzzug aufgerufen, ebenso wie zuvor auch zur Wallfahrt, und ungezählte Massen, gerade auch Frauen, namentlich im nordöstlichen Frankreich, folgten diesem Ruf. Und dabei spielten soziale Motive ebenfalls eine Rolle. Einerseits, weil Tausende damit drückender Not aus Überbevölkerung zu entgehen suchten, in einem Land, das Adels- und Bauernbesitz vielfach nur mehr in Erbteilungen behauptete. Andererseits, weil sich im Bewußtsein der Kreuzfahrer, auserwählt zu sein, die

Eine spanische Elfenbeinschnitzerei des 12. Jahrhunderts zeigt die bekannte Emmausszene als Pilgerbegegnung – ein Versuch, der Wallfahrt ein biblisches Vorbild zu sichern.

Umkehr von Parias zur Elite vollzog. Nicht zuletzt versprachen die Kreuzzüge Ersatz für ein von der Kirche mehr oder weniger offen unterdrücktes Ritterideal: das Abenteuer.

Aus der Kreuzzugsbegeisterung wuchs ein neues Gemeinsamkeitsbewußtsein im christlichen Abendland. Im besonderen dem ritterlichen Lebensideal zugedacht, knüpfte der Kreuzzugsgedanke mit übergreifender Kraft Gemeinsamkeiten zwischen dem einfachen, im Herrendienst aufgestiegenen Kriegertum und den Hocharistokraten mit jahrhundertealter Familientradition; er verband Könige und die Geringsten unter ihren waffenfähigen Untertanen im Zeichen des Kreuzes, nach den gemeinsamen Erlebnissen der langen Kreuzzüge und nach den Definitionen des Kirchenrechts. In der Kreuzzugsidee gipfelte in mancher Hinsicht die politische Weltveränderung, wie sie die Kluniazensermönche ausgelöst hatten; die Erfüllung dieser Pläne im 12. Jahrhundert, unter päpstlicher Oberleitung, nicht etwa unter kaiserlicher, bewies zugleich die Konsequenz der Päpste, dem gebannten Kaiser, überhaupt der korrupten weltlichen Macht, die seit Karl dem Großen entwickelten Ideale christlicher Weltherrschaft zu entreißen.

Aufgerüttelt wurden die Menschen von Predigern, die fast alle dem Namen nach unbekannt blieben und nur aus ihrem Wirken erschlossen werden können. Eine der Ausnahmen ist der Einsiedler Peter von Amiens, der 1096 an der Spitze fanatisierter Massen, offenbar großenteils Besitzloser, seinen Zug ins Heilige Land begann, aber sofort und unmittelbar den Krieg gegen Ungläubige eröffnete. Er fand sie in den jüdischen Gemeinden entlang der alten Handelsstraßen, namentlich in Rouen, in Köln, in Mainz, in Worms, in Speyer, in Trier und in Prag. Mit Entsetzen berichtete der Trierer Chronist vom »Wahnsinn der Christen« und davon, wie der Bischof vergeblich die Juden der Stadt zu schützen suchte, wie verzweifelte jüdische Väter ihre Kinder töteten und wie jüdische Frauen, um nicht in die Hände der Blindwütigen zu geraten, ihre Klei-

Reliquienbüsten verhelfen der atavistischen Vorstellung von der leiblichen Gegenwart eines Heiligen zur Anschaulichkeit. In diesem Glauben liegt der ganze Kontrast zu unseren Vorstellungen von Tod und Leben. Der starre Blick der gold- und edelsteinüberladenen Figur kann die Magie der Vergegenwärtigung glaubhaft machen.

der mit Steinen füllten und in die Mosel sprangen. Das Heilige Land erreichten diese Kreuzfahrer nicht. Aber die anderen, die zu Pferd und zu Schiff an Ort und Stelle kamen, haben ihren heiligen Krieg mitunter nicht anders geführt.

Der Re-cuperatio des Heiligen Landes entsprachen die Re-conquista Spaniens, die Vertreibung der Sarazenen aus Sardinien, Korsika und Sizilien und, etwas komplizierter zu rechtfertigen, eine Vielzahl von Slawen- und Baltenzügen im östlichen Mitteleuropa. Sie alle galten nach der Vorstellung der Kreuzfahrer der Verteidigung oder Wiedergewinnung alten Besitzes. Die politische Expansion war im vorderen Orient allerdings wenig dauerhaft. Jerusalem, 1097 erobert, blieb nur bis 1187 in christlicher Hand, als Königreich; Gottfried von Bouillon, der sich selbst nur »Vogt des heiligen Grabes« nannte, zählte zu den besonderen Kreuzzugshelden. Die Insel Zypern wurde erobert und blieb längere Zeit »lateinisch«, ähnlich wie Kreta, Rhodos und Malta. Eine Anzahl von Kreuzfahrerstaaten entstand, aber Gegenoffensiven im 12. oder 13. Jahrhundert, spätestens die neue islamische Expansion unter türkischer Ägide seit dem 14. Jahrhundert, machten ihnen ein Ende. Dauerhaft war dagegen die christliche »Wiedereroberung« Spaniens, mit großen Erfolgen schon im 11. Jahrhundert, wenn auch begünstigt durch innere Zwistigkeiten islamischer Dynastien und erst um 1492 abgeschlossen.

Die Gesta Dei per Francos, die Taten Gottes durch die Franzosen, die erste Kreuzzugschronik, bezeugt ein Expansionsbewußtsein im Rahmen dessen, was sich um diese Zeit auf der Grundlage des westlichen Christentums vielleicht auch zu einer europäischen Nation mit lateinischer Hochsprache hätte formieren können. Später entartete das Kreuzzugsbewußtsein zum Adelssport. Deutsche und tschechische, englische und französische Herren zogen im 13. und 14. Jahrhundert auf Einladung des deutschen Ritterordens nach Ost-

In der Wallfahrt fand, trotz mancher Gegenstimme, die mittelalterliche Christenheit eine unmittelbare Daseinsprobe für jeden Gläubigen, der, von allen Bindungen gelöst, dem Geschick einer langen Wanderung ausgesetzt war. Pilgerhut und Jakobsmuschel kennzeichnen den Aufbruch nach außen wie nach innen; Selbstentäußerung, Selbstfindung.

Lucas von Leyden, um 1508: Pilgerpaar. Die Pilgerzeichen auf dem Muschelhut kennzeichnen die beiden als Rückkehrer von Santiago – vielleicht soll auch ihre Erschöpfung dies deutlich machen.

preußen, um über winterlich gefrorenen Sümpfen hin in einer frommen Selbsttäuschung so etwas wie Jagdlust an den heidnischen Litauern zu üben.

Die Kreuzzüge im Ostseeraum hatten zwar geringere ideologische Anziehungskraft als die Fahrten ins Heilige Land, denn sie waren keine Wallfahrten. Aber als bewaffnete Heidenmission erzielten sie im Hinblick auf den Entwicklungsgang der europäischen Kultur nachhaltigeren Erfolg. Ihnen verdankte sich auch die Herrschaftsorganisation der Deutschordensritter, und wiewohl nur kleinräumig, ursprünglich mit polnischer, auch mit böhmischer Unterstützung, erwuchs daraus im 13. und 14. Jahrhundert eine besonders effiziente Verwaltungsorganisation mit mustergültiger Kolonisationsleistung. Die Bekehrung der Litauer und die Aufnahme ihres weiträumigen Reiches in die christliche Völkerfamilie war allerdings nicht ein Werk der Schwertgewalt, sondern der engen Verbindung mit der polnischen Geschichte. Diesmal kann man die Entwicklung personalisieren: Die Erbin Polens verzichtete auf eine Liebesehe und »ergab« sich dem Willen ihrer Ratgeber. Der Herrscher Litauens, den sie auf ihren Thron nahm, war Heide und Analphabet. Sie hatte ihn zuvor nie gesehen ... Königinnenschicksal.

Kreuzzüge erforderten eine staunenswerte Organisationsleistung, und im Grunde war wohl nur die Kirche dazu imstande. Sonderbesteuerungen des Klerus durch die Kurie und allgemeine Ablaßsammlungen, Ersatz von Kreuzzugsgelübden durch Geldzahlungen und ein einsatzbereites Heer von Kreuzzugspredigern und -werbern, von Steuerbevollmächtigten und Ablaßkrämern unterstützten die Unternehmungen. Viele Teilnehmer bestritten die Kosten der Fahrt selbst, aber nur wenige, wie der heiliggesprochene König Ludwig IX. von Frankreich, waren darüber hinaus zu großen finanziellen Einsätzen imstande. Der sechste Kreuzzug unter seiner Führung (1248–1254) kostete das Zwölffache der königlichen Jahreseinkünfte. Kreuzzugsfinanzen beschäftigten den Papst, Kaiser und Könige noch im Spätmittelalter im Kampf gegen Hussiten und Türken.

So wie der erste Kreuzzug eine in Europa bis dahin unbekannte Judenverfolgung ausgelöst hatte, wurden Kreuzzüge später auch der Ketzerbekämpfung innerhalb der Christenheit zugedacht: ein Zeichen neuer Polarisierung von Gruppen und Gegensätzen. In diesem Zusammenhang erhielten Kreuzzüge freilich auch ein besonderes Gewicht als Mittel der Politik; selbst Könige bewarben sich um diese kirchliche Unterstützung, unter anderem deshalb, weil Lehensaufgebote nur beschränkte Dienstzeiten hatten und mitunter

Einschiffung eines Kreuzheeres. Päpstliche, französische und englische Wappen dominieren über den Reisigen, und die italienischen Reeder profitieren. Auffällig ist neben dem Jerusalemkreuz auch ein Banner vom Heiligen Geist. Ob heiliger Wahn oder wohlberechnete Machtpolitik: die Kreuzzüge haben die Mittelmeerwelt im 12. Jahrhundert in nachhaltige Bewegung gebracht. Den Realismus der Darstellung darf man im übrigen nicht hoch veranschlagen. Es ist unwahrscheinlich, das sich die Kreuzfahrer in ihren schweren Rüstungen auf die Schiffe begaben.

in Glaubensdingen keine recht taugliche Waffe waren. Die Katharer in Frankreich wurden von 1209–1229 durch Kreuzzüge bekämpft, die Stedinger in Norddeutschland 1230–1234, orthodoxe Russen von den Schweden 1348–1351, die Hussiten in Böhmen 1420–1431. Auch im Kampf gegen den Stauferkaiser Friedrich II. und seine Söhne 1245–1268 wurde »das Kreuz gepredigt«.

Ins Heilige Land zog man nach 1096 ein zweites Mal. An diesem zweiten Kreuzzug von 1146–1149 nahmen sowohl der König von Frankreich, Ludwig VII., als auch der römische König und präsumtive Kaiser Konrad III. teil, ohne daß man von der Führung des einen oder des anderen hätte sprechen können. Es gab keinen rechten Erfolg. Beim dritten Zug im Jahr 1190, nach dem Verlust Jerusalems, war Kaiser Barbarossa an der Spitze, der freilich das Heilige Land nicht erreichte. Er ertrank in Anatolien. Aber sein Heer, unterstützt vom englischen König Richard Löwenherz und französischen Truppen, konnte Akkon wiedergewinnen. Der vierte Kreuzzug geriet auf falsche Bahnen. Mit Lockungen und Drohungen gelang es den Venezianern beim Schiffstransport, einen Umweg nach Konstantinopel zu arrangieren. Nicht der Islam wurde bekämpft, sondern die christlichen Brüder; nicht Jerusalem wurde 1204 erobert, sondern Konstantinopel. Militärisch war das ein größerer Erfolg als

Kaiser Barbarossa stürzt samt seinem Roß in den Saleph und ertrinkt. Seine Seele, üblicherweise dargestellt als Wickelkind, wohl zum Zeichen des neuen, des jenseitigen Lebens, wird von einem Engel Gott übergeben. Eine Handschrift aus der Burger-Bibliothek in Bern, 12. Jahrhundert.

alle Aktionen im Heiligen Land. Für sechzig Jahre etablierte sich danach die freilich bald verhaßte Fremdherrschaft der »Lateiner« über das byzantinische Kaiserreich. Meist handelte es sich um Franzosen, große und kleine Adelige, die als Kaiser, Könige, Fürsten ihr Glück machten.

Der fünfte Kreuzzug war ein diplomatischer Erfolg und öffnete Jerusalem für Pilger und sogar für eine neue Königskrönung auf dem Verhandlungswege, während der Führer des Zuges, Kaiser Friedrich II., sich zu dieser Zeit im Kirchenbann befand. Der sechste zeigt den König von Frankreich an der Spitze, Ludwig den Heiligen, mit Teilerfolgen. Ein siebenter unter der gleichen Führung endete in Tunis in einem Desaster.

Danach übernahmen im Islam allmählich die Türken die Führung, als Söldner angeworben, zu Mohammed dem Propheten bekehrt und bald von Anatolien bis nach Ägypten die neue Großmacht am Mittelmeer. 1389 schlugen sie die Serben auf dem Amselfeld. 1396 sollte sie ein neuer Kreuzzug aus Südosteuropa vertreiben, aber die Schlacht von Nikopolis geriet zu einer bösen Niederlage. Sie eröffnete bereits die große Offensive des Islam, die spätestens nach der Eroberung Konstantinopels 1453 die ganze Christenheit alarmierte.

Neue Kreuzzugspläne, neue Niederlagen folgten. Die Kreuzzugsgeschichte läßt sich im Rahmen der Auseinandersetzung mit den Türken fortführen bis zur großen Seeschlacht von Lepanto 1571, die einen letzten christlichen Triumph bedeutete, die türkische Flotte im Kampf um das Mittelmeer ausschaltete, nicht aber die Bedrohung zu Lande, die erst ein Jahrhundert später nach der Belagerung Wiens, mit dem Entsatz durch den Polenkönig und die folgende christliche Offensive endgültig gebannt war. Spätestens damit geht auch die Geschichte der christlichen Kreuzzüge zu Ende.

Kreuzzugsgeschichte ist ohne Zweifel ein wichtiges Stück Mittelalter. In diesem Sinn hat man immer wieder einmal Bilanz gezogen. Schon die Zeitgenossen begannen damit. Werbung, Finanzierung, Organisation, die sichtbaren irdischen, die verheißenen himmlischen Vorteile brachten neue Elemente in die Vorstellungswelt, zustimmende und kritische. Daß beides zugleich in einem Kopfe Platz hatte, zeigt einer der bedeutendsten Kommunikatoren, Kritiker und Lobredner seiner Zeit, Walter von der Vogelweide, der nicht nur Minnelieder, sondern in vielleicht bedeutsamerem Maße auch politische Lieder schrieb und unter die Leute brachte. »Sagt an, Herr Stock, hat euch der Papst zu uns gesendet, damit ihr uns die Taschen leert und sie dem römischen Klerus füllt?« Herr Stock? Da ist jener Gegenstand personifiziert, der noch heute in mancher alten Kirche zu finden ist: der Opferstock, ein ausgehöhlter, mit Eisen verschlossener Baumstumpf, einfallsreich in den Kirchenboden gerammt und damit gegen Diebstahl gesichert. Eine handgreifliche Probe massenwirksamer Finanzierungsmethoden! Derselbe Walter sieht bei anderer Gelegenheit in einem kaiserlichen Kreuzzugsaufruf die große Chance zur Vollendung adeliger Lebensführung.

Auch in Frankreich gab es unter den Troubadours Stimmen, die in den Albigenserkreuzzügen Heimtücke und Verrat beklagten, eine Ablenkung von den wahren Kreuzzugszielen im Heiligen Land. Weder östlich der Elbe noch in Spanien traf die Kreuzzugsideologie mit den pragmatischen politischen Verhältnissen zusammen. Und weder hier noch dort war sie erfolgsträchtig.

Von besonderem Interesse ist schließlich die Kreuzzugskritik, die sich im

Kavalkade von Kreuzrittern. Bemerkenswert sind die Topfhelme, ein verbesserter Kopf- und Gesichtsschutz des 12. Jahrhunderts. Persönliche Wappen unterscheiden diese Schar von Angehörigen eines Ritterordens. Handschrift des 13. Jahrhunderts aus Akkon, heute in der Bibliothèque Nationale Paris.

Heiligen Lande selber regte. Sie ist kennzeichnend für die Entwicklung, die 1096 eingeleitet worden war, und wichtig für die Frage nach einer positiven oder negativen Bilanz der sieben großen orientalischen Unternehmungen. Da griff nämlich ein Mann zur Feder, der um 1130 als Kind französischer Eltern, die im Gefolge der Kreuzzugsbewegung eingewandert waren, in Jerusalem geboren worden war. Er wurde zum Sprecher einer uns nicht genauer bekannten Zahl von Franko-Orientalen, Kolonisten, die im Lauf der Zeit und offenbar besonders in der zweiten Generation in ihrer neuen Heimat ein ganz anderes Verhältnis zum Islam gefunden hatten, als es der Kreuzzugsideologie entsprach. Wilhelm, aufgestiegen zum Erzbischof von Tyrus und Kanzler des Königreichs von Jerusalem, verteidigte die Eigenrechte des Islam sozusagen auf der Grundlage der Gleichberechtigung seines Monotheismus, der sich schließlich auf denselben in der Bibel geoffenbarten Gott richte wie bei den Christen und Juden. Er sprach damit ein Problem an, das dem Selbstbezug des christlichen Europa bislang ferngestanden hatte: die Internationalität von Rechtsgrundsätzen. Demnach war es nicht nur den Christen, sondern unter vergleichbaren Umständen ebenso auch dem Islam möglich, nach den Bedingungen des heiligen Augustinus einen gerechtfertigten Verteidigungskrieg zu führen. Und vor allem verpflichtete eine solche Rechtsauffassung zur Vertragstreue zwischen Christen und Nichtchristen. Das war eine grundsätzliche Kritik am Kreuzzugsgeschehen. Hatte man doch die Kreuzfahrer mit der Vorstellung, sie führten einen Kampf gegen die Mächte des Teufels, von allen moralischen Verpflichtungen befreit. Das wirkte sich in der Praxis der Kriegführung aus, mit Greueln und Massakern, die den Kreuzzugswerbern in Europa und ihren Gläubigen allerdings kaum zu Ohren kamen, und es führte auch immer wieder zu Vertragsbrüchen mit gutgläubigen islamischen Herrschaftsträgern.

Wilhelms Kritik ergab sich aus der unmittelbaren Anschauung und aus dem neuen Miteinander, das orientalische Christen, vornehmlich die Einwanderer,

Antiochia wird von Kreuzrittern erstürmt. Die Darstellung, ein frühes Glasgemälde aus St. Denis, hat gewiß keinen Anspruch auf Wirklichkeitstreue; dennoch macht sie die äußerste Anstrengung der hochgereckten Kämpfer auf den Sturmleitern wie auf den Mauern auf eindrucksvolle Weise anschaulich.

sehr rasch dem prinzipiellen Fanatismus der militanten Kreuzzügler entfremdete. Die historische Kritik an den Kreuzzügen griff in den letzten Jahrzehnten viel weiter aus. »Angesichts Hunderttausender Opfer ist die Bilanz der Kreuzzüge wohl insgesamt negativ«, urteilte Schwinges 1987. Der Verteidigungsgedanke, mit dem man etwa die Türkenkriege vom 16. bis zum 18. Jahrhundert im Namen des christlichen Europa rechtfertigen kann, läßt sich weder den militärischen Expansionen unter dem Zeichen des Kreuzes im Heiligen Land noch der spanischen Reconquista oder den Kreuzfahrten im Ostseeraum zubilligen. Auch die Schwertmission, die man nicht ursprünglich, aber im Zug der Entwicklung gelegentlich mit dem Kreuzzugsdenken verband, wird man nur als tiefsten Widerspruch zum christlichen Weltverhalten bezeichnen können. Ansätze zum theologischen Gespräch mit dem Islam nahmen andere Wege, und sowohl Franziskus von Assisi als auch der originelle spanische Philosoph Raimundus Lullus versuchten nach mehr oder weniger intensiver Kenntnis des Islam, ihre Mission auf Überzeugung zu gründen.

Dennoch fanden die Kreuzzüge nicht nur Tausende Opfer, sondern noch viel mehr Anhänger. Militant auch in einer Unzahl kleinerer Expeditionen, wurden sie zur festen und die Jahrhunderte überdauernden Organisation in den geistlichen Ritterorden. 1118/19 schloß sich eine im vermeintlichen Tempel Salomons ansässige Rittergruppe zum Schutz der Pilgerstraße von der Hafenstadt Jaffa nach Jerusalem zusammen; um die Jahrhundertmitte entwickelte sich eine zweite Rittergruppe, ursprünglich einem Johannes-Spital für kranke Pilger zugeordnet, zur militanten Organisation, und in den neunziger Jahren entstand eine Rittergemeinschaft, auch sie zunächst zur Krankenpflege, unter deutschem Vorzeichen. Diese drei wichtigsten Ritterorden Palästinas organisierten fortan vornehmlich in Frankreich und Deutschland den Nachschub und die Finanzierung des Kampfes im Heiligen Land, mit unterschiedlichen Aufgabenverlagerungen nach dem endgültigen Verlust der heiligen Stätten. Der deutsche Ritterorden wurde damals zunächst zum Heidenkrieg an die Ostgrenze Ungarns, dann vom Herzog von Masowien zum Schutz gegen die heidnischen Preußen gerufen. Die Templer bauten ein großes Organisationsnetz mit finanziellen Fernverbindungen in Frankreich aus. Die Johanniter verteidigten bis ins 16. Jahrhundert Rhodos gegen die Türken und schließlich als »Malteser« den kleinen, aber wichtigen Stützpunkt zwischen Sizilien und Nordafrika.

Da die Kreuzzugsbegeisterung von Anfang an nicht nur im Adel, sondern auch in der geistlichen Armutsbewegung Wurzeln geschlagen hatte, gab es, namentlich nach dem neuerlichen Verlust Jerusalems im Jahre 1187, auch hier Versuche, mit der Kraft der Überzeugung dem Christentum den Weg zu bahnen. Diese Scharen kamen aber nie bis ins Heilige Land. Der sogenannte Kinderkreuzzug 1212, in Wirklichkeit nicht aus Kindern, sondern aus jungen Leuten meist bäuerlicher Herkunft rekrutiert, und der Zug der Pastorellen 1251 – benannt nach französischen Hirten – scheiterten noch in Europa. Hier spricht uns freilich ein anderes Kreuzzugsverständnis an, beseelt vom Wunderglauben und eschatologischen Hoffnungen. War doch Jerusalem nicht nur der Ort des Leidens Christi, das Gott mit der Welt versöhnte, sondern auch der geheimnisvoll vorhergesagte Ort, an dem das Endgericht über die Welt beginnen sollte, vielleicht auch ein tausendjähriges, paradiesisches Endreich; jedenfalls erschien Jerusalem in der Welt des Glaubens – in der Kirchenkunst immer wieder symbolisch in Erinnerung gebracht – als die irdische und himmlische Stadt zugleich, Paradies am Ende der Geschichte und Brücke zum Himmel.

Sigillum Militum Christi – Siegel der Kreuzritter, den Templern zugeschrieben.

Für einen Glaubenskrieg war die mittelalterliche Welt längst disponiert, nicht zuletzt durch die Intensivierung der Seelsorge im 11. und 12. Jahrhundert, und so fiel auch das Echo auf den päpstlichen Kreuzzugsaufruf wohl überraschend kräftig aus. Die kirchlichen Maßnahmen in der Folgezeit wußten dieses Echo mit Umsicht zu vertiefen. Bei allen Spielarten der Religiosität, von der archaischen Vorstellung, die Gott gab, damit er wiedergebe, über die Wundergläubigkeit, die handgreifliche und sichtbare Verbindungen zum Transzendenten suchte und zu finden wußte, bis zur Geringschätzung des Irdischen, die aber doch den jenseitigen Lohn der Entsagung erwartete, war der mittelalterliche Glaube aufs engste gesellschaftsbezogen und weltverbunden. Luthers spätere Theologie von der rätselhaften Gnadenwahl Gottes war zwar aus den Schriften des großen religiösen Denkers Aurelius Augustinus schon seit Jahrhunderten herauszulesen, aber gerade dieser Aspekt hatte nur wenig Echo gefunden und nur selten aktive Neugestaltung in theologischen Schriften. Also erscheint uns die Kreuzzugsmentalität nicht zu Unrecht besonders eng verbunden mit der Gedankenwelt des Mittelalters. Ähnlich wie bei Kaisern und Königen »von Gottes Gnaden«, ähnlich auch wie bei den Forderungen der Päpste nach oberster politischer Autorität sticht dabei die unmittelbare Verbindung zwischen Religion und Politik ins Auge, zeigt sich die mittelalterliche Gesellschaft nicht etwa nur beeinflußt, sondern gelenkt von religiösem Denken im ursprünglichen Sinn des Wortes: als unmittelbare Verbindung zum Transzendenten. Das sollte auch unser Urteil über die Kreuzzüge bestimmen.

Europa führt keine Kreuzzüge mehr. Ein »Kreuzzug für die Freiheit« und ein während des letzten Weltkriegs in der Allianz gegen das Hitler-Reich beschworenes Kreuzzugdenken benützten nur die Eindringlichkeit des Begriffs. Immerhin hat aber gerade die moderne Nationalpropaganda, die »heilige Werte« kriegerisch zu verteidigen suchte, einen Teil des Kreuzzugsdenkens auf das »heilige Vaterland« übertragen. Neben diese Kontinuität einer Kriegslegitimation, welche die Kirche in ihrem Universalanspruch aus mönchischem

Totalitarismus im 11. Jahrhundert zuerst entwickelt und an der sie lange festgehalten hat, bis die »geheiligten« nationalen politischen Gemeinschaften sie dann übernahmen, neben diese Kontinuität also, die uns auch hier mit dem Mittelalter verbindet, tritt der Kontrast: Wir führen keine Glaubenskriege mehr im unmittelbaren Dienst des Allerhöchsten mit direkter Erlösungsverheißung. Und wir wissen den Gang der Geschichte nicht nur mit den Augen unserer Zeit und an kollektiven zeitgenössischen Vorstellungen zu messen, sondern an einer überzeitlichen und für alle verbindlichen Menschlichkeit, vor der jeder Fanatismus seine Berechtigung verlieren muß.

»Der Kreuzzug, den man nicht genuin als Kolonisationsbewegung verstehen darf, paßte sich jedoch, einmal in Gang gekommen, dem allgemeinen sozialen Wandel an ... Europa expandierte seinen Herrschaftsbereich und seine ökonomischen Grundlagen« (Schwinges). Die orientalischen Kreuzzüge waren im großen Maß eine französische Expansionsbewegung, für den militanten und herrschaftsbereiten Adel geradeso wie für eine uns freilich nicht näher bekannte Anzahl französischer Kolonisten. Die spanischen Kreuzzüge waren vermengt mit pragmatischer Politik im Rahmen der Reconquista, aber sie führten hier und dort ebenfalls zu Siedlungsexpansion, zum Teil mit spanischen, zum Teil aber auch mit französischen Siedlern. Die Wirksamkeit des deutschen Ritterordens in Preußen – abgesehen von den weniger effizienten unmittelbaren Kreuzzugsunternehmungen jedenfalls eine Folge der Kreuzzugsorganisation – zog Siedlungsunternehmer und Bauern nach und führte zwischen Weichsel und Memel zur bestorganisierten großflächigen Kolonisation im Rahmen des seit längerem in Gang befindlichen Landesausbaus im östlichen Mitteleuropa. Im weiteren Zusammenhang mit diesen sozialen und wirtschaftlichen Entwicklungen, zugleich aber als großräumige Machtprobe der vereinten lateinischen Christenheit gegenüber dem Islam und dem byzantinischen Kaiserreich wurden die Kreuzzüge zum besonderen Impuls für die Entwicklung eines weitgespannten politischen Systems.

Hegemonie und Gleichgewicht

Um die Jahrtausendwende waren großräumige Machtverhältnisse in Europa nur erst in einfachen Formen entwickelt. Die Kaisermacht im Westen, in ottonischen Händen, und die Kaisermacht im Osten bestimmten sie. Der Islam war am Rande der politischen Zusammenhänge geblieben, zumindest für den lateinischen Westen, trotz seiner Anwesenheit in Spanien, auf Sardinien, Korsika und Sizilien und trotz der stets latenten Bedrohung an der Mittelmeerküste. Auch die West-Ost-Beziehungen zwischen den beiden Kaiserreichen waren so vage, daß von der Funktion eines weiträumigen machtpolitischen Systems noch nicht gesprochen werden kann.

Innerhalb des lateinischen Europa waren die Machtverhältnisse kaum aufeinander abgestimmt. Kaiserliche Ansprüche richteten sich allerdings auch nicht auf eine faktische Beherrschung der lateinischen Christenheit. Lediglich in Mitteleuropa gab es Ansätze zu einem solchen System, nachdem Otto III.

um die Jahrtausendwende Beziehungen zu Polen und zu Ungarn mit päpstlicher Hilfe im Sinne der klassischen römischen Bündnisgemeinschaft zu knüpfen versucht hatte. Seine Nachfolger hielten sich statt dessen an unkompliziertere Machtausübung. Namentlich in der Regierungszeit Heinrichs III. (1032–1056), der die älteren politischen wie die kirchlichen Ansprüche seiner kaiserlichen Vorgänger auf den Höhepunkt führte, gab es Lehensbindungen nach Norden, Osten und Südosten. Die Könige von Dänemark, Polen und Ungarn waren zeitweise solcherart an das Reich gebunden, während das böhmische Herzogtum schon seit dem Bestehen des ostfränkischen Reiches in einer ähnlichen, freilich dauerhaften Bindung stand, die ihm Selbständigkeit im Inneren garantierte bei einer gewissen, schließlich eindeutig durch Lehenshuldigungen geregelten Oberherrschaft des Kaisers. Nach Westen hin, gegen Frankreich, England und die spanischen Königreiche, blieben die kaiserlichen Ansprüche merkwürdig ungeklärt, oder besser noch: wortlos.

Dann hatte der sogenannte Investiturstreit das göttliche Vikariat des Kaisers seines Anspruchs entkleidet und an die Stelle eines machtpolitisch sehr unklaren kaiserlich-päpstlichen Dualismus eine Pluralität von geistlich-weltlichen Herrschaftsansprüchen gesetzt, einem jeden europäischen Königreich zugedacht, wenn auch ausdrücklich nur in Mitteleuropa, in Frankreich und in England ausgehandelt. Der päpstliche Versuch eines umfassenden Lehenssystems, mit dem sozusagen die Peripherie des lateinischen Europa rings um das karolingische Zentrum gesammelt und an Rom gebunden werden sollte, schlug einfach fehl. Danach sollten Polen, Ungarn, die spanischen Königreiche, das normannische England und schließlich die normannischen neuen Herrschaftsbildungen in Unteritalien dem Papst verpflichtet und bei passenden Gelegenheiten später, etwa im Hinblick auf die wichtige, im 12. Jahrhundert erbenlose Markgrafschaft Tuscien, auch der römische König und Kaiser in eine Lehensabhängigkeit gebracht werden. Aber es gab keine Lehensherrschaft ohne Macht.

Währenddessen waren auch in Mitteleuropa weiträumige politische Beziehungen in Gang gekommen, die insgesamt ein tragfähiges Geflecht aus wechselseitigem Kalkül erkennen lassen. Lehensbindungen aus dem Konzept der Ottonen und frühen Heinriche hatten sich dazu als untauglich erwiesen. Bündnisse auf der Ebene pragmatischer politischer Möglichkeiten waren allmählich an ihre Stelle getreten. Damit verbreitete sich in einer Vielzahl kleinerer oder größerer eigengewichtiger politischer Kraftfelder, eben in den seit der Jahrtausendwende konsolidierten und sich allmählich auch innerlich etablierenden »Nationalmonarchien«, die Grundgesetzlichkeit aller politischen Mechanik: die Neigung zur Selbstbehauptung, zur Ausdehnung auf Kosten des schwächeren Nachbarn, der Hang zum »übergreifenden Bündnis«, gerichtet gegen einen davon eingeschlossenen gemeinsamen Nachbarn, und die Suche nach Gleichgewicht. Diese neue Entwicklung ging einher mit der inneren Kräftigung durch Gliederung der einzelnen Herrschaftsbereiche und hing im gewissen Maße auch davon ab. Allmählich verschob sich das Gewicht, und die eine übermächtige Herrschaft in der lateinischen Christenheit, nämlich das Heilige Römische Reich als das größte und zunächst am besten bewahrte karolingische Erbstück, geriet in wachsende Rivalität mit einem erstarkenden Frankreich, das seinerseits wieder mit dem auf dem europäischen Festland gewaltig ausgreifenden

England zu konkurrieren hatte. Das alles begann sich im Laufe des 12. Jahrhunderts zu formieren.

Zunächst bestimmte allerdings noch die Auseinandersetzung zwischen den Kaisern nördlich der Alpen und den »Fourieren der Kreuzzüge«, den oberitalienischen Städten, das Feld: Venedig voran, danach Genua und Pisa, bald aber Mailand und seine städtischen Bundesgenossen, die als päpstliche Hilfstruppen aus eigenem Interesse den Kampf gegen die Kaiser unterstützten. Ihre wirtschaftliche und organisatorische Überlegenheit und die politischen Ansprüche ihrer Kommunalbewegungen schufen eine Gegenstellung ohne prinzipielle Absage, welche die Geschichte des Kaisertums fortan durch fast zwei Jahrhunderte begleitete und seine Kräfte band.

Seit dem 13. Jahrhundert entwickelten sich die besonderen Kontakt- und Spannungsfelder im lateinischen Europa zu einem großräumigen System. Vornehmlich war da der Mittelmeerraum, um den sich die Anrainerstaaten etablierten und sich an einer Hegemoniepolitik untereinander versuchten: der Kaiser, der König von Frankreich, der König von Aragon und die italienischen Seestädte. In einem zweiten Kräftefeld entwickelte sich die Auseinandersetzung zwischen England und Frankreich und weitete sich, als über Heiratsverbindungen seit dem frühen 12. Jahrhundert auch deutsche Interessen in die englische Politik verwoben wurden. Zunächst geriet Frankreich dabei in die Mitte eines übergreifenden Bündnisses. Später wirkte es mit nachhaltigem Erfolg unter den Parteiungen um den Kaiserthron. Ein drittes Kräftefeld bildete sich um die Ostsee aus. Zunächst, jedenfalls seit dem 12. Jahrhundert, war das ein entwicklungsfähiger Wirtschaftsraum für die Unternehmungen deutscher Kaufleute. Dann regten sich Spannungen aus dänischen Suprematieansprüchen über die beiden anderen skandinavischen Reiche und aus schwedischer Ostexpansion an der finnischen Küste. Während im 12. und 13. Jahrhundert noch die Heidenmission in Preußen und Livland die lateinische Christenheit vereinte, entwickelte sich im 14. Jahrhundert im Streit um den Küstenzugang

Das »goldene Haus«, Ca' d'Oro, zählt zu den berühmten Wohnpalästen am Canale Grande. Venedig hatte sich auf einer Inselvielfalt seit dem 6. Jahrhundert als Zuflucht vor den Barbareneinfällen entwickelt, so wie noch heute mehr als hundert Inseln in der Lagune zu finden sind, überbrückt, mit Pfahlrosten bebaubar gemacht, durch Kanalwege reguliert. Klug zwischen den Ost- und den Westkaisern lavierend, erreichte die Gemeinde mit oligarchischer Verfassung über Seehandel und Seemacht seit dem 12. Jahrhundert die politische Unabhängigkeit, ja schließlich die Vormacht an der Adria und in Rivalität mit Genua auch eine wichtige Position im östlichen Mittelmeer.

bereits eine Vorstufe im Streben um das dominium maris Baltici, der aus dem Barockzeitalter sattsam bekannte Kampf um die Ostseeherrschaft.

Seit dem 13. Jahrhundert ist, als vierter Großraum, auch das östliche Mitteleuropa Teilnehmer am europäischen Kräftespiel. Ungarn, das in seiner Mittelposition zwischen dem Kaiserreich Byzanz und dem Westen gelegentlich schon normannische Unterstützung suchte, griff nach der dalmatinischen Küste, gliederte sich Kroatien und Slowenien an und weitete nun seine Grenzen nach dem Südosten wie nach dem Westen. Dabei rivalisierte es mit dem sehr rasch zu überregionaler Macht aufgestiegenen Königreich Böhmen. Allerdings wird die volle Teilhabe dieses vierten, des ostmitteleuropäischen Kräftefeldes am europäischen Konzert erst im 14. Jahrhundert erreicht.

Könige im Kartenspiel

Vier Könige mit ihrem Hofstaat vereint das herkömmliche Skatblatt. Manchmal verlockt das zu Spekulationen: Nur einer der vier Kartenkönige trägt Schwert und Reichsapfel, die andern tragen Zepter; einer trägt einen Lorbeerkranz um die Krone, zwei andere sind mit Harfe und Schild ausgezeichnet. Aber die vier Kartenkönige lassen sich denn doch nicht zweifelsfrei zuweisen; zu denken wäre immerhin an Frankreich, an England, an Schottland vielleicht, an das römische Reich, Aragon oder Ungarn. Nur als Träger der Souveränität sind sie eindeutig ausgewiesen in jenem Kartenspiel, das, aus dem Orient stammend wie das Schachspiel, zu Ende des 14. Jahrhunderts zuerst in italienischen Seestädten populär wurde und sich dann binnen eines Jahrzehnts in ganz Europa verbreitete.

Auch wenn das wirkliche politische Kartenspiel leider nicht mit einem vierfarbenen Blatt zu identifizieren ist, bleiben wir noch einen Augenblick bei diesem Vergleich. Ehe ein Kartenkönig sich ins Spiel mischen kann, muß er seine Farbe einigermaßen beieinander haben. Es gab potente und weniger potente Kartenkönige im europäischen Skat. Ihre Macht beruhte allemal auf ähnlichen Voraussetzungen. Drei Faktoren bestimmten die Möglichkeiten des Königs und, in geringerem Maß, das politische Gewicht aller Herren im Gesamtpaket der politischen Kräfte. Denn es war noch nicht ausgemacht, was »Staat« eigentlich bedeutete; es gab noch kein Gewaltmonopol einer Herrschaftszentrale, neben der alle anderen Kräfte nur »privater« Natur gewesen wären. Vielmehr hatten alle Herren, große und kleine, ähnliche Möglichkeiten zur Machtanhäufung. Nur die allergrößten trugen Kronen, ihre Zahl war fast an zwei Händen abzuzählen. Aber unterhalb dieser »vorstaatlichen« Ebene der gekrönten Häupter gab es Dutzende großer Fürsten und Magnaten und Hunderte mittlerer, Tausende kleiner Herren. Alle hatten Macht nach einem ähnlichen System.

Zu diesem System gehörte erstens der unmittelbare Familienbesitz, das Dominium, die Domäne der Könige, das Haus-, Erb- oder Allodialgut. Es war vererblich, teilbar, dem Zugriff anderer Herren entzogen und begründete ursprünglich die Zugehörigkeit zum Adel. Im Lauf der Zeit war ein

Ein österreichisches Kartenspiel aus dem 15. Jahrhundert zeigt in seiner Figuration die Rangordnung am Hofe vom König bis zum Botengänger. Arzt, Barbier, Schneider und auch der Hofpfister (Bäcker) vermitteln etwas vom spätmittelalterlichen Alltag. Umgekehrt haben noch unsere Kartenspiele mit König und Dame, »Ober« und »Unter« etwas von der mittelalterlichen Hofordnung bewahrt.

solcher Besitz natürlich auch zu erwerben, zu erdienen, zu erkaufen, zu erheiraten oder zu erobern. Im Rahmen der großen, um die Jahrtausendwende konsolidierten Königreiche Europas hatte der königliche Eigenbesitz jeweils ganz unterschiedlichen Umfang. Am größten war er an der europäischen Peripherie, aus nicht ganz denselben, aber doch vergleichbaren Gründen. Er war da »präfeudalen« Ursprungs, vor der Lehensordnung entstanden, und maß grundsätzlich alles Land dem König zu, mit Ausnahmen, die bis heute nicht recht geklärt sind. Der Besitz des Hochadels und der Kirche wuchs dort erst im späteren Mittelalter, bis er den Königsbesitz schließlich in den Hintergrund drängte.

Anders gestalteten sich die Verhältnisse zwischen Königsgut, Adels- und Kirchenbesitz im alten karolingischen Zentrum. Hier waren sie von alters her zwar ungünstiger für den König, im Zusammenhang mit alten Rechtsverhältnissen, die bis auf die Römerzeit zurückreichten. Aber sie blieben stabiler. In jedem Fall kam es darauf an, den Königsbesitz nicht nur zu verwalten, sondern auch zu nutzen und dementsprechend zu organisieren. Das karolingische Pfalzensystem schuf dafür ein frühes Modell. Der Landesausbau in Europa bot in den meisten Ländern eine entscheidende Chance zur Nutzung des Raumes, namentlich in Wald und Heide. Dazu trat eine entsprechende Städtepolitik unter Ausnutzung der großen Handelswege, die für gewöhnlich mit dem Königsgut in einer gewissen Verbindung standen.

Eine zweite, ganz anders angelegte Machtbasis der Könige bildete das Lehenssystem. Auch hier ist die grundsätzliche Ähnlichkeit mit der Machtgrundlage aller anderen Großen nicht zu vergessen: Ein Lehensherr verfügte über Lehensleute aufgrund eines Vertrags. Damit waren Herr und Mann einander zu Rat und Hilfe verpflichtet, mit dem Einsatz militärischer Möglichkeiten, die sie selbst verkörperten. Nach dem idealen Modell des Lehensrechts war der König der oberste Lehensherr, und alle Lehenseide waren mit dem Vorbehalt der Treue ihm gegenüber zu schwören. Solche Eide waren aber nicht immer

und überall die Regel. Das System war in England am besten ausgebildet, wo es nach der freilich gewaltsamen Neuordnung durch Wilhelm den Eroberer kein Land ohne Lehen gab und der König als oberster Lehensherr immer im Bewußtsein der Lehensleute blieb. Nicht ganz so konsequent war das System in Frankreich entwickelt, vor allem nicht in der Praxis. Erst im Lauf des 12. Jahrhunderts zeigte sich die Lehenspyramide auch funktionsfähig. In Deutschland zunächst besser greifend, reichte das Lehenssystem im 12. Jahrhundert zur theoretischen Systematisierung als »Heerschildordnung« vom untersten »Einschildritter« bis zum König und Kaiser, aber die Eigeninteressen der Großen und die Entbindung von Lehenseiden durch den Kirchenbann hatten auch hier das System bereits fragwürdig gemacht. In den übrigen europäischen Ländern war dieses Lehenssystem sehr unterschiedlich durchgebildet. Die spanischen Königreiche zeigten sich zunächst in einem »präfeudalen Zustand« (Odilo Engels), weil hier die wechselseitige Bindung von Herr und Mann durch den Lehenseid fehlte. Lehen konnten dort ohne Begründung entzogen werden. Ähnlich waren in Polen, Böhmen und Ungarn Landzuweisungen zunächst nur »Verdienste«, auf die kein Anspruch bestand. Die rechtliche Durchorganisation der Lehensverhältnisse ist hier wie auch in den skandinavischen Königreichen entweder erst im Spätmittelalter oder niemals erfolgt. In keinem Fall aber, weder im karolingischen Zentrum, wo das Lehensrecht im 8. Jahrhundert entwickelt und im 12. zum Höhepunkt geführt worden war – das von französischen Lehensträgern eroberte England eingeschlossen –, noch an den Peripherien konnte das Lehensrecht »Bürgerkriege« verhindern, nämlich den Kampf der Großen untereinander oder den Kampf der Großen gegen den König.

Die dritte und für die Zukunft entscheidende Machtgrundlage des Königs bestand im unmittelbaren Umgang mit seinen Untertanen, ihrem Schutz und ihrer Steuerleistung, seiner Gerichtshoheit und ihrer Verteidigungskraft. Dieser Weg erwies sich auf die Dauer als der solideste für den Ausbau königlicher

Positionen im Innern und für das Wachstum von Königsmacht, namentlich auf der Grundlage von Steuerleistungen, zum Einsatz nach außen. Man muß hierbei allerdings berücksichtigen, worauf Joseph R. Strayer hingewiesen hat, daß die einzelnen Staatswesen erst im 13. Jahrhundert jenen Organisationsgrad erreichten, den die Kirche im großen und ganzen bereits im 12. Jahrhundert errungen hatte, auf ihre Weise und auf ihrem Feld. Die Kirche hatte zuerst »den Untertan« entdeckt und ihre unmittelbare Bindung an ihn nicht nur durch den sakramentalen Kontakt, sondern auch durch die erste allgemeine, die ganze mittelalterliche Welt umfassende Steuerleistung hergestellt, den Kirchenzehnten. Die weltlichen Staaten, Frankreich etwa, waren zu einer vergleichbaren Maßnahme bestenfalls erst am Ende des 13. Jahrhunderts imstande. Die Kirche hatte auch ein durchorganisiertes Verwaltungsnetz. Die Verwaltung Karls des Großen dagegen erfaßte als »Untertanen« in den Grundfunktionen von »Herrschaft« zunächst nur die Bewohner königlicher Domänen. Das Königsgericht, eine der ursprünglichsten königlichen Funktionen, erreichte zunächst nur die Großen; seine Fundamentalisierung gelang zuallererst in England unter Heinrich II. (1154–1189). Das war eine Organisationsleistung besonderer Art: Bei der mangelnden Mobilität der mittelalterlichen Welt erfaßte Heinrich II. sein Reich durch reisende Richter, ehe es möglich war, etwa alle Streitfälle an eine königliche Zentrale zu ziehen. Die Kirche war, durch päpstliche Legaten, einen vergleichbaren Weg schon vorher gegangen.

In jedem Fall und in jedem Land wurde die Verbindung zwischen dem König und seinen Untertanen durch »die Großen« versperrt, allerdings in sehr unterschiedlicher Weise. Grundsätzlich war das alte karolingische Zentrum sozusagen zweistöckig organisiert. Es bestand aus einer Anzahl von Herzögen, die in ihren Bereichen »kleine Könige« waren und die miteinander als »die Großen des Reiches« den König wählten, ihn berieten, seine obersten Lehensleute darstellten und zugleich seine Macht beschränkten. Grafen waren zuständig für die Verwaltung des Königsgutes, das die Herzogtümer durchsetzte; überdies hatte die Kirche ihre eigenen Besitz- und Herrschaftsbereiche im Lande verstreut. An der Peripherie Europas, in Spanien, England, Skandinavien, in Ostmitteleuropa und auch in den von den Normannen konsolidierten Fürstentümern Unteritaliens und Siziliens waren die Großen nicht im gleichen Maße zur territorialen Organisation imstande. Sie traten als Großgrundbesitzer, als Magnaten, und im Verein als Körperschaft den Königen entgegen. Nach dieser freilich sehr groben Skizze stellte sich der Widerstand gegen königliche Fundamentalpolitik unterschiedlich dar. Die Situation war dennoch ähnlich.

Die beste Lösung, Straßenschutz, Städteaufsicht und bestimmte Aufgaben- und Abgabenmonopole, sogenannte »Regalien«, zu handhaben und in unmittelbarem Kontakt zu jedem Untertanen Recht zu sprechen, Steuern einzuziehen, Schutz zu üben, haben offenbar die Normannen in Unteritalien gefunden. Namentlich das 1139 endgültig eroberte Sizilien mit seiner Hauptstadt Palermo – nach Konstantinopel und Cordoba die volkreichste Stadt in Europa – entwickelten sie augenscheinlich zu einem flächendeckenden Verwaltungsnetz mit abrufbaren Beamten in kleineren und größeren Bezirken, mit einem nach seinen Fähigkeiten, nicht etwa nach seiner Herkunft berufenen Kanzler an der Spitze. Eine selbständige Finanz- und Justizverwaltung, dazu Staatsmonopole für einzelne Wirtschaftszweige unterstützten das

König Alfons der Weise von Kastilien, Verfasser einer Autobiographie und Universitätsmäzen, ein kluger Verwalter, in Regentenpose. Auffällig ist in dieser spanischen Miniatur von 1283 die »orientalische« Haltung von Schreiber und Beamten.

System. Offensichtlich gab es für diesen konsequenten Staatsbau islamische Vorbilder an Ort und Stelle. Obwohl sich sofort der Widerstand des abendländischen Adels regte, der besonders um politische Positionen mit den Hofbeamten rivalisierte, fand das System dennoch Verbreitung und Festigung, und die staufische Herrschaft Friedrichs II. führte es in der ersten Hälfte des 13. Jahrhunderts zu beachtlicher Höhe. Es wurde später sowohl von der Anjouherrschaft auf dem Festland als auch von den Aragonesen auf Sizilien fortgeführt und verfiel erst unter schwachen Königen nach dem Ende des Mittelalters.

Auch die beste Staatsverwaltung nördlich der Alpen wuchs unter normannischen Händen. Das war in England, wo schon der Eroberer Wilhelm 1086, zwanzig Jahre nach seiner Machtübernahme, im Domesday-Book eine für das zeitgenössische Europa einzigartige Landesaufnahme anlegen ließ, die Grundlage jeder geordneten Verwaltung. Sein Sohn Heinrich I. (1100–1135) und dessen Enkel Heinrich II. (1154–1189) führten diese Arbeit fort. Man kann sie als die Schöpfer der englischen Staatlichkeit bezeichnen. Während die Lokalverwaltung angelsächsisch blieb, wurde das Lehenswesen gestrafft bis zur Spitze, sorgten reisende Richter bald für eine Allgegenwart des königlichen Gerichts und der Exchequer, der Rechnungshof, für die jährliche Rechnungslegung der Sheriffs sämtlicher Grafschaften. Die Rechtspflege ließ allmählich das englische Common law entstehen, das sich bekanntlich ohne Einflüsse des römischen Rechts bis in die Gegenwart erhielt, im 13. Jahrhundert von Henry Bracton regulierend und systematisierend aufgeschrieben. Staatsfürsorge wurde darüber hinaus eine besondere Adelsaufgabe. Bestimmte Aufträge konnte der König den Adeligen in jeder county als Ehrenamt überlassen, während etwa der König von Frankreich Beamte dazu benötigte. Joseph R. Strayer hat aus dieser Beobachtung den Schluß gezogen, es habe sich in England ein spontaner Gemeinsinn vom 12. Jahrhundert bis ins 19. unter der gentry erhalten, während in Frankreich dagegen der Bürokrat zur Schlüsselfigur geworden sei.

Die Ansätze einer königlichen Zentralverwaltung in Frankreich führen in das 12. Jahrhundert, in die Regierungszeit Ludwigs VI. (1108–1137) und in die

Die königliche Verwaltung und ihre Schriftlichkeit gingen in England eigene Wege, seit der normannischen Eroberung 1066 mit besonderer Effizienz. Aber schon zuvor waren Eigenheiten deutlich. Das Siegel des letzten angelsächsischen Königs, Eduards »des Bekenners« († 1066), zeigt den Herrscher zwar in festländischer Weise thronend, aber in der Umschrift wird er nicht als »rex« bezeichnet, sondern griechisch: SIGILLUM EADWARDI ANGLORUM BASILEI.

Thronsiegel fanden auch in Frankreich Verwendung. Philipp II. (1180-1222) hält in der Rechten eine bis heute ungeklärte Lilienfiguration, die seit dem 12. Jahrhundert zum Königssymbol in Frankreich geworden war; die Umschrift lautet: PHILIPPUS DEI GRATIA FRANCORUM REX.

Einflußsphäre des weitblickenden Abtes Suger von St. Denis (1122–1152). Dieser Benediktiner einfacher Herkunft, der einst mit dem Kronprinzen in der Abtei St. Denis zur Schule gegangen war, hatte die Gabe, das geistliche Gewicht dieses kapetingischen Hausklosters in gleichem Maße zu vertiefen wie die transzendente Bedeutung des französischen Königtums. Er propagierte den Zusammenhang zwischen dem französischen König und dem angeblichen heiligen Dionysius, dessen Überreste die Abtei beherbergte, er schuf die Oriflamme als Wahrzeichen der französischen Monarchie. Suger beriet auch noch Ludwigs gleichnamigen Sohn (1137–1180). Die Verwaltung baute der Enkel auf, Philipp II. (1180–1223), der königliche Amtleute als »baillis« in den einzelnen Regionen des Landes einsetzte, die zwar nicht das Recht vereinheitlichten, aber einheitlich den König als Richter vertraten. Philipp war

Die Kathedrale von Reims, nicht eine Kirche in der Hauptstadt Paris, ist traditionell der Krönungsort der französischen Könige bis ins 18. Jahrhundert, ähnlich wie die deutschen Herrscher des Mittelalters in Aachen ihre Krone empfingen, die englischen in Westminster, die polnischen zunächst in Gnesen, später in Krakau. Krönungskirchen als »rechte Orte« sind Begegnungsstätten alter Rechtspflege mit dem transzendenten Anspruch der Königsweihe.

es auch, der als Diplomat nicht nur dem königlichen Gericht, sondern auch der Königsmacht Ansehen verschaffte und schließlich in der Auseinandersetzung mit England 1214 bei Bouvines zum ersten Mal auf einem europäischen Schlachtfeld siegte.

Die Entwicklung der deutschen und zugleich »römischen« Staatlichkeit verlief komplizierter als die französische oder gar die englische. Allein der Doppelbezug sagt das schon aus. Sie war vergleichsweise »archaisch« geblieben, und es fehlte ihr, nicht nur wegen der Bipolarität des römisch-deutschen Reiches, der zukunftsweisende zentralistische Trend. Es gab keine Hauptstadt, nachdem Aachen bei den fränkischen Teilungen ins Abseits geraten war. Goslar war um die Mitte des 11. Jahrhunderts beliebter Aufenthalt Heinrichs III., aber die folgenden beiden Heinriche, Lothar von Supplinburg (1125–1137) und nach ihm die Staufer wurden wieder zu Reisekönigen. Konrad III. (1138–1152) und Friedrich Barbarossa (1152–1190) suchten das Königsgut zu wahren und zu verwalten durch eine besondere Personengruppe, Unfreie, die sie als »Ministerialen« in ihren Dienst zogen und als Amtleute in den noch ungetrennten Funktionen von Polizei-, Justiz- und Finanzaufsicht auf neuerbauten Burgen einsetzten. Königsgut am Mittelrhein, im Elsaß, in Franken bis ins Egerland und in Schwaben, oft Streubesitz, wurde in Ministerialenverwaltung organisiert, im Landesausbau erschlossen, durch Stadtgründungen wirtschaftlich belebt und gleichzeitig befestigt. Aber zentrale Instanzen bildeten sich nicht aus. Das Schicksal der Königsgewalt war abhängig vom Schicksal der Dynastie, und als die Staufer 1268 ausstarben, als der nachgewählte Wilhelm von Holland 1256 ums Leben kam und bis 1273 kein König mehr in Deutschland wirkte, war viel Reichsgut »entfremdet« worden. Andere königliche Aufsichtsrechte und Einkommensmöglichkeiten, Regalien, Zoll-, Geleits-, Marktrechte, Judenschutz, Münz- und Montanhoheit, die sich ursprünglich oder mindestens doch dem Recht nach über das ganze königliche Hoheitsgebiet erstreckten, waren auf manchen Wegen schon vorher in Fürstenhände geraten, teils entfremdet, teils aber auch – was die ältere Forschung nicht wahrhaben wollte – in bester Absicht vom König an Herzöge und Grafen abgetreten, weil sie in deren Händen wirksamer gehandhabt werden konnten. Eine einheitliche Organisation der neugeschaffenen Ministerialität – ihrerseits eine der vorzüglichsten Mobilitätsmöglichkeiten zum Aufstieg in den »niederen Adel«, für einzelne Familien schließlich auch zu Fürstenrang, wie etwa die Thurn und Taxis, die heute noch in Regensburg residieren –, eine solche Zusammenführung von Aufgaben und Beamten weiträumig über das ganze Reichsgebiet gab es nicht.

Die zentrale Königsmacht im östlichen Mitteleuropa, in Ungarn, Böhmen (Königtum seit 1212) und Polen, war noch weniger entwickelt. Im ganzen lag der Akzent der politischen Aufmerksamkeit vornehmlich auf der Herrschaft über Menschen, nicht so sehr über Land. Erst der Landesausbau, seit dem 11. Jahrhundert durch einzelne westliche Klöster, seit dem 12. durch einheimische Adelige, vom 13. Jahrhundert an allgemein mit besonderer königlicher Aufmerksamkeit betrieben, schuf auch übergeordnete Organisationsformen. Er ermöglichte es, überschüssige Wirtschaftsleistungen in gemünzter Form zu sammeln und über eine nun gleichmäßiger verteilte Bevölkerung, über Straßenverbindungen und ein Städtenetz die königliche Gewalt auf-

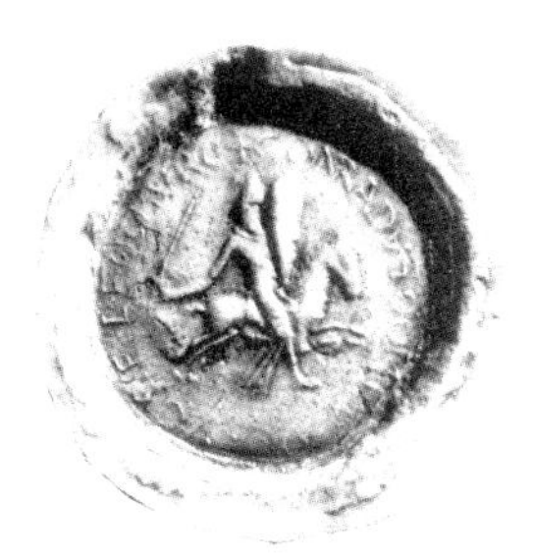

Mit dem französischen Ritterideal drang ein neuer Typ des Siegelbilds nach Deutschland: Reitersiegel. Graf Konrad I. von Luxemburg scheint 1089 zuerst in Deutschland ein solches Siegelbild benutzt zu haben, gleichzeitig übrigens mit der neuen Bezeichnung seiner Herrschaft als »Lützelenburg«. Ein weiterer Beleg für die Rolle der linksrheinischen Gebiete im Kulturtransfer nach Osten!

Problematisch wurden Reitersiegel für Regentinnen. Deshalb trägt hier die Herzogin Elisabeth Turnierhelm und Wappen stehend; ähnlich hält die Herzogin Agnes von Pommern auf einem Thronsitz zwei Turnierhelme in Händen.

Auf diesem Steinthron aus weißen Marmorplatten, mit Holzsitz und gewiß reicher Polsterung, saßen die römisch-deutschen Könige zur Krönung von 936 bis 1531. Nicht im Kapellenrund, sondern erhöht auf der Seitengalerie, fünf Stufen über allen anderen, wurde in einer Zeremonie, die wir trotz schriftlicher Festlegung nicht in allen Einzelheiten rekonstruieren können, die geheimnisvolle Verbindung mit der Gnade Gottes, aber auch mit dem Erbe Karls des Großen beschworen.

Gräfin Adelheid von Holland löst das Problem im Damensitz, 1201.

Reitersiegel blieben in Mitteleuropa namentlich für Landesfürsten die Regel, während Kaiser und Könige thronten. Sie gerieten im Spätmittelalter oft zu prächtigen, von Goldschmieden gravierten Kunstwerken, wie etwa das Siegel des Herzogs Anton von Lothringen, 15. Jahrhundert – oder das Siegel des jungen Kaisersohns Johann, des späteren Königs von Böhmen, 14. Jahrhundert.

zubauen. Ähnlich langsam entwickelten sich die Verhältnisse in den spanischen Königreichen, bis im Küstenraum und im südlichen Teil der Halbinsel städtereiche, wirtschaftsintensive Zonen dem Islam abgewonnen wurden. Im Westen wie im Osten war für die Stellung des Königtums auch eine feste Thronfolgeordnung wichtig; sie entwickelte sich in unterschiedlicher Weise aus dem Senioratsgedanken, wonach jeweils der älteste der Königssippe nachfolgeberechtigt war, zum Primogeniturrecht, zum Nachfolgerecht des jeweils Erstgeborenen.

In Dänemark, Norwegen und, rund hundert Jahre später, auch in Schweden mußten sich Königsherrschaften im Verlauf des 12. Jahrhunderts erst durchsetzen. Ihre wichtigste Stütze war eine nach dänischem, eigentlich westlichem Vorbild aufgebaute Ministerialität aus führenden Bauernfamilien und unfreien Leuten, die in Dänemark als königliche Herred, als Hird in Norwegen, im königlichen Gefolge Verwaltungsaufgaben ausübten. Hier und in Dänemark gewann die Kirche entscheidende Bedeutung bei der monarchischen Herrschaftsorganisation, namentlich auch bei der ideologischen Überhöhung und Rechtfertigung der Königsgewalt durch die »heiligen Könige« Knut und Olaf. Wie die anderen Nationalheiligen – Dionysius von Paris seit 1144, Kaiser Heinrich II. 1147, König Eduard der Bekenner von England 1163, Karl der Große 1165 und König Ladislaus von Ungarn 1192 – trugen auch Knut und Olaf in jener »Heiligungswelle« des 12. Jahrhunderts bei zur Heiligung der Nationalmonarchien – und damit zur politischen Aufteilung des lateinischen Abendlandes.

Der Zug ins Große

Auch wenn es nur die Hofpoeten und -chronisten verkündeten: Im 10. und 11. Jahrhundert behielten die römisch-deutschen Herrscher in Europa das Heft in der Hand. Erst der Investiturstreit erschütterte nicht nur ihre ideologische, sondern auch ihre politische Position. Es gab Gegenkönige in dem nicht ohne Mühe stabilisierten Reichsgefüge und päpstliche Ermunterung zur Fürstenopposition. Der erste Kreuzzug zeigte das Abendland vereint unter päpstlichen, nicht unter kaiserlichen Fahnen. Der Kaiser, Heinrich IV., saß währenddessen gebannt und von seinen Ressourcen abgeschnitten in Oberitalien. Dann stieg Heinrich V. nach dem unglücklichen Ende des Vaters wieder auf zu politischer Macht, heiratete Mathilde, die Tochter König Heinrichs I. von England, der als mächtiger Herzog im Nordwesten Frankreichs zum gefährlichen Rivalen des französischen Königs, seines Lehensherrn, geworden war, so daß das französische Königtum für eine Weile von zwei Seiten bedroht wurde. Eine Generation später führte Barbarossa seine politische Auseinandersetzung mit den oberitalienischen Städten und dem Papst mit überlegener politischer Kraft, und 1163 schien es sogar, als könnte er den französischen König auf seine Seite ziehen. Da war die französische Monarchie aber schon selbstbewußter geworden und begann sich zur Stütze der von der kaiserlichen Politik bedrohten Päpste zu entwickeln. Gefahr für das französische Königtum kam jetzt nicht vom Osten. Über eine neue Erbheirat war inzwischen Heinrich II. von England als Herzog der Normandie, der Bretagne, der Grafschaft Anjou und schließlich auch noch als Herzog von Aquitanien, als Herr über die Grafschaft Maine und die Touraine der größte Territorialherr in Frankreich geworden. Heinrich II., der sich während seiner Regierungszeit meist auf seinen französischen Besitzungen aufhielt, war überhaupt ein sehr mächtiger Mann im Europa seiner Zeit. Ein fähiger Politiker, bereit zur Expansion auf dem Festland vielleicht bis ans Mittelmeer, aber auch an die irische See nach Wales und nach Irland, nicht immer erfolgreich, aber ein zielbewußter Pragmatiker. Er war im Begriff, über den Kanal ein solides Doppelreich aufzubauen. Nicht etwa der König von Frankreich, sondern die Verschiedenheit seiner Besitzungen und die Vielzahl seiner Söhne wurden ihm zum Problem. Es kam zu einem Aufstand der aquitanischen Barone in Konspiration mit der Königin Eleonore, die Heinrich dieses reiche Land eingebracht hatte – eine Frau, von der man sprach, zuvor Königin von Frankreich, 1152 legal geschieden. Heinrich hatte 1173 sein Testament zugunsten seines vierten und jüngsten Sohns Johann geändert. Seine Beziehungen zur pracht- und einflußliebenden Eleonore waren seit langem schlecht. Heinrich besiegte die Aquitanier und versuchte seit 1175 das Reich nach einzelnen Provinzen unter Statthaltern zu organisieren: die Normandie, das Anjou und Aquitanien. Seine Macht wurde durch andere Beamte nach unten übertragen und gesichert; insgesamt war so ein Gegengewicht zur Adelsopposition gefunden. König Philipp von Frankreich aber unterminierte den Kunstbau erfolgreich im Verein mit Richard Löwenherz, dem zweitältesten Sohn, der sich zurückgesetzt fühlte. Im Juli 1189, bereits auf dem Totenbett, mußte Heinrich einen demütigenden Frieden machen mit Richard, sei-

Herrschersiegel als Thronsiegel haben schließlich, allgemein akzeptiert als äußeres Zeichen einer noch nicht theoretisch definierten »Souveränität«, in Europa doch noch manche Wandlungen durchlaufen. Unter Kaiser Karl IV. war ein reifes Stadium erreicht: Aus der Thronbank war ein baldachinüberdachter Sitz geworden, von dem hier aber wieder völlig abstrahiert wird, um allein die Person des Herrschers hervorzuheben. Die kaiserlichen Adler, seit Friedrich II. im Siegelbild, wandelten mehrfach ihre Gestalt und tragen hier erstmals die Wappenbilder des Regenten, auf das Reich und sein böhmisches Königtum bezogen. Krönungsmantel, Schuhe, Zepter, Reichsapfel und die kaiserliche Bügelkrone über einer Bischofsmitra kennzeichnen besonders den Kronkult des Herrschers. Eine Anmerkung verdient auch die perspektivische Darstellung des Fußschemels, vielleicht eine Reminiszenz des mit W am unteren Siegelrand zeichnenden Künstlers an die eine Generation zuvor von Giotto eingeführte neue räumliche Betrachtungsweise.

»Salve mundi domine« – Sei gegrüßt, Herr der Welt! So könnte man mit dem Archipoeta Barbarossa begrüßen, dessen Siegel in einer langen Entwicklungsreihe nach den sparsamen Gravuren der Vorgänger nun wirklich kaiserliche Züge trägt.

nem Sohn, was eine schlimmere Wirkung tat, als wenn er sich mit dem König von Frankreich, seinem Lehensherrn, arrangiert hätte.

Philipp II. hatte in diesen Jahren Unterstützung durch Friedrich Barbarossa gefunden. Denn den Kaiser plagte in Deutschland ein ähnliches Problem wie seinen französischen Nachbarn. Unter seinen Lehensleuten war sein eigener Vetter, Heinrich der Löwe, als Herzog von Bayern und Sachsen zum weitaus Mächtigsten aufgestiegen und hatte, nach zwanzigjähriger wechselseitiger Toleranz, 1176 dem Kaiser in einer entscheidenden Notlage die Gefolgschaft verweigert. Dieser Heinrich, ein streitbarer Erbe der Fehden des alten Adelsgeschlechtes der Welfen, hatte die Tochter eben Heinrichs II. von England geheiratet, und so war eine gewisse Bündnispolitik vorgezeichnet: Welfen und Plantagenets – Staufer und Kapetinger. Dabei wurde im Westen Europas wie in der Mitte um den höchsten Einsatz gespielt.

Richard Löwenherz, in der Nachfolge seines Vaters König von England und Herr der großen Ländermasse in West- und Südwestfrankreich, brach zugleich mit König Philipp von Frankreich und mit Kaiser Barbarossa und dessen zweitem Sohn zum Kreuzzug auf: auf dem Seeweg die Westeuropäer, der Kaiser über Land; Waffenbruderschaft im Namen des Kreuzes. Aber die Einmütigkeit währte nur bis zum endgültigen Mißerfolg des Unternehmens. Barbarossa kam schon auf dem Hinweg ums Leben, König Philipp und König Richard verfeindeten sich im Heiligen Land endgültig, und als der verkleidete englische König auf der Rückkehr in Österreich erkannt und ergriffen wurde, da war er in die Hände eines seiner vielen kleinen Feinde geraten, die er sich durch sein arrogantes Wesen ohne Not gemacht hatte. Auf Burg Dürnstein in der Wachau gefangengesetzt, mußte Löwenherz seinem Gastgeber und dem Nachfolger Barbarossas, Heinrich VI., die für die damalige Zeit schier unglaublich hohe Summe von einhundertfünfzigtausend Mark Silber als Lösegeld bezahlen. Er mußte außerdem das Königreich England von Heinrich VI. zu Lehen nehmen – eine kuriose staatsrechtliche Verbindung im Rahmen kaiserlicher Oberansprüche, die natürlich nicht von Bestand sein konnte und ein paar Jahre später im politischen Spiel, ebenso unwirksam, durch eine päpstliche Lehensherrschaft abgelöst wurde. Währenddessen suchte der König von Frankreich die Zeit zu nützen, um die englischen Besitzungen in Frankreich an sich zu ziehen, und brach damit ebenso den Kreuzfahrerfrieden wie die deutschen Fürsten, die Richard gefangen hatten. Richards jüngster Bruder Johann, dessentwegen zwanzig Jahre zuvor Vater Heinrich sein Testament geändert und einen Aufstand ausgelöst hatte, fügte sich den Interessen der französischen Politik.

Richard Löwenherz wußte zu kämpfen. Von England her unterstützt durch den Erzbischof von Canterbury, baute er seine Position in Frankreich mit Söldnern und durch neue Festungen aus. Im Sinn der neuen, weitreichenden Diplomatie schloß er Bündnisse mit Fürsten am Niederrhein und zwang durch ein Verbot der Wollausfuhr auch den Grafen von Flandern auf seine Seite. Auch Kaiser Heinrich war schließlich geneigt, ihn zu unterstützen, um seinen französischen Nachbarn nicht zu groß werden zu lassen.

Heinrich VI. seinerseits war allerdings in ein viel umfangreicheres politisches Abenteuer verstrickt. Über seine Frau hatte er unversehens das reiche und gutorganisierte Königreich der Normannen in Unteritalien und Sizilien geerbt. Das verhieß eine neue politische Konstellation. Es brachte nicht nur die

Anwartschaft auf eine Machtposition im Mittelmeer, durch den Hintergrund des Reiches weit besser fundiert als die normannischen Ansprüche; es verhieß zugleich auch eine besondere Bedrohung des Papsttums, dessen Kirchenstaat in Mittelitalien zwischen die Reichsherrschaft der Staufer im nördlichen und ihre neue Erbschaft im südlichen Landesteil zu geraten drohte. Heinrich brach auf und konnte in einem längeren Kriegszug gegen den Widerstand einheimischen Adels und nach grausamer Unterdrückung von Thronansprüchen aus der normannischen Verwandtschaft das Erbe übernehmen. Die islamischen Herrscher in Tunis und Tripolis zahlten Tribut. Eine staufische Weltherrschaft zeichnete sich ab. Einen Tag nach der Krönung im Dom zu Palermo zu Weihnachten 1194 wurde Heinrich ein Sohn geboren, Friedrich Roger, und der Kaiser war sofort um die Sicherung der Nachfolge bemüht. Aber er verhandelte vergeblich. Das staufische Imperium war noch nicht gesichert, als Heinrich, im Begriff, eine Kreuzfahrt zu unternehmen, kaum ein Jahr später der Malaria erlag.

Der Zug ins Große hatte unterdessen aber auch Heinrichs Rivalen um die Macht erfaßt. Im Wettlauf mit seinem französischen Lehnsherrn hatte Richard die Hand im Spiel, als 1198 gleichzeitig zwei römische Könige in Deutschland gewählt wurden, ein Staufer und ein Welfe, Heinrichs Bruder Philipp und ein Otto, Sohn Heinrichs des Löwen. Daneben galt auch noch die Königswahl Friedrich Rogers von Sizilien. Papst Innozenz III. suchte in einer berühmten Stellungnahme zwischen den drei Gewählten zu entscheiden. Das löste zwar nicht das Problem, aber die päpstlichen Definitionen schufen die Grundlage zum künftigen deutschen Kurfürstenkollegium.

Das Kind im fernen Sizilien blieb zunächst aus dem Spiel. Die Auseinandersetzung ging zwischen Philipp und Otto. In diesen beiden Männern hatte der alte Streit zwischen dem Stauferkaiser Barbarossa und seinem welfischen Vetter Heinrich dem Löwen eine neue Personifizierung gefunden. Hie Welfen – da Staufer: der Gegensatz erschütterte das ganze Reich, und das italienische Echo hieß Guelfen und Ghibellinen, nach der staufischen Stammburg Waiblingen. In der italienischen Städtelandschaft nahm der Gegensatz besonders harte Formen an: Ghibellinisch hieß kaiserlich, guelfisch päpstlich oder republikanisch oder überhaupt fundamentalpolitisch zugunsten städtischer Mittelschichten gegen das eigene Patriziat.

Der König von Frankreich unterstützte die Staufer. Nicht nur wegen der welfischen Schwägerschaft seines englischen Rivalen Richard, sondern auch in päpstlichem Interesse. Denn Philipp, der Staufer, wurde 1208 vom Herzog von Wittelsbach aus persönlichen Gründen ermordet, gerade als er in Deutschland die Oberhand gewonnen hatte. Und Otto, der Welfe, dem nun für einige Zeit auch die staufische Anhängerschaft zulief, verhandelte doppelzüngig mit dem Papst. Kaum zum Kaiser gekrönt, 1209, verfiel er gegen alle Versprechungen in die Bahnen frühstaufischer Kaiserpolitik. In seiner Not war Papst Innozenz bereit, auf den dritten Kandidaten zurückzugreifen, auf Friedrich Roger, der künftig nach deutscher Zählung Friedrich II. heißen sollte. Er wurde, zum zweiten Mal und dann noch ein drittes Mal auf einer großen Fürstenversammlung in Frankfurt zum König gewählt und danach gekrönt. Der König von Frankreich half dem mittellosen staufisch-normannischen Prinzen, der sechzehnjährig sein nördliches Königreich betrat, aus finanziellen Schwierigkeiten. Aber

Innozenz III. zählt zu den bedeutendsten Päpsten des Mittelalters, als Jurist wie als Kirchenpolitiker. Das römische Mosaik ähnelt in Grundzügen einem zeitgenössischen Fresko im Benediktinerkloster Santo Speco im Apennin.

Die Stauferherrscher in Unteritalien, namentlich Kaiser Friedrich und sein Sohn Manfred, sind noch heute volkstümlich, und es ist wahrhaft nicht leicht zu entscheiden, ob Friedrich als römisch-deutscher Herrscher auch in Unteritalien regierte, oder ob umgekehrt il re Federico auch im fernen Deutschland als Herrscher anerkannt war. Weniger beliebt war die zentralistische Stauferherrschaft beim unteritalischen Adel, und so dienten die mächtigen Kastelle, wie hier in Bari, mit ihren charakteristischen Turm- und Mauerformen nicht nur der Abwehr nach außen, sondern auch der inneren Sicherheit.

der welfische Widersacher, der erst drei Jahre zuvor gekrönte, allgemein anerkannte, wenn auch jetzt gebannte Kaiser Otto IV. war noch zu besiegen.

Die Entscheidung fiel nicht in Deutschland. Richard Löwenherz hatte das abrupte Ende des staufischen Philipp nicht mehr erlebt und auch nicht die unkluge Rückkehr des Welfen in die von niemandem mehr gewünschten Bahnen staufischer Machtpolitik, die ihm den Papst zum Feind machte. Richard war bei einem banalen Scharmützel 1199 ums Leben gekommen. An seine Stelle trat nun in England der letzte der vier unruhigen Söhne Heinrichs II. Plantagenet, Johann (1199–1216), nach der Testamentsaffäre von 1173 mit dem Beinamen »ohne Land«. Nun war er der Erbe des anglo-angevinischen Großreichs, von dem unter den gezielten Schlägen Philipps von Frankreich auf dem Festland freilich nicht mehr viel übriggeblieben war. Johann hatte sich, während Friedrich von Sizilien nur durch Zugeständnisse an den Papst zur deutschen Krone kam, mit dem Erzbischof von Canterbury überworfen, geriet in Bann und Interdikt, und Philipp von Frankreich sollte ihn im päpstlichen Auftrag aus England vertreiben. Ähnlich wie im deutschen Thronstreit suchte Innozenz III. also auch zwischen England und Frankreich als oberste Autorität zu wirken, die Widerspenstigen zu strafen und die Gutwilligen zu belohnen. Das erkannte Johann; er unterwarf sich dem Papst, der Philipp von Frankreich zurückbeorderte, und die Invasion in England blieb aus. Wenig später suchte Johann seinerseits noch einmal auf dem Festland sein Glück, im Bund mit niederdeutschen Fürsten und vor allem gemeinsam mit Kaiser Otto IV. Zwei-

mal traf diese Koalition auf die Franzosen. Bei La Rochou Moines in der Grafschaft Poitou wurde Johann ohne Land vom französischen Kronprinzen Ludwig geschlagen. Bei Bouvines östlich von Lille verlor der Kaiser am 27. Juli 1214 eine Schlacht gegen den König von Frankreich. Damit war auch der Thronstreit zugunsten der staufischen Partei entschieden. König Philipp übersandte seinem jungen deutschen Schützling den erbeuteten kaiserlichen Adler. Der Weg Friedrichs II. zum römisch-deutschen Thron war auf einem französischen Schlachtfeld geebnet worden. »Mit einem Schlage war der König von Frankreich die erste Macht des Okzidents« (Robert Folz). Das Großreich der Plantagenets war zusammengebrochen, wenn auch noch nicht endgültig vom französischen Festland verdrängt. Auch Papst Innozenz III. war indirekt durch das Schwert der Franzosen zum Arbitrator Europas aufgestiegen.

Mit dieser ersten europäischen Runde war die große Politik natürlich nicht für alle Zeiten festgelegt. Lediglich eine gewaltige Kräfteverschiebung zeichnete sich ab. Ob sie von Dauer sein sollte, hing ab von der inneren Entwicklung der einzelnen tragenden Reiche, auch von der Position des Papsttums und schließlich von der Fähigkeit anderer europäischer Könige, mit gehörigem Einsatz um die Macht mitzuspielen.

Der neue Konstantin

Zunächst war das Übergewicht der französischen Kräfte beträchtlich. Philipp II. nahm in klassischem Anklang an die Kaiserwürde den Beinamen Augustus an, und er war tatsächlich nicht nur der mächtigste, sondern offensichtlich auch der fähigste Politiker seiner Zeit. Unabhängig von der königlichen Politik hatte sich in diesen Jahren der vierte Kreuzzug formiert, und vornehmlich französische Kreuzfahrer hatten das oströmische Kaiserreich zum größten Teil erobert, aus dem griechischen ein »lateinisches« Kaiserreich gemacht und es in eine Mehrzahl von untereinander durch Lehensbindungen organisierten Fürstentümern aufgeteilt. Kein Geringerer als der Papst bezeichnete einige Jahre später dieses Reich als Nova Francia. Ein »Neufrankreich« also jenseits der Adria und an der Ägäis.

Zugleich wuchs die Macht des Königs von Frankreich aber auch im eigenen Hause. Ketzerkreuzzüge im Süden des Landes rotteten von 1209 bis 1229 mit aller Grausamkeit die Katharer aus, auch Albigenser, nach dem Hauptort Albi. Und sie brachen die Macht der Grafen von Toulouse, trotz deren Unterwerfung unter Kirche und König, zerstörten den Herrschaftsbereich des Königreichs Aragon, das seine Machtsphäre vom Ebro bis an die Rhône ausgedehnt hatte, und unterdrückten so die politische und kulturelle Eigenart des französischen Südens. Occitanien, eine besondere Region der Mittelmeerkultur, hatte bisher dem europäischen Mittelalter wichtige Impulse vermittelt.

1223 war Ludwig VIII. als Nachfolger von Philipp II. Augustus auf den französischen Thron gekommen, drei Jahre danach mit langer Regierungszeit (1226–1270) Ludwig IX., der Heilige. Kaum einer unter den kanonisierten Königen des Mittelalters hat diesen Beinamen so ersichtlich verdient. Von großer politischer Umsicht und Zähigkeit, dabei unter den eigenen Baronen immer wieder mit dem Zeichen der Uneigennützigkeit handelnd, setzte sich Ludwig mit den Ansprüchen der Plantagenets auseinander, die 1214 zwar geschlagen, aber damit natürlich noch nicht von Rückeroberungsabsichten abgekommen waren. Heinrich III., Nachfolger des unglücklichen Johann ohne Land, willigte schließlich auf dem Vertragsweg 1259 ein, nur einen Rest Südwestfrankreichs zu behalten, die Guyenne im Süden, während er auf die Normandie, Aquitanien, die Gascogne, kurz, auf den ganzen bis dahin von den Plantagenets beherrschten und nach 1214 wiederholt noch militärisch angestrebten Landesteil im Westen verzichtete. Mit diesem Vertrag war das englisch-französische Großreich auch juristisch beseitigt. Ein seit 1152 dauernder hundertjähriger Krieg um den Boden Frankreichs, der erste, war ausgekämpft.

Riesenhaft erhebt sich die Kathedrale von Albi aus den dichtgedrängten Häusern – Triumph der Kirche nach dem blutigen Sieg über die Ketzer, die Katharer, die nach dieser Stadt auch als Albigenser in die Geschichte der »inneren Kreuzzüge« eingingen.

Ludwig organisierte auf alten Grundlagen das französische Königtum fester. Die obersten Hofbeamten bildeten einen Hofstaat, der um 1300, nach einer der seltenen Zahlenangaben der Zeit, etwa fünfhundert Personen umfaßte, aufgeteilt in sechs ministeria, mit unklaren Kompetenzen im einzelnen. Einige Rechnungsbelege sind erhalten geblieben. Bei Rundreisen kontrollierten die prévôts die einzelnen, nun um ein Vielfaches im ganzen Land vermehrten königlichen Domänen. Auch die Lehenspyramide in Frankreich erreichte zu dieser Zeit zumindest die höchsten Rechtsansprüche. Geschlossen, nach englischem Vorbild, wurde sie nie. Um 1260 schrieb ein unbekannter Autor ein »Livre de justice et de plêt (plaid)«. Darin wird unmißverständlich und offenbar wirkungsvoll die Oberherrschaft des französischen Königs über alle Vasallen ausgesprochen. In gewisser Weise bedeutete das unter dem Einfluß römischer Rechtsvorstellungen, Kaiserrechte für den König von Frankreich zu beanspruchen und damit »einen regelrechten Umsturz der bisher die feudale Gesellschaft beherrschenden Prinzipien« (Robert Folz).

Vergleichbare Erfolge errang zur selben Zeit auch der römische König und Kaiser, Friedrich II., beim vielgerühmten »vormodernen« Kunstbau seines Staatswesens; freilich nicht in Deutschland, sondern in seinem normannischen Erbe, in Unteritalien. Friedrich griff auf den Staatsbau der Normannen zurück, die schon seit dem 12. Jahrhundert Berufsjuristen als Amtsträgern den Vorrang vor dem Geburtsadel gegeben, Herrschaftsansprüche adeliger Großer und der auch im Süden gewachsenen Stadtkommunen zurückgedrängt und eine im übrigen Abendland fremde Bevölkerungsmischung aus Griechen und Sarazenen, Juden und Normannen zum Teil unter »rationalen« Zentralisierungsbestrebungen herbeigeführt hatten. Daß sich der achtzehnjährige Staufer, nach dem französchen Sieg über seinen welfischen Rivalen 1220 in Rom zum Kaiser gekrönt, nicht Deutschland, sondern seinem unteritalischen Königreich zuwandte, darf man nicht nur mit Herkunft und Neigung begründen. Friedrich Roger war als Dreijähriger in Deutschland zum römischen König gewählt, nach dem Tod des Vaters als Vierjähriger zum König von Sizilien gekrönt worden. Päpstliche Interessen, die die Angst vor dem gefürchteten staufischen Zangengriff auf den Kirchenstaat überwogen, und die große Europapolitik hatten ihm zum römisch-deutschen Königtum verholfen, äußerste Konzilianz gegenüber päpstlichem Mißtrauen brachte ihm 1220 die Kaiserkrönung. Zwar elastischer als sein welfischer Vorgänger, verfolgte er danach doch eigene Wege. Daß er den Schwerpunkt in Italien setzte, in der Hoffnung, von hier aus kaiserlich zu regieren – nicht ganz unähnlich den Romplänen Ottos III. zweihundert Jahre zuvor –, entsprach einer nicht unberechtigten Einschätzung der reichen Mittel und Möglichkeiten Unteritaliens und seiner geopolitischen Position.

Es herrschte weitgehend Anarchie in Unteritalien, als Friedrich 1220 zurückkehrte. Deutsche Ministerialen, noch von seinem Vater mit Grafen- und Herzogsämtern bedacht, hatten sich nur unvollkommen gegen einheimischen Adel und päpstliche Truppen behaupten können. Ein Hoftag zu Capua erließ zwanzig »Assisen« die, später ergänzt, das Krongut wiederherstellen, zerstörte Königsburgen und Städte wiederaufrichten helfen sollten, bei staatlichem Gewaltmonopol, ohne Fehderecht für den Adel, vielleicht die markanteste »Modernität«. Adeligen war es nicht nur verboten, Fehden zu führen, sondern auch nur Waffen zu tragen. Ein Netz von Verwaltungseinheiten mit Amtleuten auf Widerruf spannte sich über das ganze Land. Zu ihrer Schulung gründete Friedrich 1224 die Universtität Neapel und verbot gleichzeitig seinen Landeskindern das Studium in der Fremde. Diese erste »Fürstenuniversität« der europäischen Geschichte, gestiftet kaum eine Generation, nachdem Universitäten als rechtliche Körperschaften ans Licht getreten waren, wurde mehr als hundert Jahre später vorbildlich für die Universitätsgründungen in Mitteleuropa und erweckte staatliche Fürsorge aus wohlerwogenem Interesse bis heute.

Wirtschafts- und Steuerpolitik, noch nicht zu trennen, tendierten zu einem einheitlichen Binnenraum und zu staatlichem Einfluß auf den Seehandel, ja zu Staatsmonopolen für mehrere Handelsprodukte. Die Sarazenen Siziliens siedelte der Kaiser zu Zehntausenden in Apulien an, und sie dankten seine Fürsorge bald mit besonderer Anhänglichkeit. Inneren Widerstand bekämpfte er durch die Inquisition, die er förderte, auch durch ein Reichsgesetz 1235 über die Ketzergerichte. Dabei bediente er sich selbst der Denunziation zur Aufsicht über unzuverlässige Untertanen. 1231 erließ der Kaiser in Melfi ein Gesetzeswerk, das Traditionelles und Neues vereinigte, den Staatszentralismus zu vollenden suchte und in Sizilien bis ins 19. Jahrhundert Gültigkeit besaß. Ähnlich sollten später seine Rechtsordnungen in Oberitalien, allerdings ohne die gleiche Geschlossenheit, für fünfhundert Jahre Rechtskraft behalten.

Die Intentionen, nicht die Einzelheiten der unteritalischen Regierungspolitik Friedrichs lassen sich wohl mit den fast gleichzeitigen Bemühungen Ludwigs des Heiligen (1226–1270) vergleichen. Auch hatten beide den Päpsten gegenüber Kreuzzugsverpflichtungen übernommen; allerdings differierten ihre Absichten und auch die Ergebnisse. Friedrich war veranlaßt, nicht unberechtigtes päpstliches Mißtrauen zu zerstreuen, während Ludwig aus heiligem Eifer das Kreuz nahm; Friedrich war durch Verhandlungen erfolgreich, Ludwig verbrauchte seine Kräfte in vergeblichen Kämpfen. Ludwig erschien als ritterliches Vorbild auf dem Thron, während Friedrichs Verhalten offenbar schon unter

Melfi, überragt von der Stauferfestung, war der Ort, an dem Friedrich II. 1231 berühmte »Konstitutionen« erließ und damit seinen Staatsbau gesetzgeberisch vollendete.

den Zeitgenossen zwiespältiges Echo weckte: Mit Blick für die Mentalität seiner Untertanen wußte er Repräsentationsbauten mit der Idee des Staatszwecks aus Frieden und Gerechtigkeit zu verbinden, wie das leider nur als Torso und in Zeichnungen des 18. Jahrhunderts überlieferte Stadttor von Capua. Das Figurenprogramm des Torturms ist nur in Bruchstücken erhalten, seine Deutung schwierig. Eine neue Interpretation fördert eine bemerkenswerte Selbstdarstellung des Kaisers zutage. Er erscheint in der alten, seit dem Investiturstreit nicht mehr geübten Rolle eines Vicarius Christi, als Statthalter Gottes auf Erden. Das Tor, Symbol für Eingang und Übergang, erwies sich zudem als ein auffällig genauer Nachbau des Stadttores von Mahdi in Nordafrika, Hauptstadt eines Sultanats, das seinen Bestand ähnlich wie Friedrichs Kaisertum mit der Erwartung von Weltende und Welterlösung in Verbindung brachte. Friedrich, der »Verwandler der Welt«, als Messias? Hatte er sich nicht in Jerusalem selbst eine heilige Krone aufgesetzt, die ihn auf ungewisse Weise mit dem Sieg Christi am Ende der Zeiten in Verbindung brachte?

Sicher erscheint sein Anspruch, ein »neuer Konstantin« zu sein. Das zeigt der Augustalis, den er prägen ließ, das kaiserliche Goldstück, wichtig als große Währung für die Kaufleute. Kopf und Lorbeerkranz darauf ähneln ganz dem ersten christlichen Kaiser im 4. Jahrhundert. Aber gleichzeitig erschien er wohl nicht nur aufständischen Adeligen als Despot, nachdem er seinen langjährigen Vertrauten und Kanzler, den Capuaner Bürgersohn Petrus de Vinea, verstoßen hatte, wie auch Hunderte anderer wirklich oder vermeintlich Widerspenstiger. Friedrichs erstgeborener Sohn Heinrich, Mitregent als deutscher König, geriet in Gegenstellung zum Vater und suchte, wie schon der kaiserliche Kanzler und Großhofrichter, in der Gefangenschaft wohl selber den Tod.

Friedrich war also zumindest eine unbedingte Herrscherpersönlichkeit, an der sich die Geister schieden. Auch die Schicksale der einzelnen Regionen des ihm anvertrauten Großreichs fanden unterschiedliches Gewicht: Die intensive,

Kaiser Friedrich II. ließ, um den Bedarf nach großer Währung zu decken, eine Goldmünze prägen, nachdem das lateinische Europa bis dahin nur Silberwährungen entwickelt hatte. Das Münzbild ist aufschlußreich für seine Selbstdeutung: Die vielbeachtete Neuerung zeigt ihn nach antikem Vorbild als Kaiser mit römischem Paludamentum, Panzer und Lorbeerkranz und ist offensichtlich den Goldmünzen Kaiser Konstantins nachgeahmt. Friedrich selbst stellte sich als »neuer Konstantin« dem ersten christlichen Kaiser als Endkaiser gegenüber. Die Münzumschrift heißt »Fridericus Cesar Aug(ustus)«.

Das Kastell Ursino in Katanien ist eine der typischen Zwingburgen der Stauferherrschaft, mit den vorgelagerten Rundtürmen besonders gut zur Verteidigung seiner Mauern geeignet.

Von den Stauferburgen in Süditalien sind meist nur die Grundmauern übriggeblieben. Die Pracht des Inneren läßt sich an wenigen Resten zeigen: so an dieser Konsolfigur über dem Eingang ins Obergeschoß von Castel Lagopesole.

kaum unterbrochene Regierungstätigkeit in Unteritalien ging Hand in Hand mit dem Aufschub von Problemen in Oberitalien und der Abgabe von Herrschaftsfunktionen in Deutschland. Vermutlich wollte er hier indirekt im Verein mit den Fürsten regieren, förderte dabei aber nur die schon seit dem 12. Jahrhundert wachsende »Landeshoheit«. Königliche Rechte wurden 1220 den geistlichen, 1231 den weltlichen Fürsten verbrieft, ein gegenläufiger Ansatz seines Sohnes Heinrich zur Kooperation mit dem städtischen Element gegen den Adel entschieden unterdrückt. Der Einbruch der Mongolen, denen sich 1241 bei Liegnitz der Piastenherzog Heinrich mit deutschen und polnischen Rittern mutig, aber vergeblich entgegenstellte, blieb zum Glück eine Episode. Noch ehe der Kaiser zum Handeln gezwungen war, zogen sie durch Mähren nach Ungarn, siegten dort, verließen das Land aber wegen eigener Schwierigkeiten in ihrem Riesenreich.

Friedrichs Politik scheiterte nach einem dramatischen Endkampf mit Papst und Lombardenstädten. Seine rigorose Politik in Unteritalien fürchtend, verbanden sich beide 1237–1250 in traditioneller Abwehr kaiserlicher Ansprüche. Die Zeitgenossen erkannten darin immerhin so viel prinzipielle Widersetzlichkeit gegen die Herrschaftsordnung, daß die Könige von Frankreich, England, Ungarn und Kastilien Hilfstruppen an den Kaiser sandten. Nach einer ereignisreichen Folge von Siegen und Niederlagen verstarb der Kaiser unerwartet 1250 an einem nicht näher identifizierten Fieber, wie sein Vater. Seine Verdammung als Antichrist durch die päpstliche Propaganda, seine Glorifizierung als Endkaiser Friedrich mit der Erwartung seiner Wiederkehr am Ende der Zeiten: beides verdeckt in der Erinnerung nur allzu leicht den Umstand, daß er trotz großen Aufwands außerstande war, das Kräftesystem in Europa zu verändern. Auch die Stauferromantik der Gegenwart und die biographische Hochschätzung seiner Cäsarenpersönlichkeit läßt oft den Umstand außer acht, daß er als Politiker seinem Machttrieb folgte, weit entfernt vom christlichen Herrschaftsethos, nach dem zur selben Zeit Ludwig der Heilige zu leben suchte.

Die Erben verfielen der Unversöhnlichkeit des Heiligen Stuhls: Clemens IV., Lehensherr nach immer wieder verteidigtem päpstlichen Rechtsanspruch, belehnte den Bruder des französischen Königs, Karl Anjou, mit dem Königreich Unteritalien. In dieser neuen Welle französischer Expansion erstickten die staufischen Nachgeborenen. König Manfred, ein illegitimer Sohn, fiel im Kampf; Enzio, sein Halbbruder, endete in lebenslanger Haft, während der Enkel Konradin 1268 nach einer verlorenen Schlacht gegen Karl aufs Schafott mußte – ein unerhörtes Schauspiel unter Majestäten. Das deutsche Geschichtsbild hat die unselige Szene immer wieder beschworen, und auch der englische Historiker Strayer meinte noch vor wenigen Jahren, wenn der päpstliche Kampf gegen die Staufer auch eine politische Notwendigkeit gewesen sei, so müsse doch die Auseinandersetzung mit den Erben als haßerfüllt bezeichnet werden. Das mag wohl gelten. Freilich gebietet es die Gerechtigkeit, sich der nicht minder grausamen Härte zu erinnern, mit der Friedrichs Vater den letzten möglichen normannischen Rivalen, ein Kind, 1195 aus dem Wege geräumt hatte.

Occitanien

Fast gleichzeitig mit der Schlacht von Bouvines ergab sich eine andere folgenschwere Wendung in der europäischen Politik: Das vereinigte, aber in sich gar nicht homogene nordostspanische Königreich, die »Krone Aragon«, war seit 1164 mit einigen Herrschaften des alten katalanischen Küstenraumes in Personalunion oder in Lehensabhängigkeit verbunden, so daß sich seine Lande insgesamt vom Ebro bis zur Rhône erstreckten. Mit dem Tod König Peters II. 1213 vollzog sich ein grundsätzlicher Wandel in der politischen Orientierung. Aus dem Mittelmeeranrainerstaat mit eigenständiger, wenn auch regional sehr unterschiedlicher Kultur wurde, unter Rückzug aus Südfrankreich, ein offensives Herrschaftsgebilde, das sich nach seinen Handelsinteressen bald um die Hegemonie im westlichen Mittelmeer bemühte. Im alten, dicht besiedelten und wirtschaftsintensiven Kulturraum zwischen Afrika und Europa rückte die Krone Aragon in ein Machtvakuum, das bisher weder die Mauren noch die Normannen oder die Staufer zu füllen vermocht hatten. Auch das im 13. Jahrhundert mächtig ausgreifende Genua war dazu nicht imstande. Diese neue Konstellation wurde wichtig für die innere Geschichte Spaniens; aber auch die Geschichte des Mittelmeerraums, leicht verdunkelt durch unsere Aufmerksamkeit für Vorgänge diesseits der Alpen, tritt im Werden und Wachsen des aragonischen Seereichs und seiner Widersacher besser hervor. Lebte doch die ganze Epoche, bei aller Akzentuierung der Entwicklung im Norden, immer wieder von ihren Rückbindungen an die alte Welt – bis zum Sturz des oströmischen Kaisertums durch die Türken 1453 und dem Ende der aragonischen Unabhängigkeit 1476, bis zum Verlust der venezianischen und genuesischen Stützpunkte, ja bis zum neuerlichen Rücktritt der Mittelmeerwelt aus dem europäischen Bewußtsein durch Türkeninvasion und Reformation. Da aber hatte man bereits die Blicke über den Atlantik gerichtet.

Erinnern wir uns: Die Konsolidierung der spanischen Königreiche aus fränkischer und westgotischer Herkunft unter König Sancho (1000–1035), natürlich dem »Großen«, war durch seine Lebenszeit beschränkt. Seine vier Söhne teilten, zur Unzufriedenheit des jüngsten, der aus einer Nebenehe stammte. Er erbte Aragon, erwarb zwei Grafschaften hinzu, und nachdem König Alfons I. (1104–1134) vergeblich versucht hatte, die vereinigten Königreiche Kastilien und Leon zu erheiraten, gingen die beiden agilsten spanischen Kräfte für die nächsten dreihundertfünfzig Jahre getrennte Wege. Kastilien wurde Landmacht, Aragon, seit 1164 in Personalunion mit der Grafschaft Barcelona, die sich mit anderen abhängigen Grafschaften an der Mittelmeerküste bis Marseille erstreckte, wurde Seemacht. Kulturell war dieser nach seinen Herrschaftsformen so unterschiedliche Raum sehr regsam. Er war, soweit wir wissen, das eigentliche Ursprungsland der Troubadours. Hier begann man damit, anstelle der harten Heldenepen neue Ritterballaden um Liebe und Abenteuer zu dichten und vorzusingen.

Politisch war das alte »Occitanien« freilich weniger behend. Es erlag der Expansion aus dem Norden, die unter dem Vorzeichen eines Kreuzzugs gegen die Katharer oder Albigenser um sich griff. 1213 besiegte und tötete Simon von

Montfort auf einem Kreuzzug im päpstlichen Auftrag König Peter II. von Aragon, der, selbst katholisch, nicht so sehr die Katharer als den Grafen von Toulouse verteidigen wollte, den mächtigsten Mann im französischen Süden, dessen Vorfahren sich schon lange aus der Oberhoheit des französischen Königs gelöst hatten. Philipp II. war der Nutznießer dieser Niederlage. Kulturell ging damit der Sieg Nordfrankreichs über den eigenwilligen Süden einher. Politisch bedeutete das den Rückzug Aragons aus dem Raum nördlich der Pyrenäen und, eben unter dem Einfluß der katalanischen, küstennahen Reichsteile, den Beginn einer expansiven, seehandelsorientierten Mittelmeerpolitik.

Jakob I. (1213–1276) folgte Peter auf dem Thron. Seine Politik spiegelt die eigentümliche Komposition der Krone Aragon wider mit einem halbherzigen Interesse am baskischen Nachbarreich Navarra, einem Pufferstaat zwischen Aragon und Kastilien, den keiner der beiden Nachbarn dem andern gönnte, trotz Thronwirren und trotz gelegentlicher Aspirationen des französischen Königtums. Daneben war Jakob I. am Krieg gegen den Islam interessiert und eroberte auch, von Kreuzfahrern aus dem Languedoc unterstützt, schließlich Valencia und gemeinsam mit Kastilien Teile von Murcia, während er andererseits als letzte Bastion nördlich der Pyrenäen das seit 1204 aragonische Lehen Montpellier behauptete. Die Katalanen aber, mit dem alten Hauptort der Grafschaft Barcelona, drängten zur See. Sie, und nicht eigentlich die königliche Politik, vergrößerten den Kronbesitz. Mallorca wurde erobert, ein bisher unabhängiges kleines Königreich, Kontakte mit der nordafrikanischen Küste von Ceuta bis Tripolis folgten. Unter dem Schutz der wachsenden und auch mehrfach siegreichen aragonischen Flotte eroberte 1282 Jakobs Sohn und Nachfolger, Peter III., in einer wohlvorbereiteten Operation, halb Invasion halb Rebellion, die Insel Sizilien.

Wieder muß man die weiten Zusammenhänge im Auge haben: Die Aragonier-Katalanen waren Feinde der Franzosen geworden, nicht erst, aber mit Sicherheit seit den für ihre Position so vernichtenden Albigenserkreuzzügen. Die Franzosen aber hatten mit Karl von Anjou, dem Prinzen von Frankreich, die Staufer in Unteritalien und Sizilien beerbt. Die Franzosen hatten zudem ein halbes Jahrhundert zuvor im vierten Kreuzzug Konstantinopel erobert und dort in einer Gruppe von Lehensstaaten die Herrschaft im östlichen Mittelmeer angetreten. Das war für die Staufer bedrohlich geworden. Friedrich II., der letzte Stauferkaiser, hatte deshalb auch als zweite Frau eine Konstanze von Aragon gewählt. Umgekehrt heiratete Peter III. die Tochter König Manfreds von Sizilien, eine Enkelin eben dieses Stauferkaisers. Mit diesen Erbansprüchen übernahm er das Königreich Sizilien und festigte seine Position durch einige Seesiege, schließlich durch die Vernichtung der Anjou-Flotte. Die Aragonier eroberten Malta und die beiden kleinen, für den Übergang nach Afrika wichtigen Inseln Djerba und Kerkenna. Ausgerüstet mit Kompaß und erstaunlich zuverlässigen Seekarten, ständig wachsend an Zahl und Größe ihrer Einheiten, bis zur riesigen »San Clemente«, die in den dreißiger Jahren des 14. Jahrhunderts vom Stapel lief und fünfhundert Krieger befördern konnte, beherrschte die aragonisch-katalanische Flotte das westliche Mittelmeer. 1311–1388 regierten Katalanen in Athen, nachdem schon 1324 Sardinien erobert worden war, gegen heftigen Widerstand der Seemacht Genua, die der überlegenen feindlichen Flotte jedoch keine große Schlacht zu liefern wagte.

Um die Mitte des 14. Jahrhunderts erlosch der Expansionsdrang, das Königreich Aragon sah sich auf innere und innerspanische Probleme zurückgeworfen. Die antifranzösische Frontstellung und der Versuch zur Hegemonie im Mittelmeer, herausgefordert durch die Interessen der katalanischen Kaufleute, blieben aber als ein besonderes politisches Erbe. Ein anderes Anliegen bestand im Arrangement mit Kastilien, das den Großteil der Eroberungen auf der iberischen Halbinsel getragen und die spanische Nation geprägt hatte. Immer wieder sollten die Spannungen zwischen Aragon und Kastilien durch Heiraten aragonischer Könige und Prinzen mit kastilischen Prinzessinnen überbrückt werden – dramatische und stets unglückliche Ehen. Zuletzt ging 1476 aus derselben Konstellation die endgültige Vereinigung beider Reiche hervor. Als danach die Erbtochter Ferdinands von Aragon und der Isabella von Kastilien einen Habsburger heiratete und über diese Brücke die Habsburger 1502 zur spanischen Krone kamen, erbten sie gleichzeitig sowohl die aragonische Mittelmeerpolitik als auch die Feindschaft mit Frankreich. Keine glückliche Erbschaft für das Heilige Römische Reich – aber eine große Versuchung für die neue europäische Politik.

Portugal ging seit dem 12. Jahrhundert eigene Wege. Nach Klima und Himmelsrichtung dem Atlantik zugewandt, entwickelte sich der westliche Küstenstreifen der in Wirklichkeit scharf gegliederten iberischen Halbinsel zur politischen Selbständigkeit. König Alfons »der Eroberer« (1128–1185) trieb auch hier die Reconquista nach Süden vor und gewann 1147 mit Hilfe hauptsächlich französischer Kreuzritter Lissabon. Damit war im äußersten Südwesten ein städtisches Kulturzentrum in seiner ganzen Überlegenheit für die Christen gewonnen, aber sie dankten es schlecht. Namentlich die mozarabischen Christen, die westgotisches Christentum unter dem Islam bewahrt hatten – und nicht nur in ihrer Kleinkunst »Arabesken« pflegten –, litten unter der Eroberung, und ebenso die Juden, die unter islamischer Toleranz ein kulturell wie wirtschaftlich reiches, ein goldenes Zeitalter auf der ganzen iberischen Halbinsel erlebt hatten.

Der Turm von Belém bei Lissabon ist als Hafenbefestigung ein Denkmal der portugiesischen Seefahrt. 15. Jahrhundert.

Das Dominikanerkloster Batalha, »die Schlacht«, wurde 1388 vom siegreichen König Johann I. von Portugal als Santa Maria de Vittoria gegründet und reich ausgestattet. Die Kirche geriet zu einem besonderen Kunstwerk der Spätgotik mit flämischen Einflüssen; das Brunnenhaus im »Emanuelstil« ist ein besonderes Kleinod portugiesischer Renaissance.

Alfons wurde 1179 päpstlicher Lehensmann; er fügte sich also dem Trend der Papstpolitik und erhandelte dafür die Anerkennung seiner Königswürde, das heißt die politische Selbständigkeit. Es entstand eine ansehnliche Klosterkultur, und namentlich die Zisterzienser trugen zur Bodenkultur in dem waldreichen Küstenland bei. Eine Universität in Coimbra wurde schließlich 1290 von Dionysius I. (1279–1325) gegründet, der als »Bauernkönig« in die Geschichte einging. Nicht zu Unrecht. Er sorgte für Bewässerungsanlagen und Forstpflege in dem damals holzreichen Land, für den Staatsschatz und für eine Kriegsflotte, auf deren Galeerenbänken nicht Sklaven saßen, sondern freie Matrosen. Bauernkönig – der Beiname ist selten in der mittelalterlichen Regentengeschichte, aber nicht einmalig. 1333–1370 regierte in Polen Kasimir III., den man später den Großen nannte; seine Zeitgenossen sprachen aus ähnlichen Gründen von ihm als dem Bauernkönig, auch mit kritischem Unterton, geradeso wie die Portugiesen. Wir werden noch von ihm hören.

Portugal entwickelte sich weitgehend unabhängig von der spanisch-kastilischen Politik. So ist auch die portugiesische Sprache einen eigenen Weg gegangen, während das Kastilische schließlich die Entwicklung der spanischen Hochsprache bestimmte. Die Portugiesen blieben auch beiseite, als endlich nach der geglückten Erbheirat von Isabella und Ferdinand Kastilien und Aragon vereinigt wurden. Damals hatten sie bereits, mit dem Blick auf den Atlantik, die ersten großen Entdeckungsfahrten gewagt, zu den kanarischen Inseln, nach

Madeira und zu den Azoren. Vor allem kam es zu solchen Unternehmungen unter dem Prinzen Heinrich »dem Seefahrer«; man spricht bereits von »einer Phase systematischer und zielstrebiger Entdeckungsfahrten, die sich deutlich von den bis dahin durchgeführten sporadischen Unternehmungen unterschieden« (Matthias Meyn). Bei ihrer Expansion entlang der Küste Afrikas, schließlich nach Südamerika und rund um den Erdball wurden die Portugiesen im wörtlichen Sinn die Vorfahren der europäischen Weltherrschaft.

Das aus Kastilien und Aragon vereinigte Spanien folgte den Portugiesen erst, als das letzte schmale, aber hochzivilisierte islamische Königreich Granada im Süden erobert war. Dann allerdings mit einem Riesensprung: Im Namen Kastiliens entdeckte Kolumbus Amerika. Zwei Jahre später, 1494, teilten sich die beiden Seemächte, das kleine Portugal – wenig größer als das heutige Österreich – und Spanien, mehr als fünfmal so groß, die ganze Welt. Portugal sollte Afrika und Asien, Spanien die neue Welt besitzen.

König, Stände und Gemeinnutz

Zwei Tendenzen kennzeichnen die europäische Politik im 13. und frühen 14. Jahrhundert: Expansion der Königsmacht nach innen gegen ein ebenso auf die gesamte Herrschaft gerichtetes, zunehmend verfestigtes Bestreben der Stände nach Teilhabe an der Politik, nach Mitbestimmung. Die zweite Expansion, nach außen gerichtet, vertrug sich nicht gut mit den inneren Rivalitäten zwischen König und Ständen, das heißt den Vertretern von Adel, Klerus und Städten. Im europäischen Überblick zeigt sich dabei eine merkwürdige Spaltung, je nach der Position der Kirche. Im alten karolingischen Zentralraum, der hier wieder einmal die Besonderheiten seiner Entstehung offenlegt, in Frankreich und Deutschland, war die Kirche fester begründet, sozusagen älter als die herrschaftliche Organisation. Sie war hinlänglich einflußreich, um bei Hofe den »ersten Stand« zu bilden. Der zweite gehörte dem Adel. Im dritten Stand waren seit dem 13. Jahrhundert bestimmte Städte vertreten, die einen besonderen Bezug zum König hatten, vor allem durch ihre Steuerleistung.

Außerhalb des fränkischen Kernraums war die Kirche als Stand, abgesehen von der einflußreichen Position einzelner Bischöfe, in der Versammlung der Großen nicht vertreten. Auch das Städtewesen hatte da keine Position. Statt dessen versammelte sich hier nur der Adel, und er achtete streng auf die Scheidung zwischen hoch und niedrig. Grandes und hidalgos, lords und gentry, Barone und Vladyken – die Begriffskette läßt sich von Spanien rund um Europa bis an die Adria schlagen.

Dabei gab es im karolingischen Kernraum noch eine merkwürdige Entwicklung: Hier suchten einzelne Große eine königsgleiche Herrschaft aufzubauen, mit Amtleuten und eigenen, von ihnen selbst gegründeten Städten, mit einer besonderen auf sie ausgerichteten Verwaltung und mitunter auch mit eigenen Mitbestimmungs- oder gar Herrschaftsansprüchen gegenüber der Kirche. Die Wege für einen solchen Aufbau waren vielfältig und kamen aus dem Dunkel älterer Verhältnisse von Schutz-, Vogtei- und Gerichtsrechten und den Gebühren dafür. Vergleichbares wurde in England durch die normannische Eroberung unterbunden und in Sizilien ebenso. Alte Grafenrechte in Nordspanien mit ähnlichen Versuchen unterlagen. In Nord- und Osteuropa dagegen war das Interesse der adeligen Herren ursprünglich viel eher darauf gerichtet, im Kollektiv zu wirken, als beim Aufbau von Institutionen, von »Landesherrschaft«, mit dem König zu konkurrieren.

1215 nützten die englischen Barone eine Notlage ihres Königs Johann ohne Land zur schriftlichen Garantie ihrer Rechte. Diese Magna Charta, von weltlichen, aber auch von geistlichen hohen Würdenträgern dem König abgerungen, legt zwei Intentionen fest, die fortan Adelspolitik in ganz Europa kennzeichnen werden: Ein vom König unabhängiger Kontrollausschuß, in diesem Fall fünfundzwanzig Barone, die von den Großen gewählt werden, soll die königliche Politik überprüfen und schlimmstenfalls, nach einem 1225 freilich wieder ausgesetzten Artikel, einer Widerstandspflicht nachgehen. Derselbe Ausschuß soll zugleich für Reformen in England sorgen und hat hierüber allen Großen Rechenschaft abzulegen. Mitbestimmung und Reform, das wird fortan überall zur Rechtfertigung der Adelsopposition, und das Wohl des gesamten Landes – das bonum commune, der gemeine Nutz, obecní dobře, le bien publique – ist in allen Sprachen und Staaten dafür die Legitimation.

Der Nachfolger Johanns ohne Land ist minderjährig, und während dieser Zeit wird die Magna Charta in mancher Hinsicht wirksam. Als aber Heinrich III. (1207–1272) Expansionspolitik betreibt, im Streit um Sizilien zugunsten seines Sohnes eingreift und dafür Steuern fordert, kommt es zu einem Aufstand der Barone, und sechs Jahre später sucht auch der niedere Adel in England Mitsprache, unter Führung des jüngeren Simon von Montfort, der den König 1255 besiegt und gefangennimmt.

Für einen historischen Augenblick zeichnet sich das künftige Parlament von England ab: das Oberhaus mit den Baronen, den Lords, und das Unterhaus mit der gentry, beide durchaus oft uneins; ein guter Teil des Hochadels stand auf königlicher Seite. Simon wird Regent von England. Aber das Blatt wendet sich rasch. Der Kronprinz Eduard entkommt aus der Gefangenschaft, stellt Simon zur Schlacht und besiegt ihn. So oder so: nicht die Ereignisse sind das eigentlich Wichtige, sondern die Erfahrung des englischen Adels, des hohen wie des niederen, vom sinnvollen korporativen Zusammenwirken zum Nutzen des Ganzen. Dies wirkt in die Zukunft, daran wird festgehalten, wobei sich der Streit mit der Königsmacht allmählich entspannt und auch andere Mittel und Wege findet als todbringende Schlachten.

Die anderen Mittel, das sind vor allem die Möglichkeiten des englischen Parlamentarismus. Sie beschränken das Gottesgnadentum, sie stellen den König unter das Recht, das für alle gilt, und wichtiger noch: Sie binden sein Wirken ein in die Umgebung seiner hoch- und schließlich auch niederadeligen Ratgeber, ins Parlament. Hier wird, vor dem Hintergrund vorzüglich ausgebildeter Verwaltungsinstitutionen eines insofern höchst effizienten Königtums, das besondere englische Regierungssystem geboren. Der Kontinent eifert ihm nach, aber mit sehr unterschiedlichem Effekt.

Der Kontinent, das ist zum Beispiel Ungarn. Nicht, daß dieses Land den englischen Verhältnissen am nächsten wäre, aber fast zur selben Zeit, 1222, gibt es in Ungarn ebenfalls eine Magna Charta. Die Goldbulle von 1222, die

König Andreas II. (1205–1235) erließ, sicherte dem Adel Widerstandsrecht. Zehn Jahre zuvor waren die Vorrechte des geistlichen Standes verbrieft worden. Im institutionellen Denken waren die Engländer aber zu dieser Zeit viel weiter gediehen, ihre Magna Charta hatte unabhängige Kontrollinstanzen geschaffen und den König zu Reformen verpflichtet. Dahin war in Ungarn der Weg noch lang. Erst gut eineinhalb Jahrhunderte später, im Zeitalter der ungarischen Gotik, wurde »die Schlucht ausgefüllt, die zwischen Ungarn und dem Westen im 13. Jahrhundert noch so breit war« (Elemér Malyusz).
In Deutschland, in der Mitte des Kontinents, hatte, wie wir uns erinnern, Friedrich II. 1220 die geistlichen Fürsten mit gewissen Rechten in ihren Territorien privilegiert, 1231 die weltlichen. Das kennzeichnet wieder ein besonderes Entwicklungsstadium in der Auseinandersetzung zwischen Adel und König. Hier wie in Frankreich bildeten zunächst einmal nur die Großen die politischen Partner des Königtums, ehe sich regelmäßige Ständeversammlungen, »Generalstände« oder »Reichstage« seit dem 15. Jahrhundert entwickelten. Anders also als in England, wo der Aufstand Simons auch den niederen Adel ins Spiel gebracht hatte, der sich hier ebenso wie an der östlichen Peripherie, in Polen und Ungarn, zu dieser Zeit um seine kollektiven Rechte bemühte. In Deutschland wie in Frankreich blieben »die Großen« noch längere Zeit die einzigen Gesprächspartner des Königs. Eine regelmäßige Mitsprache der Stände hatte sich weder hier noch dort bisher entwickelt; auf Städte griff man gelegentlich zurück, in Deutschland erstmals 1255 wegen ihrer Steuerleistung, in Frankreich zum ersten Mal 1302 in einer erbitterten Auseinandersetzung zwischen König und Papst. »Rat und Hilfe« sollten die Stände dem König bieten, nach einer alten Formel, bei der die Lehensgefolgschaft des Herrschers allmählich verwandelt wurde in eine Ständevertretung, die ihrerseits nicht mehr die Vasallität, sondern eigentlich ihre eigenen Untertanen vertrat, »repräsentierte«. In einer grundstürzenden Auseinandersetzung mit dem Papsttum wandte sich der König von Frankreich damals gegen die Ansprüche der päpstlichen Oberherrschaft über den Klerus, um seine Vorstellung von königlicher Souveränität durchzusetzen, wie sie allmählich am Ende des 13. Jahrhunderts durch das juristische Selbstgefühl hoher französischer Kronbeamter, der »Legisten« erwachsen war. »Rat und Hilfe«, ursprünglich vor allem als besondere Abgaben an den König gedacht, mit denen man einer Not »steuern« sollte, verwandelten sich dabei unter dem Eindruck fundamental gerichteter Propaganda durch Papst und König in ein nationales Votum für die französische Monarchie.

Philipp und Bonifaz

Diese Auseinandersetzung zwischen Philipp IV. »dem Schönen« (1285–1314) und Papst Bonifatius VIII. (1295–1303) veränderte das politische Kräftefeld in Europa mit einem Schlag. Nicht, weil ein Papst gefangengenommen wurde – das hatten die römisch-deutschen Herrscher in der langen Geschichte päpstlich-kaiserlichen Dualismus mehrfach praktiziert; auch nicht, weil der Papst an den Folgen der Aufregung starb; sondern deshalb, weil eben nicht der Kaiser,

König Philipp »der Schöne« von Frankreich im Familienkreis, mit Gemahlin und Söhnen, offenbar eine Demonstration zugunsten der Nachfolgeregelung für den gekrönten Ältesten, von den anderen Söhnen wie vom König bestätigt – ein frühes Beispiel dynastischer Bildpropaganda im Familienbezug.

Papst Bonifaz VIII., eine der machtvollsten Papstgestalten, griff in seinen politischen Plänen den Weltherrschaftsanspruch wieder auf, wie ihn schon 1075 Gregor VII. im Dictatus papae formuliert hatte – und erlebte auch den tiefsten Sturz des Papsttums.

die oberste weltliche Instanz der Christenheit, hier mit dem Papsttum einen Machtkampf in handgreiflichen Formen austrug, sondern ein König, der damit seine europäische Hegemonie demonstrierte. Der Papst wiederum dirigierte damals, unter Rückgriff auf Thesen aus dem Investiturstreit und indem er manche inzwischen gewachsenen päpstlichen Ansprüche hinzufügte, ein juristisches System, das die ganze Christenheit umspannte und das Papsttum fiktiv an die oberste Stelle setzte. Dieser Papst Bonifaz hatte der päpstlichen Tiara, der zeremoniellen Kopfbedeckung, die bisher mit zwei Kronreifen geschmückt war, einen dritten hinzugesetzt. Unter dieser Tiara und im vollen Ornat war er von einem französischen Stoßtrupp gefangengenommen worden, und damit hatten die Streitenden ihre Gegensätze aufs äußerste sichtbar gemacht. Das Papsttum war seitdem keine politische Autorität mehr. Es führte, nach tiefem Sturz, politische Macht im Rahmen seiner territorialen Potenz in Italien noch bis ins 16. Jahrhundert fort, ehe ihm die Konfessionalisierung Europas auch viel von seinem geistlichen Einfluß entzog und die spanische Herrschaft in Italien seine politische Präsenz in den Rang eines Kleinfürstentums herabdrückte.

Wenn wir diese ungeheure Verwandlung im politischen Kräftefeld betrachten, müssen wir fragen, warum der König von Frankreich diese Auseinandersetzung mit dem Papst führte und nicht der Kaiser.

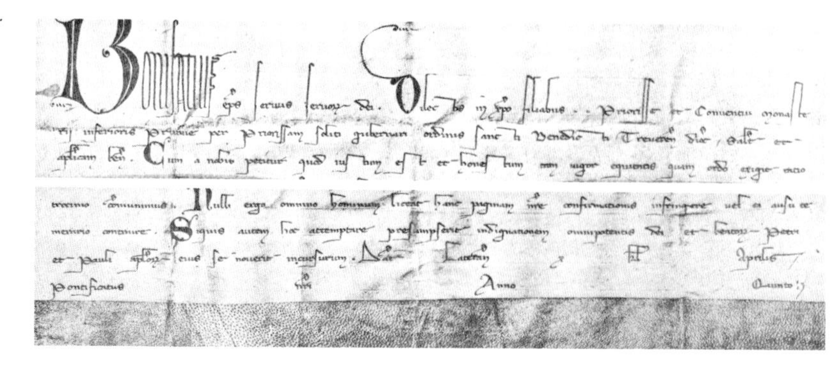

Trotz des ungebrochenen Traditionalismus zeigt die Kalligraphie der päpstlichen Kanzlei in diesem Schreiben Bonifaz' VIII.

»Die kaiserlose, die schreckliche Zeit«

Das Kaisertum war mit dem unerwarteten Tod des sechsundfünfzigjährigen Friedrich II. in die tiefste Krise seiner Geschichte gestürzt, eine Krise, die deutsche Historiker gern schon zur »allgemeinen Krise des Spätmittelalters« erklären. Allein es handelte sich nur um eine Misere im Reich. Konrad IV., Friedrichs zweiter und letzter legitimer Sohn, starb 1254. Der Graf Wilhelm von Holland, 1248 unter päpstlichem Einfluß zum Gegenkönig gewählt, wurde 1256 von den Westfriesen erschlagen. Ein ungebärdiges Volk: Vier Jahre zuvor hatten die Nordfriesen den König von Dänemark umgebracht. Nun begann in Deutschland die »kaiserlose, die schreckliche Zeit« – eine romantische Übertreibung. Die deutschen Kurfürsten – eine durch Papst Innozenz 1202 festgelegte, in ihrer Auswahl allerdings bis heute ungeklärte Siebenzahl aus den alten rechtsrheinischen Erzbistümern von Köln, Mainz und Trier, dazu der Pfalzgraf bei Rhein, der Herzog von Sachsen, der Markgraf von Brandenburg und, als der vornehmste Weltliche, der König von Böhmen – sahen sich nach neuen Kandidaten um. Gewählt wurde zwiespältig, aber mit Blick auf den europäischen Horizont: Nämlich Alfons von Kastilien, der ferne staufische Familienbindungen aufweisen konnte, und Richard von Cornwall, der Bruder des englischen Königs, in Anlehnung an alte welfische Beziehungen. Beide Fürsten nahmen die Wahl an, weil sich jeder von ihnen unter der Perspektive weitgespannter europäischer Expansionspolitik etwas davon versprach. Der Kastilier hat danach Reichsboden überhaupt nie betreten, der Engländer nur den linksrheinischen. Dennoch gab es keinen Stillstand in der deutschen Geschichte. Gerade in jenem Vierteljahrhundert wurde recht effizient an der deutschen Landesherrschaft gebaut, zum guten Teil allerdings auf Kosten des staufischen Hausguts, von dem sich die Wittelsbacher ein beträchtliches Stück holten, ebenso die Grafen von Bogen und der König von Böhmen.

Bei ihm lag für ein Vierteljahrhundert der politische Schwerpunkt Mitteleuropas; dort entwickelte sich Hofleben auf bemerkenswertem kulturellen Niveau, weithin strahlend und die deutschen Minnesänger an sich ziehend; dort wurde aber auch eine großzügige Expansionspolitik von der Ostsee bis zur Adria geplant und in gewissem Maß auch umgesetzt, von Přemysl Ottokar II. (1253-1278), den seine Zeitgenossen den »eisernen König« nannten, andere, besonders die Minnesänger, »den goldenen«.

König Přemysl Ottokar, als vierzehnjähriger Kronprinz 1247 wegen eines Aufstandsversuchs vorübergehend vom Vater in »Festungshaft« genommen, heiratete mit achtzehn Jahren aus politischem Kalkül eine mehr als doppelt so alte Witwe. Diese Witwe, Margarete von Babenberg, war die Erbin Österreichs. Damit betrat der Prinz, seit 1253 König von Böhmen, die Bühne seines Lebens: die Keimzelle des künftigen »Donauraums«, um den sich dreihundert Jahre später das mitteleuropäische Imperium der Habsburger gruppierte. Die böhmischen Könige hatten eine Erbschaft erheiratet, um die übrigens einige Jahre zuvor auch Kaiser Friedrich II. persönlich geworben hatte.

»König Ottokars Glück und Ende« entfaltete sich fortan nicht so sehr in Prag als in Wien. Franz Grillparzer hat Aufstieg und Sturz dieses »böhmischen

doch deutliche Einflüsse des veränderten Formempfindens. Die Bulle von 1299 mit den Eingangsworten BONIFATIUS ep(iscopu)s Servus servorum dei. Dilectis in xpo (Christo) filiabus, Priorisse et conventui, monasterii ..., einem Benediktinerinnenkloster zugedacht, hat die Oberlängen der Buchstaben gekürzt und Verbindungen gesucht, die das waagerechte Element betonen.

Přemysl Ottokar II. (1230–1278), der »goldene« und der »eiserne« König, Grillparzers Dramenheld von Glück und Ende, galt auch im 14. Jahrhundert als imposante Gestalt der böhmischen Königsherrlichkeit. Seine Grabfigur aus der Parlerwerkstatt im Prager Veitsdom läßt das deutlich werden.

Napoleon« in der Literatur des 19. Jahrhunderts populär gemacht. Dem deutschen und auch dem europäischen Geschichtsbild ist jedoch weithin entgangen, daß der junge Böhmenkönig in der großen Ebene an Donau, March und Thaya ein neues Kräftefeld im östlichen Mitteleuropa zentrierte, indem er die Ungarn besiegte und Kärnten und Krain eroberte, so daß seine Macht bis an die Adria reichte – was Shakespeare zweihundert Jahre später vielleicht zu dem Irrtum brachte, das ferne Böhmen läge an einem Meeresgestade. Ottokar griff auch nach Norden. Über das damals in sich zerrissene Polen hinaus wollte er eine neue kirchliche Organisation an sich ziehen und gründete im Verein mit dem deutschen Ritterorden in Preußen die Stadt Königsberg. Mehr als ein Vierteljahrhundert war er der eigentliche Machtfaktor im östlichen Mitteleuropa, organisierte die Verwaltung Österreichs neu, schuf Oberösterreich darin als besondere Einheit, die noch heute besteht, reorganisierte die böhmische Königskanzlei unter staufischem Einfluß und begünstigte die Städte sowohl in Österreich als auch in Böhmen und Mähren, wo sich in seiner Regierungszeit ein Netz von Neugründungen aus deutscher Zuwanderung spannte. Er griff ein Judenprivileg des letzten Babenbergers auf und wiederholte es gegen kirchliche Widerstände, weil er die Bedeutung jüdischer Kreditgeschäfte für die wachsende Geldwirtschaft erkannte; natürlich auch im Hinblick auf jüdische Steuergelder für die königliche Kasse. Ottokars Judenprivileg wurde vorbildlich für das jüdische Gemeindeleben in Polen und in Ungarn, wo zur selben Zeit König Béla IV. jüdische Händler und Kreditoure beim Aufbau seiner Finanzverwaltung einzusetzen wußte.

1273, als sich die deutschen Kurfürsten doch noch auf die Notwendigkeit einer im Lande ansässigen Regentschaft besannen und den territorialpolitisch erfolgreichen, aber in der großen Politik bislang nicht hervorgetretenen Grafen Rudolf von Habsburg aus dem Aaregau zum römisch-deutschen König wählten, beteiligte sich Přemysl Ottokar nicht an der Wahl. Aber er hatte den tatkräftigen Habsburger unterschätzt. Drei Jahre später mußte er ihm als König huldigen und auf seine österreichischen Besitzungen verzichten; nach fast fünfundzwanzigjähriger Herrschaft. Als er schließlich grollend zu einem neuen Kampf gerüstet hatte, ließ ihn ein Teil seines Adels im Stich, während der Habsburger mit einem großen ungarischen Hilfskontingent den Sieg erfocht. Der »goldene König« wurde, fünfundvierzig Jahre alt, auf dem Schlachtfeld erschlagen. Die Auseinandersetzung um den »Donauraum« war damit zwar noch nicht entschieden, aber die Habsburger waren jetzt in die Keimzelle ihrer künftigen Machtposition eingerückt.

Ostmitteleuropa

Rudolf von Habsburg (1273–1291) fand nach dem Sieg über Ottokar, der den Ansatz zu einer politischen Großmachtbildung im Donauraum zunächst für lange Zeit auslöschte, kaum Muße zu europäischer Politik. Konsequent um den Wiederaufbau der Königsmacht in Deutschland bemüht, hatte er mit den »Rekuperationen«, den Rückforderungen von Königsgut, mit der Steuerleistung von Reichsstädten, schließlich mit Nachfolgeplänen für seine Dynastie in achtzehn Jahren kaum Zeit, die westliche Reichsgrenze gegen Expansionspläne des institutionell überlegenen französischen Nachbarn zu sichern, geschweige denn eine Romfahrt anzutreten und mit der Kaiserkrönung die klassische »europäische Rolle« des deutschen Herrschers wahrzunehmen. Sein vergrämtes Grabbild im Dom zu Speyer hat man manchmal zur Interpretation seiner mühseligen Aufgabe herangezogen. Tatsächlich schlug eine habsburgische Thronfolge erst nach einem sechsjährigen Zwischenspiel des Grafen Adolf von Nassau (1292–1298) durch und währte mit Albrecht I. (1298–1308), einem energischen und machtverständigen Herrn, doch auch gerade nur wieder zehn Jahre. Dann geschah der zweite der beiden Königsmorde, den die deutsche Geschichte kennt, genau hundert Jahre nach dem ersten, und es handelte sich wiederum um eine Familientragödie, um einen Erbstreit. Dabei brachte irgendein unseliger Johann seinen Onkel Albrecht um. Neuerlich griffen die Kurfürsten nach einem Grafen, hatte doch einer der Kurerzbischöfe bei Gelegenheit gescherzt, er habe noch viele Könige in seiner Jagdtasche. Diesmal wurde es der Graf von Luxemburg. Mit ihm, Heinrich VII. (1308–1313), begann ein neuer Abschnitt in der deutschen Königsgeschichte, denn die Luxemburger waren wieder imstande, wenn auch nicht ohne Rückschläge, für das nächste Jahrhundert eine Dynastie zu bilden.

Während dieser wirren deutschen Verhältnisses hatte sich das böhmische Königtum im östlichen Mitteleuropa vom Sturz Přemysl Ottokars erholt und zu neuem Ansehen erhoben. Wenzel II. von Böhmen (1278–1305) hatte nämlich in zweiter Ehe eine Piastenprinzessin geheiratet und griff in die generationenlangen polnischen Thronwirren ein. 1300 wurde er in Krakau zum König von Polen gekrönt. Zur gleichen Zeit starben in Ungarn die Árpaden aus, und Wenzel erwarb 1301 für seinen gleichnamigen Sohn die Krone von Ungarn, gegen einen Rivalen aus Unteritalien, Karl Robert von Anjou. Für einen historischen Augenblick hatte eine einzige Dynastie, wenn auch nur in losem Herrschaftsverband, unter drei Kronen den riesigen Länderkomplex zwischen Ostsee und Adria miteinander vereinigt; aber eben nur für einen Augenblick. Vater Wenzel starb 1305 wahrscheinlich an Lungentuberkulose, ein Hinweis darauf, daß Mangelkrankheiten auch Königshäuser nicht verschonten. Sein Sohn verzichtete auf das ungarische Königreich und war im Begriff, sich in väterlicher Nachfolge die Krone von Polen zu holen, als er unterwegs einem bis heute ungeklärten Attentat zum Opfer fiel.

Nun standen alle drei Kronen zur Debatte: die von Karl Robert von Anjou noch keineswegs gesicherte ungarische Herrschaft, gegen die gerade damals der niederbayerische Herzog Otto als Rivale auftrat, die polnische und die böhmische. Es ging um Land, um Gold und Silber, märchenhaft: Böhmen förderte mit seinen gerade erschlossenen Bergwerken zwei Drittel der europäischen Silberproduktion, während in den ungarischen Karpaten reiche Goldvorkommen zutage traten. Zudem lockten Möglichkeiten zum Landesausbau, zur Handelsausweitung, zur Anlage neuer Straßen zwischen Ostsee und Schwarzem Meer. Die Anjou behaupteten sich in Ungarn. Polen konsolidierte schließlich ein einheimischer Piastenfürst, Wladislaw »Ellenlang«, und um Böhmen ging eine vierjährige Auseinandersetzung, in der die Habsburger erfolgreich schienen. Aber auch da gab es kurz vor dem Mord an König Albrecht einen überraschenden Todesfall, und so bot sich plötzlich eine unerhörte Gelegenheit für den gerade zum König gewählten luxemburgischen Grafen. Er sandte seinen vierzehnjährigen Sohn Johann – durch eine politische Ehe mit der sechzehnjährigen Přemyslidenerbin legitimiert – als König nach Böhmen. Damit schlang sich, nächst dem weiten Bogen der Anjou-Herrschaft, eine neue und für die europäische Politik bald wichtige Verbindung vom Westen nach dem Osten. Nicht etwa nur von der Mosel zur Moldau: Die Luxemburger Grafen waren stark französisch orientiert und bald auch verwandtschaftlich eng mit dem französischen Königshaus verbunden.

Noch einmal rekapituliert: Die Habsburger waren mit Rudolf und seinen Söhnen 1273 von der Aare an die Donau gezogen. König Adolf von Nassau (1292–1298), als neuer »kleiner Graf« gegen die solcherart gewachsene habsburgische Machtposition gewählt, scheiterte an einem Streit um Thüringen. König Albrecht von Habsburg wurde 1308 ermordet, während die Habsburger nach Böhmen griffen. Dort etablierten sich schließlich 1310 die Luxemburger. Das Gemeinsame an dieser raschen Sequenz von Erfolg und Mißerfolg in den Versuchen deutscher Herrscher, über eine starke Hausmacht zu ersetzen, was ansonsten die deutsche Königsherrschaft nicht bieten konnte, ist der auffällige Zug von West nach Ost. Denn da, östlich der Elbe und in Böhmen, in Polen wie im nördlichen Ungarn, waren durch den Landesausbau mit einheimischen und fremden Kräften in der Zwischenzeit vitale Regionen herangewachsen. Es verlagerte sich der Schwerpunkt der deutschen Dinge in einem zwar langwierigen, aber unaufhaltsamen Prozeß. In seinem Endergebnis werden später die beiden östlichen Mächte, Preußen und Österreich, um die Vorherrschaft in Mitteleuropa ringen.

Confoederatio Helvetica

Einstweilen aber folgt ein Schachzug dem andern. Man wird am Ende des Jahrhunderts die Habsburger, die Luxemburger und die Wittelsbacher als die drei bedeutendsten, miteinander um die deutsche Vorherrschaft und Krone ringenden Dynastien bezeichnen. Territorialpolitisch verfolgen sie alle ähnliche Konzepte. Um vorauszugreifen: Der nächste König, Ludwig der Bayer, sucht seine Dynastie ebenfalls im Osten, in Brandenburg, zu etablieren. Gleichzeitig will er während seiner langen, durch ein zähes juristisches Ringen mit dem Papsttum gar nicht einhellig anerkannten Regierung (1314–1346) die Alpenpässe haben, den Weg nach dem Süden. Genau dasselbe wollen Luxemburger und Habsburger auch. Es geht um Querriegel durch Süddeutschland: Die Habsburger erwerben von ihrem Ursprung an der Aare über »Vorderösterreich« um Freiburg Streubesitzungen bis an die Günz. Dann fällt ihnen 1363 Tirol zu: Brenner, Fernpaß, Jaufen, bis Verona. Das hatten sie den Wittelsbachern abgenommen, und die wiederum hatten es auf skandalöse Weise 1342 den Luxemburgern abgejagt.

Während solcherart die Tiroler Paßregion von einer Hand in die andere ging, hatten sich die Schweizer ganz fest auf eigene Beine gestellt. Hier entstand die später so genannte Eidgenossenschaft, deren Keimzelle, die Tallandschaften von Uri, Schwyz und Unterwalden, sich in einer nur für Uri eindeutigen Berufung auf Reichsfreiheit zusammenschlossen: Confoederatio Helvetica, noch heute auf jedem Schweizer Auto zu lesen. Damals formierte sich so etwas wie der Kern einer künftigen, nicht von einem Fürsten, sondern eben von den »Gemeinden« getragenen Souveränität. Aber das ließ sich noch lange nicht absehen und war auch erst nach blutigen Auseinandersetzungen zu erreichen, in denen die Schweizer 1315 bei Morgarten, 1386 bei Sempach und 1444 bei St. Jacob an der Birs über die Habsburger, 1476 und 1477 bei Murten und Nancy über den Großherzog von Burgund siegen mußten. Lauter legendäre Schlachtorte für das Schweizer Selbstbewußtsein, das unterdessen in einem nicht weniger wichtigen, zähen Aushandeln von Bündnissen und Gegenbünden zusammenwuchs und seit dem 14. Jahrhundert nicht mehr nur bäuerliche Talschaften, sondern Regionen unter städtischer Führung in sich schloß.

Der Gotthardpaß, gangbar als Wirtschaftsweg seit dem Ende des 13. Jahrhunderts, hatte die künftige Schweiz auf einmal ins politische Kräftefeld gezogen. Obwohl seine wirtschaftliche Bedeutung hinter westlich und östlich gelegenen Alpenübergängen zurücktrat, war seine politische für den Gang dieser Auseinandersetzung wichtig genug. Daraus wuchs die eine der drei Republiken unter den europäischen Monarchien: Nach den Venezianern, die seit dem 13. Jahrhundert Seemacht und seit dem 14. Jahrhundert mit ihrer terra ferma auch eine bemerkenswerte oberitalienische Landmacht wurden, und vor den Niederlanden, die sich von 1572 an in einem dreißigjährigen Prozeß vom Reich und ihrem Landesherrn Philipp von Spanien lossagten.

Weil es im 15. Jahrhundert noch keinen Souveränitätsbegriff gab, blieb den Schweizern das Kopfzerbrechen der Niederländer erspart. Sie kämpften einfach um ihre Reichsfreiheit, die wirkliche und die prätentiöse; und weil auch ein klarer Freiheitsbegriff fehlte, behaupteten sie sich schließlich als ein Städtebund neben anderen. Gerade die Reichsfreiheit bot für Städte eine besondere Gelegenheit zu solchen Bündnissen, und Freiburg, Bern, Luzern, Zürich und andere waren solche Reichsstädte. Es gab noch andere Städtebünde im Reich, ja in ganz Europa, aber ihre politische Schwäche rührte immer daher, daß sie, auch wenn sie sich verbündeten, doch kein Territorium bilden konnten. Territoriale Macht war schließlich die Grundlage für den beständigen Prozeß der Staatswerdung. Die Eidgenossenschaft dagegen hatte ein Territorium gebildet; sie schuf, aus der gleichberechtigten Verbindung von Stadtbürgertum und Bauernschaften, eine zusammenhängende Herrschaft, ein Prozeß, »einzigartig im Rahmen der europäischen Geschichte« (Guy P. Marchal).

Grenzprobleme

Während der zweiten Hälfte des 13. Jahrhunderts war der Schwerpunkt politischer Auseinandersetzung im Mittelmeerraum zu finden. Um 1300 verlagerte er sich wieder nach Frankreich, wo sich ein Duell mit dem Papst anbahnte. Hatte schon der Aufstieg der Krone Aragon große politische Bewegungen ausgelöst – ein Bündnis mit England hier, ein Gegenbund zwischen Frankreich und Kastilien dort; schließlich sogar ein Bündnis zwischen Aragon und dem Sultan von Ägypten zur Verhinderung künftiger Kreuzzüge als Preis für Waffenhilfe, »beginnende Säkularisierung der mittelalterlichen Politik« (Friedrich Baethgen) –, so orientierten sich jetzt die Kraftlinien um Philipp IV. von Frankreich. Zu Pfingsten des Jahres 1300 heiratete Rudolf von Habsburg, der älteste Sohn König Albrechts, die französische Königstochter Blanca. Das Bündnis sollte den Habsburgern zur Erbmonarchie verhelfen. Die Franzosen erhofften sich Gewinne links des Rheins, sowohl im Südwesten, wo die Oberherrschaft des Reiches bis zur Grenzlinie von Rhône und Saône fortan strittig wurde, als auch im Nordwesten. Gerüchte von einem Rückzug bis zum Rhein wurden laut, als die beiden Könige Albrecht und Philipp 1299 an der Maasgrenze bei Toul zusammentrafen und einen Vertrag schlossen.

Was die erste Strophe des Deutschlandliedes in romantischer Verklärung beschwört und was historische Landkarten nicht immer verzeichnen: Das alte Reich ging tatsächlich im Westen bis an die Maas und von da südwärts über Saône und Rhône bis ans Mittelmeer, eine auf weite Strecken eindeutige Flußgrenze, und manchmal noch westlich darüber hinaus. Natürlich keine Sprachgrenze, im Gegenteil: Ostwärts bis zum Rhein, bis zum Schweizer Jura und bis in die Westalpen erstreckte sich eine sprachliche Mischzone, älter, aber ähnlich der im östlichen Mitteleuropa, die seit dem 12. Jahrhundert aus der Siedlung zwischen Slawen und Deutschen entstanden war. Sprachgrenzen hatten zwar kein politisches Gewicht, gewannen aber große kulturelle Bedeutung, weil sie der Vermittlung dienten. So wie das östliche Mitteleuropa alle möglichen Techniken und kulturellen Vorbilder weiter in östliche Richtung brachte, so vermittelte jene Mischzone zwischen Maas und Rhein, Rhône und Alpen französische Lebensformen in den deutschen Sprachraum. Damit ging eine entsprechende Anziehungskraft des französischen Königshofes einher. Nicht ohne Grund sandten seit dem 12. Jahrhundert deutsche Fürsten ihre Söhne zur Bildung an den französischen Hof. Für den Westen des Deutschen Reiches ergaben sich in diesen Lehrjahren oft politische Abhängigkeiten, und weil die Krone von Frankreich »Rentenlehen« vergab, Pensionen für Dienstverpflichtungen – eine Verfeinerung der alten, auf Landvergabe beruhenden Lehnsbeziehungen –, gewann sie auch Parteigänger in Deutschland.

Diese französische Überlegenheit vor Augen, fürchteten die Zeitgenossen um den Bestand der Westgrenze. Im 15. Jahrhundert gewann Frankreich dann tatsächlich das sogenannte Königreich Arelat, den Raum zwischen Rhône–Saône und den Westalpen mit der alten Hauptstadt Arles, und im 17. Jahrhundert kam die Expansion gegen den Rhein voran. Man muß solche Bewegungen im Zusammenhang sehen: Wie der König von Frankreich, so suchten auch deutsche Fürsten ihre Macht nach Osten auszudehnen, und dasselbe tat seinerseits wiederum der König von Polen. Das »Heilige Römische Reich« dagegen betrieb damals keine Ostexpansionen mehr; die Kaiser waren südwärts engagiert und zur Ausdehnung ihrer Macht nach Osten außerstande. Allerdings zogen auch die Franzosen nicht bewaffnet gen Osten. Ihr Ziel, Schelde, Maas, Saône und Rhône zu erreichen, verfolgten sie in kleinen Schritten und meist auf dem Verwaltungsweg, wobei sie auf die Überlegenheit ihrer Kultur und ihrer Herrschaftsinstitution vertrauten und gelegentlich durch glückliche Erbfälle unterstützt wurden.

Staatsbewußtsein

Mit wachsender Stärke übernahm das französische Königtum schließlich auch die kaiserliche Rolle im alten Spiel um die Macht mit den Päpsten. Als sich Bonifaz VIII. gegen die Besteuerung des französischen Klerus durch den König wandte, mit dem vollen Anspruch päpstlicher Herrschaft über alle Schöpfung im allgemeinen, über die Kirche im besonderen, und mithin ähnlich sprach wie hundert Jahre zuvor schon Innozenz III. und noch einmal gut hundert Jahre früher Gregor VII., fand er mit seiner Bulle »Unam Sanctam« in Frankreich kaum Gehör, weder bei den Laien noch beim betroffenen Klerus. Der Staat als diejenige Institution, der man sich politisch zugehörig fühlte, rückte allmählich an die Stelle der Kirchengemeinschaft. Diese Schwerpunktverlagerung im politischen Bekenntnis spielte sich zur selben Zeit auch in England ab, nur weniger lautstark, als Eduard I. 1297 den englischen Klerus besteuerte. Während sich »die grundlegende Treuebindung des englischen Volkes von der Familie, der Ortsgemeinschaft, der Kirche weg zum Staat hin verlagerte«, während sich im ähnlichen Sinn die Franzosen als politische Gemeinschaft, nicht als religiöse, im Rahmen des Christentums für »ein auserwähltes Volk« ansahen – »der göttlichen Gnade zu Recht teilhaftig«, denn »Frankreich zu schützen hieß Gott dienen« (J. R. Strayer) –, verharrten die politisch aktiven Kräfte in Mitteleuropa unentschlossen. Die nördliche und östliche Peripherie war für diese Auseinandersetzung noch gar nicht reif. Das bezeichnet den westlichen Vorsprung.

Noch deutlicher: England und Frankreich hatten ein »Staatsbewußtsein« entwickelt, das aus zwei Wurzeln erwuchs: aus transzendenter Legitimation ihrer Könige, die gekrönt und gesalbt wurden und, auf dem französischen Thron, sogar wundertätig waren. Die englischen Könige brachten es im Vergleich mit ihren französischen Nachbarn freilich kaum bis zum Ruf der Heiligkeit, weder Wilhelm I. noch Wilhelm II., Heinrich II. oder Richard Löwenherz, während Ludwig IX., »der Heilige«, dem französischen Königsideal recht nahe kam. Das war die eine, die sakrale Rechtfertigung staatlicher Eigenständigkeit. Die andere trat aus dem religiösen Rahmen heraus und wurde Frieden, Gerechtigkeit, Ordnung, kurz: Staatszweck. Nach Aristoteles und seinem führenden arabischen Interpreten, Averroës aus Cordoba (1126–1198), war der Staat eine Institution eigenen Rechts. Sie ergab sich aus der natürlichen »politischen« Bestimmung des Menschen und bedurfte keiner kirchlichen Rechtfertigung. Hinzu kam, daß nach römischem Kaiserrecht, das dem ganzen Mittelalter, wenn auch oft unverstanden und trotz aller historischen Widersprüche, maßgeblich erschien, der Kaiser Rechtsquelle und oberster Richter zugleich war. Barbarossas Advokaten hatten das im 12. Jahrhundert im Streit mit den Päpsten behauptet, allerdings ohne großen Erfolg. Die französischen Legisten aber, die nun Philipp IV. zur Seite standen, erklärten bündig: Le roi est empereur dans ses états. Damit hatten sie die römische Tradition des mittelalterlichen Kaisertums anerkannt und zugleich die kaiserliche Einflußsphäre begrenzt. Die Eigenständigkeit und Unabhängigkeit, die Souveränität des Staates als politischer Ordnungsbegriff wird deutlich.

Und wie hielt sich zu dieser Zeit das Kaiserreich im Spiel der Macht? Ähnlich wie der König von Frankreich 1302 zum ersten Mal die ganze Nation repräsentativ versammelte, den Adel, den Klerus und auch Vertreter von Städten, um Papst Bonifaz die Einheit der Franzosen gegen seine Ansprüche zu demonstrieren, so scharten sich ein wenig später, 1338, die deutschen Fürsten um ihren Herrscher, um päpstliche Ansprüche zurückzuweisen. Dabei ging es nicht um Steuern, denn auch 1338 gab es im Heiligen Römischen Reich noch keine institutionelle Voraussetzung für eine allgemeine Besteuerung der Untertanen. Es ging um eine, wenn wir dieser Perspektive folgen, bereits antiquierte Frage; daß sie aktuell war und dies auch einige Zeit noch blieb, zeigt die ganze immobile Heiligkeit des römischen Reiches, in seiner gedanklichen Tiefe ebenso wie in seiner Unfähigkeit zur Staatspragmatik. Es gab nämlich, seit mehr als hundert Jahren immer wieder bei passender Gelegenheit erhoben, den päpstlichen Anspruch, einen in Deutschland gewählten »römischen König und künftigen Kaiser« ausdrücklich zu approbieren, ehe er gekrönt wurde und damit rechtens herrschte. Dieser Anspruch, mit Juristenlogik in Rom mehrfach eingefädelt, wurde von den römischen Kaisern stillschweigend umgangen, im Thronstreit gelegentlich auch zum eigenen Vorteil benützt. Nun versammelten sich im Laufe des Jahres 1338 die Bischöfe, die Städte, die Kurfürsten, getrennt zwar, aber doch in der Dreiheit der künftigen Reichstagsordnung, und erklärten den von den Kurfürsten nach dem Mehrheitsprinzip Gewählten zum rechten römischen König und Kaiser, der keiner päpstlichen Bestätigung bedürfe.

Seit dem Sturz der Kaisermacht 1250 hatte es keinen gekrönten Kaiser mehr gegeben bis 1312. Damals hatte sich Heinrich VII., zuvor Graf von Luxemburg, nachdem er seinen Sohn mit der Königskrone von Böhmen belehnt und damit seiner Dynastie eine ansehnliche Machtbasis verschafft hatte, nach Rom aufgemacht, um nach altem Brauch dort die Kaiserkrone zu gewinnen. Vor Brescia verlor er seinen Bruder; in Pisa wurde seine Frau begraben. Heinrich selbst, dem Pfeilschüsse in Rom das Krönungsmahl verdorben hatten, starb im Feldlager vor Florenz. Zuvor aber hatte er das Papsttum mit seinen Ansprüchen aufs äußerste herausgefordert.

Das Papsttum hatte nach der Verhaftung von Bonifaz VIII. 1303 in Anagni neue Demütigungen erfahren. Der französische König griff mit falschen Anklagen den Ritterorden der Templer im Lande an, seine Bankiers, so daß einige Scheiterhaufen brannten und sich die königliche Kasse mit dem liquidierten Bankvermögen füllte. Schließlich zogen die Päpste vom unruhigen Rom nach Avignon, das zwar noch auf Reichsgebiet lag, aber unmittelbar an der französischen Grenze. Unter französischem Einfluß standen von nun an auch Kurie und Kardinäle.

Am Anspruch auf Approbation eines römischen Königs hielt man an der Kurie dennoch fest. 1314, nach Heinrichs Tod, hatten in Deutschland die Kurfürsten den Wittelsbacher Ludwig und den Habsburger Friedrich gewählt, Jugendgefährten; keiner von beiden sonderlich politisch begabt. Zwar brachte, im alten Sinn des Gottesurteils, eine Schlacht bei Mühldorf dem Bayern Erfolg, dem Habsburger Gefangenschaft, mit rührenden Zügen von Rittertugend. Aber politisch war das eine wie das andere wenig brauchbar, auch nicht das folgende nominelle Doppelkönigtum bis zu Friedrichs Tod 1330. Statt dessen hatte, zehn Jahre post factum, das Papsttum die Approbation reklamiert. Und darüber zog sich nun mit Prozessen und Winkelzügen, auch mit unpolitischen Rückzügen des Wittelsbachers, ein Verfahren hin, das letztlich nichts anderes demonstrierte als politische Ineffizienz.

Das gedemütigte, von seiner territorialen Basis im Kirchenstaat entfernte und nach Avignon gleichsam exilierte Papsttum wußte sich also immerhin zu helfen. Nicht nur das Recht, für das mit allerhöchstem Anspruch, mit Bann und Interdikt gestritten wurde, sondern auch die Rechtsinstitution schien auf seiner Seite. Avignon wurde für Jahrzehnte zum höchsten Gerichtshof im geistlichen Bereich und zum Zentrum einer beachtenswerten Finanzverwaltung. Sie betraf den Klerus, namentlich bei Amtsbewerbungen und Ämtererteilungen, aber auch die gesamte Christenheit im Hinblick auf Zehnten und Ablaßzahlungen.

Die päpstliche Kurie, 1305 aus dem unruhigen Rom ins Exil gedrängt, suchte Zuflucht in der schon früher erworbenen Grafschaft Venaissin und seiner Hauptstadt Avignon am linken Rhôneufer, 1348 von den Päpsten gekauft. Damals entstand der Papstpalast, bis 1377 Sitz der Kurie und damit Hauptort der lateinischen Christenheit.

So ersetzte eine geniale Finanzstrategie, namentlich durch Johann XXII. (1316–1334), einen Greis aus Südfrankreich, der bis zum neunzigsten Lebensjahr auf dem Stuhl Petri saß, die Territorialmacht der weltlichen Großen. Nicht als geistliche, sondern als Geldmacht mußte sich das Papsttum damals in der Welt behaupten. Scheinbar ausgeschlossen vom politischen Spiel, hatte es eigene Wege gefunden, um den nötigen Einsatz auf den Tisch zu legen: vielleicht eine Notwendigkeit für den Fortbestand der Freiheit der Kirche, aber ein Skandalon in den Augen von Rechtgläubigen und Ketzern.

Der zweite »hundertjährige« Krieg

Bonifaz hatte beim Überfall der Franzosen auf seine Residenz die Kapetinger verflucht. Gerüchte gingen um, als die drei Söhne Philipps IV. und ein gerade geborener Enkel kurz hintereinander starben; nach zwei, nach fünf, nach sechs Jahren. 1328 war der französische Thron verwaist, war trotz der »wunderbaren Fruchtbarkeit« der französischen Könige der Strom des kapetingischen Blutes versiegt; zwar nur im Mannesstamm, aber Grund genug, den wunden Punkt aller Erbmonarchien bloßzulegen und Frankreich für die nächsten anderthalb Jahrhunderte von neuem in einen Krieg mit dem englischen Nachbarn zu stürzen.

Nach französischem Recht kam nun die Nebenlinie Valois zum Thron, mit Philipp VI. (1328–1350). Zehn Jahre nach diesem Wechsel, 1337, griff König Eduard III. von England (1327–1377) unter dem Vorwand, selbst näher am französischen Thron zu sein, die Franzosen an, und eine neue englische Expansion richtete sich gegen das Festland: ein Krieg von mehr als anderthalb Jahrhunderten, mit vielen englischen Siegen, mit dem englischen Griff nach Flandern und den alten Besitzungen im Südwesten, am Ende freilich mit dem völligen englischen Rückzug vom Kontinent. Eine einzige Konsequenz wurde sofort offenbar: der Zusammenbruch der französischen Vormachtstellung in Europa.

Das Königreich Frankreich hatte etwa dreimal soviel Einwohner wie England, zwölf Millionen, aber sein Steuersystem war weniger effizient. Auch herrschte der König von Frankreich nicht gleichmäßig über das ganze Land, sondern »die Großen« führten bei passender Gelegenheit ihre eigene Politik, und manchmal schien sie tödlich für die Einheit des Landes. Rasch zeigte sich bei den Auseinandersetzungen die Überlegenheit der englischen Flotte, bald aber auch die Überlegenheit der englischen Landtruppen. Diese beruhte zum guten Teil auf den walisischen Bogenschützen im englischen Heer, die, ironisch genug, auf der Insel selbst von den Engländern in die zerklüfteten Berge ihrer Heimat verdrängt worden waren und nun mit ihren treffsicheren Langbogen bei rascher Schußfolge immer wieder die englischen Siege garantierten.

Die Nachfolgefrage war nur eine Konstruktion für den machtpolitischen Anspruch der Engländer. König Eduard III, einer der langlebigsten und profiliertesten englischen Herrscher, dessen Monogramm die Wachen im Tower noch heute tragen, war der Sohn einer französischen Prinzessin. Die Franzosen

Französische Flüchtlinge im Hundertjährigen Krieg. Die Wagen, zum Teil mit Vorspann, lassen Hausrat erkennen und werden von Bewaffneten begleitet.

hatten wenige Jahre zuvor jede Erbfolge über die weibliche Linie ausgeschlossen, und nach dieser Interpretation war Philipp von Valois näher am Thron. In Wahrheit ging es um den Rest des vormals englischen Besitzes in Südfrankreich, die Gascogne, die ihre Weine nach England verschiffte, und es ging um die wirtschaftlich wichtigen Beziehungen Englands zum französischen Norden, zu Flandern, dessen Tuchproduktion auf der Einfuhr englischer Wolle beruhte. So gab es auch einen gewissen bürgerlichen Rückhalt in England für die Verbindungen zum Kontinent. Die Sprachbarriere darf man nicht überschätzen, denn die englische Oberschicht sprach zu dieser Zeit noch immer französisch, wenn nicht das gelehrte Latein, und englische Literatur wird erst zum Ende des 14. Jahrhunderts geschrieben. Zur Debatte stand nicht zuletzt auch die Tatsache, daß der König von England aufgrund der Festlandsbesitzungen noch immer ein Lehensmann des Königs von Frankreich war und sich wegen aller möglichen Anklagen von Zeit zu Zeit vor dem »parlement de Paris«, dem obersten Gericht, hätte verantworten müssen.

Parlamente

Die innere Entwicklung Englands zeigt Parallelen zur französischen um 1300. Die politische Einigung der Insel war fortgeschritten, die Expansion nach Wales konnte 1295 als abgeschlossen gelten, und seitdem trägt der englische Kronprinz den Titel dieses besiegten Landes. In Schottland griff der König kraft Oberlehensherrschaft in Thronwirren ein, allerdings zum schottischen Mißvergnügen, und schottische Könige suchten deshalb auch immer wieder Unterstützung in Frankreich. Zur Verteidigung schottischer Selbstbestimmung in Thronfolgefragen gab es gnadenlose Kämpfe der Schotten gegen die Engländer und der Schotten untereinander.

Die Engländer selbst fanden in dieser Zeit fester zueinander, aber eben nicht im Sinn des Gehorsams dem König gegenüber, sondern zu einem geregelten Zusammenspiel mit ihm. Die Verfestigung des Parlaments, zunächst »eher eine Handlung als eine Körperschaft« (F.W. Maitland), blieb unentbehrlich für königliche Entscheidungen, und man einigte sich 1297 bei passender Gelegenheit auf den Grundsatz: »no taxation without representation!« Darauf haben sich übrigens, nicht ganz im ursprünglichen Sinn, noch die englischen Kolonisten in Nordamerika bei ihrer Revolution von 1776 berufen.

Die Opposition, die hier feste Formen fand, war gegen königliche Willkür gerichtet und doch auch bereit, mit dem König zusammen zum Wohle des Ganzen zu handeln. Das Parlament tagte von jetzt an immer häufiger in Westminster, wie auch heute noch, und es schloß immer regelmäßiger auch niederen Adel und – oft ebenso ritterliche – Vertreter der Städte ein, so daß sich das House of Commons um die Mitte des 14. Jahrhunderts endgültig vom House of Lords abgrenzte. Das Parlament war unter anderem auch das rechte Forum für die Verkündung und damit eben die allgemeine Anerkennung neuer Gesetze. So übte das Parlament von Westminster dieselbe Funktion aus wie das »parlement de Paris«. »The king in parliament« entwickelte sich zur besonderen englischen Regierungsform aus einem Zusammenspiel von festem Ort, dichter Tagungsfolge und festgelegten Rechten, schließlich auch mit einem klar definierten Personenkreis. Ähnlich hatte sich auch der Reichstag in Mitteleuropa konstituiert, aber er fand erst gut anderthalb Jahrhunderte später, um 1500, zu vergleichbaren Formen. Der republikanische Argwohn des 20. Jahrhunderts will im Rückblick nicht ohne weiteres begreifen, daß diese Machtverteilung zwischen König und Ständen, mit den Großen des Landes, den Lords, und je zwei Abgesandten aus jeder Grafschaft und aus den Städten, die insgesamt das ganze Land repräsentierten, keineswegs der Anfang vom Ende der monarchischen Herrschaft gewesen ist. Gerade am englischen Beispiel läßt sich das erkennen, und es gilt für allen mittelalterlichen »Konstitutionalismus«. Die Zusammenarbeit war, wiewohl voller Rivalität, von unten her abgestützt durch die Anerkennung göttlicher Legitimation und pragmatischer Unentbehrlichkeit des Königtums, von oben her durch die Erwartung von »Rat und Hilfe«. Das Zusammenspiel von König und Ständen muß also unter zeitgenössischen Voraussetzungen positiv gewürdigt werden, und nicht unter revolutionärem Vorbehalt.

Crécy

Eduard III. hatte den Ausschluß der weiblichen Thronfolge in Frankreich zunächst akzeptiert. 1331, vier Jahre nach seiner eigenen Krönung und drei Jahre nach dem französischen Thronwechsel, leistete er den Lehenseid. Aber sieben Jahre später erklärte er sich selbst zum rechtmäßigen Erben der Krone von Frankreich und griff die Franzosen an. Es folgte ein Seesieg bei Sluys gegen eine zahlenmäßig überlegene französische Flotte, die zudem noch von einem Hilfskontingent aus Genua unterstützt wurde – ein »Gottesurteil«. Aber danach gab es bald leere Kassen. Ein Syndikat zwischen den englischen

Wollexporteuren und Brabanter Kaufleuten, das Kredite der florentinischen Bankiers Bardi und Peruzzi finanzieren sollte, war fehlgeschlagen. Anfang 1339 verpfändete Eduard die englische Krone an den Erzbischof von Trier. Englische Bischöfe hatten einen persönlichen Kredit beim Bankhaus Bartolomei in Lucca aufgenommen, aber die köngliche Kasse blieb weiterhin zahlungsunfähig. Das hatten wohl auch die Franzosen bemerkt, denn sie vermieden es, sich einem Expeditionsheer Eduards in Nordfrankreich im Sommer 1339 zu stellen. Ausmanövriert, mußte Eduard schließlich die Truppen entlassen, ohne daß es zu einer Schlacht gekommen war. Der Staatsbankrott, in den Formen der Zeit, ließ den König von England am Ende zwar ungeschoren, schuf aber seinen Untertanen Verluste und bescherte den Florentiner Krediteuren den Ruin.

1346 landete Eduard erneut in Nordfrankreich, wieder geplagt durch Ausweichmanöver der Franzosen, am Ende beinahe in einer gefährlichen Falle zwischen der unüberschreitbaren Seine und einem wachsenden französischen Aufgebot. Eduard zog seine Truppen nach Crécy zurück, auf halbem Weg zwischen Paris und der rettenden Küste, und verschanzte sie in einer Wagenburg. Dort entbrannte am Nachmittag des 26. August 1346 eine große Schlacht.

Die Genueser Armbrustschützen auf französischer Seite sollen in feuchter Luft Schwierigkeiten mit ihren Waffen gehabt haben; die englischen Langbogenschützen waren offenbar nicht beeinträchtigt. Im Pfeilhagel flohen die Genueser und stifteten Verwirrung. Ein englischer Ausfall leitete schließlich ein Reitertreffen ein, dem Flucht und Niederlage der Franzosen folgten. Das Ereignis beschäftigte Chronisten und Poeten noch lange; »Crecy was an epic victory« (M. H. Keen). Die Folgen für die Politik wogen weniger schwer. Frankreich war nicht erobert, trotz mancher Anschlußerfolge Eduards. Auch die englische Finanzmisere war nicht behoben, trotz vieler Plünderungen. Das wichtigste Ergebnis war zunächst wohl die Eroberung von Calais, dessen Bevölkerung evakuiert und durch Engländer ersetzt wurde, ein wichtiger Stützpunkt bis ins 16. Jahrhundert.

Die Einzelheiten einer Schlacht mögen zur Anschauung für andere dienen, die folgten. Zehn Jahre später besiegte der Schwarze Prinz, Eduards Sohn, der

Diese Kampfszene soll wohl die Überlegenheit der englischen Fußtruppen deutlich machen. Die Bogenschützen als Vorhut der Kavallerie haben sich hinter einem Schutzwall aus spitzen Pfählen aufgestellt.

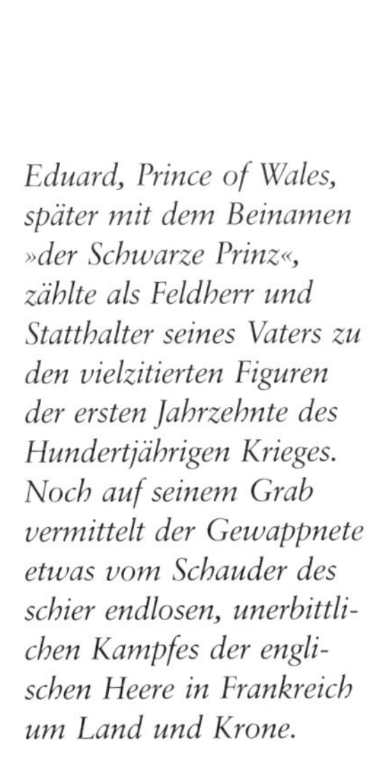

Eduard, Prince of Wales, später mit dem Beinamen »der Schwarze Prinz«, zählte als Feldherr und Statthalter seines Vaters zu den vielzitierten Figuren der ersten Jahrzehnte des Hundertjährigen Krieges. Noch auf seinem Grab vermittelt der Gewappnete etwas vom Schauder des schier endlosen, unerbittlichen Kampfes der englischen Heere in Frankreich um Land und Krone.

sich bei Crécy die Sporen verdient hatte, König Johann II. von Frankreich (1350–1364) und nahm ihn gefangen. Auch damit fanden die Kämpfe kein Ende, ebensowenig die Plünderungen durch englische Kavalkaden; Bürger und Bauern in Frankreich wurden zunehmend auch von eigenen Truppen bedrückt.

In die Schlacht von Crécy waren auch die Affären des Reiches verwoben: Kaiser Ludwig IV., »der Bayer«, hatte in langer und unsteter diplomatischer Auseinandersetzung mit den Päpsten weder Anerkennung erreicht noch Aufhebung des Interdikts über seine Anhänger. Der kirchliche Frieden in Deutschland blieb aus. Ludwig hatte sich 1328 auf einem Romzug von Sciarra Colonna, der am Attentat von Anagni beteiligt gewesen war und nun als Volkskapitän von Rom die Macht in der Stadt innehatte, die Kaiserkrone aufsetzen lassen; dann noch einmal von Nikolaus V., den er als Gegenpapst einsetzte. Das verbesserte seine Chancen, zu einem Ausgleich mit den Päpsten in Avignon zu gelangen, durchaus nicht. Als Eduard III. 1337 nach Bundesgenossen auf dem Festland suchte, fand er sie nicht nur unter den nördlichen Grafen des Reiches, sondern auch beim Kaiser selbst, der seine Beteiligung an einem gemeinsamen Feldzug gegen Frankreich versprach und Eduard dafür sogar zum Reichsvikar ernannte. 1339 war zwar kein Reichsaufgebot, aber immerhin ein Sohn des Kaisers mit anderen Fürsten in Eduards Lager. Als sich später die Aussicht auf französische Vermittlung beim Papst ergab, ließ Ludwig den englischen Bundesgenossen fallen und wandte sich Frankreich zu. Bei Crécy sollen, kläglicher

Rest der alten Beziehungen, nur sechs deutsche Ritter auf Eduards Seite gewesen sein.

Die Luxemburger standen jederzeit auf der Seite des Königs von Frankreich, 1339 geradeso wie vor Crécy. Inzwischen hatten sie allerdings eine ganz andere Position im Reich gewonnen: War es zuvor nur der König von Böhmen, Johann »der Blinde« (1310–1346), den ein Rentenlehen verpflichtete, so war inzwischen, nach langen Auseinandersetzungen der drei führenden Dynastien Wittelsbach, Habsburg und Luxemburg, Johanns Sohn Karl zum deutschen König gewählt worden. Karl, der ursprünglich den böhmischen Dynastennamen Wenzel trug, war wie viele seiner Vorfahren am Hof in Paris erzogen worden. Seine Tante war die Gemahlin König Karls IV. von Frankreich (1322–1328), und seine französischen Verbindungen waren nicht minder fest wie die seines Vaters, der als »roi de Boème« schon zu Lebzeiten in die französische Ritterepik eingegangen war. Karl war als Gegenkönig mit päpstlicher Hilfe gewählt worden, um den langen und fruchtlosen Streit Ludwigs mit der Kurie zu beenden. Ein französischer Sieg hätte ihm in einer politisch so schwierigen Lage in Deutschland zweifellos nützen können. Denn Ludwigs Anhänger waren, selbst nach dessen Absetzung und der Gegenwahl, noch zahlreich genug, einen wirklichen Machtwechsel zu verhindern. Statt dessen bedeutete die französische Niederlage bei Crécy auch eine Katastrophe für die Luxemburger.

König Johann war mit fünfhundert Rittern auf dem Schlachtfeld erschienen. Kein geringerer als der große Chronist Jean Froissart weiß mit Verve von ihm zu berichten. Er war seit einigen Jahren auf beiden Augen erblindet, und man erzählte, er sei angekettet zwischen Begleitern geritten, um den Feind zu finden. Johann fiel. Der Prinz von Wales, der als Schwarzer Prinz dann in die Geschichte einging, soll ihn gefunden, ehrenvoll in seinem Zelt aufgebahrt und schließlich begraben haben. Er übernahm auch seinen Wappenspruch als ritterliche Trophäe, und der ist heute noch in der königlichen Heraldik von England zu finden: »Ich dien'«; im Sinne ritterlicher Selbstverpflichtung, nicht etwa als Staatsdienst des absoluten Fürstentums.

In die böhmische Geschichte ging der unstete Johann als »König Fremdling« ein. Aber seinem Sohn, den er fürsorglich vom Schlachtfeld geschickt haben soll, hinterließ er die beste Hausmachtposition, die bis dahin ein deutscher Herrscher vorfand: Johann hatte nicht nur Böhmen und Mähren, wenn auch meist in Abwesenheit, regiert, sondern er hatte bis 1335 per Vertrag vom polnischen König fast ganz Schlesien, eine Mehrzahl von Herzogtümern, für die böhmische Krone erworben. Das war mehr als die Hälfte des böhmischen Landes. Vierhundert Jahre blieb diese Kombination erhalten, bis Friedrich der Große vor gut zweihundert Jahren sechs Siebentel davon annektierte; ein nicht unwesentlicher Beitrag zum Aufstieg Preußens.

»Bey den zeitten do man zalt von gottes gepurdt MCCC und xlviii jar stund ein frömde wunderliche geselschaft auff von purgern und von pauren die giengen durch vil landt und stet ...« so berichtet die Konstanzer Chronik mit der zugehörigen Abbildung von Geißlern. Die Selbstgeißelung war als asketische Übung schon lange verbreitet, ehe sie im 13. Jahrhundert in Oberitalien zur Laienbewegung wurde. Hundert Jahre später schlug sie offenbar in Massenhysterie um: als Bußübung vor der herannahenden Pest. Priester waren ausdrücklich von der Teilnahme ausgeschlossen.

VI
Krise und Revolution

Pest

Die Händel der Engländer mit den Franzosen, die Auseinandersetzung zwischen Genua und der Krone Aragon, die Ausbreitung Venedigs und vor allem die gesamte Handelsprosperität im Mittelmeer unterbrach 1347 der Schwarze Tod. Der Pestbazillus, Pasteurella pestis, hielt und hält sich noch heute augenscheinlich endemisch unter Ratten und ihren Flöhen in Zentralasien. Er steht da in einem im einzelnen noch unbekannten Gleichgewicht mit dem natürlichen Immunsystem der befallenen Tiere. Endemisch greift die Krankheit auch nach dem Menschen, und in ungeschützten Organismen wirkt sie in wenigen Tagen tödlich. In die Blutbahn übertragen, etwa durch Flöhe, führt die Erkrankung zur raschen Anschwellung der Lymphgefäße und zur Pestsepsis des Blutes; über die Atemluft entwickelt sie sich zur Lungenpest.

Beide Formen griffen 1347 urplötzlich in Hafenstädten am nördlichen Mittelmeer um sich, durch Schiffe, ihre kranken Matrosen und ihre kranken Ratten ans Land gebracht, und niemand wußte ein Heilmittel. Die vierzigtägige Isolierung aller Neuankömmlinge im Hafen von Marseille, »Quarantäne«, war medizinisch richtig; aber sie kam zu spät. Inzwischen hatte sich die Infektion schon auf den Verkehrswegen über ganz Europa verbreitet; sie folgte ihren Schreckensgerüchten mit Unerbittlichkeit. Wenige Landstriche blieben verschont; Franken zum Beispiel, auch Böhmen und Polen. Aber Nowgorod, Mittel- und Westeuropa sowie England erreichte die Seuche. Bis 1352 wütete der Schwarze Tod, hundert Jahre lang kehrte er in fast regelmäßigen Abständen immer wieder, dann in großen Zwischenräumen; 1720/21 suchte er Europa zum letzten Mal heim.

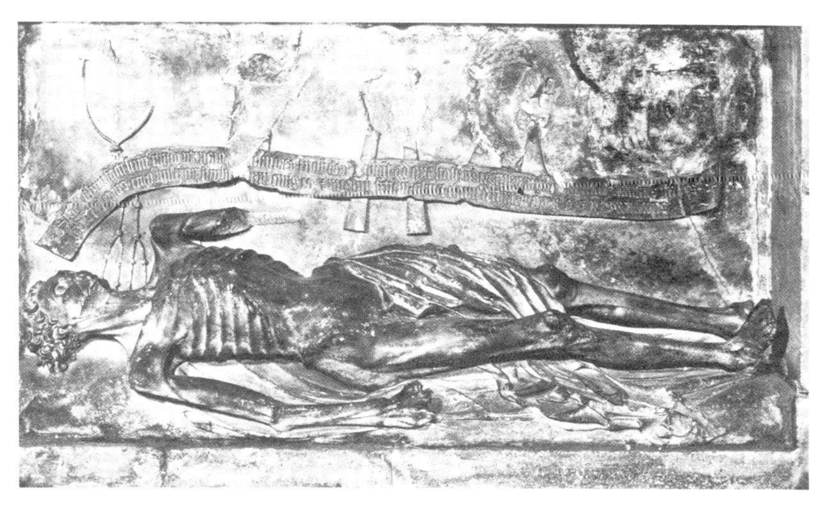

Schon vor der Pestzeit werden Tod und Verwesung drastisch dargestellt – ein weltnaher, eigentlich der christlichen Duldsamkeit ferner Realismus, der sich der Wahrheit des Todes versichern möchte.

Überall da, wo Menschen einander begegneten, bestand Infektionsgefahr. Rauch, Kleiderwechsel, ein »Pestschnabel«, der Distanz beim Atmen schuf, für die wenigen, die mutig genug waren, die Erkrankten nicht sich selbst zu überlassen, waren richtig erdachte, aber nur wenig wirksame Abwehrmittel. Einmal soll auch der Papst in seinem Palast in Avignon tagelang zwischen rauchenden Kohlenbecken gessesen haben. Was einzig Sicherheit bot, war eine körpereigene Abwehrkraft, die wir noch heute medizinisch nicht genauer erklären können. Dank ihrer überstanden Bruchteile der Bevölkerung in Stadt und Dorf, an Fürstenhöfen und in Klöstern. Die Seuche erlosch, bis sich nach zehn oder zwanzig Jahren in einer jungen Generation wieder genügend Infektionspotential für die epidemische Verbreitung fand. Übrig blieben die Immunstarken. So haben wir alle die Pest überlebt.

Der Schwarze Tod, seit der Spätantike in Europa unbekannt, erreichte 1347 das Festland und griff nach zeitgenössischen Berichten in einzelnen Zügen innerhalb der nächsten fünf Jahre über den ganzen Kontinent. Die Seuchenzüge wiederholten sich danach in unregelmäßigen Abständen und in verschiedenen Räumen bis zur Mitte des 15. Jahrhunderts.

Hätte die mittelalterliche Bevölkerung in einer mit der Gegenwart vergleichbaren Kommunikationsdichte gelebt, dann wäre vielleicht das Entsetzen vor der Seuche in offene Panik umgeschlagen. So waren – auf einem Weg, den man freilich mit Grausen vorhersagen konnte – immer nur einzelne Siedlungseinheiten betroffen, hier ein Dorf, dort eine Stadt; das ließ zwar nicht Zeit zur Besinnung, aber immerhin zu Reaktionen. Geißlerzüge brachen auf – Laiengruppen, die schon achtzig Jahre zuvor im religiös erregten Oberitalien durch lange Prozessionen und Selbstgeißelung Gottes Erbarmen erzwingen wollten. Diesmal verbreiteten sie sich vom nördlichen Ungarn bis nach Norddeutschland. Andere suchten nach Schuldigen: die Juden!

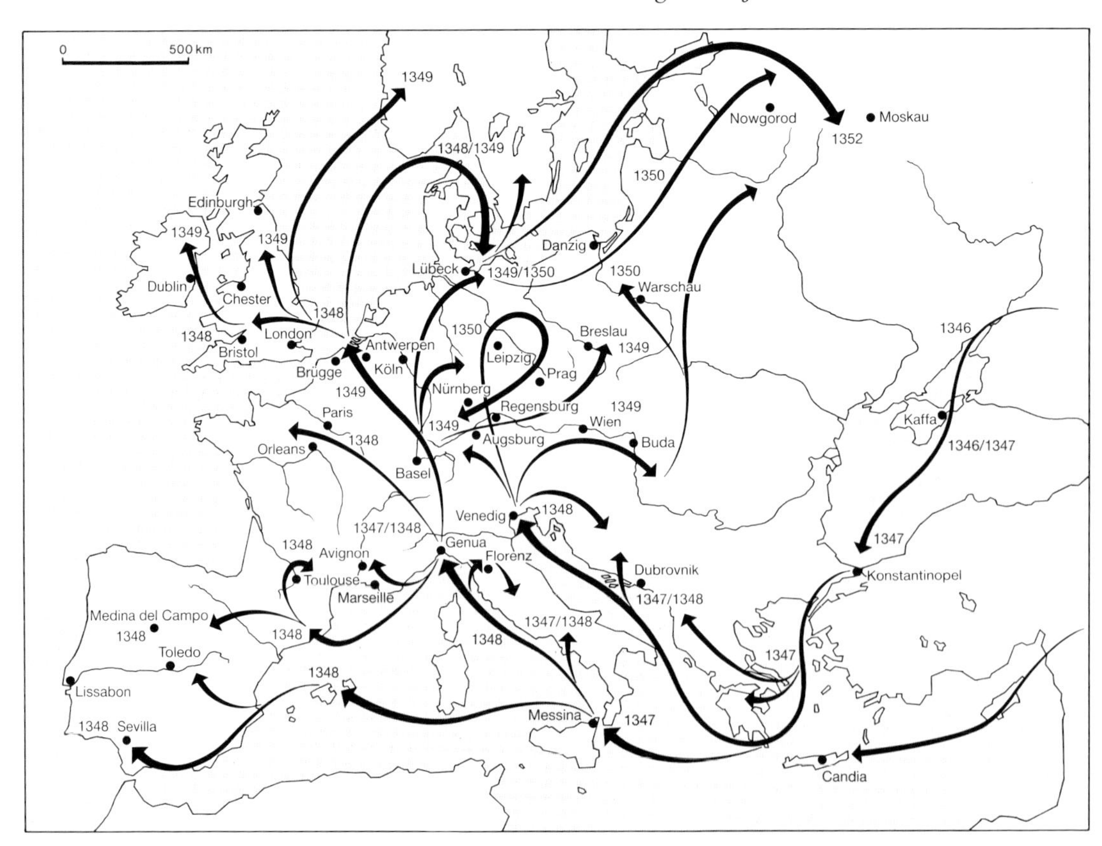

Die »Begegnung der drei Lebenden mit den drei Toten« ist eine Legende orientalischen Ursprungs und sollte, weit verbreitet, an die Vergänglichkeit erinnern. Königin Bonne von Frankreich, übrigens eine Schwester Kaiser Karls IV., die dieses Bild in ihrem persönlichen Gebetbuch wohl oft betrachtet hat, starb 1349 34jährig an der Pest.

Judenmorde

Das Verhältnis zu den vielen jüdischen Gemeinden in Europa hatte eine Wandlung durchlaufen, seit 1096 fanatische Horden im Namen des ersten Kreuzzugs in Nordfrankreich und am Rhein jüdische Gemeinden überfielen und sie auszurotten imstande waren. Die Schutzversuche der Obrigkeit schlugen meist fehl. Auch viele der jüdischen Siedlungen in Spanien, wirtschaftliche und kulturelle Blüte im Rahmen der islamischen Stadtkultur vereinigend, gingen mit der Reconquista zu Ende.

Mit dem Fern- und Sklavenhandel hatten sich jüdische Siedlungen seit dem Frühmittelalter vom Mittelmeerraum her ins Innere und nach dem Osten des Kontinents verbreitet. Bäuerliche Siedlungen, so im Chasarenreich nördlich des Schwarzen Meers, blieben die Ausnahme. Schon Karl der Große erkannte die Bedeutung der jüdischen Fernkaufleute, und sein Sohn stellte sie unter eine besondere kaiserliche Vormundschaft. Damit wurde ihnen eine begrenzte Toleranz eingeräumt, und im christlichen wie im islamischen Raum durften sie in eigenen Gemeinden nach ihrer Religion leben, die zugleich ihre Lebensform bestimmte, und ihre eigenen Gemeindeoberen wählen, Rabbiner, die gleichzeitig Richter waren. Mit den Normannen kamen die Juden 1066 nach England und gründeten an den hervorragenden Handelsplätzen Gemeinden, in Winchester, Norwich, Lincoln und London. Daß sich das Leben der Juden nur im städtischen Rahmen entwickelte, entsprach den Bedingungen, die ihnen die christliche wie die islamische Welt zum Leben gelassen hatten. Das 11. Jahrhundert läßt sich hier wie dort als ein goldenes Zeitalter in der Geschichte des europäischen Judentums bezeichnen.

Die Pest in Tournai 1349, Massengräber für die Särge.

Verteufelung des Judentums: Kirche und Synagoge, noch im 12. Jahrhundert friedlich, wenn auch ungleichwertig nebeneinander, von einer dramatischen Szene getrennt: der

Es zerbrach mit den Kreuzzugsverfolgungen und gleichzeitig mit der Verbreitung des Christentums in Spanien, das zwar nicht gleichmäßig, aber immer wieder in den Bann des Kreuzzugsdenkens geriet. Hatte das 12. Jahrhundert noch im Zusammenhang mit dem religiösen Rationalismus der Scholastik das Glaubensgespräch mit den Juden gesucht, so wußte man hundert Jahre später Greuelgeschichten von Ritualmorden und Hostienschändungen, nach denen die Juden allmählich verfemt wurden.

Die Geschichte der Juden in Europa darf man nicht als eine Geschichte schlecht und recht praktizierter, immer wieder in Frage gestellter und im 20. Jahrhundert dann unter dem Bruch aller Humanität endgültig verratener Toleranz betrachten; die Geschichte der Juden in Europa ist auch eine Geschichte wirtschaftlicher und kultureller Kooperation unter wechselnden Vorzeichen. Aus diesem Anlaß wurde in Deutschland gleich nach der Mordwelle des ersten Kreuzzugs, 1103, Judenschutz im Rahmen der stets wiederholten, freilich meist nur kurzlebigen Landfriedensordnungen verkündet, wurden die Juden von Barbarossa unter besonderen Kaiserschutz gestellt, den Friedrich II. zur »Kammerknechtschaft« juristisch verfestigte. Unter derselben Voraussetzung hatte der Böhmenkönig Přemysl Ottokar seinen Judenschutz erlassen, der dann als eine Magna Charta der Judenfreiheit im östlichen Mitteleuropa verbreitet wurde.

Jüdische Fernkaufleute waren durch ihre internationalen Verbindungen, durch ihre Kreditfähigkeit namentlich unter ihresgleichen und auch durch ihre Leidensfähigkeit christlichen Konkurrenten lange überlegen. Erst mühsame Organisation unter christlichen Kaufleuten, Privilegien für ihre Gilden und Hansen, schließlich und endlich aber auch gesellschaftliche Begünstigung aufgrund ihrer Teilhabe an der allgemein anerkannten Religion ließen die ursprüngliche Überlegenheit der jüdischen Fernkaufleute im Laufe des 12. und 13. Jahrhunderts zurücktreten. Eine Zeitlang waren die Juden dann noch als Finanzbeamte gesucht, im Erzbistum Trier ebenso wie im Königreich Ungarn. Am Ende blieb ihnen, nach den Zinsverboten für Christen auf den allgemeinen

Judenverfolgung zur Pestzeit: ein Scheiterhaufen in Tournai, 1349.

Konzilien von 1179 und 1215, eben gerade das Kreditwesen als besonderes Betätigungsfeld. Auch da wurden sie im Lauf der nächsten Jahrzehnte von christlicher Konkurrenz verdrängt.

Die Entwicklung verlief von West nach Ost: 1290 ließ Eduard I. die Juden aus England vertreiben. 1394 ereilte sie das gleiche Schicksal in Frankreich, und wieder einhundert Jahre später, 1492 und 1496, in Spanien und Portugal. In der deutschen Umgebung hatten jüdische Gemeinden überall mehr oder minder Anteil am städtischen Leben erlangt, namentlich entlang den Fernhandelsstraßen, und waren nach eigenen Gesetzen inmitten der städtischen Entwicklungen oft besonders weit gediehen im Hinblick auf allgemeine Mitbestimmung im Rahmen des kommunalen Denkens. Ihre Beziehungen zu Christen waren, besonders in Streitsachen, unterschiedlich geregelt mit Rücksicht auf religiöse Andersartigkeit und Lebensform. Einem neugekrönten Kaiser brachte die römische Judengemeinde in feierlicher Prozession beispielsweise die Thora entgegen, und er genehmigte damit ihre Glaubensprivilegien. Wie im Großen, so im Kleinen: Bei der Eidesleistung von Juden war man besonders bedacht auf die jüdische Religiosität, aber der Schwur beim lebendigen Gott wurde dem christlichen doch gleichgesetzt. Freilich suchte dabei auch religiöser Antisemitismus schon seine Ausdrucksformen, und man zwang mancherorts den Vereidigten, barfuß auf einen dreibeinigen Stuhl oder eine Schweinshaut zu steigen – nicht recht geklärte Magie des Mißtrauens.

Teufel, noch nicht menschlich, sondern in Tiergestalt, schießt der blinden Synagoge ins Auge. Nun ist sie nicht nur mit Blindheit geschlagen, sondern auch vom Bösen gezeichnet! Nach einem Fenster der Kathedrale von Chartres, frühes 13. Jahrhundert.

Die Steuerkraft der Juden stand dagegen in hohem Ansehen. Zwölf Prozent der Abgaben deutscher Reichsstädte kamen im 13. Jahrhundert von ihren kleinen jüdischen Gemeinden; acht Prozent der bei weitem besser registrierten englischen Steuern von jenem Viertel Prozent jüdischer Bewohner, das man im Lande schätzte. Darüber hinaus fanden sich Herrscher in verschiedenen Ländern immer wieder bereit zu Schatzungen ihrer Juden, das heißt, zur Erpressung hoher Summen aus dem Besitz einzelner oder der Synagoge. Alles das hat die jüdische Bevölkerung mit Geduld ertragen, ertragen müssen, weil ihr im Gegensatz zu den Christen nur in den Städten kleine Fleckchen des Bleibens

Christus vor Pilatus, oberrheinisch, späteres 13. Jahrhundert: die bekannte Szene zeigt Christus mit Heiligenschein, seine Ankläger mit Judenhut, ein treffend von N. Bremer in die Tradition des religiösen Antisemitismus eingeordneter Beleg.

eingeräumt worden waren, nachdem sie ihren Land- und Grundbesitz, von dem im 8. und 9. Jahrhundert berichtet wird, verloren hatte. Und Grundbesitz machte eigentlich einen Mann erst mitspracheberechtigt in der politischen Gemeinschaft des agrarischen Mittelalters.

Entsprechend dem Fortschritt der wirtschaftlichen Entwicklung verschoben sich auch die Lebensmöglichkeiten für die Juden. Noch im 14. Jahrhundert waren sie unentbehrlich im deutschen Handels- und vor allem Kreditwesen. Sie konnten Bürgerrecht in den Städten erwerben, und nach den fürchterlichen Judenmorden um die Jahrhundertmitte ließ man Überlebende doch schon bald danach als Einwohner und auch als Bürger von neuem ein. Damals galt Prag, die böhmische Hauptstadt, als ein besonderes Refugium der europäischen Judenheit, und die Gemeinde, die dort im Laufe der Zeit fünf Synagogen auf kleinem Raum erbaute und im 16. Jahrhundert ein eigenes Rathaus dazu, durfte im Spätmittelalter für eine Weile das Lob einer »Mutter der Judenheit« für sich beanspruchen. Aber auch in Böhmen setzten Verfolgungen ein, 1389 in einem Massenmord an der Prager Gemeinde, 1422 in den Hussitenkriegen gipfelnd. Am Ende blieb Polen als Zufluchtsland. Zwar bestanden die jüdischen Gemeinden in Deutschland fort, vom Rhein bis nach Schlesien, aber die polnischen entwickelten sich weit hoffnungsvoller. Im 14., im 15., ja bis ins 17. Jahrhundert waren jüdische Kleinkrediteure unentbehrlich für den noch immer fortgeführten polnischen Landesausbau, und so entstand jene »Schtetl«-Kultur, in der sich die vormals enge Beziehung zwischen jüdischen und deutschen Gemeinden in einer eigenartigen sprachlichen Neuschöpfung unter starkem deutschen Einfluß, dem »Jiddischen«, niederschlug. Allerdings blieb auch diese Entwicklung ein kulturelles Phänomen der Kleinstadt.

Selbst die reichen Juden konnten sich diesem Milieu nicht entziehen. Chassidische Mystik, hohe Begabungen bei geringen Mobilitätsmöglichkeiten und der dominante religiöse Einfluß als Selbstrettung und Selbstbestätigung der jüdischen Gemeinschaften kennzeichneten einen Traditionalismus, der ins Elend geriet, als 1647 ein Kosakenaufstand die Judenverfolgung auch in Osteuropa eröffnete. Das Mittelalter wird in der Geschichtsbetrachtung des euro-

Eine der seltenen jüdischen Karikaturen gegen christliche Verfolgung: nach dem biblischen Thema der von Hunden gehetzten Hirschkuh. Der Kommentar nimmt Bezug auf die christlichen »Jäger«. Mainzer Miniatur.

Eine christliche Karikatur auf die Juden wegen ihrer Verachtung von Schweinefleisch. Deutscher Holzschnitt des 15. Jahrhunderts. Das Thema ist in Varianten verbreitet.

päischen Judentums im allgemeinen vom 7. bis zum 17. Jahrhundert definiert. Das ist etwa jenes Jahrtausend, in welchem die jüdischen Einwohner des lateinischen Europa im Rahmen ihrer Gemeindekultur nach Lebensmöglichkeiten strebten, mit einem Höhepunkt im spanischen Hochmittelalter, mit Niedergang und Verfall in der Enge der deutschen Ghettos und in der Trostlosigkeit des osteuropäischen Schtetls.

Der Beitrag jüdischer Stadtkultur zum geistigen Leben Europas ist nicht leicht zu fassen. Am ehesten wird er deutlich während der hohen Zeit des spanischen Judentums, als der jüdische Philosoph Maimonides (1135–1204) die für den europäischen Individualismus wesentliche Auseinandersetzung mit arabischen Philosophen um die rechte Deutung des Aristoteles führte. Es geht dabei um die »richtige« Orientierung zwischen Glauben und Vernunft. Maimonides stammte aus Cordoba. Glaubensgründe vertrieben ihn nach Kairo, seine medizinischen Kenntnisse brachten ihn 1170 an den Hof Saladins. Dieser Sultan, der 1187 Jerusalem für den Islam zurückerobert hatte, genoß etwa das gleiche Ansehen in der mittelalterlichen Welt wie sein Zeitgenosse Barbarossa auf dem Kaiserthron. Der Aufenthalt am Sultanshof war von großem Einfluß auf das Ansehen des Maimonides in Europa. Namentlich auf Albertus Magnus und die führenden Scholastiker des 13. Jahrhunderts wirkte die rationale Deutung des biblischen Berichts, wie sie Maimonides pflegte, um zu zeigen, welch tiefsinnige philosophische Deutung die biblische Bildersprache zulasse. Gegen arabische Interpretationen des Aristoteles im Sinne einer pantheistisch der Welt eingegossenen Geistseele verteidigte Maimonides die Lehre von einem transzendenten Gott. Die christliche Philosophie, im Streit um die rechte Deutung des Aristoteles, verdankte dem Weisen aus Cordoba viel.

Zur selben Zeit freilich, als Maimonides die christliche Philosophie inspirierte, ließ Ludwig der Heilige nach einer Disputation an der Pariser Universität 1240 den Talmud verbrennen, wo man seiner habhaft werden konnte. Hatte die Obrigkeit in früheren Jahrhunderten jüdische Gemeinden geschützt, so gerieten sie jetzt unter Bekehrungsdruck. Wie nach außen, so begann auch

1475 wurde in Trient die verstümmelte Leiche eines zweijährigen Knaben unter dem Haus eines prominenten Juden entdeckt; das Verbrechen wurde der jüdischen Gemeinde angelastet, das Geständnis durch Folter erpreßt. Zum Märtyrer erklärt, wurde der Knabe ein weiterer Anlaß der latenten Judenfeindschaft durch die Jahrhunderte.

im Inneren das christliche Europa zu »expandieren« und schmälerte den Freiraum Andersdenkender. Bekehrungszwang hatte freilich wenig Erfolg. Die Glaubensbindungen, in jahrhundertelanger Abgeschlossenheit als einzig lebenserhaltend empfunden, wirkten stärker; überdies wurden nach einer von Päpsten immer wieder vergeblich bekämpften Regelung jüdische Konvertiten gezwungen, ihren Besitz der Kirche zu überlassen. Eine Konversion zur Armut ist aber stets unpopulär.

So hielt sich die Gegenüberstellung, während allmählich der Glaubenshaß wuchs. Es ist unmöglich, die hohen wie die niederen Würdenträger der Kirche von der Verantwortung für diesen religiös begründeten Antisemitismus freizusprechen. Aber geradesowenig läßt sich die simple Xenophobie, der Wirtschaftsneid und eine mutmaßliche Fülle wechselseitiger Reaktionen aus diesem Zusammenspiel wegdenken, das die jüdischen Gemeinden zunächst einmal im Städteganzen isolierte, wiewohl in größeren Städten außer ihnen auch noch Gemeinden spanischer, italienischer oder deutscher Kaufleute, Studentengemeinden und klerikale Lebensgemeinschaften nebeneinander existierten. Die Kennzeichnung der Juden in abschätziger Weise mit gelber Farbe oder dem gelben »Judenhut«, die Berufsverbote nach Kirchenvorschriften, schließlich die Verleumdung, gezielt antichristliche Handlungen begangen zu haben, wird man im Wechselspiel ihrer Wirkungen wahrscheinlich nicht auflösen. Der christliche Judenhaß läßt sich nicht ursächlich definieren. Sein Wachstum allerdings fällt zusammen mit dem allmählichen Schrumpfen der wirtschaftlichen und gesellschaftlichen Expansion innerhalb der christlichen Gemeinschaft. Er läßt dort am längsten auf sich warten, nämlich im östlichen Mitteleuropa, wo

Expansionsmöglichkeiten noch vorhanden waren, besonders dort, wo es noch Land gab, um die bäuerliche Expansion als Lebensgrundlage für die mittelalterliche Agrargesellschaft fortzuführen. Die Mitte des 14. Jahrhunderts markiert einen tiefen Bruch.

Damit sind wir wieder bei der Pestkatastrophe. Ausbreitung und Verlauf der Infektion, deren Gründe einige medizinisch Gebildete ahnten, blieben dem verschreckten Volk natürlich verborgen. Die Städte als Wegstationen der Pest nährten Ängste und riefen Abwehrreaktionen hervor. Schon früher hatte es bei regionalen Katastrophen da und dort weitreichende Judenverfolgungen gegeben. Jetzt wurden unter dem Verdacht einer allgemeinen jüdischen »Weltverschwörung« in Savoyen ein paar Unglückliche auf die Folter gespannt; sie gestanden. Von da an geht dem Schwarzen Tod eine blutige Spur voran, über Frankreich, Burgund, die Schweiz, an den Rhein und weiter nach Franken, Sachsen und Schwaben. Von den mehr als dreihundert jüdischen Gemeinden in Mitteleuropa fielen etwa zwei Drittel dieser Verfolgungswelle zum Opfer. Die Zahl der Toten ist nicht abzuschätzen.

Karikatur auf die Juden im Chorgestühl von Notre Dame in Aerschot, Brabant, 15. Jahrhundert.

Die Verfolgungswelle lag ganz und gar nicht im Interesse der Obrigkeit. Sie war auch nicht etwa aus dem jüdischen Wucher zu erklären – ein Wort übrigens, das damals wertneutral nichts anderes als das Zinsnehmen bezeichnete. Es handelte sich nämlich in vielen Fällen um Mord- und Brandorgien Stadtfremder, die gelegentlich abgewehrt wurden, allerdings meist vergeblich, wie in Frankfurt, und nur selten ermuntert, wie in Basel und offensichtlich in Nürnberg. Der Baseler Rat ließ eigens auf einer Rheininsel Holzhäuser errichten, um die Juden darin zu verbrennen. Die Nürnberger verhandelten vor dem Judenmord über die Beute mit dem Kaiser. Während Karl IV. als Herr von Luxemburg und auch von Böhmen die Verfolgungen dort abzuwehren wußte, zum Teil mit raschen und harten Strafen, sah er dem Treiben in den deutschen

Judenverbrennung in einer Grube, wiederholt als Illustration in Schedels Weltchronik von 1493 verwendet. Merkwürdig wirken einige gefaßte Gesichter unter den Delinquenten, besonders ein Paar im Zwiegespräch unten links, das seinen grausamen Untergang zu mißachten scheint.

Ein Nürnberger Holzschnitt von 1491 gewährt Einblick in die Stube eines jüdischen Pfandleihers, mit Weib und Kind, einer Wiege mit Sicherungsgurten und einem Wechslertisch. Die Unterschrift »nach dem uns jüdisch listikeyt / yr fursetzt gar on all arbayt / mit gantzer faulheit sich zu nern« zeigt in aller sprachlichen Unbeholfenheit Judenfeindschaft im Namen der Handarbeit: eigentlich waren christliche Pfandleiher vom selben Vorwurf betroffen!

Städten ohnmächtig zu, feilschte schließlich sogar und versprach künftigen politischen Parteigängern Straffreiheit. Vergeblich erhob Papst Clemens VI. (1342–1352) Einwände gegen die Verleumdung der Juden, und vergeblich erklärte Kaiser Karl IV. nach der Mordwelle, die Juden seien »unschuldig geschlagen worden«. Immerhin fand sich kein anderer Herrscher Europas zu einem ähnlichen Eingeständnis bereit. Aber die Blüte des jüdischen Lebens in Mitteleuropa war gebrochen, und das Wissen von den unheimlichen Ereignissen lebte bei den Nachkommen der Mörder wie der Opfer fort und hielt sie in Furcht und Verachtung auseinander. Während sich das jüdische Mittelalter mit guten Gründen über das ganze Jahrtausend religiöser Lebenswelt spannen läßt, erhielt das orthodoxe Judentum, seit der Mitte des 14. Jahrhunderts stark angeschlagen und aus den westlichen Ländern der Reihe nach vertrieben, im östlichen Europa einen neuen, eigenen, eben den »jiddischen« Ausdruck.

Wachstumsgrenzen

Um die Jahrtausendwende soll es in Europa nach Schätzungen etwa achtunddreißig Millionen Menschen gegeben haben; dreieinhalb Jahrhunderte später, vor dem Ausbruch der großen Pest, hatte sich diese Zahl verdoppelt: eine Zeit des Wachstums also, der intensiveren Bodennutzung, der Expansion des Siedlungsraums. Aufschlußreich ist ein Vergleich der einzelnen Gegenden. In den Mittelmeerländern – mit Spanien, Südfrankreich, der Apennin- und der Balkanhalbinsel zu umschreiben – lebte um die Jahrtausendwende beinahe die Hälfte aller Europäer, nach jener weithin akzeptierten Schätzung siebzehn Millionen von achtunddreißig. Mehr als neun Millionen lebten in Osteuropa, in Ungarn, Polen und Rußland. Etwa auf zwölf Millionen schätzt man die Einwohnerzahl Englands, Frankreichs, der heutigen Benelux-Länder, Deutschlands und Skandinaviens. Deren Bevölkerung nun hat sich unserer Übersicht zufolge zwischen der Jahrtausendwende und den Pestjahren beinahe verdreifacht. Man spricht von fünfunddreißigeinhalb Millionen. In den Mittelmeerländern hatte sich die Bevölkerung nur etwa um die Hälfte vermehrt, auf fünfundzwanzig Millionen; in Osteuropa sollen im gleichen Zeitraum aus neun Millionen dreizehneinhalb Millionen geworden sein, ein Wachstum also, das im großen und ganzen ähnlich wie in Südeuropa 50 Prozent betrug.

Die Zahlenangaben sind hypothetisch. Deutlich tritt dabei aber doch die Wachstumsdifferenz hervor: das Dreifache im Zentrum des lateinischen Europa, dem sich England, ursprünglich Peripherie, sehr schnell angepaßt hatte; der bereits hochentwickelte Süden wuchs immerhin noch einmal um die Hälfte seiner Bevölkerung, offensichtlich im Zusammenhang mit der Verdichtung seines Städtewesens als Folge der Handelsexpansion. Die Bevölkerung in Osteuropa und übrigens wohl auch in Skandinavien wuchs dagegen nur um die Hälfte, weil ihre Möglichkeiten zur gegebenen Zeit noch nicht gehörig erschlossen waren. Hier hinterließ freilich die Pest keine so schlimmen Spuren, und das Bevölkerungswachstum setzte sich in der Folgezeit fort.

Der große Entwicklungssprung im Kernraum des nordalpinen Europa hängt zweifellos mit dem Landesausbau zusammen und natürlich, infolge wachsender Wirtschaftsintensität, mit zunehmender Verkehrsdichte und der Blüte des Städtewesens. Nach Anhaltspunkten, die man erst in den letzten Jahren zu finden und zu deuten versteht, war auch eine weitreichende Klimaverbesserung im Spiel. Sie betrug im Jahresmittel vielleicht nur einen Temperaturanstieg von 1,5 Grad Celsius, aber sie hatte zur Folge, daß man im mittelalterlichen Hamburg Hopfen baute, im schlesischen Grünberg Wein und daß die Wikinger auf ihren Fahrten um das Jahr 1000 wirklich ein »Grönland« entdeckten, eine grüne Küste, wo sich heute Gletscherzungen ins Meer schieben. Deshalb war es auch auf den Burgen im Mittelalter etwas wohnlicher, als sich vermuten läßt, wenn man die zerstörten Gemäuer in Gedanken rekonstruiert. Eine Klimaverschlechterung setzte wohl gegen Ende des 13. Jahrhunderts ein, langfristig, nicht sofort in ihren Auswirkungen zu erkennen, bei aller Unstete, die auch heute noch unsere Witterung kennzeichnet.

Gegenübergestellt ergibt unsere kleine Rechnung, daß die Bevölkerung im Laufe der wichtigsten Entwicklungsphase des mittelalterlichen Europa, im allmählich wachsenden und künftigen Kernraum zwischen England und Deutschland, sich sechsmal so stark vermehrte wie die Bevölkerung in dem bis dahin schon relativ hochentwickelten Süden oder dem noch nicht vergleichbar entwickelten Osten. Will man aus diesem Vergleich Rückschlüsse auf dunkle Zusammenhänge ziehen, von denen die Wissenschaft noch weniger zu sagen weiß als von absoluten Zahlen, so muß man fragen: Warum vermehrt sich Bevölkerung eigentlich? In mancher Hinsicht erscheint uns heute diese Frage aktuell. In früheren Jahrhunderten war sie das sicher nicht im gleichen Maße. Wir können annehmen, daß alle Bevölkerung stets der Neigung folgt, zu wachsen und sich zu vermehren. Aber diese Neigung ist offensichtlich vom Lebensminimum abhängig; vor allem darf man nicht glauben, daß sie erst in unserer Zeit aufgrund neuer medizinischer Einsichten der persönlichen Entscheidung zugänglich geworden sei. Zwar läßt sich nicht viel sagen zu diesem heiklen, bedrückenden oder grausamen Thema; man wußte wohl etwa Eisenkraut, das Druidenkraut, als Abtreibungsmittel zu verwenden, man kannte mechanische Praktiken. Aber wahrscheinlich war nicht die Medizin, sondern die Enthaltung oder ein anderer Umgang zwischen Mann und Frau das eigentlich entscheidende Regulativ. Auffällig ist jedenfalls die positive Seite der Entwicklung: die rasche Bevölkerungsvermehrung unter bestimmten förderlichen Voraussetzungen.

Solche Voraussetzungen bot offensichtlich gerade der mittelalterliche Landesausbau. Wir wissen nicht, wie viele Franzosen in den Südwesten ihres Landes zogen, wie viele Engländer nach Wales, wie viele Katalanen, wie viele »Occitanier« und Franzosen in den von der Reconquista erschlossenen Landschaften eine neue Heimat fanden. Wir haben aber in dem großräumigen, in mancher Hinsicht am besten erforschten Siedlungsvorgang, dem im östlichen Mitteleuropa, zu diesem Problem ganz eindrucksvolle Hinweise. In der wegen ihres nationalistischen Zungenschlags nicht ganz zu Unrecht verdächtigten, in ihren Detailrecherchen aber soliden deutschen »Ostforschung« sah man früher die Bevölkerungswanderung aus einzelnen westlichen Gebieten von den Niederlanden bis nach Bayern in östliche Richtung oft als einen Transfer größeren Umfangs an, der mit einem Schlag die Bevölkerungsdichte jenseits der Elbe gehoben und auch einen raschen Eindeutschungsprozeß nach sich gezogen habe.

So wichtig der Vorgang für den kulturellen Fortschritt des weiten Raumes zwischen Ostsee und Karpaten in Wirklichkeit auch war, beteiligt war ursprünglich wohl nur ein kleiner Teil der Bevölkerung. Das ist auch die Ursache für das Schweigen der meisten Chronisten zu diesem Prozeß. Es fiel kaum ins Gewicht, daß hier und da ein paar Bauernsöhne oder junge Handwerker, meist junge Paare, den beschwerlichen, weiten, aber im großen und ganzen erstaunlich gut organisierten Weg in östliche Richtung antraten, um in schwerer Arbeit einen besseren Lebensstandard als zu Hause zu erringen. Es hat sich errechnen lassen, daß in zwei Etappen zunächst einmal nicht mehr als etwa zweihunderttausend Menschen jenseits von Elbe und Saale siedelten; dieses Bevölkerungsreservoir vermehrte sich jedoch an Ort und Stelle so rasch, daß es binnen einer Generation und danach noch längere Zeit die weiter ostwärts gelegenen Siedlungsgebiete von Pommern, Preußen, Polen, Böhmen, Mähren, Schlesien und den Großraum des Königreichs Ungarn, besonders die Slowakei und die Karpatenländer, mit Siedlern versorgen konnte. »Im 13. Jahrhundert mag ihnen eine Zahl von gleicher Größenordnung gefolgt sein ... aber immer mehr nahmen im folgenden die jungen Ostgebiete die Weiterführung des Siedlungswerkes in die Hand« (Walter Kuhn). Das bedeutet, daß sich im Laufe von hundert Jahren die Zahl der Neusiedler vor Ort aus eigener Kraft etwa verdoppelte – ungeachtet einer hohen Kindersterblichkeit. Und dies wiederum macht uns klar, welcher generative Schub im Zusammenhang mit dem Landesausbau allgemein, nicht etwa nur im östlichen Mitteleuropa, am Werk war, der die Einwohnerzahl von West- und Mitteleuropa in rund dreihundert Jahren verdreifachte.

Albert und Aristoteles

In jener Zeit, in der die europäische Gesellschaft im räumlichen wie im geistigen Sinn mobil zu werden begann und ihre archaische Herkunft überwand, ist aus der Verbindung mit dem Christentum auch das personale Selbstbewußtsein hervorgegangen, die Entdeckung der Kräfte und Mächte des einzelnen. Es ist die Geschichte des europäischen Personalismus, die sich in den folgenden Jahrhunderten in mehreren Stationen und Wandlungen entfaltet. Hatten Bernhard und Abaelard, der Mystiker und der Rationalist, als feindliche Brüder die erste bedeutende Phase dieser Entwicklung gestaltet, so traf das 13. Jahrhundert eine andere, für die Behauptung des europäischen Individualismus im philosophischen Bereich nicht minder wichtige Entscheidung. Es gelang, die Philosophie des Aristoteles in das christliche Denken aufzunehmen und mit ihrer Hilfe im Reich der Philosophie sozusagen zum Kreuzzug und zur Expansion aufzurufen. Abaelard hatte die Bezeichnung »Philosoph«, die man seit tausend Jahren vergessen hatte, im 12. Jahrhundert wieder in Erinnerung gebracht. Abaelard hatte es auch zu einer besonderen, ja zur höchsten Lebensform erklärt, ein Philosoph zu sein, und hierin folgte er ganz der antiken Auffassung. Eine Weile hatte man darum gestritten, ob nicht auch die Philosophie, personifiziert, eine Magd der Theologie sein müsse.

Von der antiken Philosophie war vor allem die Bewunderung der spätrömischen Antike auf das lateinische Europa gekommen, daneben Bruchstücke von Platos Schriften, wenig von Aristoteles. In Griechenland selbst war die Tradition besser, aber durchaus nicht entsprechend gepflegt. Vieles hatten die Araber aufgenommen, als sie die Integration der hellenistischen Mittelmeerkultur vornahmen, lange nach der Eroberung, im 9., 10. und 11. Jahrhundert. So waren auch die bedeutendsten Aristoteleskommentare arabischen oder jüdischen Ursprungs, hervorgegangen aus der Begegnung zwischen islamischer und jüdischer Bevölkerung in Spanien.

Die maßgebliche Interpretation des aristotelischen Gedankengebäudes stammte von dem islamischen Denker Ibn Roschd (1110–1185). Er wurde in der christlichen Welt unter seinem gräzisierten Namen Averroës bekannt und galt da als das Haupt philosophischer Ketzerei. Denn nach seiner Lehre gab es keinen personalen Gott, sondern nur eine Geistseele, an der wir alle teilhaben; individualisiert, solange wir leben, danach durch Rückkehr unserer personalen geistigen Substanz zum großen Ganzen. Daraus ergaben sich besondere Folgen für das Personenverständnis – ohne ewige Belohnung oder Sühne –, für das Gottesbild – ohne das personale Echo liebender Zuwendung zu Welt und Mensch – und schließlich für das Weltbild: Die Welt des Averroës war ewig, ungeschaffen, ohne Anfang und Ende. Wirklich himmelweit entfernt war diese averroistische Interpretation von jener, die die christliche Theologie aus der Offenbarung gewonnen hatte. Gut geeignet für eine rationalistische, pragmatische Deutung aller Zusammenhänge; nicht unbedingt verschlossen der Einsicht von der Ohnmacht des ringenden, gütigen, aber vergeblichen Daseins in der harten Unerbittlichkeit des Notwendigen; und jedenfalls ohne Raum für die Spannweite christlicher Existenz zwischen Taufe und Hoffnung auf ewige Seligkeit.

Noch im 12. Jahrhundert verbreitete sich die Lehre des Averroës zugleich mit den spanisch-islamischen Kontakten an frühen Universitäten. Deswegen war sie auch im Mittelmeerraum, um die Universitäten Montpellier und Bologna, früher verbreitet als weiter im Norden, fand eine geheime Anhängerschaft unter der kritischen Intellektualität, die im Universitätsbereich so etwas wie ein geheimes Dasein führte, und wurde da, wie Ernst Bloch schrieb, zum Kanon einer »aristotelischen Linken«.

Die aristotelische Rechte fehlte. Seit dem Anfang des 13. Jahrhunderts gab es, immer wieder erneuert, ein päpstliches Verbot für das fernere Studium des Aristoteles. Im Grunde war dies ein Verbot lebendiger philosophischer Auseinandersetzung überhaupt. Der große griechische Denker, dessen Schriften dennoch auf diesem oder jenem Weg um die Mitte des 13. Jahrhunderts nach dem Westen sickerten und schließlich ein imposantes Korpus bildeten, bot den ersten und einzigen, Welt und Überwelt umfassenden systematischen Interpretationsversuch. Sein Lehrer Plato, der zur selben Zeit besser bekannt war, hatte diese Geschlossenheit nicht zu bieten. Wenn nun also überhaupt Philosophie betrieben werden sollte, dann bedeutete dies zunächst einmal Auseinandersetzung mit Aristoteles. Man konnte ihr kaum aus dem Weg gehen: Nicht nur die

Tommaso Pisanello malte im 15. Jahrhundert die beiden bedeutendsten Dominikaner des 13. Jahrhunderts, Albert Magnus und den damals schon als Heiligen verehrten Thomas von Aquin, die von der katholischen Kirche in die Schar ihrer »Kirchenlehrer« aufgenommen wurden. Die Bilder haben keinen Porträtcharakter, aber gewisse tradierte Elemente im Äußeren lassen sich wiederfinden.

zeitgenössische Interpretation arabischer und jüdischer Gelehrter, sondern auch die allgemeine, in unmittelbarem Zusammenhang mit der Geschichte des Christentums verbreitete Hochschätzung der Antike als der überlegenen Mutterkultur machte das Studium des Aristoteles im Grunde unumgänglich. Er mußte »natürlicherweise christlich« interpretiert werden, sonst wäre die Welt nicht in Ordnung, das Christentum nicht die Erfüllung und Vollendung des menschlichen Daseins gewesen. Die jahrhundertelang propagierte Einheit von Antike und Christentum, verkörpert in der Verbindung der Lebensgeschichte Christi mit dem goldenen Zeitalter der lateinischen Sprache und der römischen Welt, machte solcherart die Aufarbeitung der griechischen Philosophie zu einer unausweichlichen Pflicht; zu einem Wagnis, dem man sich geradeso zu stellen hatte wie der Wiedereroberung des Heiligen Landes – und es durfte nicht mißlingen! Gott selbst mußte zu Hilfe kommen.

In vielen kleinen Schritten vorbereitet, fand auch dieses Wagnis schließlich seinen Helden. Anscheinend wußten das bereits die Zeitgenossen mehr oder weniger zu würdigen, denn er ging mit der Bezeichnung »der Große« unter seinen Mitmenschen umher, der einzige Gelehrte mit einem solchen Beinamen übrigens, den Europa je hervorbrachte. Albert von Bollstädt (1204–1282) war der Sohn eines ritterlichen Amtmanns im Schwäbischen. Er wurde einer der bedeutendsten Anhänger des neuen Bettelordens, den der heilige Dominikus ins Leben gerufen hatte, als Albert heranwuchs.

Der erste deutsche Universitätsprofessor sollte ursprünglich Jurist werden. Er studierte in Padua, gefördert von einem Onkel, der wohl in Oberitalien lebte. Für einen Augenblick wird an dieser Konstellation das Aufstreben niederadeliger Familien deutlich, die hier ein Amt, dort eine Kaufmannschaft besaßen und in der nächsten Generation schon die Chancen der Universitätsausbildung zu nutzen wußten. Da trat eines Tages ein Mann in einfacher Kutte unter die Studentenschar und predigte: ein Deutscher nach seiner Herkunft, Johann von Sachsen, Nachfolger des Dominicus in der Leitung jener neuen Mönche, die sich im Bewußtsein ihrer intellektuellen Fähigkeiten zusammenschlossen, um arm und predigend der wahren Nachfolge Christi zu leben. Christus war mehr als Karriere. Johann von Sachsen, selbst ein Zeuge der raschen Verbreitung dieser alternativen Lebensform unter den europäischen Studenten, überwand schließlich den inneren Widerstand Alberts – Teufelswerk, wie es dem jungen Mann träumte, um ihn vom Mönchsleben abzubringen – und schickte ihn als Novizen nach Deutschland. Denn dort begann sich der Orden des heiligen Dominicus mit Windeseile in den Städten zu verbreiten, hauptsächlich im Westen; auch die größte deutsche Stadt jener Zeit, die Handelsmetropole Köln, hatte schon eine Niederlassung.

Albert studierte fortan in Köln, und er tat sich so sehr hervor, daß man beschloß, ihn an die Universität Paris zu schicken, damals ein Stückchen weiter westlich, etwa zwanzig Tagesmärsche, nicht allzu weit von Köln; näher jedenfalls, als uns Paris Jahrhunderte später im Zeitalter des Nationalismus erscheint. Die Universität dort hatte gerade zu festen korporativen Formen gefunden. Albert durchlief ihren Bildungsgang, erwarb den Doktorgrad und damit, seit einem päpstlichen Privileg von 1231, auch die Lehrbefähigung für sämtliche anderen christlichen Universitäten, die Venia legendi, die noch heute auf eine vergleichbare Weise jeder Hochschullehrer auf der ganzen Welt erwer-

ben muß. Er ging zurück nach Köln und baute hier ein Ordensstudium auf. Daneben waren ihm noch andere Aktivitäten zugedacht. Er wurde Provinzialoberer seines Ordens und bereiste ganz Deutschland, nach den Ordensregeln zu Fuß, und wurde schließlich durch päpstlichen Machtspruch zum Bischof von Regensburg ernannt. Ein eigenwilliger Bischof übrigens, dessen grobes Schuhwerk bei den feinen Bürgern Aufsehen erregte.

Wo er ging und stand, scheint Albert sich mit seiner Wissenschaft beschäftigt zu haben: mit der Botanik, die ihn als scharfsinnigen Beobachter zeigt, dem schon vorschwebte, was Linné im 18. Jahrhundert ins System brachte; mit Anatomie, in Detailstudien, die man einem Mönch am allerwenigsten zutraute; vor allem aber mit Aristoteles, dessen Schriften er in den neuen lateinischen Übersetzungen mit schier unglaublichem Fleiß aufnahm und mit Scharfsinn kommentierte. Dabei wurde aus Aristoteles ein Protagonist christlicher Weltdeutung.

Das war kein ungefährliches Unternehmen. Denn der Bettelmönch Albert, dessen Orden sich zu besonderem päpstlichen Gehorsam verpflichtet hatte, verstieß damit fortwährend gegen Anweisungen aus Rom. Aber es war eine siegreiche akademische Auseinandersetzung, die er führte, anstelle kirchentreuer Abstinenz. Seine Aristotelesdeutungen waren imstande, gegen Averroës die Lehre vom Personenbegriff in wesenhafter und ewiger Substanz einer individuell bestimmten Geistnatur zu retten; so hatten es schon die ersten Kirchenkonzilien aus dem Unterscheidungsvermögen griechisch bestimmter Philosophie definiert; auch wurde festgehalten am personalen Gott, ebenfalls im Sinn der alten Konzilien, vornehmlich aber auch im Hinblick auf eine persönlich bestimmte Gottbeziehung jedes Menschen. Und schließlich und endlich blieb nach Albertus Magnus und eben Aristoteles die Welt, was sie dem Christentum zufolge war: geschaffen und endlich.

Womöglich hätte auch einer der scharfsinnigen Zeitgenossen Alberts dessen philosophische Leistung vollbracht, zwar kaum mit demselben immensen Fleiß, aber immerhin mit einem vergleichbaren Effekt; sein eigener Schüler Thomas von Aquin etwa, der in seiner Fähigkeit zur Systematik den Meister noch überragte. Die Historiker haben sich die Spekulation mit dem Wenn und Aber jedoch abgewöhnt und berichten immer, so gut sie können, was wirklich gewesen sein dürfte. Und dennoch ist die Überlegung alternativer Entwicklungen nicht nutzlos. Eindringlich könnte sie in unserem Fall zeigen, daß der europäische Personalismus eben nur in der Scholastik der lateinischen Christenheit, nicht im Islam, auch nicht im byzantinischen Christentum mit vergleichbarer Deutlichkeit ans Licht trat. Es läßt sich behaupten, daß andernfalls das Selbstbewußtsein der europäischen Gesellschaft, ihr Heraustreten aus dem archaischen Kollektiv, wovon noch der einfachste Siedler in seiner wirtschaftlichen Entscheidungsfreiheit berührt war, ohne die rechte philosophische Begründung geblieben wäre, ohne Echo auf höchster Reflexionsebene. Man muß hervorheben, daß Albertus und nach ihm die ganze europäische Philosophie, befreit von den Fesseln des Aristotelesverbots, imstande war, die eigene Leistung in eine bei aller Variationsbreite doch einheitliche Tradition mit der griechischen Philosophie einzubetten. Und diese Einsicht, bewußt oder nicht, stärkte das kulturelle Selbstvertrauen Europas, das sich immer wieder aus »Renaissancen« aufbaute, bis es vom 17. Jahrhundert an endgültig eigenen

Die Gebrauchsschrift der Magister und Scholaren weicht ab von der ruhigeren Buchschrift oder gar feierlicher Kanzleischrift mit gutenteils besonderen Buchstabenformen. Sie ist vielmehr der eiligen Notiz zugedacht. Deshalb finden hier aber auch am ehesten individuelle Züge Ausdruck. So scheint es aufschlußreich, die fleißige, aber beherrschte Schrift Alberts des Großen (links) mit dem stürmischen Duktus der Hand seines bedeutendsten Schülers zu vergleichen – Thomas von Aquins.

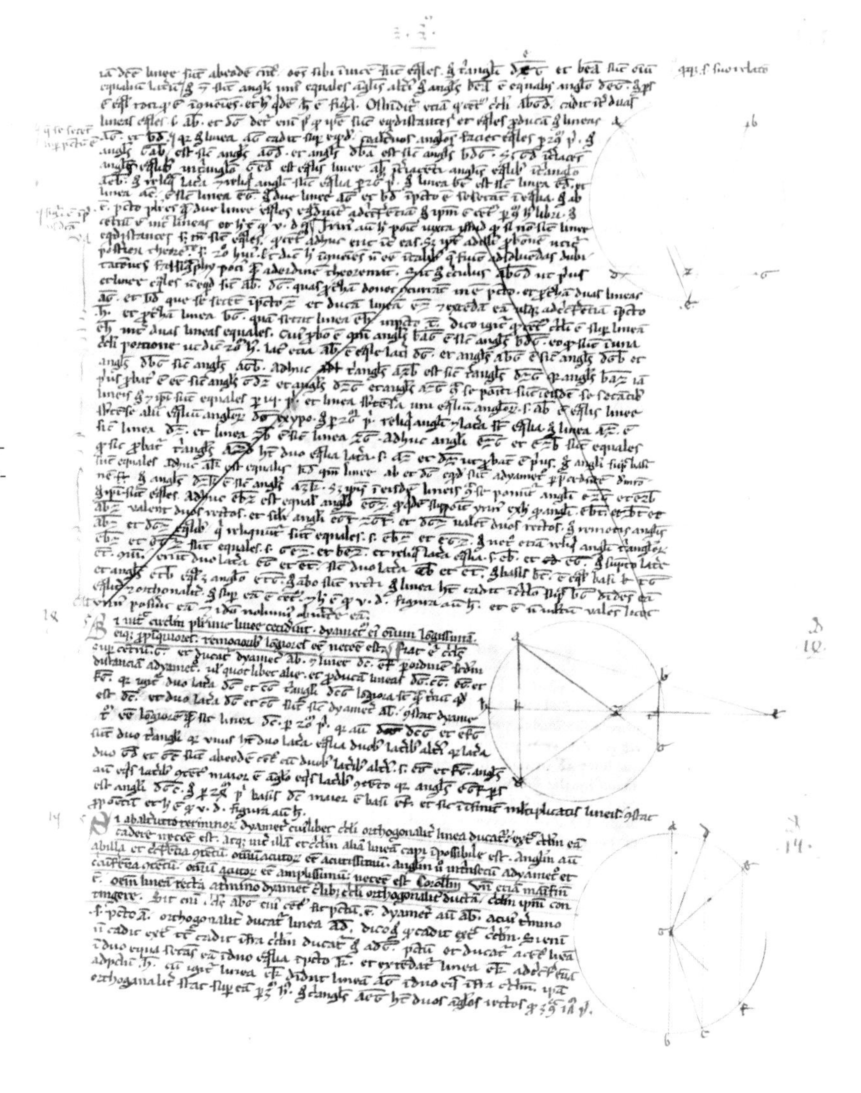

Boden unter den Füßen spürte dank des sich rasch entwickelnden naturwissenschaftlichen Denkens.

Dieses naturwissenschaftliche Denken hatte eben auch schon zu Alberts Zeiten Platz gegriffen. Er selbst war daran beteiligt. Robert Grosseteste, Kanzler der Universität Oxford, die, wenig jünger als Paris, bald zum besonderen Anziehungspunkt mathematisch-naturwissenschaftlichen Denkens wurde; Roger Bacon, der wenig später neben exakten Einsichten und Fortschritten im mathematischen Denken mit der phantastischen Idee, den Blitz in Ketten weiterzuleiten, ein Stück moderner Technik antizipierte, und andere mehr: die gedankliche Expansion schritt fort. Sie fand ihren Höhepunkt eine Generation nach Albert, im Zeitalter der großen »Summen«, systematischer Versuche, alles theologische und philosophische, ja auch alles gesellschaftliche Wissen in

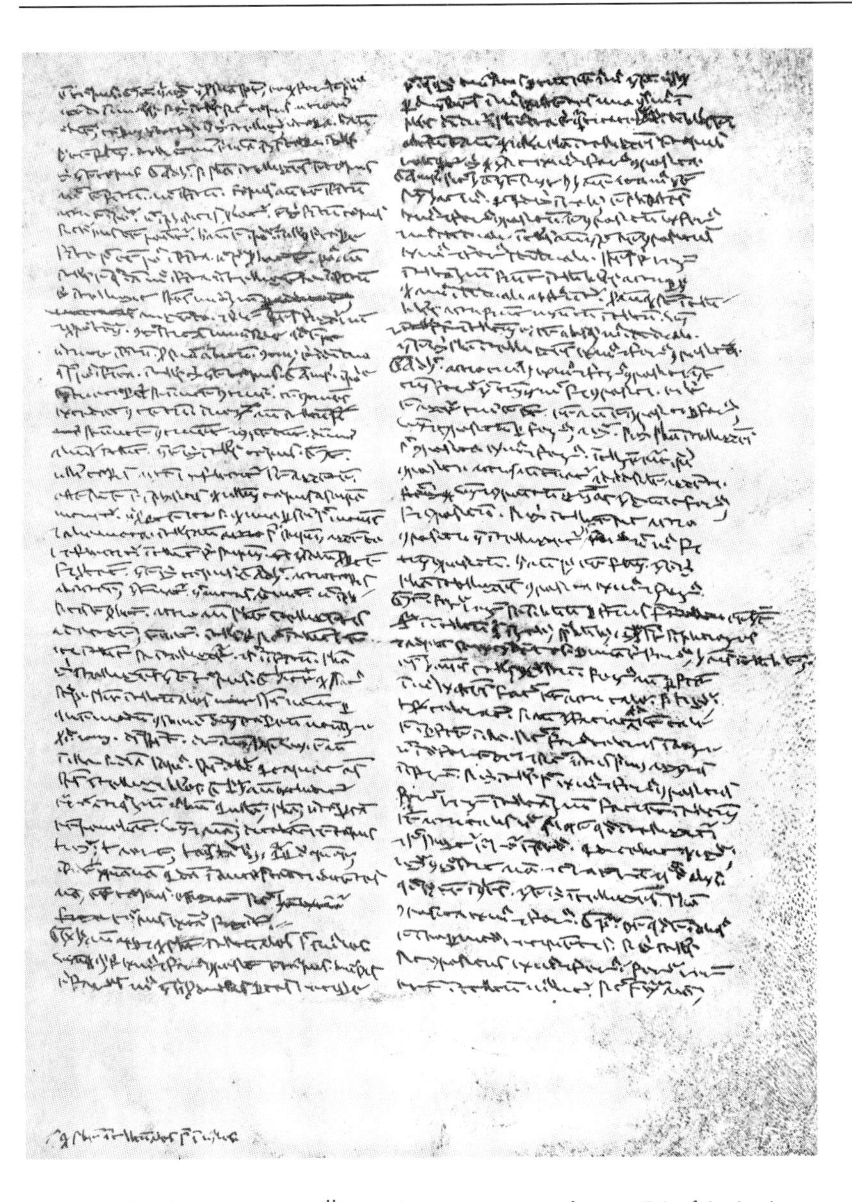

einer großen konsequenten Übersicht zusammenzufassen. Die feinsinnigste Logik im Aufbau, den allumfassendsten Anspruch verkörperte die Summa theologiae des Thomas von Aquin (1225/26–1274).

»Summen« waren auch auf anderen Gebieten des geistigen Lebens beliebt. Als Fazit literarischer Expansion wurde alles zusammengefaßt, was ein bestimmtes Fachgebiet zu bieten hatte: das englische Gewohnheitsrecht durch Randulph von Glanville, französisches durch Philippe von Beaumoir, deutsches durch Eike von Repgow. Geschichtliches Übersichtswissen schrieb, als beliebte »Blütenlese« bald in fünf Volkssprachen übersetzt, der mährische Dominikaner Martin von Troppau. Für eine Zeit schien die Welt erschlossen, in einer gewaltigen Synthese zusammengeschmolzen, im Allgemeinen wie auch in den einzelnen Wissensgebieten. Eine glückliche Zeit! Nach rund einhundertfünfzig

Jahren wirtschaftlicher Expansion, politischer Ausdehnung, gesellschaftlicher Vitalität, nach einem gewaltigen »goldenen Zeitalter der Handarbeit« (Wilhelm Abel) stapelten sich auch die Früchte des Geistes. Aber diese große Zeit, die in der Tat manches in sich schloß, was der romantische Rückblick verallgemeinerte und zum »heilen Mittelalter« stilisierte, blieb doch beschränkt durch die Möglichkeiten ihrer agrarischen Lebensgrundlage. Weil die agrarischen Reserven zur Neige gingen, näherte sich wieder ein erheblicher Bevölkerungsteil dem Lebensminimum, war gefährdet durch Mißernten, Hungerjahre und Seuchen. Zunächst im Westen nach der Wende zum 14. Jahrhundert, später auch in der Mitte Europas. Zur gleichen Zeit entdeckte eine neue kritische Philosophengeneration die Widersprüche in der idealisierten Synthese von Gesellschaft und Christentum. Eine neue Phase der Auseinandersetzung begann; sie mündete in die Forderung nach einer Trennung von Wissenschaft und Glauben, deren Vereinigung der Scholastik seit dem 12. Jahrhundert gerade erst gelungen schien. Auch erlebte damals die führende kulturelle Macht, das französische Königreich, schwerste politische Erschütterungen in jenem fast anderthalb Jahrhunderte währenden Kampf mit den englischen Königen um die Vorherrschaft im Westen Europas. Überdies grassierte der Schwarze Tod.

Daß unter diesen Belastungen die Kultur des lateinischen Europa nicht zusammenbrach, daß nicht die Schlacht von Crécy 1346 den Niedergang des westlichen Europa einleitete, sondern daß sich umgekehrt zwar ein schwieriges Jahrhundert eröffnete, aber in einer höchst fruchtbaren Krise Altes zurücktrat und Neues entfaltet wurde, das hing zum Teil mit der geistreichen, friedfertigen, schöpferisch-konservativen Regierung jenes Mannes zusammen, der als Flüchtling seinen Vater auf dem Schlachtfeld von Crécy zurückließ und, zwar gewählter, aber ohnmächtiger römischer König, Zuflucht in seinem böhmischen Stammland suchte: Karl IV. Von Böhmen aus und mit Blick auf das umliegende östliche Mitteleuropa vermochte Karl die große Krise, die Ratlosigkeit aufgrund unausgetragener politischer wie kultureller Alternativen, ein Menschenalter lang zu bannen.

Noch einmal eine »Generation der Großen«

Karl von Luxemburg, der eigentlich Wenzel hieß, Sohn Johanns »des Blinden« von Böhmen und Enkel Kaiser Heinrichs VII., Sohn auch der Přemyslidenerbin Elisabeth und Enkel Wenzels II., der über die böhmischen Lande regiert und zeitweise auch die polnische Krone getragen hatte und dessen Residenz in Prag der besondere Anziehungspunkt höfischer Kultur in Mitteleuropa geworden war, Karl IV. also, nach der Zählung mittelalterlicher Kaiser von Karl dem Großen an, hat wenig, aber genügend Stoff für den Biographen hinterlassen. Es gibt noch dürftiger belegte Biographien von Königen und Kaisern. Sie müssen immer auf dem schmalen Grat zwischen der Interpretation von Taten, Untaten und Untätigkeiten und oft auch zwischen Prahlerei und übler Nachrede balancieren; es ist eine schmale Spur, die solcherart für ihre Geschichte zurückblieb.

Kaiser Karl IV., mehrfach bildlich und plastisch dargestellt in typenhafter Ähnlichkeit, hatte mit dem Altstädter Brückenturm in Prag ein Bauwerk von auffälliger Parallele zum Brückentor von Capua Friedrichs II. erstellen lassen, bei dessen Figurenprogramm er auch selbst einen Platz einnahm – in einer Pose, die man als fürsorglich und resignativ empfinden könnte, besorgt um eine große politische Erbschaft, die er nicht in besten Händen wußte. Die Figur entstand vielleicht noch vor Karls Tod in der Dombauhütte Peter Parlers.

Der Lebensweg Karls IV. ist ein wenig deutlicher zu erkennen, gerade deutlich genug, um ein paar sichere Aussagen über ihn zu treffen. Karl zählt nämlich zu den wenigen europäischen Monarchen, die selbst zur Feder griffen und etwas über sich berichteten. Als Autobiographen kennen wir außer ihm nur Alfons X., den Weisen, hundert Jahre früher, und den ruhmredigen Maximilian von Österreich ein gutes Jahrhundert danach. Karls Autobiographie umfaßt seine ersten dreißig Lebensjahre und bricht noch vor seiner Wahl zum römisch-deutschen König ab. Aber sie reicht aus, eine im konservativen Sinn religiöse Persönlichkeit erkennen zu lassen, erfüllt von sakral gebundener Frömmigkeit, wie sie auch der Hof von Paris zu jener Zeit pflegte, und von politischem Berufungsglauben. Im alten Sinn ein Kaiser: Karl fühlte sich als Mittler zwischen Gott und der Welt, erhoben und erhaben, aber seine gewandte Klugheit bewahrte ihn davor, als römischer Kaiser und König in die Bahnen der alten Rivalität mit den Päpsten zurückzufallen, in denen noch sein Großvater untergegangen war. Karl sah auch, daß bei dem Mangel an institutioneller Macht und bei der Schwäche, ja Antiquität des Lehenssystems nichts anderes als eben die dynastische Herrschaftsmacht eines Fürsten unter Fürsten oder, wenn man will, die Macht der Domänen, die den französischen König einst über seine Rivalen hinausgehoben hatte, die unmittelbare Herrschaft über Land und Leute also, die Königsmacht letztlich am sichersten begründete. Dazu hatte er gute Voraussetzungen. Denn der Graf von Luxemburg war seinen väterlichen Ahnen nach zugleich König von Böhmen und Markgraf von Mähren und hatte die schlesischen Herzogtümer als Lehensherr inkorporiert –

insgesamt eine Landmasse, so groß wie die DDR, und bei weitem die größte Dynastenmacht im Heiligen Römischen Reich. Diese Macht mußte mobilisiert werden. Man mußte sie organisieren und durch zahllose Personalentscheidungen festigen: vom Votum bei der Auswahl der deutschen Bischöfe, einer Investiturpolitik neuen Stils, über die kluge Nutzung der niemals abreißenden Rivalitäten unter den deutschen Fürsten bis hin zu internationalen Ehebindungen in der Familie der Könige.

Karl blieb dem französischen Königshaus eng verbunden: durch die Schwester seines Vaters, durch seine erste Frau, durch seine Erziehung, seine Jugendfreundschaften, seine politische Klugheit; aber nicht durch Selbstlosigkeit. Er suchte den böhmischen Staat zu reformieren: durch die Gründung eines eigenen Erzbistums mit Legatenrechten in der Nachbarschaft 1344; durch die Gründung einer Universität, der ersten in Mitteleuropa, 1348; durch die Erweiterung der alten böhmischen Königsresidenz Prag zum größten Areal im nordalpinen Europa, freilich für lange Zeit mit loser Bebauung; durch die Neugliederung des inneren Herrschaftsgefüges der böhmischen Länder nach dem Lehenssystem; durch die straffe Wiedergewinnung von Königsgut an Burgen und Städten; schließlich durch den freilich gescheiterten Versuch einer neuen Rechtsordnung. Karl suchte auch in Deutschland das Heft in die Hand zu bekommen: durch die Erweiterung der böhmischen Macht nach Westen und namentlich nach Norden, nach Brandenburg in den aussichtsreichen, entwicklungsfähigen Raum des östlichen Landesausbaus, wo schon die Herrschergenerationen vor ihm Fuß zu fassen versucht hatten; durch städtefreundliche Politik, die manchmal freilich bis zur Unfreundlichkeit von fiskalischen Interessen bestimmt war, und durch den Versuch, konservative Herrschaftsfunktionen wiederzubeleben. Ein zäh erhandelter Kompromiß, ein Verfassungstorso und als solcher gültig bis 1806, war die Goldene Bulle von 1356. Sie sicherte das Herrschaftsgefüge des Reiches als Wahlmonarchie und legte den Grund zum Dreikuriensystem des künftigen Reichstags aus Kurfürsten, Reichsfürsten und Reichsstädten, aber sie war eigentlich nur ein Einigungswerk der obersten acht Herren, des Kaisers und seiner sieben kurfürstlichen Wähler. Mehr erreichte Karl nicht.

Am Rheinufer bei Rhens, nahe Koblenz, trafen sich »nach altem Herkommen« die vier rheinischen Kurfürsten. Hier erklärten sie 1338 die Gültigkeit ihrer einstimmig oder mehrheitlich vollzogenen Königswahl gegen päpstliche Approbationsansprüche, wählten 1346 Karl, 1400 Ruprecht zum römisch-deutschen König. 1376 trug Kaiser Karl IV. dem Treffpunkt durch Errichtung eines achteckigen steinernen »Gestühls« Rechnung, das bis zum Anfang des 16. Jahrhunderts den Einfluß des obersten Reichsstandes gegenüber dem König deutlich machte. Der einfache Steinbau trat 1519 aus der Geschichte zurück, ähnlich wie sich der Schwerpunkt der Fürstenmacht in die östliche Reichshälfte verlagerte. Heute oberhalb der ursprünglichen Lage wieder aufgebaut, ist der »Königsstuhl« ein Denkmal fürstlicher Mitbestimmung als Vorform der parlamentarischen Verfassungsentwicklung.

Aber daß er nicht nur in fiskalisch effizienter, sondern auch in einer oft unverstandenen, diplomatisch subtilen Weise Oberitalien zu packen wußte, ebenso wie das schwierige Problem des avignonesischen Papsttums, das, romfern und unter französischem Einfluß, ohnmächtig geworden war und doch umfassend blieb durch die Macht der kirchlichen Organisation; daß er aus dem tausendfältigen Geflecht von unsichtbaren Fäden, von politischen Bündnissen und Reliquienkult, von Schaukunst und Identifizierungsangeboten, über dreißig Jahre hin eine feste Ordnung für alle und Gerechtigkeit für viele bot, ohne je einen Krieg deswegen zu führen, macht diesen Karl von Luxemburg zu einem im ganzen potenten, aber auch in seltener Weise einsichtigen Herrscher.

Kein Herrscher ohne Fehler. Sehen wir ab von dem in keiner Weise überbrückbaren Gegensatz, der das 20. Jahrhundert trennt von einer Persönlichkeit, die sich selbst von Gott auserwählt dünkte; sehen wir ab von den merkwürdigen Parallelen, die Kaiser Karl in seinem Königreich Böhmen mit Kaiser Friedrich in seinem Königreich Sizilien verbinden, wiewohl man diesen oft einen Freigeist nennt und jenen mit dem Vorwurf der Bigotterie bedenkt, so haben nur wenige europäische Herrscher in derselben Weise die historische Stunde erfaßt und deren Möglichkeiten zu nutzen verstanden.

Viele Einzelheiten widerstreben dabei falschen Romantisierungen. Karl konnte seine Bundesgenossen verraten um des sicheren Profits willen, so wie er aus demselben Grund gelegentlich auch die Gesetze von Fürstenehre und Ritterlichkeit hintanstellte. Seine Eigenwilligkeit, gekleidet in vorsichtige Umgangsformen, schuf ihm zwar selten Feinde, forderte oft aber Opfer. Er hatte keine Skrupel, Homosexuelle auf den Scheiterhaufen zu schicken, sowenig er, in Erkenntnis seiner Ohnmacht, den Judenverfolgungen im Reich Einhalt zu gebieten suchte. Er kodifizierte ein Wahlkönigtum und eiferte ohne Rücksicht auf seine Finanzen für die Wahl seines Sohnes Wenzel. Aber wie auch immer: Karl trieb das mühselige Geschäft der öffentlichen Dinge so gewaltlos wie möglich.

Aus seinem mitteleuropäischen Zentrum wußte er den König von Ungarn gleichermaßen wie den König von Polen ins Spiel zu bringen. An ein »Vier-Königs-Treffen« in Krakau 1364 wird noch heute erinnert – im gleichen Haus. Karls Bündnisse mit den Habsburgern bereiteten die künftige Schwerpunktbildung vor in jenem Bereich, den drei Generationen später die Habsburger als glückliche Erben zu ihrem kontinentalen Imperium zusammenzuschließen begannen. Eine Reihe von bedeutenden, von »großen« Herrschern im östlichen Mitteleuropa machte in diesen Jahren deutlich, was die Entlastung des Westens durch den Hundertjährigen Krieg dem Osten Europas an Spielraum überließ. Jetzt erst offenbarte sich in seinem ganzen Umfang, was der generationenlange Landesausbau im Osten an wirtschaftlichen, politischen und kulturellen Potenzen gespeichert hatte.

Karls Zeitgenosse auf dem polnischen Thron war Kasimir III., »der Große« (1333–1370). Es gibt auffällige Parallelen in den Regierungsmaßnahmen der beiden Herrscher. Auch Kasimir, das ist vielleicht das Wichtigste, konnte verzichten, wo ihm das Festhalten an alten Prinzipien aussichtslos erschien. Aber er verstand es auch, neue Positionen zu erobern und, ähnlich wie Karl, aus Altem Neues zu machen, vor allem um den Zusammenhalt zu fördern in den Köpfen seiner Untertanen und bei der Einrichtung von Verwaltungsmaß-

Siegel König Kasimirs des Großen, 1360: Für die wachsende Pracht der Majestätssiegel bietet das polnische Exemplar im Durchmesser von 112 mm ein gutes Beispiel. Der Thronsitz ist prächtig gestaltet, Kasimir wird als König von Polen und der wichtigsten Nebenlande ausgewiesen; vielleicht nach dem Vorbild Kaiser Karls IV. ist auch das königliche Hauswappen in das Siegel aufgenommen.

nahmen zur Ausweitung der königlichen Zentralmacht. Kasimir verzichtete auf Schlesien, nachdem sich die schlesischen Herzöge – eine Anzahl von Fürsten, die aufgrund von Erbteilungen dorthin gekommen waren und die allesamt von der polnischen Königsfamilie der Piasten abstammten – im Laufe der Zeit politisch an Böhmen als die überlegenere westliche Herrschaft gebunden hatten. 1335 wurde zwischen Polen und Böhmen ein Vertrag geschlossen, an dem Karl noch als Statthalter seines Vaters mitwirkte. Er regelte die Grenzverhältnisse, und man sagt, dieser Grenzvertrag habe zu den stabilsten Europas gezählt. Seine Grenzen galten bis 1918. Kasimir suchte, ähnlich wie Karl, die inneren Verhältnisse Polens durch ein neues Gesetzeswerk zu ordnen, er förderte Bauern und Bürger, nicht zuletzt als königliche Einnahmequellen, so daß er den Beinamen eines »Bauernkönigs« verdiente, ähnlich wie Pedro IV. von Aragon. Auch Kasimir machte aus seiner Residenz in Krakau eine Stätte sinnfälliger Königsmacht. Und so gründete er dort nicht nur eine neue Vorstadt, wie Karl in Prag, sondern 1364 auch eine Universität. Sie bekam den ausdrücklichen Auftrag, Beamte für die Verwaltung des Landes heranzuziehen, die mit dem hohen Ansehen akademischer Gelehrsamkeit die privilegierten Adeligen als Ratgeber ersetzen sollten. Diese Intention allerdings hat der König nicht ausdrücklich zu Papier geben lassen.

Auch Kasimir betrieb Ostexpansion. So wie seine böhmischen Nachbarn bei passender Gelegenheit Schlesien an sich gezogen hatten, etwa die Hälfte ihres bisherigen Herrschaftsbereichs, so stieß er nach Galizien und Ludomerien vor. Polens Ostexpansion sollte, im Sinne jenes allgemeinen »Drangs nach dem Osten« auf dem Kontinent, noch bis ins 17. Jahrhundert währen und ins Große gehen. Kasimirs Nachfolge nämlich, problematisch, weil er ohne Kinder blieb, wurde schließlich Ludwig I. von Ungarn (1342–1382) zugedacht, auch er ein »Großer« auf dem Thron im Urteil seiner Untertanen. Und tatsächlich paßten Ludwigs Maßnahmen gut in das Grundschema jener zentralisierenden, verrechtlichenden, die Ausbildung eines Mittelstandes fördernden Königspolitik, die sich gleichzeitig durch eine anspruchsvolle Schaukunst ins Bild zu setzen wußte, Große und Kleine damit in ihren Bann zog und Mäzenatentum übte.

Auch Ludwig, seiner Herkunft nach ein Anjou, weil sein Vater Karl Robert, aus Unteritalien stammend, in Ungarn zum König angenommen worden war und zugleich mit seinen persönlichen Erfahrungen und seinem Gefolge etwas von der Überlegenheit französisch-staufisch-sizilischer Herrschaftsführung nach Ungarn brachte, betrieb Ostexpansion, Südostexpansion. Er umgab das ungarische Königreich mit einem Gürtel von Vasallenstaaten. Als er nun aber nach Kasimir dem Großen die Regierung in Polen erbte, eine Regelung übrigens, die sich in älteren Zeiten kaum ohne Widerstand hätte durchführen lassen und die eine sich stabilisierende Verrechtlichung von Herrschaftsvorstellungen belegt, da war ein Riesenreich von der Ostsee bis zur Adria entstanden. Und es sollte noch weiter wachsen. Denn auch Ludwig hinterließ keine Söhne. Da man es aber unter keinen Umständen zu einer freien Königswahl kommen lassen wollte, die allem dynastischen Denken abträglich gewesen wäre, weil sie nichts übriggelassen hätte von einer besonderen Berufung der Königssippe, wurden seine beiden Töchter erbfähig, damit das große, unter Ludwig vereinte Reich wenigstens in der Familie blieb: Hedwig für Polen, Maria für Ungarn.

Das war natürlich ein lockendes Erbteil, und einige Fürsten hatten sich

Wie Karl IV. die Prager Neustadt errichten ließ, so erweiterte Kasimir III. seine Residenz Krakau um die Neugründung Kazimierz, eine Vorstadt, der er seinen Namen gab. Wie Karl IV. lud auch er namentlich Juden zum Zuzug ein – mit Erfolg, wie die Synagoge zeigt, eines der ältesten jüdischen Gotteshäuser im östlichen Mitteleuropa.

darum bemüht. Man sagt, daß es zwischen der Prinzessin Hedwig und einem jungen Habsburger auch ein persönliches Verhältnis gegeben habe, eine jener großen und mitunter heftigen Ausnahmen von wirklicher Liebe unter Fürstenkindern, die üblicherweise im diplomatischen Dienst verschachert wurden. Aber die Romanze hatte keinen Bestand. Favorit der Bischöfe, Magnaten und Räte, die miteinander die Verantwortung für die »Krone Polens« trugen, war der wichtigste Nachbar in der polnischen Ostpolitik, der große Fürst Jagiello von Litauen. Er war noch Heide und natürlich Analphabet, das erste unmöglich, das zweite zumindest ungewöhnlich auf einem europäischen Thron jener Zeit. Er mußte getauft werden und einen Christennamen haben, Wladislaw; schreiben lernen mußte er nicht.

Dann durfte er Hedwig heiraten und vereinigte, nachdem Ungarn wieder eigene Wege ging, obwohl es die Krakauer Politik niemals aus dem Auge verlor, das sogenannte Großfürstentum Litauen mit dem Königreich Polen; von der Ostsee reichte dieses Reich bis weit in die Ukraine. Die Mission seines Landes, schon vorher im Gange, wurde nun »offiziell« betrieben. Für die polnische Herrschaft stellte sich das Riesenproblem der Integration, das im elementaren Sinn des Bausystems einer solchen Herrschaft schließlich durch eine Verbrüderung zwischen dem polnischen und dem litauischen Adel gelöst wurde, wobei die Litauer auch die polnischen Wappen übernahmen. Die Könige dieses Großreichs waren eben nicht imstande, an die Stelle der Magnatenfamilien ihre Verwaltungseinheiten zu setzen, sondern mußten vielmehr auf diese Familien rekurrieren. Das war, kurz gesagt, bereits die Grundlage für die kommende polnisch-litauische »Adelsrepublik«, die schließlich, ins Extrem getrieben, nach dem Tod des letzten Jagiellonen 1572 mit dem berühmt-berüchtigten Vetorecht jedes einzelnen Aristokraten auf dem polnischen Reichstag gegen jedes einzelne Gesetz die politische Willensbildung im Land und die Handlungsfähigkeit des Königtums lähmte. Dieses beinahe utopische Vertrauen in die politische Einsicht bot die tiefere Ursache dafür, daß Polen dann in fernerer Zukunft, zwischen 1772 und 1792, trotz seines inneren Reformwillens von seinen Nachbarn Preußen, Rußland und Österreich einfach aufgeteilt wurde – bei aller politischen Rivalität ein unerhörter und einmaliger Vorgang unter christlichen Königreichen.

Preußen

Die gemeinsamen polnischen und litauischen Sorgen in der Außenpolitik galten der Staatsbildung des deutschen Ritterordens in Preußen. Dieser Orden war 1198 in Jerusalem entstanden, ursprünglich zur Krankenpflege, wie die französischen Templer und die eher internationalen Malteser vor ihm auch, und hatte sich dann eine Zeitlang in Unteritalien sozusagen in Bereitschaft gehalten, das Verlorene wiederzugewinnen. Der Ordenshochmeister Hermann von Salza war ein Vertrauter Kaiser Friedrichs II. Wohl hängt die Abkehr der Deutschritter vom Heiligen Land damit zusammen, daß Friedrich 1227 auf diplomatischem Wege und nicht durch das Schwert den Christen die heiligen Stätten wieder zugänglich machte. Inzwischen hatte sich der Orden acht Jahre lang im sogenannten Burzenland versucht, auf Einladung des Königs von Ungarn, aber dort waren seine Ansätze zu selbständiger Territorialpolitik auf Unwillen gestoßen. So nahm er eine Einladung des polnischen Herzogs Konrad von Masowien an, die Ostseeküste gegen die heidnischen Preußen mit dem Schwert zu missionieren. Dort durfte er das Eroberte selbständig verwalten.

So entstand, sanktioniert durch die kaiserliche Goldbulle von Rimini 1226, ein merkwürdiges Herrschaftsgebilde: nicht nur ein Staat unter geistlicher Herrschaft wie der päpstliche oder wie auf Landesebene die geistlichen Fürstentümer der deutschen Reichsbischöfe und -äbte, sondern ein Mönchsstaat.

Portal von S. Leonardo in Siponto/Unteritalien aus dem 13. Jahrhundert. Der heilige Leonhard, in Süddeutschland und Österreich besonders verehrt, galt als besonderer Schutzpatron der Kreuzfahrer. Die Kirche gehörte zu einem Konvent des Deutschen Ritterordens.

Ein Kreuzritter mit Kettenhemd und Waffenrock. Die deutsche Darstellung aus dem 13. Jahrhundert erinnert zugleich an den Deutschen Ritterorden, der in Deutschland ein Netz von Niederlassungen zur Versorgung seiner auswärtigen Unternehmungen aufgebaut hatte. Sein schwarzes Kreuzzeichen wurde 1813 zum Vorbild für das Eiserne Kreuz.

Eine ähnliche Herrschaft hatten die Johanniter auf Rhodos errichtet; andere »Kreuzfahrerstaaten« waren von Rittermönchen in Syrien und im Libanon organisiert worden. Aber das waren kleine Herrschaften, die in fortwährender militärischer Auseinandersetzung mit dem Islam standen. Der Deutschordensstaat in Preußen dagegen hatte binnen fünfzig Jahren seine Widersacher überwunden, christianisiert, eingegliedert in gewissem Maß, ihrem Adel auch Zugang zum Ritterorden geboten. Nordexpansion sicherte dem Orden zusätzlich Livland und Kurland, ein weiterer Ausgriff scheiterte 1242 am Peipussee. Die innere Organisation des eroberten Territoriums machte währenddem Fortschritte. Der Orden vergab schätzungsweise anderthalb Millionen Hektar Rodeland, das sind ungefähr sechzigtausend Bauernstellen, zusammengefaßt in etwa eintausendvierhundert Zinsdörfern und in einem großräumig geplanten Organisationsnetz dreiundneunzig Städten und Städtchen zugeordnet, um dem Warenaustausch und der Verkehrserschließung des Landes zu dienen. Der Orden betrieb auch eigene Gutswirtschaft auf sogenannten Großschäffereien, und er konkurrierte schließlich mit den Interessen seiner eigenen Bürger, als er, wie im Königreich Unteritalien, den Getreidehandel zum Staatsmonopol erhob. Dazu wurde, ein Unikum in der ganzen Organisation, der Hochmeister Hansemitglied. Bis 1308 residierte er in Venedig, erst dann verlegte er seinen Sitz auf die Marienburg an der Nogat.

Inzwischen war dieses wohl weit und breit bestverwaltete Staatswesen in eine harte Auseinandersetzung geraten. Nach einem Jahrhundert problemloser Nachbarschaft zwischen Preußen und Polen – freilich ungeregelten Zeiten für das polnische Königtum – war ein Streit um die sogenannten Pommerellen entbrannt, ein kleines Fürstentum östlich von Pommern, weil der

Orden als Treuhänder in einer Erbschaftsregelung schließlich selbst nach dem Erbe griff. Die Könige von Polen, im 14. Jahrhundert weit respektablere Nachbarn als im 13., haben das den Rittermönchen nie verziehen und zwangen schließlich während des 15. Jahrhunderts den Ordensstaat in die Knie: Zwischen der Niederlage bei Tannenberg 1410 und dem Frieden von Thorn 1466 versäumte der Ordensstaat die Gelegenheit, sich aus einer Versorgungsanstalt für mittel- und niederdeutschen Adel in einen landesgebundenen Ständestaat zu verwandeln, seine Bürger, nicht zuletzt auch entfremdet wegen des Handelsmonopols, mit »Staatsgesinnung« an sich zu binden und die »Korridorfrage«, eben den Streit um das östliche Erbe der pommerschen Nachbarschaft von ehedem, mit den Königen von Polen in gegenseitigem Einvernehmen zu regeln. Der Orden verlor 1466 die Westhälfte Preußens mit der Marienburg. Danzig, Elbing, Thorn wurden polnisch, und das unter den skizzierten Bedingungen nicht ungern. Der Ordensstaat, der als geistliche Institution von niemandem lehensabhängig sein durfte, also niemals zum römisch-deutschen Reich gehörte, hielt sich noch bis in die Reformation als Kleinstaat und wurde dann zum Fürstentum einer hohenzollerischen Seitenlinie im Verband der polnischen Krone. Im späten 14. Jahrhundert, etwa zur Regierungszeit des Hochmeisters Winrich von Kniprode (1352–1382), hatte er nach außen wie nach innen zweifellos seinen Zenit erreicht.

Die Hanse

Um deutlich zu machen, daß das östliche Mitteleuropa noch in der zweiten Hälfte des 14. Jahrhunderts die europäische Expansionskraft weitertrug, durch die Ausdehnung der christlichen Grenzen über Litauen hin und nach Finnland geradeso wie durch die Festigung gesellschaftlicher Korporationen im Inneren, muß man noch von der Hanse erzählen. Dieser Kaufmannsbund, eigentlich eine »Hanse« unter mehreren, verkörperte fast zweihundert Jahre hindurch eine beachtliche Wirtschaftsmacht im nördlichen Europa und damit auch politische Macht, ohne jedoch ein klar definierbares politisches Gebilde zu sein. Ein merkwürdiges politisches Subjekt, auch ein Symbol für den oft wenig anschaulichen Einfluß der Wirtschaft in der Welt.

Die Interessenverbände von Kaufleuten, die bis um die Mitte des 13. Jahrhunderts ihre Karawanenzüge oft persönlich mit Roß und Wagen begleiteten und Hand anzulegen wußten, auch Hand ans Schwert, brachten jenen großen Gesamtverband zustande, die »eine Hanse«. Es war die Interessenbindung, die das Ganze zusammenhielt. Ohne eine geschriebene Verfassung entstanden »überseeische Städte« aus diesem Verbündnis oder wurden in ihrer Entwicklung maßgeblich beeinflußt: Reval, Riga, Stockholm, Wisby auf Gotland. Das Handelsnetz dehnte sich von Nowgorod bis nach London, brachte die traditionellen Rohstoffe aus dem Osten. Bis zum heutigen Tag ist das östliche Europa für den Westen des Kontinents in erster Linie Rohstofflieferant aus dem großen Reservoir von Wald und Meer, aus dem man schon damals schöpfte. Und der Westen brauchte alles: Hölzer und Pelze, Pech und Pott-

Die Wegekarte des Nürnberger Feinschmieds Etzlaub um 1500 zeigt nicht nur klare Konturen, sondern auch wirklichkeitsnahe Entfernungen auf ihrem Meilenweiser. Allerdings sind die Straßen fast ausschließlich nach dem Süden gerichtet, so daß auch die Position der Heimatstadt des Verfassers in einer weitgespannten Straßenspinne Mitteleuropas nicht deutlich wird. Die Karte ist mit dem oberen Rand nach Süden gerichtet.

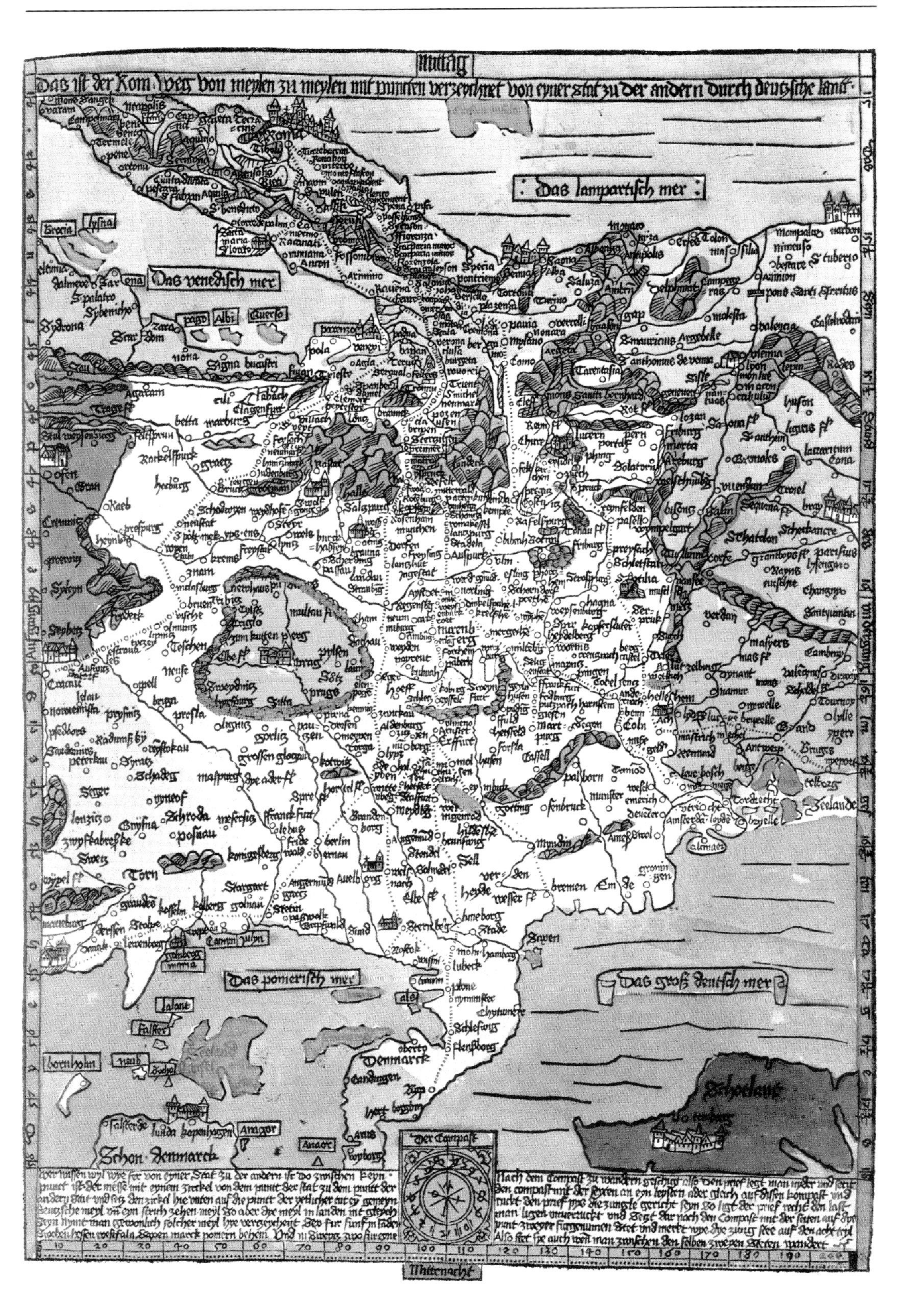
Mittag
Das ist der Rom weg von meylen zu meylen mit puncten verzeychnet von eyner stat zu der andern durch deutsche land
Das lampartisch mer
Das venedisch mer
Das pomerisch mer
Das groß deutsch mer
Der Compast
Mitternacht

asche, Heringe. Auch die Getreidewirtschaft im aufblühenden polnischen Landesausbau spielte eine wichtige Rolle.

Der seit dem Ende des 13. Jahrhunderts auch im nördlichen Europa von seinem Kontor und nicht mehr vom Sattel aus agierende Kaufmann, gut hundert Jahre später als seine italienischen Kollegen seßhaft geworden, organisierte das Hanseverbündnis als ein Netz von Niederlassungen. Fast zwangsläufig mußte der Schwerpunkt des Handels zunächst in Flandern liegen, dem wichtigsten Partner, dem reichsten, wirtschaftsintensivsten Raum nördlich der Alpen. Brügge wurde der zentrale Hafen; Kaufleute aus dreißig größeren und hundert kleineren Städten hielten Verbindung zur Hanseorganisation. Die seßhaften Kaufleute argumentierten mit dem Gewicht ihrer Heimatstädte, als 1356 gegen Eigenmächtigkeiten in Brügge ein erster »Städtetag« zusammentrat; fortan gewann die Hansepolitik faßbare Gestalt unter den nordeuropäischen Mächten. Das Kontor in Brügge wurde gemaßregelt. Damit war aus einer Interessengemeinschaft von Außenhandelsvertretungen die deutsche Städtehanse entstanden, die sich auch so nannte, niederdeutsch »dudesche Hanse«.

Jetzt trat auch eine Stadt in den Vordergrund, kein Außenhandelskontor, sondern ein Mittelpunkt des weitgespannten Handelsnetzes: Lübeck, 1158 an der Stelle einer slawischen Siedlung von Herzog Heinrich dem Löwen zur Stadt erhoben – gleichzeitig mit München, aber ungleich weltläufiger als die noch für lange in ihrer Entwicklung beschränkte kleine Salzstadt an der Isar. Lübeck also, schon im 13. Jahrhundert gelegentlich caput et principium der Kaufmannsgesellschaft genannt, Haupt und Ursprung, wurde nun der »Vorort«. Und wenn auch bei unterschiedlichen Gelegenheiten Köln und Soest, Wisby und Riga mit besonderen Vertretern benannt und beachtet wurden, so war doch der Bürgermeister von Lübeck der Anführer, als die Hansekaufleute zu einer ersten militärischen Aktion griffen und 1362 Kopenhagen zu erobern suchten, um der Expansionspolitik des Dänenkönigs Waldemar Atterdag entgegenzutreten. Der Lübecker Bürgermeister war es auch, der den Fehlschlag mit seinem Leben büßte. Unter Lübecker Führung wurde dann sechs Jahre später ein neuer, erfolgreicher Seekrieg gegen Dänemark geführt, und bald darauf umwarb sogar Kaiser Karl IV. die Stadt in guter Einschätzung ihrer politischen Macht, aber in Verkennung der Eigenwilligkeit ihrer Interessen. Die »Herren Lübecker«, wenngleich Reichsuntertanen, gingen ihre eigenen Wege.

In der Folgezeit machte nämlich die Hanse ohne kaiserliche Hilfe Politik, Seehandelspolitik, auf die sich die römisch-deutschen Herrscher ohnehin nicht verstanden. Im »königsfernen« (Peter Moraw) norddeutschen Raum hatten solcherart Westfalen und Niedersachsen, aber auch Köln und Danzig, Riga und Wisby zu eigenen Ambitionen gefunden; mit dem Seehandel aufgestiegen, mit dem Seehandel später in vielfältige Konkurrenz geraten, sind sie am Ende mit dem mittelalterlichen Handelsgeflecht auch untergegangen. 1669 trafen sich die Städtevertreter in Lübeck zum letzten Mal zum Hansetag. Die »Freiheit« von Stadtrepubliken, allen Reichsstädten in der Verfassung des alten Reichs bis 1806 ohnehin eigen, bewahrten sich die bedeutendsten drei Hansestädte Lübeck, Hamburg und Bremen bis in unsere Zeit. 1937 verlor Lübeck seine Selbständigkeit, während Hamburg und Bremen 1949 als deutsche Bundesstaaten wieder auferstanden sind.

Die Krise ergreift ganz Europa

Was ist eine Krise? Nach dem herkömmlichen Verständnis ein Abschwung der Entwicklung, in unserer Perspektive meist ein Abflauen der Wirtschaft, womöglich gar in zyklischer Wiederkehr. Eine historische Krise aber muß anders begriffen werden.

Die Mediziner sprechen manchmal von einer »Entscheidungskrise«. Und so soll zuallererst dieser Begriff für eine Entwicklung gebraucht werden, die um die Wende des 14. zum 15. Jahrhundert nach längerem Vorlauf im Westen schließlich mehr oder minder deutlich den gesamten Raum des lateinischen Europa erfaßte. Nicht als ein simpler Niedergang der Kräfte, sondern als ein Auseinanderbrechen der alten Ordnungen, Denkstrukturen, Wirtschaftsformen und als eine Verschiebung der räumlichen Funktionen und Gliederungen. Von der großen Krise des Mittelalters zu reden, heißt letzten Endes nichts anderes, als sehr unterschiedliche Vorgänge auf einen Nenner zu bringen, und ein solcher Nenner muß verständlich gemacht werden.

Man hat verschiedene Versuche unternommen, die Entwicklung um 1400 als einen allgemeinen Niedergang darzustellen; sie scheiterten. Man hat auch vergeblich versucht, eine positive Entwicklungstendenz zu finden. Wenn man

Das Straßennetz Europas entwickelte sich nach der räumlichen Gliederung und nach dem Flußsystem. Es verband den Mittelmeerraum mit Nord- und Ostseeküste und das westliche Europa mit dem Osten. Dabei weitete sich im Lauf des Mittelalters die Verkehrsdichte nach Osten.

aber davon ausgeht, daß sich die kirchlich organisierte lateinische Christenheit um die Jahrtausendwende politisch in einer Mehrzahl von unterschiedlich großen, fortan beständigen Monarchien zusammenfand; daß sie in diesem Verband bei reicher Untergliederung eine intensive Landesentwicklung erfuhr, die dem nordalpinen Raum binnen dreier Jahrhunderte eine Bevölkerungsexplosion auf das Dreifache bescherte und den Großteil der Bevölkerung in abgestuftem Maß freisetzte zu eigener wirtschaftlicher Initiative; daß sich unter diesen Bedingungen ein reiches Wirtschaftsleben mit wachsendem Gruppenselbstverständnis entwickelte; daß unter diesem Vorzeichen das erstarkte lateinische Europa nach außen expandierte und sich in vergleichbarer innerer Machtentfaltung Gruppenrivalitäten bildeten: dies alles vorausgesetzt, läßt sich die große Krise zuallererst als Ordnungskrise begreifen, in die Köpfe der Menschen übertragen und dort fortwirkend. Die Tendenzen der wirtschaftlichen Entwicklung liefen weit auseinander: Zum einen waren die natürlichen Agrarreserven erschöpft; zum anderen aber brachte der Schwarze Tod zwar Millionen Leute um, ließ ihren Besitz jedoch ungeschoren; er wütete nicht durch Mord und Brand wie der Krieg, sondern durch Mord allein. Geld starb nicht. Die Überlebenden erbten reichlich. So lebten auch die großen Pläne fort, und weder der Hundertjährige Krieg zwischen England und Frankreich noch der Aufstieg der Schweizer Eidgenossenschaft oder das Wachstum der venezianischen Seemacht fanden durch die Pest ein Ende.

Aber die alte Ordnung hatte sich mehrfach unfähig gezeigt, die Vielfalt der Entwicklungen, die Hoffnungen und Wünsche der Menschen in einem hinreichenden Maß zu dirigieren. Die Könige verhießen kein Heil, die Kirche keine Heiligkeit, Reichtum und Armut gingen weit auseinander, verschwistert mit Laster oder Tugend, Erfolg oder Mißgeschick, je nach Standort. Die Gesellschaft erwies sich als eine Kraft eigener Realität. Und über dieser Einsicht ging in der Dynamik Europas die gute alte Ordnung verloren.

Das Christentum als politische Religion hatte diese Ordnung, so gut es dies vermochte, nach seinen Prinzipien zu formen versucht, nach seinen Verheißungen aufs Jenseits ausgerichtet und dort von ihren Unvollkommenheiten geheilt. Die mittelalterliche Welt war erfüllt von politischer Religiosität. Daß sie sich wandelte, daß seit dem 12. Jahrhundert nicht mehr der äußere Zusammenhang, sondern die im Inneren eines jeden Menschen verankerte Absicht zum Maßstab wurde, hob den politischen, auf die Gemeinschaft bezogenen Elan des Religiösen nicht auf. Die abendländischen Klöster waren nicht weltabgekehrt wie die byzantinischen, sondern Muster und Modell und in mancher Hinsicht höchst wirksam. Die abendländische Mystik wurde aus der ursprünglichen überpersönlichen Steigerung religiöser Sensibilität fortgeführt in die personale Begegnung, nicht zuletzt in der sublimierten Erotik in Nonnenklöstern. Allerdings erlaubte die kirchliche Disziplin nicht leicht eine libertinistische Utopie. Vielleicht hatte sich der Hof König Wenzels IV. daran versucht; seine berühmten Handschriften mit freizügigen Badeszenen könnten dergleichen vermuten lassen. Vielleicht stand sie auch den »Brüdern und Schwestern vom freien Geist« vor Augen, einer heimlichen Gemeinschaft mit pantheistischen Ansichten, welche die Inquisition am Niederrhein aufgespürt hatte.

Mußte eine so durchgehend politisierte, auf das Gemeinschaftsleben in transzendenter Bindung und deshalb auch auf den praktischen Erfolg im Diesseits orientierte Kultur nicht in eine Krise geraten, wenn ihre politische Ordnung erschüttert wurde? Konnte sie anders, als ihre politische Ordnung in Frage zu stellen, wenn die langgewohnten erfolgverheißenden Bahnen ihrer Vitalität unsicher, kritisch wurden? Eigentlich erscheint es nur folgerichtig, daß die mittelalterliche Welt aus dem Versagen ihrer politischen Ordnung ihr Krisenbewußtsein schöpfte und daß sie es schließlich und endlich, als die Dissonanz zwischen Republik und Monarchie ausgekämpft war, auch überwand. Deshalb kulminiert die politische Ratlosigkeit wohl auch mit dem Tod bedeutender Monarchen zwischen 1372 und 1382. Mit der Stabilisierung der politischen Ordnung ein Jahrhundert später gewinnt der Kontinent ein neues Gesicht. Dann ist der Weg frei in die nächste Epoche.

Zunächst das Ende bedeutender Herrscher: Kasimir der Große stirbt 1372; Eduard III. von England, vierzig Jahre die Seele des Kriegs gegen Frankreich, 1377; ein Jahr danach Karl IV.; 1380 schließt Karl V. von Frankreich die Augen, »der Weise«, nicht nur nach seinen geistigen Interessen, sondern auch als Regent; 1382 stirbt Ludwig der Große. Inzwischen ist, 1378, um eine Papstwahl in Rom das längste und bitterste Schisma der lateinischen Christenheit ausgebrochen; der Zwiespalt im Streit um den rechten Papst in Rom oder Avignon sollte fast vierzig Jahre währen. Die Nachfolger auf den Thronen sind »schwach«. Es sind zwei darunter, deren Schwäche auch physische Form annimmt: der offenbar schizophrene Karl VI. von Frankreich und Wenzel IV., römischer und böhmischer König, mit deutlichen Symptomen von Alkoholis-

Es gibt auffällige Parallelen in den Aktionen Kaiser Karls IV. und Kaiser Friedrichs II., der hundert Jahre früher lebte. Wörtliche Entlehnungen in Urkundentexen sind bekannt. Und so wie mit Friedrich II. die Stauferherrschaft ihren Höhepunkt und zugleich ihr Ende erreichte, so ging auch mit dem Tod Karls IV. 1378 eine europäische Epoche zu Ende. Die nachdenkliche, besorgte Haltung des römischen und böhmischen Herrschers wäre dem Cäsarentriumph des Staufers freilich fremd gewesen.

König Richard II. von England – ein junger, mitunter offenbar auch warmherziger Herrscher, der im Tower endete. Man glaubt in diesem Porträt vom letzten Sproß des unruhigen und ruhmreichen Hauses der Plantagenets, einer der ältesten Herrscherdarstellungen, persönliche Züge Richards zu finden.

mus. In England sieht es nicht besser aus: Richard II., zunächst als Minderjähriger bevormundet, stirbt nach einer schwierigen Regierung im Februar 1400 wahrscheinlich eines gewaltsamen Todes. Sigismund von Ungarn hielt sich lange nur durch kluge Bestechung seiner Magnaten; Wenzel von Böhmen wurde wiederholt vom böhmischen Hochadel gefangengenommen. Der Streit um den rechten Papst wurde dagegen nur auf intellektueller Ebene geführt, aber kaum mit besserem Ergebnis. Bald konnte man in der lateinischen Christenheit Diözesen und Kirchenprovinzen, meist identisch mit politischen Einheiten, nach dieser oder jener Obedienz unterscheiden, und daraus entstand eine politische Lähmung des Papsttums. Zwar residierte 1378 nach zweiundsiebzigjährigem Exil wieder ein Papst in Rom, aber sein Widersacher in Avignon stand unter französischem Einfluß, und der Versuch, durch ein Konzil in Pisa 1409 die Spaltung aufzuheben, führte lediglich zu einem dritten Papst. Waren bisher nur allgemein Gebannte und Exkommunizierte zu Ketzern geworden, so führte nun der Streit um den rechten Papst zu neuen Fronten, zu Eingriffen der politischen Macht in die auf dieser Ebene bislang noch »akademische« Freiheit, so daß etwa 1384 die Anhänger der römischen Obedienz auf Drängen des französischen Königs die Universität Paris verlassen mußten.

Akademische Opposition gärte aber schon lange. Namentlich die Universität Oxford war zum Zentrum theologischer Kritik geworden und erlangte auf diese Weise einen ähnlichen Rang wie Bologna und Paris. War sie im 13. Jahrhundert durch die Naturwissenschaftler Robert Grosseteste und Roger Bacon bekannt geworden – man brachte unter anderem die Erfindung der Brille und des Schießpulvers in Verbindung mit Oxford; genannt wurden der Mathematiker Swinshead und der »Doktor profundus« Bradwardine –, so erregte nun die Kirchenkritik von Wilhelm Ockham Aufsehen, philosophisch umsichtig fundiert und am Hof Ludwigs des Bayern in München für den emigrierten Ockham auch zum politischen Instrument umgewandelt. Bald zog die Kritik an der reichen Kirche durch Richard Fitzralph die Aufmerksamkeit der Reformer auf sich; am schwersten aber wog die Verdammung aller politischen Macht, geistlicher wie weltlicher, die nicht aus dem Stand der Gnade kam. Dies schrieb John Wiklif († 1384).

Revolten …

In der zweiten Hälfte des 14. Jahrhunderts gab es die ersten, über weite Gebiete sich erstreckenden Aufstände der kleinen Leute. Zugleich erhoben sich die Städte gegen die Fürsten und verbuchten wachsenden militärischen Erfolg. Daß sich Städte einer Region zu gewaltsamem Widerstand zusammenschließen, läßt sich seit dem 11. Jahrhundert beobachten, seit dem Lombardenbund im Investiturstreit. Solche Revolten hatten bislang jedoch nur die herkömmlichen Herrschaftsverhältnisse gesprengt, nicht die Grenzen. In Deutschland, in England, in Flandern und Brabant, in Frankreich und Spanien und immer wieder in Oberitalien lebten solche Städtebünde mehrfach auf. Neu sind im 14. Jahrhundert die Anstöße: Sie gehen nicht nur von der Stadtobrigkeit aus, sondern von einzelnen mittelständischen Bürgern, wie in Flandern Jakob van Artevelde und Philipp Zannekin. Sie stellen sich an die Spitze »ihrer« Aufstände und verkünden ein mehr oder weniger gut überliefertes, damals offenbar recht profiliertes Programm.

1357 trat der Kaufmann Etienne Marcel an die Spitze des aufständischen Paris: gegen die Kriegslasten und gegen unfähige und eigennützige Räte des Dauphin, des Kronprinzen; der König von Frankreich war damals in englischer Gefangenschaft. Gleichzeitig erhoben sich die Bauern, zunächst im Beauvais, nördlich von Paris, bald an vielen Orten. Aber hier wie noch oftmals später zeigte sich eine grundsätzliche Meinungsverschiedenheit zwischen aufständischen Bauern und aufständischen Bürgern. Die einen waren wendig und weltgewandt, die anderen nicht. Die einen hatten die festen Städte als Pfand, die anderen waren schutzlos. Die einen wollten Getreide teuer und Handarbeit billig haben, die anderen das Gegenteil.

Eine neue Aufstandswelle ging zwischen 1378 und 1381 durch den Westen und Süden Europas: in Florenz und Sienna, in Barcelona und Valencia, in der Auvergne und im Languedoc, in einer Reihe nordfranzösischer Städte, in Gent, wo Philipp van Artevelde in die Spuren seines Vaters trat. Die englischen Bauern, die sich erhoben und in die Hauptstadt zogen, waren nicht denselben Belastungen wie ihre verzweifelten französischen Standesgenossen ausgesetzt und hatten ein überlegteres Programm, in dem biblischer Fundamentalismus und pragmatische Standespolitik zusammenkamen: »Als Adam grub und Eva spann – wo war da der Edelmann?« Dieser Spruch soll damals in England aufgekommen sein. Er begleitete noch die aufständischen deutschen Bauern einhundertfünfzig Jahre später.

Alle wurden besiegt. Nicht zuletzt, weil ihre Auflehnung spontanen Charakter trug und weder politisch noch militärisch geplant war; auch eine Bundesgenossenschaft zwischen Bürgern und Bauern, die im Rückblick erfolgversprechend scheint, wäre in der Realität sicher gescheitert. Denn das obere Bürgertum, das vom Geld lebte und nicht von der Handarbeit, strebte nach adeliger Bundesgenossenschaft, das mittlere besaß zum guten Teil keine politischen Erfahrungen, und die städtischen Unterschichten waren wohl stets zur Rebellion bereit – aber eher des Plünderns wegen als aus Einsicht in geformte Politik. Immerhin: daß solche Aufstände regionale, ja schließlich fast europäische Ausmaße erreichten, daß sie Grenzen übersprangen, Verständigung schufen, zeigt eben eine neue politische Kraft in ihren ersten Anfängen und ist ein Beleg für die allgemeine politische Krise.

... und Revolution

Ein Aufstand ragt unter all diesen Unternehmungen hervor, teils, weil er in seinen Einzelheiten besser beschrieben wurde, teils aber wohl auch, weil er wirklich System besaß, politisches wie ideelles, und nicht zuletzt deshalb, weil er sich in der ehrwürdigsten Stadt der lateinischen Christenheit abspielte, in Rom. Deshalb ist er uns aus Opernlibretti besser bekannt als aus Geschichtsbüchern: die Erhebung des Cola di Rienzo 1347. Cola, eigentlich Nicolà, Sohn des Rienzo, eigentlich Lorenzo, führt uns schon dem Namen nach in den unteren Mittelstand der Metropole. Sohn eines Gastwirts und einer offenbar sehr schönen Mutter – nach seiner persönlichen Legende freilich war er das Ergebnis einer kurzen Liebesaffäre seiner Mutter mit niemand Geringerem als dem Kaiser, Heinrich VII., während dessen kurzem Aufenthalt in der Ewigen Stadt 1312 –, besaß er immerhin mehr Bildung als Kinder seiner Herkunft, und niemand weiß, wer sie ihm vermittelt hatte. Er zeigte sich als ungewöhnlich gewandter Rhetoriker, bewandert in den Schriften der Alten, wurde Notar, also Rechts-und Schriftkundiger, und von seinen politischen Freunden 1346 nach Avignon an den päpstlichen Hof gesandt, um die Genehmigung eines Jubeljahrs 1350 zu erbitten, verbunden mit einem besonderen Ablaß für die Rompilger und damit besonderen Einkünften für die Römer. Nebenbei agierte er gegen die Adelsherrschaft, fand aber dennoch, Zufall und Geschick, päpstliche Gnade. Als päpstlicher Notar war er nach seiner Rückkehr einigermaßen geschützt; dennoch wurde er gelegentlich von einem der römischen Aristokraten, die sich in Abwesenheit des Papstes die Stadtherrschaft ganz und gar angemaßt hatten, mit einem Schlag ins Gesicht auf den rechten Weg gewiesen.

Pfingsten 1347 übernahm Cola mit einem »Marsch auf das Kapitol« im Handstreich die Macht in der Ewigen Stadt. Allein diese Art von politischer Prozession, bei Cola unmittelbar aus kirchlichen Gewohnheiten entwickelt, gewann fortan einen besonderen Charakter in der Geschichte der europäischen Revolutionen. Neun Monate regierte er danach als umsichtiger Diktator, mit großer Unterstützung des römischen Mittelstandes, trotz Adelsopposition, die er im Zaum zu halten, schließlich aber auch zu besiegen wußte, während er das Mißtrauen des fernen Papstes lange Zeit geschickt zerstreute.

Nach Acht und Bann resignierte er schließlich, vielleicht in richtiger Einschätzung der römischen Unzuverlässigkeit, vielleicht in Panik, weil seine weit größeren Pläne gescheitert waren. Er hatte nämlich versucht, wohl beeinflußt von Francesco Petrarca (1304–1374), der ihm schon in Avignon beim Papst zu Hilfe gekommen war, ganz Italien zu gewinnen. Aber seine Botschaften an die großen Städte, auch an die Königin von Neapel, seine Beschwörung des buono stato, des Gemeinwohls im Interesse aller »Römer«, aller Italiker nach antikem Verständnis, seine Forderung nach Umgestaltung der Welt im Sinne politischer Ethik und damit nach der eigentlichen Erfüllung einer »historischen Sendung« blieben wirkungslos. Auch diesen Beschwörungen werden wir in allen europäischen Revolutionen fortan immer wieder begegnen; sie sind ein besonderes Erbe der politischen Religiosität des Mittelalters. »Keine Revolution wäre möglich«, schrieb Carl Friedrich von Weizsäcker, »wenn nicht religiöse Kräfte in ihr eingefangen wären. Und es sind nicht allgemeine religiöse Tendenzen, sondern spezifisch christliche Inhalte.«

Damit war sozusagen die Revolution im Mittelalter geboren. Wir müssen nicht lange suchen, um ihr in der Krise des Spätmittelalters gleich wieder zu begegnen, in verblüffend regelmäßiger Form, als ein bisher kaum beachtetes Gegenstück zum viel beschriebenen »Herbst des Mittelalters«, dem Untergang der alten Adelskultur. Die Aufstandswelle in den achtziger Jahren läßt davon zwar noch nicht allzuviel erkennen, aber in auffälliger Gleichzeitigkeit begegnen uns 1413 in Paris, 1414 in London und 1419 in Prag Revolutionäre. Fragmente zunächst, könnte man sagen, wenn man ein bestimmtes Phänomen der europäischen Revolution aus vielen Vergleichen herausgefiltert hat. In Paris rebellierten Zünfte und Intellektuelle, und wiewohl als Sprecher dieser Bewegung gelegentlich der Chirurg Jean de Troyes genannt wird, »ein berühmter Arzt, ein beredter und listiger Mann«, wurde der Aufstand nach dem Abhäuter Simon Caboche benannt, nicht ohne soziale Abschätzigkeit. Die Pariser von 1413 machen ihren fernen Nachfahren des Jahres 1789 manches vor: Sie stürmen die Bastille, sie zwingen den König, sich zu ihnen zu bekehren, damit er nicht Hilfe von außen beanspruchen kann, sie tragen zum Zeichen der Verbrüderung alle die gleichen Mützen, noch nicht die roten der Jakobiner, sondern die weißen des gemeinen Mannes. Sie drängen schließlich dem König ein Gesetz auf, das sie freilich nicht selbst erdacht haben, sondern Universitätsprofessoren und Verwaltungsfachleute aus der königlichen Umgebung, die es ernst meinen mit einer Reform der französischen Verwaltung und unter dem Druck der Straße eine »Revolution von oben« zu inszenieren suchen. Überzogene Forderungen, auch außenpolitische, vergrämen schließlich die Pariser Bürger, und der Aufruhr bricht zusammen.

Kaum ein halbes Jahr danach versammeln sich Verschwörer vor den Toren Londons. Entdeckt und auseinandergesprengt, können sie nicht verwirklichen, was sie planen, und haben weder Anlaß noch Gelegenheit, diese Pläne der Nachwelt zu hinterlassen. So läßt sich nur vermuten, daß dieser Aufstand, eine blutigere Neuauflage des Massenaufruhrs von 1381, in einer Art Putsch die Regierungsgewalt in England zerstören und ein ganz neues Regiment errichten sollte. Träger dieser Bewegung war die inzwischen verketzerte und seit 1404 im bis dahin inquisitionsfreien England blutig verfolgte Sekte der Lollarden, die Prinzen zu ihren Gönnern zählte und von Sir John Oldcastle geführt wurde. Veritas vincit, die Wahrheit siegt, hatte schon Cola di Rienzo auf seine Fahnen geschrieben. Die Lollarden greifen das Thema in zahlreichen Predigten auf, denn sie begründen ihren gewaltsamen Versuch schließlich mit der Schlechtigkeit der Welt, der gegenüber die Wahrheit siegen und ein besseres Regiment errichten müsse. Wenige Jahre vor ihrem Aufstand verständigen sie sich mit böhmischen Parteigängern des Oxforder Kirchenkritikers John Wiklif, daß man für die Wahrheit leben und gegebenenfalls auch sterben müsse.

Die Hussiten

»Die Wahrheit siegt« wurde zur besonderen Devise der böhmischen »Wiklifisten«, einer jungen Generation von Universitätsmagistern und Predigern, die etwa seit der Jahrhundertwende in die Traditionen der böhmischen Laienreformbewegung einstiegen. Unter ihrem Wort wandelt sie sich zum Revolutionsprogramm. An die Stelle des amorphen Appells gegen Laster und Reichtum, für Armut und Tugend treten konkrete Ziele. Zunächst einmal, besonderes Anliegen der engagierten Intellektuellen, wird die Beseitigung der konservativen Vorherrschaft an der Universität gefordert. Die »Konservativen« sind an sich Anhänger einer modernen philosophischen Strömung, des Nominalismus, dem man nachsagt, er habe die Scholastik für die Naturwissenschaften geöffnet. Aber Wissenschaft ist hier nicht gefragt, sondern Politik. Dazu eignet sich Wiklifs Lehre weit besser, weil sie als »Realismus« das politische Dasein des Menschen mit metaphysischem Ernst betrachtet. Und nur eine Welt, die man ernst nimmt, lohnt auch die Revolution.

Die »Konservativen« sind Deutsche. Karl hatte die Prager Universität nicht als Reichsuniversität gegründet, sondern aus seinem böhmischen Kernland versorgt und bepfründet. Es gab, von der Reichskanzlei abgesehen, ohnehin keine Reichsinstitutionen. Aber diese für lange Zeit einzige Universität – nur in Erfurt erwuchs ihr etwas später Konkurrenz, danach in den achtziger Jahren in Wien und Heidelberg, Köln und Krakau – hatte seit ihrer Gründung eine erstrangige Position und »diente« sozusagen dem ganzen Reich. Auf Karl IV. war sein Sohn Wenzel als römischer und böhmischer König gefolgt (1378–1419), und wiewohl er nie die Kaiserwürde erlangte, ja 1400 sogar von den Kurfürsten als römischer König abgesetzt wurde, blieb der Ruf der Universität doch bestehen, bis Wenzel 1409 zugunsten der »Wiklifiten« oder auf ihr Betreiben die Universitätssatzung so einschneidend veränderte, daß die Deutschen aus Protest die Stadt Prag verließen und nach guter Tradition eine neue Universität gründeten – in Leipzig, das aber von vornherein nur jenen provinziellen Rang gewann, der Prag fortan beschieden war. Mindestens zweitausend Studenten dürften bis dahin in Prag Freie Künste, also das allgemeine Bildungsgut, dazu Theologie und Medizin studiert haben. Seit 1413 blieben nur mehr die Freien Künste übrig, mit Wiklifs Philosophie im Mittelpunkt. Im weiteren Verlauf des Mittelalters ist in Prag nie wieder ein Vollstudium möglich gewesen. Eine Juristenschule, 1372 von der übrigen Universität getrennt, bestand bis 1419.

Die Revolution hatte nach dem Abzug der Nichtwiklifiten noch eine lange Inkubationszeit. Die Universität spielte dabei eine wichtige, bald führende Rolle. Sie stellte die Wortführer und, auf niederer Ebene, die Prediger der Revolution. Unter den Wortführern ragte bald Johannes Hus (ca. 1370–1415) hervor, Sohn eines Fuhrmanns, lebendiges Zeugnis für die Bildungsexpansion seiner Zeit in Mitteleuropa, ein Reformprediger von hohen Graden, dazu ein kluger und distanzierter, niemals vorbehaltloser Anhänger Wiklifs. Mit der Behauptung, der englische Meister lasse sich auch orthodox auslegen, führte er einen Musterprozeß. Er verlor ihn in den Instanzen der kirchlichen Gerichtsbarkeit und appellierte schließlich von der Kurie an ein allgemeines Konzil. Das kam 1414 in Konstanz zustande und verurteilte ihn in einem offensichtlich nicht formgerechten Prozeß zum Ausschluß aus der Kirche. Der mutige Prager Reformer, der in Konstanz manche Sympathien gefunden hatte, wurde zum Scheiterhaufen geführt, ohne des Irrglaubens überführt worden zu sein. Aber er wollte sich auch nicht überführen lassen. Das doppelte Rechtsverständnis der Revolution, das oft unausgesprochene Argument eines »höheren Rechts« gegenüber dem korrupten Establishment, sollte noch viele Opfer in der europäischen Revolutionsgeschichte fordern. Das Opfer von Hus aber ging ein in unser Geschichtsbewußtsein und wurde zum Martyrium für die Freiheit des Gewissens.

Hus war kein Freigeist. Er wollte aus der Bibel widerlegt werden, nicht durch die Autorität des Konzils. Und er wollte eigentlich nicht widerlegt werden, weil

Johannes Hus, Reformprediger in Prag 1400 bis 1415, wurde durch Ketzergericht und Feuertod in Konstanz zum Paradigma; der Streit um die Berechtigung des Urteils beschäftigt uns noch heute. Die Einzelheiten der Vollstreckung wurden schon den Zeitgenossen besonders anschaulich gemacht, vornehmlich durch Abschriften der Konzilschronik des Konstanzer Bürgers Ulrich von Richental.

er damit die ganze böhmische Reformpartei ins Zwielicht gebracht hätte. So ging er am Ende in vieldeutigem Nonkonformismus in die Geschichte ein, und wir erinnern uns noch heute seiner, zu Recht, wenn von standhaften Intellektuellen in dem oft unerbittlichen und manchmal ambivalenten Kampf um die Wahrheit die Rede ist.

Erst vier Jahre nach dem Tode von Hus brach die Revolution aus. Es mußten zuvor Gesinnungsgemeinschaften entstehen, deren Symbol der Laienkelch war. Weil das Konzil von Konstanz die Kelchkommunion für Nichtgeistliche mit der Strafe der Exkommunikation belegte, wurde der Laienkelch auch zum Symbol für die persönliche, oft aus aller Familien-, Standes- und Zunftgemeinschaft herausführende Entscheidung eines jeden Gläubigen. Es bildeten sich eigene Pfarrgemeinden um »Kelchpriester«, und heimliche, bald aber auch öffentliche Massenwallfahrten. Die kirchliche wie auch die weltliche Ordnung in Böhmen war bereits allgemein gestört, als im Juli 1419 die Revolution in der Hauptstadt offen ausbrach, als man das Rathaus der Prager Neustadt stürmte und Erklärungen dafür und dagegen abgab. Denn eine Revolution, wiewohl immer nur von entschlossenen Minderheiten geführt, muß doch Anhänger und Sympathisanten in allen Ständen haben, vom Hochadel bis zu den Bauern.

So wurde der Laienkelch bald zur Sache des ganzen Landes erklärt. Weil in Böhmen zwei Völker wohnten, eine Mehrheit von Tschechen und eine Minderheit von Deutschen, Nachkommen der Kolonisten aus dem Landesausbau, gab es bald auch einen »nationalen Flügel« unter den Hussiten. Er hatte sein Zentrum in der Hauptstadt Prag, wo sich neureiches tschechisches Bürgertum und der alte Adel trafen. Die Deutschen flohen. Es gab aber auch einen »internationalen Flügel«, der jeden willkommen hieß, der sich an die Kelchkommunion hielt. Zunächst weit im Land verstreut, eine Weile chiliastisch orientiert, in Erwartung der Wiederkehr Christi und eines tausendjährigen Gottesreiches auf Erden, gründeten Anhänger dieses »linken« Flügels eine neue Stadt, benannten sie nach dem biblischen Berg Tabor und organisierten bald den bewaffneten Widerstand in gefürchteten »Feldgemeinden«. Hier herrschte das

Jan Žižka vom Kelchberg, der berühmte einäugige Hussiten-Feldherr aus den ersten Revolutionsjahren. Die Steinplastik um 1500 dürfte aber kaum Porträtcharakter haben, eine bessere Darstellung fehlt.

Denken des gemeinen Mannes, und die Gemeinde war der Kern aller politischen Organisationspläne. In Prag gab man sich dagegen ständisch, und im Rahmen der einzelnen Standesgemeinden, Hochadel, Niederadel, Bürger – Klerus ausgeschlossen –, beanspruchte die Hauptstadt Prag für eine Zeit sogar die erste Position. Die Prager Magister erklärten den bewaffneten Widerstand zunächst für erlaubt, später für eine heilige Pflicht, und in dieser Pflicht überdauerten die Hussiten, in der Not vereint, fünf Kreuzfahrerheere und zwei Kriegszüge aus dem Aufgebot König Sigismunds. Sie organisierten sich als Ständerepublik, mit einem zwanzigköpfigen Direktorium, und erst ein Kompromiß mit dem nächsten großen Konzil der Christenheit, dem von Basel, brachte sie 1436 wieder zum Frieden mit der übrigen Christenheit. Damit kehrten sie auch zur monarchischen Staatsform zurück.

Der Glaube der »Kelchner« an die Berechtigung ihrer Kirchenreform ging freilich nicht unter. Die Reformation in Europa hat einhundert Jahre vor Luther eigentlich in Böhmen begonnen, geradeso wie sich dort die politische Alternative zur ständestaatlichen Lösung verdichtete. Bürger und Bauern hatten das Heft schließlich aus der Hand verloren. Aber die Monarchie bekam Böhmen erst wieder in den Griff, nachdem sie eine zweite, vom Adel getragene Revolution 1620 auf dem Weißen Berg bei Prag besiegt hatte. Dieser Sieg führte dann allerdings in die Wirren des Dreißigjährigen Krieges.

Krisendiplomatie

Die hussitische Revolution hatte Mitteleuropa für anderthalb Jahrzehnte in Atem gehalten. Und sie hatte Machtverhältnisse verschoben: Fortan war das Konzept Karls IV. zerstört, von Böhmen her als einer zentralen Landschaft das westliche Mitteleuropa, das Reich, zu regieren und das östliche, Polen und Ungarn, zu beeinflussen. Seine Heiratspolitik hatte dem vorgearbeitet. Aber sein erstgeborener Sohn Wenzel vermochte den Ausbruch der hussitischen Revolution in Mitteleuropa nicht zu verhindern, im Gegenteil, man muß sagen, daß seine unstete Politik die Entwicklung begünstigte. Sigismund, Karls zweiter Sohn (1368–1437), sollte ursprünglich Polen erheiraten. Karl hatte zu diesem Zweck in seinem letzten Lebensjahr noch eine mühsame und lange Reise unternommen, immerhin ein diplomatisches Ereignis ersten Ranges, der erste und letzte Kaiserbesuch in Paris. Das Königreich Arelat, den Südwesten des Reiches zwischen Alpen und Rhône, hat er dort nicht geopfert, wie man gemeinhin annimmt, aber doch immerhin an den französischen Thronfolger als Reichsvikariat »ausgeliehen«. War die Mühe umsonst? Sigismund heiratete statt dessen die zweite Tochter Ludwigs des Großen und erwarb damit Ungarn.

Zwar konnte er dort erst zum König werden, nachdem sein kurzlebiger Vorgänger auf dem Thron ermordet worden war und er die Thronerbin aus den Händen der Adelsopposition befreit hatte. Ein wirrer Anfang! Aber allmählich gelang es ihm, in der ungarischen Adelsoligarchie Fuß zu fassen, bei aller Schwäche der Monarchie, die damals den größten Teil Europas heimsuchte.

Ungarn war damit wieder eingebunden in eine Großreichskonstellation mit mehr oder minder deutlichen Aspirationen, die von Böhmen hundert Jahre zuvor ausgegangen waren und seitdem, über Luxemburger und Habsburger, das südöstliche Mitteleuropa allmählich zu einem Imperium zusammenwachsen ließen, bei Wahrung der »nationalen« Gliederung.

Aber da war noch eine andere, ebenso weitreichende Entwicklung im Gange, und sie griff zu Sigismunds Zeiten auf die ungarischen Grenzen über. Im Lauf des 14. Jahrhunderts hatten die Türken von Kleinasien aus die großen und kleineren islamischen Reiche gewonnen und schließlich den politischen Islam wiederbelebt, der seit dem 12. Jahrhundert wegen der christlichen Expansion im großen und ganzen defensiv geworden war. Nun übernahmen die Türken die Offensive. Sie umgingen zunächst den Kern des byzantinischen Kaiserreiches und schlugen 1389 auf dem Amselfeld die Serben. Dieses Königreich war, ein wenig später als die übrigen Königsherrschaften an der östlichen Peripherie, durch den Prinzen Sava, einen Mönch auf dem Klosterberg Athos, zusammengeschlossen worden – auch er ein »heiliger König«. Zu Zeiten Karls IV. hatte Serbien mit Stephan Dushan (1331–1355) die Vorherrschaft auf dem Balkan und die byzantinische Kaiserwürde angestrebt. Zar Stephan zählt zu den »Großen« in der Generation Kaiser Karls IV., stand mit ihm in Kontakt und war ihm in mancher Regierungsmaßnahme ähnlich. Zeitweise war er wirklich der mächtigste Mann auf dem Balkan. Mit der serbischen Niederlage

»Die Sonne der Völker« hatte man schon Kaiser Friedrich II. genannt. Sigismund, zweihundert Jahre später auf dem Kaiserthron, wurde in einer Wiener Handschrift vermutlich noch zu seinen Lebzeiten mit der Sonne in der Planetenreihe identifiziert. Dieser erste roi du soleil in bildlicher Darstellung wurde geradezu typenhaft; als »schöner König« erscheint er so häufig wie bis dahin keiner seiner Standesgenossen im Bild.

brach nicht nur die Königsherrschaft, sondern die gesamte Gesellschaftsstruktur zusammen, wurde ihrer adeligen Oberschicht beraubt und reduziert auf die alten Sippenverbände; jahrhundertelang blickte man unter türkischer Herrschaft in tragischen Epen der verlorenen Größe nach. Sieben Jahre später versuchte sich auch Sigismund in einem Kreuzzug gegen die Türken, und seine katastrophale Niederlage bei Nikopolis ließ ihn vielleicht als ersten europäischen Fürsten die türkische Gefahr in ihrer vollen Größe erkennen – keine Rede, daß er ihr zu begegnen oder diese Gefahr in Europa auch nur begreiflich zu machen imstande gewesen wäre.

1410, nach einem zehnjährigen Intermezzo des Pfalzgrafen Ruprecht auf dem deutschen Thron, des zweiten Wittelsbachers unter der römisch-deutschen Krone, dem man nachsagt, er habe reitend im Sinn des mühseligen deutschen Reisekönigtums seine Kräfte erschöpft, 1410 also wurden zwei Luxemburger gleichzeitig zu Königen gewählt. Sigismund und sein Vetter Jobst, Markgraf von Mähren. Weil Wenzel von Böhmen, 1400 von den Kurfürsten zwar abgesetzt, dennoch niemals auf die römische Königskrone verzichtet hatte, gab es also gleichzeitig drei Könige, in peinlicher Parallele zu den drei Päpsten, die das Konzil von Pisa 1409 zurückgelassen hatte. Und alle drei waren Luxemburger! Aber die Königsfrage erledigte sich leichter als das Papstproblem. Jobst starb, Wenzel blieb untätig, und so trat Sigismund die Regierung an.

Im Horizont eines römischen Königs und künftigen Kaisers lagen damals nicht nur die immerwährenden, nach ihrem politischen Gewicht glücklicherweise beschränkten deutschen Querelen – Affären einer in politicis eher behäbigen Nation –, da lag auch noch die ganze Christenheit im argen, mit ihren drei Päpsten, und der römische König und Kaiser war ihr »Vogt«, ihr Beschützer. In diesem Vogtsgeschäft wählte Sigismund das einzig Richtige: Er nötigte den gewandtesten der päpstlichen Dreiheit, Balthasar Cossa, der als Johann XXIII. (1410–1415) meist in Bologna residierte und noch das meiste Ansehen genoß, Ende 1413 zur Einberufung eines allgemeinen Konzils.

Aber auch die politische Welt war in Unordnung. Ein römischer König und Kaiser sah sich genötigt, Schiedsrichter zu sein in dem damals schon achtzigjährigen Ringen zwischen England und Frankreich, das zum inneren Zerfall der französischen Königsmacht geführt hatte. Fast vorauszusehen: Die beiden

Ein Verkehrsunfall 1415: weil er ausgerechnet Papst Johannes XXIII. betraf, der über den Arlbergpaß zum Konzil nach Konstanz wollte, hielt ihn die Zeit sofort im Bilde fest. Wenig später entsetzte das Konzil diesen und die anderen Päpste ihrer Ämter. (Aber nicht deshalb gab es in unserer Zeit noch einmal einen Papst Johannes mit derselben Ordnungszahl, sondern weil sich zuvor ein Fehler in die Zählung eingeschlichen hatte.) Technisch ist die Zeichnung von 1415 übrigens ganz unzulänglich, aber als Karikatur war sie wirksam.

mächtigsten Lehensleute, die Herzöge von Orléans und Burgund, beide Nachkommen aus dem Königshaus, kämpften um die Oberhand im Land und um Einfluß auf den geisteskranken König. Die schöne Königin, Isabeau de Bavière, konnte die Schwächen seiner Regierung ebensowenig ausgleichen wie ihr Bruder, Herzog Ludwig von Bayern am französischen Hof.

In dieser Zeit, da alles aus den Fugen schien, wurde auch vor unverhohlenem Mord nicht zurückgeschreckt. 1407 ließ der Burgunderherzog Johann »ohne Furcht« seinen Rivalen Ludwig von Orléans in Paris auf offener Straße ermorden; zwölf Jahre später traf ihn das gleiche Schicksal nach erfolglosen Verhandlungen mit dem französischen Thronfolger. Dazwischen liegt, trotz der englischen Angriffe, auch noch ein Bürgerkrieg in Frankreich. Denn der Nachfolger des 1407 Ermordeten wurde zum Schwiegersohn des reichen Grafen von Armagnac. Auf der einen Seite die Partei der »Armagnaken«, auf der anderen die Burgunder, wechselnd in der Volksgunst, letztere Gönner des Pariser Aufstands der Cabochiens 1413 und englische Parteigänger nach dem Mord von 1419.

Und wieder einmal siegte ein zahlenmäßig weit unterlegenes englisches Kontingent über die unbewegliche französische Ritterschaft, 1415 bei Azincourt. Das Fußvolk, seit hundert Jahren mit Armbrust und Bogen, Lanze und Hellebarde ausgerüstet und seit Hussitenzeiten auch mit dem »Morgenstern« in den Händen, überrannte die Berittenen. Man mag die Unbeweglichkeit der Panzerreiter, die nicht herabsteigen wollten vom hohen Roß, merkwürdig finden; aber ihr Standesethos ging gelegentlich so weit, daß sie sich einfach weigerten, gegen »Bauernheere« zu kämpfen. Die Elite begriff ihr Dasein als Lebensspiel nach eigenen Regeln, Kampf als Selbstzweck und mitnichten als Fortsetzung der Politik mit anderen Mitteln. Das war weit entfernt von der Wirklichkeit: Herbst des Mittelalters.

Nun darf man dieses und jenes Zeugnis einer solchen Denkweise keineswegs als »Adelsmentalität« abtun oder gar als Resignation vor der Wirklichkeit interpretieren. Dem politischen Selbstverständnis des Adels entsprach der Zusammenschluß untereinander, in Standesbündnissen, Herren- und Ritterbünden, Zweckbündnissen wie den »Ligen« der Magnaten in Ungarn, in Frankreich, England und Italien. Aus solchen Bündnissen – seien es die Armagnaken, die deutschen Kurvereine oder der ungarische Drachenorden, mit dem Sigismund 1408 wenigstens formal königlichen Einfluß auf einen solchen Herrenbund ausüben wollte – wurden politische Realitäten, freilich jenseits der alten Ordnungen von König und Ständen. Ein Krisenphänomen zweifellos, und als solches brachte es die politische Entwicklung in Bewegung.

Mitten hinein spielte in Frankreich eine rührende Episode: Burgunder und Könige wollten endlich das Blutvergießen beenden und akzeptierten eine Heirat der französischen Prinzessin Katharina mit König Heinrich V. von England (1413–1422). Karl, der Thronfolger, belastet mit dem Mord am Burgunderherzog, sollte enterbt werden. Die generationenlange Auseinandersetzung schien ihr Ende gefunden zu haben. Paris öffnete dem englischen König seine Tore. Da wendete sich das Blatt.

Daß man unterdessen in Konstanz auf Reichsboden unter dem unmittelbaren und auch entschlossenen Schutz Sigismunds verhandelte, daß man vom konziliaren Standpunkt aus einmütig die Affäre Wiklif und Hus zu Ende

Karl VII. von Frankreich, von der Jungfrau von Orléans 1429 zur Krönung geführt, wurde später unter dem Einfluß der Agnes Sorel zu einem zielstrebigen und erfolgreichen Restaurator der französischen Königsmacht.

brachte und daß die bisher größte Kirchenversammlung der Christenheit knapp drei Monate später auch die erschütternde Niederlage der Franzosen bei Azincourt überdauerte, ist nur ein weiterer Beleg für die Vielfalt der politischen Kräfte. Neu ist in Konstanz, daß sich die Vertreter der Christenheit nach Nationen organisierten, nicht ganz im sprachnationalen Sinn, weil zu den Deutschen auch die Schotten, die Polen, Ungarn und Skandinavier zählten, aber doch mit einem gewissen Bewußtsein der Zusammengehörigkeit in der bislang lateinischen Universalität. Aus solchem Bewußtsein wächst auch der Widerstand, der das englisch-französische Königtum von neuem auseinandertreibt.

Der französische Kronprinz Karl VII. hatte nämlich seine Enterbung nicht akzeptiert. Als »König von Bourges«, zurückgezogen auf die Mitte und den Süden des Landes, stiegen seine Chancen, als der junge englisch-französische König plötzlich verstarb. Fast gleichzeitig starb auch sein eigener Vater, Karl VI., und nun lag es an dem Dauphin, sich in Reims, der uralten Krönungsstadt, die Krone von Frankreich zu holen. Sein englischer Rivale hatte nur einen einjährigen Sohn hinterlassen, und dessen Statthalter weckte wohl gerade wegen seiner militärischen Erfolge neuerlich nationales Ressentiment. Als die Engländer Orléans belagerten, das Tor zum Süden, erhob sich das »Volk von Frankreich« für seinen angestammten Herrn. Es war das Volk aus dem Osten,

Johanna von Orléans an der Spitze eines Reiterzuges.

der bislang vom Krieg weitgehend verschont geblieben war, und es war ein Bauernmädchen, das jenseits von Krieg und Politik zu patriotischem Enthusiasmus beflügelte. Jeanne d'Arc aus Domremy an der Maas (1412–1431) erbat militärische Autorität vom Dauphin und bewegte sich mit erstaunlicher Sicherheit an seinem Hof, geleitet von »Stimmen«, die sie schon als 13jährige, wie sie später behauptete, zur Rettung Frankreichs aufgerufen hätten. Sie brachte Entsatz für das belagerte Orléans und bald auch Entsetzen über die Engländer. Nach Reims geführt und gekrönt, ließ der schwache und geisteskranke Karl VII. sie dann freilich im Stich, als sie durch Verrat den Engländern in die Hände fiel. Ein mehrmonatiger Ketzerprozeß in Rouen endete für sie auf dem Scheiterhaufen. Nach dem Sieg über die Engländer rehabilitiert, heiliggesprochen aber erst unter dem Einfluß des modernen französischen Patriotismus 1920, zählte sie zu jenen schlechtbedankten Frauen, die ihren Einsatz büßen mußten, weil sie für die Männerwelt eine Herausforderung darstellten: Nicht weil sie das Ketzergericht der Irrlehre überführte, sondern weil sie sich beharrliche weigerte, Frauenkleider zu tragen, ehe ihre Mission erfüllt sei, verlor sie schließlich die letzte Gunst, die ihr die französischen und englischen Richter in Rouen nach Auskunft der Prozeßakten noch entgegengebracht hatten.

Die Neigung zu Nebenfrauen, an allen europäischen Höfen verbreitet, kultivierten die französischen Herrscher in ihrem vielberufenen Mätressenwesen. Seine Geschichte ist noch nicht geschrieben. Der Einfluß der Mätressen, mitunter durch Liebeskünste, die den aus der Ferne nach diplomatischen Regeln verheirateten legalen Königsgattinnen nicht zur Verfügung standen, bildet immer wieder ein wichtiges weibliches und oft auch ein bürgerliches Element in der europäischen Politik. Agnes Sorel, seit 1444 offiziell maîtresse de titre König Karls VII., ist ein Beispiel für solche durchaus positiven Einflüsse.

Reformkonzilien und neuer Schwung

Das Konstanzer Konzil hatte alle drei rivalisierenden Päpste für unrechtmäßig erklärt, auch Johann XXIII., der dieses Konzil berufen hatte; damit stand die Rechtmäßigkeit der heiligen Versammlung selbst in Frage. Überhaupt erwies sich die Kirche in Konstanz neuerlich als eine Einrichtung, die nach juristischen Direktiven, nicht eigentlich nach religiösen organisiert war. Zuerst wurde der Prozeß gegen Hus zu Ende gebracht, wenn auch nicht gerade in achtbaren Formen; danach der juristische Streitfall zwischen den Päpsten. Der dritte Punkt aber, der, als causa reformationis juristisch rubrifiziert, die Aufgabe der universalen Kirche in der Welt prüfen sollte, kam zu keinem Abschluß. Entschieden wurde lediglich wieder ein juristisch definierbares Prinzip, ein langer Streitgegenstand des Mittelalters, gewiß begünstigt durch die ohnmächtige päpstliche Position: das Konzil steht über dem Papst.

Die causa reformationis blieb also offen. Aus diesem Grunde sollte das nächste Konzil bereits nach fünf Jahren wieder zusammentreten, das übernächste sieben Jahre darauf und die folgenden von da an jedes Jahrzehnt. Die Bedeutung, die dem Konzil beigelegt wurde, entsprach nicht nur den Bedrängnissen der Zeit. Über ihre eigene Reformation hat die mittelalterliche Kirche von Anfang an nachgedacht. Ihr hatte sie mit der Kraft der Mönchskirche entsprochen, in der langen Tradition der Reformorden – Kluniazenser, Zisterzienser, Bettelorden. Aber das 14. Jahrhundert hatte keinen neuen Orden mehr hervorgebracht. Nun sollte das Konzil die Christenheit als eine ständige Einrichtung begleiten. Ein in regelmäßigem Abstand zusammentretendes allgemeines Konzil hätte der Christenheit ein neues Gesicht gegeben – der Welt wohl auch – und überdies das päpstliche Regiment nach Form und Anspruch völlig verändert. Es zeugt für die Gelassenheit und für die Vitalität der katholischen Kirche, daß diese in Konstanz von Konzil und Papst akzeptierten Beschlüsse bis heute weder in die Wirklichkeit umgesetzt noch widerlegt worden sind. »Eine dogmatisch und historisch voll befriedigende Antwort steht noch aus« (Remigius Bäumer).

Wie sollte nun Sigismund mit einer so krisenhaften Kirche umgehen? Man muß ihm zugute halten, daß er als einer der größten Diplomaten des Mittelalters nicht eben – um einen damals gerade aufgekommenen Begriff zu verwenden – ein Partisan der Kirchenreform gewesen ist. Aber ein Reformer war er zweifellos, oft ein ohnmächtiger und fast immer ein mittelloser. Weltgewandt, nicht nur fünfsprachig wie sein Vater, sondern mindestens sieben europäischer Idiome mächtig, auch Herr von sieben Kronen, freilich auch solcher im türkischen Machtbereich, zeigte sich dieser Herrscher von einer schier unglaublichen Unverzagtheit in einer Welt, der aus jeder Himmelsrichtung der politische Zusammenbruch drohte. Dabei scheint er, übrigens der erste König in realistischer Porträtierung, gelassen und schlagfertig, in Dialogen meist seinen Gegnern überlegen gewesen zu sein.

Wie ihm die Türkengefahr für das ganze Abendland vor Augen stand und die Notwendigkeit der Kirchenreform für die Christenheit, so war sich Sigismund auch der Reformaufgabe im Reich bewußt. Er suchte einen Ansatz zu

Die »Festung Kirche« von Papst, Kaiser, Ordensleuten und Klerikern verteidigt, von anderen mit den Händen gestützt und von blinden Häretikern oder von Dirnen und Leichtlebigen angegriffen. Die französische Miniatur aus dem 15. Jahrhundert ist durchaus keine Satire. Entsprechende Mißdeutungen sind vielleicht ein Beispiel für manche Verkennung der spätmittelalterlichen Religiosität.

Kardinal Pierre d'Ailly († 1420), einer der führenden Männer des Konstanzer Konzils, Bischof von Cambrai, übergibt Christus seine Seele. Handschrift von 1425 aus der Bibliothèque municipale classée in Cambrai.

städtefreundlicher Politik, versprach den Frankfurtern etwa eine Hebung des reichsstädtischen Einflusses, begünstigte in Ungarn Stadtrechtsentwicklungen und, zum Beispiel in der Kaschauer Ratsordnung des Hans Hebenstreyt aus Nürnberg, deutsche Einflüsse. Er suchte auch die von seinem Vater in der Goldenen Bulle schon gewünschte Zusammenarbeit mit den Kurfürsten. Er förderte, in Ungarn wie danach auch in Deutschland, Bürgerliche in seinen Diensten, etwa seinen Kanzler Kaspar Schlick aus Eger, den er 1433 in Rom zum Ritter schlug, oder Konrad von Weinsberg, der, aus niederem Adel, in seiner Finanzverwaltung aufstieg und schließlich 1438 Prokurator des Konzils von Basel wurde. Er betraute und belehnte 1415 den Nürnberger Burggrafen Friedrich mit der Mark Brandenburg, die ihm selber als Erbteil zugefallen war, und gewann damit einen tüchtigen Helfer und Feldhauptmann. So kamen die Hohenzollern von Nürnberg nach Berlin. Er machte den Wettiner Friedrich, den Markgrafen von Meißen, 1423 zum Kurfürsten und belehnte ihn mit Sachsen-Wittenberg.

Man kann also nicht sagen, daß er nichts verändert hätte im Reich. Und dennoch: die große Reform, die immer wieder bekümmerte Amtsträger des Reiches herbeiwünschten, blieb aus. Für den umfassenden, freilich bis in utopische Harmonie reichenden Entwurf des jungen Juristen Nikolaus, eines Fischersohns aus Kues an der Mosel, 1433 dem Baseler Konzil unterbreitet und bis zum heutigen Tag als Concordantia Catholica, als »allgemeine« Konkordanz für die ganze Christenheit gewürdigt, hatte der Kaiser kein Ohr. Eine »Reformatio Sigismundi«, die freilich erst nach seinem Tod erschien, griff seinen Namen auf, aber nicht seine Gedanken. Hier sollte das Reich von seinen Städten her reformiert werden; eine Mischung aus sozialem Protest und Endzeithoffnung, den »Kleinen« anvertraut, wenn sich die Großen der Reform verweigerten. Sigismund ist nicht als Reformer in die Reichsgeschichte eingegangen, allenfalls als ein umsichtiger Zögerer in der großen Krise, und das war gewiß für viele enttäuschend, die mehr von ihm erwartet hatten.

Nikolaus von Kues, der Fischersohn, stieg in der kirchlichen Hierarchie über das Bischofsamt von Brixen schließlich bis ins Kardinalskollegium auf. Gemeinsam mit Papst Pius II. suchte er die ersehnte Reform der Christenheit praktisch zu verwirklichen, als Philosoph ersann er die universale Harmonie der Welt.

Über das Konstanzer Konzil berichtete eine Chronik des Ulrich von Richenthal. Hier disputieren Bischöfe und Doktoren mit dem Papst. Das Bild stammt aus einer späteren Abschrift der Konzilschronik.

Die berühmte Zeichnung von Antonio Pisanello verheißt ein realistisches Porträt Kaiser Sigismunds, der auch in einer Reihe anderer Darstellungen vielleicht als erster Herrscher mit entsprechender Porträttreue überliefert ist.

Unterschätzen seine Kritiker die Widrigkeiten seiner Probleme? Die Türken wurden in den ersten beiden Jahrzehnten des Jahrhunderts durch einen Vorstoß Timur-Lengs, Timurs des Lahmen († 1405), abgelenkt, der seine Mongolenhorden von Samarkand bis nach Ankara trieb und dessen Nachfolger in der weiträumigen Auseinandersetzung noch eine Zeitlang das islamische Großreich in Schach hielt. Im Reich erzwang nicht eigentlich Sigismund, sondern die Hussitengefahr eine gewisse Verwaltungsaktivität: häufigere Reichstage, auch »königslose Tage« unter kurfürstlicher Leitung, und schließlich 1427 eine erste allgemeine Kriegssteuer, unter ständischer Aufsicht in fünf Reichsstädten zu sammeln und zu verwalten. Reichskreise zur Verwaltungsgliederung, schon unter Wenzel IV. 1383 erwogen, ließen sich nicht einrichten. Erst 1502 wird solchen Plänen ein halber Erfolg beschieden sein.

Daß die militärischen Operationen gegen die Hussiten fast ausnahmslos fehlschlugen, während »deutsche Hussiten«, meist geschult in der offenbar noch immer von Deutschen bewohnten Taboritenstadt Saaz in Westböhmen, im Reich Sympathien sammeln, trägt bei zu den besonderen Ängsten der Zeit. Hussitenangst geht durch die Städte; Ketzergerichte werden tätig von Wien bis Speyer. Überdies wurden die böhmischen Revolutionäre von 1427 an offensiv; acht Jahre unentschiedenen Ringens gegen die Kreuzfahrer in ihrem Land und untereinander um die Vorherrschaft des »linken« oder des »rechten« Flügels, Tabors oder Prags, lagen hinter ihnen. Jan Žižka, der gefürchtete und begabte Stratege der Linken, zunächst einäugig, später blind († 1424), der aus den schon vorher bekannten Wagenburgen mobile Festungen für sein Fußvolk organisierte und zum ersten Mal in der Kriegsgeschichte Artillerie taktisch einzusetzen wußte, hatte in dem Prager Priester Prokop »dem Großen« einen strategisch begabten Nachfolger gefunden. Prokop, von dessen Vater wir nichts wissen, stammte mütterlicherseits aus einer Patrizierfamilie. Sein Großvater war Jan von Aachen, ein namhafter Mann in der ehemaligen Prager deutschen Oberschicht. Auch sonst begegnen viele deutsche Namen im hussitischen Establishment. Ulrich von Znaim und Lorenz von Reichenbach vertraten die Hussiten unter anderem später auf dem Konzil von Basel.

Zunächst aber wurde gekämpft: Hussitenheere fielen in Niederösterreich ein und in der Oberpfalz, zogen nach Schlesien und ins Meißnische, erreichten sogar die Ostsee und verbreiteten überall Schrecken. »Friede den Hütten, Krieg den Palästen« hätte ihre Devise lauten können, wobei sie freilich die Obrigkeit bis herab zu den Müllern einstuften. Immer wieder fanden sie nicht nur bewaffneten Zulauf aus Deutschland, sondern auch heimliche Helfer. So drängte schließlich die Hussitengefahr nach einer diplomatischen Lösung, nachdem eine militärische nicht zu erreichen war. Eine solche Lösung war nur auf kirchlichem Boden zu finden, denn aus Kirchenprotest war der Hussitismus entstanden, und das hieß auf einem Konzil, nachdem ein Konzil auch den Glaubenskrieg ausgelöst hatte.

In Konstanz hatten die Konzilsväter 1418 die nächste Zusammenkunft binnen fünf Jahren verfügt. 1423 trat dann auch eine neue Synode in Pavia zusammen; sie wurde nach Siena verlegt und in vier Nationen gegliedert. Eingeführt wurde das Stimmrecht für einfache Kleriker, wenn sie Delegierte waren; die Bewegung griff also nach unten. Nur erreichte sie nichts. Das Konzil fand zu keinem Beschluß. Sieben Jahre später, im Sinn der Konstanzer Reformdekrete, drängte Sigismund auf eine neue Zusammenkunft. Diesmal auch im besonderen Interesse der Hussitenfrage. Widerstrebend und wohl nur, weil ihm Sigismund mit einem deutschen Nationalkonzil drohte, ging Papst Martin V. darauf ein. Als die Versammlung 1431 eröffnet wurde, wieder auf Reichsboden, diesmal in Basel, war Papst Eugen IV. an seine Stelle getreten (1431–1447). Er war dem Konzil nicht weniger abgeneigt, aber von mehreren Seiten bedrängt, bestätigte er die Anordnungen seines Vorgängers.

Johann Žižka an der Spitze bäuerlicher Truppen 1419. Der bald berühmte militärische Führer der Hussiten ist mit Augenbinde bereits als beidseitig blind gekennzeichnet, was erst 1423 zutraf. Ein Priester vor ihm trägt eine Monstranz mit der Hostie in einem Strahlenkranz, vielleicht ein Sonnensymbol, denn im Winter des Jahres hatte Žižka für eine Zeit das südböhmische Pilsen im Besitz, von den Revolutionären als civitas solis bezeichnet, als »Sonnenstadt«. Die Abbildung stammt aus dem späteren 15. Jahrhundert.

Drei Ziele setzte sich die neue, zunächst schlecht besuchte Kirchenversammlung: Verhandlungen mit den Hussiten, Frieden unter den christlichen Fürsten, Kirchenreform. Alle drei Aufgaben drängten. Schlecht paßte dazu der Versuch des Papstes, das Konzil vom fernen Basel in eine italienische Stadt zu verlegen und ihm ein ganz anderes Ziel zu geben, das freilich auch zu den lange ignorierten Notwendigkeiten von Kirche und Politik zählte: die Union mit den Griechen. Seit 1054 war die lateinische von der griechischen Christenheit juristisch getrennt, und jetzt endlich, da die Türken schon fast an die Tore von Byzanz klopften, dessen Hinterland sie längst umgangen hatten, sah Kaiser Manuel in einer Union mit den Westlern die dringendste Voraussetzung zur gemeinsamen Verteidigung. Aber das Geplänkel im Vorfeld der Konzilsarbeit war kein gutes Omen.

Die Konzilspartei wuchs nach der übereilten Aufhebung durch den Papst, und er mußte seinen Schritt zurücknehmen. Der Vorgang radikalisierte die Geschäftsordnung. Nicht vier Nationen, sondern vier nach ihren Aufgaben zusammengesetzte Deputationen bestimmten die Konzilsarbeit; alle Doktoren der Theologie und der Jurisprudenz, aber auch Pfarrer und Ordensleute waren nun stimmberechtigt, dazu noch die Delegierten von Fürsten und Städten. Ein bisher unbekannter Fundamentalismus in der Versammlung der Christenheit, die ursprünglich eine Versammlung der Bischöfe gewesen war.

1433 erschienen die Hussiten in Basel, und man fand einen Kompromiß. Kelchkommunion und, was oft unbeachtet bleibt, radikale Kirchenenteignung in Böhmen wurden vom Konzil akzeptiert, theologische Abweichungen sollten nicht gelten. Mit diesem Erfolg stieg das Ansehen der Baseler Versammlung, die immer noch der päpstlichen Auflösung trotzte und triumphierte, als sie der Papst nun doch wieder einsetzte. Die Arbeit schritt fort, zur Reform »an Haupt und Gliedern«. Als sie dann tatsächlich beim Haupte angelangt war und päpstliche Einkünfte aus vielerlei Steuern, namentlich aus den Anwartschaften und der anschließenden Besetzung von Kirchenpfründen, ohne Ersatz strich, lag der Konflikt von neuem in der Luft.

Gewiß wollten die Baseler Konzilsväter in berechtigtem Eifer ein altes Ärgernis beseitigen. Aber sie verkannten nicht nur die Kompromißbereitschaft, sondern auch die Kompromißfähigkeit der römischen Kurie. Im System der mittelalterlichen Christenheit war ein machtloses Papsttum nicht denkbar. In mühsamer, gewiß religionsferner und sogar religionsfeindlicher Arbeit hatte das Papsttum nicht zuletzt im Exil von Avignon mit großer Findigkeit an Finanzmacht gewonnen, was ihm an territorialer Macht abging. Für eine Wirksamkeit in der Welt ohne »die Macht eines Apparats« fehlte den Politikern an der Kurie nicht nur die Phantasie, die das moderne Papsttum schließlich entwickelt hat, sondern eben auch die politische Moral, die erst, wie paradox das auch klingen mag, verstaatlicht sein mußte, um Allgemeingut zu werden. Mit anderen Worten: Erst der säkularisierte, von der Kirche gelöste Staat war imstande, eigene Normen des Politischen zu entwickeln, gleich, ob er sie auch selber einhielt; und erst die von diesem Staat distanzierte Kirche konnte als sein moralisches Gegenüber, als sein Gewissen wirken, gestützt auf das millionenfache Votum ihrer Gläubigen, aber auch auf alle die modernen Institutionen, die im Verbund unsere öffentliche Moral zu tragen imstande sind. Auch hier will das System gewürdigt werden, nicht seine Wirksamkeit. Das mittelalterliche Papsttum hingegen war entweder in die Weltordnung der Mächtigen eingebunden, oder es blieb ohnmächtig und unwirksam.

Die Verhandlung mit den Griechen drängte. Im Streit um den Ort entschied sich die Mehrheit des Konzils gegen den Papst, der in Italien verhandeln wollte. Darauf folgten wechselweise Auflösungs- und Absetzungserklärungen, beides unerhört in der mittelalterlichen Christenheit. An die Stelle des Papstschismas trat zunächst einmal ein Schisma zwischen Papst und Konzil. Nicht lange. Eugen IV. verhandelte in Ferrara und Florenz mit den Griechen, aber der scheinbare Erfolg konnte die Herzen der Griechen trotz der türkischen Bedrohung nicht gewinnen. Fünf Monate später wählten die Baseler, noch immer die Mehrzahl der ursprünglich Versammelten, einen neuen Papst.

Das Basler Konzil siegelte mit dem Bild von Gottvater und dem Heiligen Geist inmitten einer Kirchenversammlung (Rückseite).

Der Kaiser als Pilatus! Die alte Reichsstadt Dortmund gönnte Sigismund zu seinen Lebzeiten gerade diese Rolle im erhabenen Schauspiel der Passion Christi, das sie auf einzelnen Tafeln eines großen Flügelaltars zwischen 1425 und 1435 in Flandern malen ließ und auf dem Hauptaltar ihres Stadtheiligen Reinold ihren Bürgern zur frommen Schau stellte. Sigismund ist unverkennbar. Vor ihm kniet Oskar von Wolkenstein, Dichter und Diplomat. Haben die Dortmunder damit den bekannten, aber in der allgemeinen Krise ohnmächtigen Reformwillen des Kaisers auf fromme Weise karikiert?

Eigentlich hätte die Reformation schon mit diesem Akt am 5. November 1439 beginnen können. Denn der neue Papst war kein Priester. Was das Kirchenrecht auch heute noch möglich macht: Ein Laie wurde auf den Stuhl Petri gehoben und auch zum Papst gekrönt. Allerdings kam er nicht mitten aus dem weltlichen Leben, sondern aus einer geistlichen Gemeinschaft. Der Herzog von Savoyen, Amadeus VIII., hatte sich nach einer durchaus erfolgreichen Regierung 1434 mit einem Kreis gleichgesinnter Adeliger in eine geistliche Lebensgemeinschaft zurückgezogen, sozusagen in ein Laienkloster. Die damit verbundenen Vorstellungen waren in der religiösen Laienbewegung seit dreihundert Jahren lebendig und veranlaßten Adelige zu jener Zeit zu manchen kleinen Experimenten. Die Ritterschaft vom heiligen Mauritius, die da am Genfer See entstand, hatte etwa einhundert Jahre früher einen Vorläufer im Kloster Ettal, das Kaiser Ludwig IV. ursprünglich für einen Kreis bewährter Ritter zu Gebet und frommem Leben gestiftet hatte. Keine der beiden Niederlassungen gewann Tradition.

Daß das Baseler Konzil den solcherart von der Welt zurückgezogenen Reichsfürsten von Savoyen zum Papst wählte, war nicht nur eine Verlegenheitslösung und mehr als der Versuch, weltlichen Schutz zu gewinnen. Es war auch eine Demonstration des konziliaren, auf breite Mitsprache gerichteten »reformatorischen« Denkens. Amadeus nannte sich als Papst Felix V. Er war ein unglücklicher Papst. Zehn Jahre später akzeptierte er ein Angebot aus Rom zu ehrenvoller Resignation und wurde ins Kardinalskollegium aufgenommen.

Weniger kompromißbereit zeigte sich die Kurie dem Konzil gegenüber, das mit wachsender Radikalität seine Position behauptete. Was zur Reformation fehlte, wie man sie sich auch immer denken mag, war einfach die weltliche Macht. Die deutschen Reichsfürsten, die hundert Jahre später Luther die Treue hielten, blieben diesmal im Streit zwischen Papst und Konzil erklärterweise neutral, während sie der Papst in Wirklichkeit durch Zugeständnisse bei Bischofseinsetzungen und der Vergabe von Pfründen auf seine Seite zog. Frankreich, Aragon, Schottland, der Kaiser und schließlich die deutschen Reichsfürsten sahen ihren politischen Vorteil in diesen päpstlichen Konzessionen, die das Konzil nicht geben konnte. Sie übernahmen damit allerdings auch einen Teil der weder vom Papst noch vom Konzil bewältigten sittlichen Reform des Klerus. 1448 verwies der Kaiser die Konzilsversammlung aus der Reichsstadt Basel.

Weit länger als die Institutionen lebten auch hier die Ideen. Besonders die Universitäten taten sich mit ihrem Konziliarismus hervor. Erfurt und Leipzig, auch Paris und Wien, beharrlich aber vor allem Krakau demonstrierten intellektuellen Reformeifer und zugleich intellektuelle Ohnmacht. Noch 1487 erklärte die Pariser Universität das Konstanzer Dekret über die zehnjährige Konzilsfrequenz für gültig. Ein wenig früher hatte der König von Frankreich dem Papst mit einem neuen Konzil gedroht: »Daß es ihn reuen wird, mir Schwierigkeiten gemacht zu haben«.

Mit der intellektuellen Ohnmacht sollte es bald vorbei sein. Noch vor der Jahrhundertmitte hatte Johann Gensfleisch, genannt Gutenberg, ein rechter Erfinder mit Kopf und Händen, den Druck mit beweglichen Lettern erdacht. Eine neue Möglichkeit tat sich auf, Geschriebenes unter die Leute zu bringen. Nicht, daß man vorher ganz hilflos gewesen wäre: Es gab den Druck von Holzschnitten, sogenannte Blockbücher, und solcherart verbreitete man beispielsweise die grausame Legende vom Antichrist, der die Welt mit Terror und Täuschung regieren werde. Auch konnten gelegentlich zwei- bis dreihundert Schreiber etwa eine Predigt rasch kopieren und verbreiten. Aber nun hatte man ein neues Mittel, Meinung und Politik zu machen: Die Drucker, zunächst in Süddeutschland ausgebildete Handwerker, nicht selten aber auch gelehrte Magister, druckten in den siebziger und achtziger Jahren Bibeln und lateinische Klassiker. Sie verbanden Gelehrsamkeit und Geschäft und wurden in Amsterdam und Paris, in Prag und Venedig gesuchte Leute. In Prag gab es um diese Zeit auch schon eine jüdische Druckerwerkstatt. Eine neue Kommunikation eröffnete das »Flugblatt« – Vorläufer unserer Zeitung?

Die »Beschwernisse der deutschen Nation gegen den römischen Hof« gingen bald gedruckt um, ebenso die sogenannte »Reformation Kaiser Sigismunds«, die den Reichsstädten eine große politische Aufgabe zuwies – ohne Erfolg. Das erste genau datierbare Druckerzeugnis aus Gutenbergs Werkstatt war übrigens nicht die berühmte 42zeilige Bibel, sondern 1453 ein Kalender mit Monatsblättern, der alle Stände vor der Türkengefahr warnte, nach dem Fall von Konstantinopel höchst aktuell und eine merkwürdige Vorwegnahme jener Verbindung von Kalendarium und Kommunikation, die wir heute mit unseren »Zeitschriften« anstreben. All das schuf natürlich noch keine wirkliche »Öffentlichkeit«. Erst Luther konnte Jahrzehnte später die Segnungen der neuen Presse ausschöpfen, erst seine Flugschriften fielen auf fruchtbaren Boden. Auch in Frankreich, in Polen, in den Niederlanden und in England ging die Reformation mit dem Druck des gelehrten und des gepredigten Bibelwortes einher, um im Namen Gottes große Politik zu machen oder zu religiöser Besinnung aufzurufen – Reformation oder Revolution, je nach der Perspektive.

Picquigny

Während das Baseler Konzil zunächst um Reform und dann um seine Existenz rang und auf der anderen Seite das Papsttum nicht nur die Würde, sondern auch die kirchliche Macht des Stuhles Petri zu wahren suchte, sahen sich die großen Monarchien auf andere Weise herausgefordert. Ihre Schwäche ließ Magnaten nach Großherrschaften streben, nach königsgleichen Rechten oder gar nach den alten Kronen. Die Familie der europäischen Könige war von Parvenüs bedroht.

England und Frankreich erlebten eine wirre Zeit. François Villon spiegelte sie in seinen »Lasterhaften Balladen« wider und Shakespeare schöpfte noch hundert Jahre später daraus seine Königsdramen. Die Könige ermöglichen übrigens eine rasche Orientierung: Karl VII. von Frankreich und Heinrich VI. von England, Ludwig XI. von Frankreich und Eduard IV. von England haben jeweils die gleichen Regierungsjahre: 1422–1461; 1461–1481. Das kann man sich leicht merken. Eine solche Parallele gleich zweimal hintereinander – ohne Beispiel in der europäischen Chronologie – symbolisiert die zähe Rivalität der beiden Königreiche. Bis 1422, zumindest in englischer Sicht, vereinigt als Doppelmonarchie in Personalunion unter Heinrich V.; danach wieder dem endlosen Krieg hingegeben mit englischen Niederlagen, gipfelnd im Rückzug der Engländer vom Kontinent 1453, der allein noch Calais als Brükkenkopf übrigläßt. 1475 wird auch jeder Rechtsanspruch aufgegeben im Frieden von Picquigny. Damit erst ist der hundertjährige Krieg nach fast 140 Jahren wirklich beendet, die radikale Abwendung Englands vom Festland eingeleitet.

Das ganze Mittelalter hindurch war England territorial mit dem Kontinent verbunden. Irgendein Stück »englisches Frankreich«, sei es die Normandie, die Gascogne oder gar, wie im 12. Jahrhundert, im Westen und Süden der Großteil des gesamten Landes, gehörte stets zur mittelalterlichen Landkarte. Die atlantische Wende Englands nach 1475 leitet binnen zwei, drei Generationen die Neuzeit auf der Landkarte ein.

Währenddessen durchtobten England von 1455 bis 1485 die Rosenkriege, ein Kampf zweier Linien aus der Königssippe mit ihrem Magnatenanhang um die Krone. Der Londoner Tower wurde zur grausamen Stätte des Königsmordes, »mit der ganzen furchtbaren Gewaltsamkeit, die schon im 14. Jahrhundert ein bezeichnendes Merkmal der innerenglischen Kämpfe gebildet hatte« (Friedrich Baethgen). Dagegen beleuchtet der Vertrag von Picquigny den Aufstieg der französischen Staatlichkeit seit dem Rückzug der Engländer vom Kontinent 1453. Denn Frankreich zahlte die Riesensumme von 75.000 Ecus und dann jährlich, offenbar bis zum Tode Eduards, noch eine Rente von 50.000. Das versetzte den englischen König in eine gewisse finanzielle Unabhängigkeit dem Parlament gegenüber, was ganz im Sinne Eduards lag, und half mit zur Begründung einer new monarchy, wie Heinrich VII. dann nach 1485 sein Regiment bezeichnete.

Die Franzosen waren in der inneren Stabilisierung für diesmal also ihren englischen Nachbarn vorangegangen. Allgemeine Steuern, königliche Ämtervergabe im ganzen Land – allerdings nach einem im Hinblick auf die Staatsmoral dubiosen Pachtsystem, das man einmal mit zu den Auslösern der Revolution von 1789 zählten wird –, ein stehendes Heer in Ordonnanz-Kompanien und die Organisation einer Landwehr mit »Freischützen« bildeten die Grundlage. Die Räte der Krone, eine in wachsendem Maß gelehrte, bürgerliche, König und Staat durch Nobilitierungen verpflichtete Beamtenschaft, stärkten der Monarchie den Rücken: noblesse de robe. Man hat Ludwig XI. als den eigentlichen Schöpfer des absoluten Königtums in Frankreich bezeichnet.

In England hatten die Rosenkriege vor allem den Hochadel ausgeblutet. Städte und niederer Adel waren vom Bürgerkrieg im ganzen weniger betroffen. Aber der einstige Vorsprung in der Staatsorganisation des kleinen Landes gegenüber dem etwa viermal größeren Frankreich mußte erst wieder aufgeholt werden. Eine Aufgabe der Tudors, die mit Heinrich VII. (1485–1509) auf den Thron kamen.

Der Friede von Picquigny vom 29. August 1475 hat europäische Bedeutung, weil er nach langer Pause das politische Schwergewicht wieder in den Westen verlagerte; auch liegt dem Text eine, wenn man so will, europäische Konzeption zugrunde. Im letzten Artikel werden nämlich die europäischen Eliten einbezogen: nicht nur die Familie der Könige, die sich untereinander Vettern nannten oder, nach den tatsächlichen Verwandtschaftsverflechtungen, Consanguinei, sondern eben alle Machtträger stimmten zu und wollten sich an diesen Frieden halten, obwohl ihnen nach altem, nach mittelalterlichem Verständnis eigentlich die Legitimation dazu fehlte. Die Familie der Könige hatte ihr Herrschaftsmonopol verloren. Die unebenbürtigen Verwandten auf französischer Seite heißen nach dem Vertragstext: die Herrschaft und Gemeinde von Florenz, die von Bern und ihre Verbündeten, die oberdeutsche Liga, »die vom Lande Lüttich«; auf englischer Seite: die »Gemeinde und Gesellschaft der deutschen Hanse«. Jeder der beiden Vertragspartner nennt an erster Stelle den Kaiser und dann in wechselnder Reihenfolge die Könige von Schottland und Dänemark, von Leon-Kastilien, von Ungarn, Sizilien und Portugal. Nicht alles muß uns in diesem Zusammenhang interessieren, nur soviel: daß die Engländer auch die Herzöge der Bretagne und von Burgund als selbständige politische Kräfte ins Spiel bringen.

Heinrich VII. von England, im Zeichen der Verbundenheit mit der burgundischen Politik auch er ein Ritter vom Goldenen Vlies, führte seit 1485 ein vom Kontinent abgekehrtes England im Zeichen seiner new monarchy planmäßig in die Isolation, bei umsichtiger Finanzpolitik bald auch zu einem besonders soliden Staatshaushalt. Beides wurde britische Tradition. Das Gemälde von 1505 stammt von einem unbekannten Flamen.

Wie soll man dieses Zeugnis einer in gewissem Sinn neuen europäischen Diplomatie kommentieren? Nicht als prinzipielle Deklaration, sondern allein aus der politischen Pragmatik heraus gerät der Friedensschluß von Picquigny zum historischen Dokument: Die europäischen Mächte, die da plötzlich am Verhandlungstisch mitwirken und in mehr oder weniger aktiver Parteigängerschaft einem Waffenstillstand sich anschließen, werden beweglicher. Nicht uninteressant sind die Abwesenden, an erster Stelle der König von Polen, der zu jenen Zeiten den Geschäften im Westen tatsächlich fern ist – und wahrscheinlich auch den politischen Entwicklungen dort. In seiner langen Regierung hatte Kasimir IV. (1447–1492) das polnisch-litauische Großreich in erneuerter Personalunion beachtlich erweitert. Sein Sohn, seit 1472 König von Böhmen, erhält zwanzig Jahre später auch die Krone von Ungarn, so daß das gesamte östliche Europa sich vorübergehend zu einem ungeheuren Länderblock vereint, bis zur Katastrophe der Türkenschlacht von Mohács 1526. Aber nicht nur seinen Sohn promovierte Kasimir zum König von Böhmen und Ungarn, auch fünf Töchter machte er zu deutschen Fürstinnen, indem er sie der Reihe nach an seine westlichen Nachbarn gab, an Brandenburg und Sachsen, an Pommern und Schlesien. Den Anfang machte 1475 die unglückliche Hedwig, die weinende Braut am Landshuter Traualtar. Seinerzeit gingen ihre Tränen unter in einer der prunkvollsten Hochzeiten des Spätmittelalters, die den Reichtum der bayerischen Herzöge mit dem Prunk des römischen Reiches vereinte, und heute ist die »Landshuter Fürstenhochzeit« alle fünf Jahre ein unbekümmertes Volksfest.

Zurück zu unserem Vertrag: Auch Venedig ist nicht genannt, und es fehlt der Papst. Das eine hat aktuelle Gründe, das andere erinnert an die zeitweilige politische Ohnmacht des Papstes, den man auch zehn Jahre zuvor schon nicht erwähnt hatte, bei einem Projekt, mit dem sich der König von Böhmen als Parvenü den Zugang zur europäischen Fürstengemeinschaft erkaufen wollte. Dieser »Hussitenkönig«, der böhmische Baron Georg von Podiebrad, hatte tatsächlich seit der Jahrhundertmitte für mehr als zwanzig Jahre das mehrkonfessionelle Böhmen pazifiziert, ohne das päpstliche Mißtrauen ausräumen zu können. Die Kurie hatte gegen den begabten Diplomaten schließlich doch noch einen Kreuzzug initiiert. Da keiner von den deutschen Reichsfürsten einen solchen Kriegszug auf sich nehmen wollte, blieb nur Matthias Corvinus (1458–1490), ein ungarischer Parvenü, der die Gelegenheit zur Großmachtbildung im Donauraum sah.

Im Vertrag von Picquigny werden die Mailänder und die Mantuaner bereits als Herzöge genannt. Das entspricht der neuen Situation in der Lombardei. 1454 hatte ein Friedensschluß dort ein vielberufenes Gleichgewicht geschaffen, in dem die mächtigen Stadtrepubliken von einst nach inneren Wandlungen zu Fürstentümern geworden waren. Nur Florenz wird noch formell nach der alten Verfassung bezeichnet: Signorie und Commune. In Wirklichkeit war es schon in der Hand der Medici. Zuerst dirigierte Cosimo »der Alte« (1389–1464) in weiser Zurückhaltung, dann trat sein Enkel Lorenzo »der Prächtige« (1449–1492) deutlich an die Spitze der Stadt. Ein neuer politischer Sprung wird in der übernächsten Generation den Medici nicht nur die Herzogswürde bringen, sondern auch den päpstlichen Thron sowie die Verschwägerung mit den Königen von Frankreich. Niemals und nirgends in Europa hat ein Kaufmannsgeschlecht einen vergleichbaren Aufstieg genommen, auch nicht die Fugger, die als Leinweber während der Pest nach Augsburg gekommen waren und als kaiserliche Bankiers und besonders privilegierte Kaufleute im 16. Jahrhundert in den Fürstenstand erhoben wurden.

Von aller Konvention weicht es schließlich ab, wenn in Picquigny auch die »Liga von Oberdeutschland« besonders erwähnt wird. Damit wird eine Kraft auf diplomatische Ebene gehoben und mithin als kriegführend und friedenschließend akzeptiert, der ebenfalls die fürstliche Legitimation fehlt und die man nicht einmal als Städtebund bezeichnen kann. Als interessanter Neuansatz entstand »des Kaisers und des Reiches Bund in Schwaben« aus Landfriedenseinigungen offiziell erst 1488; für fünfzig Jahre wirkte er stabilisierend in Oberdeutschland, eine »Selbsthilfe« von Fürsten, Reichsstädten und Reichsrittern angesichts fehlender staatlicher Institutionen. Im Bauernkrieg war der Bund berüchtigt für seine unter fürstlicher Führung begangenen Grausamkeiten, aber da hatte er ohnhin schon seine modellbildende Kraft verloren, die das Heilige Römische Reich auf die Wege modernerer Staatlichkeit hätte lenken können.

Das Reich

1475, im Vertrag von Picquigny, ist das Reich mehrfach genannt. Der Kaiser, in Varianten des Respekts, rangiert in jedem Fall an erster Stelle, sowohl beim König von Frankreich als auch beim König von England. Auf französischer Seite spielen noch die Kurfürsten eine Rolle, und es werden die Herzöge von Savoyen, Mailand, Mantua und Lothringen aufgeführt, außerdem der Bischof von Metz, allesamt Reichsfürsten. Hinzu kommen die Berner und ihre Eidgenossen sowie die bereits erwähnte oberdeutsche Liga; auf englischer Seite steht, wie gesagt, außer dem Kaiser nur die Hanse. Das alles ist »das Reich«.

Man hat so viel geschrieben, geklagt und erläutert, wie es mit diesem Reich im 15. Jahrhundert beschaffen sei, daß wir am Zipfel historischer Wirklichkeit aus dem Friedensschluß von Picquigny noch ein wenig festhalten müssen. »Das Reich« wurde offenbar nicht als Einheit verstanden, und es wurde auch nicht durch seinen Monarchen repräsentiert, wie Schottland, Ungarn oder Dänemark. Das Reich hat in dieser Zusammenstellung der europäischen Staatenwelt eher den Charakter eines Verbandes aus einzelnen Gliedern mit einem besonders respektablen Titel an erster Stelle: Imperator Romanorum oder gar, wie der englische König ihn nennt, Serenissimus et Illustrissimus Princeps Semper Augustus. Das schließt die selbständige Nennung von Kurfürsten und dieses oder jenes Herzogs nicht aus. Mithin ist das Reich keine Herrschaftseinheit wie England oder Frankreich; der Kaiser residiert lediglich im Reich. Alle anderen europäischen Staatswesen sind in dieser Aufzählung durch Könige repräsentiert. Nur auf Reichsboden ist das anders: ob in Oberitalien wie bei den Florentinern, oder nördlich der Alpen wie bei den Bernern und ihren Verbündeten. Außerdem nennt der Vertrag noch einzelne Fürstentümer. Das Reich ist vielgestaltig. Es erscheint nach diesem Überblick nicht einmal als eine einheitlich gegliederte Föderation.

Aber das Reich ist »heilig«. Die Franzosen reden von den Kurfürsten des heiligen Imperiums, und das gilt unbestritten auch vor den englischen Gesandten. Was das bedeutet? In diesen Jahren bürgert sich eine Formulierung in Deutschland ein, die den alten Begriff vom Sacrum Imperium aus Barbarossas Zeiten mit neuem Leben füllt, in deutscher Sprache: »Heiliges Römisches Reich Deutscher Nation«. Die Historiker wissen diesen Begriff bislang nicht so recht zu deuten. Offenbar entspringt er dem Versuch, auch das »römische« Reich national zu definieren, so wie sich auf den Konzilien aus den ursprünglich inhaltsleeren »Nationen« in Anlehnung an die Universitätsverfassung eine systematische Vierzahl von Körperschaften mit nationalem Interesse bildete, die gelegentlich auch ausdrücklich ihre Nationalität nach Sprache und Kultur definierte. Außerdem hatten die nationalbetonten »rechten« Hussiten ihre Bemühungen um Klärung sprachnationaler Eigenheiten wohl nicht ganz nutzlos in der deutschen Nachbarschaft propagiert. Schließlich waren die nichtdeutschen Reichsteile ohne ausdrückliche juristische Klärung an den Rand des politischen Horizonts geraten: Daß die Herzöge von Mailand und Mantua eigentlich Reichsfürsten waren und daß Florenz noch hundert Jahre zuvor als Reichsstadt eine ansehnliche Steuerleistung aufbrachte, war politisch nicht mehr von Belang. Und das Reichsgebiet an der mittleren und unteren Rhône war inzwischen auch wirklich französisch geworden. Es sieht so aus, als sei der Zusatz »deutscher Nation« nicht einschränkend, sondern erklärend gemeint gewesen, als hätten die Deutschen damit an der allgemeinen nationalen Selbstdefinition der europäischen Königreiche sich beteiligen wollen, die gerade dem altertümlichen Herrschaftsgebilde in der Mitte Europas Schwierigkeiten bereitete. Der Vertrag von Picquigny spricht zwar nicht von deutscher Nation. Aber er nennt neben Kaiser und Kurfüsten des »heiligen Reiches« nur nichtdeutsche Fürsten.

Die Heiligkeit des Reiches demonstrierte gerade zur Zeit des Friedens von Picquigny der Kaiser selbst. Dieser Herrscher, Friedrich III. (1440–1493), regierte von allen römischen Kaisern und Königen am längsten, volle dreiundfünfzig Jahre, und seine Mentalität läßt sich gut mit der langen Lebenszeit in Übereinstimmung bringen. Er war nämlich ein Mann des Überdauerns. Nicht, daß er keine Akzente gesetzt hätte. Aber bedächtig und umsichtig, mit der Kunst oder nur einfach der Geduld langfristiger Politik, verkörperte er, was die Krise des Spätmittelalters, in den Spannungen zwischen Kaiser und Fürsten,

Fürsten und Städten, Monarchen und Ständen, an vielberufener und vielgescholtener politischer Entscheidungslosigkeit heraufgeführt hatte. Aber er verkörperte eben auch jenes andere Moment der Krise: die Kunst des Gleichgewichts, des allmählichen Übergangs. Nur gestalten konnte er diese Kräfte nicht.

Friedrich III., ein Habsburger, war Sigismund von Luxemburg auf dem deutschen Thron gefolgt. Allerdings nicht unmittelbar: Dazwischen lagen drei Jahre, in denen der Schwiegersohn des letzten Luxemburgers, König Albrecht II. aus dem Hause Habsburg, regierte. Der Sohn, den dieser postum hinterließ und den allein schon der Name Ladislaus zum Herrscher über Ungarn und Böhmen bestimmte, starb mit siebzehn Jahren. Friedrich war sein Vormund gewesen und hatte aus dieser undankbaren, aber zäh bewahrten Rolle eigentlich ein Regierungsprogramm gemacht: Man versteht ihn am besten als Statthalter noch unmündiger habsburgischer Größe. Viele Mißerfolge – die Auseinandersetzungen mit dem »Hussitenkönig« Georg von Podiebrad, der in Böhmen die Ansprüche seines Mündels an sich gezogen hatte; mit Johannes Hunjadi und danach mit dessen Sohn Matthias Corvinus, der Ungarn der habsburgischen Herrschaft entzog; mit einzelnen Reichsfürsten und noch immer mit den Schweizern aus den Anfängen der habsburgischen Reichspolitik – verknüpften sich in wechselnden Konstellationen zu stets neuen Miseren. Er kompensierte seine Mißerfolge mit einer in fünf Buchstaben gefaßten Devise, deren eigentliche Bedeutung uns bis heute verborgen ist. Wie die Offenbarung einer Prophetie schien ihm die Selbstlautreihe im Alphabet das Schicksal seines Hauses vorherzusagen: A-E-I-O-U. Bei allen möglichen Gelegenheiten hat er diese fünf Buchstaben sozusagen als Naturgesetz zu Papier oder an die Wand bringen lassen, nicht mehr. Die Historiker rätseln, wie schon die Zeitgenossen verschiedene Deutungen parat hatten: Alles Erdreich ist Österreich untertan? Oder, lateinisch: Austria est imperare orbi universo? Oder: Allererst ist Österreichs Untergang? Schließlich waren die Türken 1471 schon einmal bis in die Steiermark vorgedrungen.

Mit diesem Eigensinn, eine große Idee zu verschlüsseln, kann man Friedrichs Regierung vielleicht noch am besten fassen. Er wirkt wie ein lebendiges, langgezogenes Bindeglied zwischen dem luxemburgischen Imperium und dem künftigen der Habsburger im östlichen Mitteleuropa. Mit einer Heiratspolitik, die noch gründlicher die Landkarte veränderte als die luxemburgischen Heiraten hundert Jahre zuvor, bereitete er den Aufstieg seines Hauses zur Weltgeltung vor. Sein Sohn heiratete die Erbin von Burgund; ihrer beider Kind, Friedrichs Enkel, wurde der Erbe Spaniens. Aus dieser Zeit stammt jenes andere Sprichwort um Friedrich III., das man in seiner Eindeutigkeit nicht umrätseln muß: Bella gerant alii, tu, felix Austria, nube! Mögen andere Kriege führen, du, glückliches Österreich, heirate! Mit der Ausdehnung der Hausmacht eines deutschen Fürstengeschlechts von Mitteleuropa nach dem Westen ging, korrespondierend zur Abkehr Englands vom Kontinent, das Mittelalter auf der Landkarte zu Ende.

Friedrichs Nachfahren, die Habsburger, saßen fortan mit derselben Zähigkeit wie ihr Ahnherr fast vierhundert Jahre hindurch auf dem deutschen Thron, bis zum Ende des heiligen römischen Reiches 1806, und dies war alles andere als eine für die Reichspolitik glückliche Bindung. Sie entsprach weder der nationalen Identität noch dem Staatsinteresse der Deutschen im europäischen Kräftespiel. Hatte Karl der Große durch sein Kaisertum Mitteleuropa an den Süden gebunden, mit Schicksal und Verdienst, so wurde es jetzt, im Zeitalter profilierter Staatsräson auf nationaler Grundlage, durch die habsburgische Dynastie in Verbindung zu Spanien gebracht. Damit war das Reich, unausgesprochen freilich und nur über die dynastische Klammer, in einer riskanten Interessenkollision, die bis zum Ende dieser Familienverbindung im spanischen Erbfolgekrieg 1714 politisch wirksam blieb.

Friedrich III., der diese gewaltige Wende im stillen betrieb, freilich nur halb bewußt, denn die spanische Erbschaft ließ sich nicht vorhersehen, zeigte viel Sinn für das Reich als Un- und Überstaat. Im September 1475, wenige Tage nach dem Vertrag von Picquigny, hielt er sich in Köln auf und schrieb sich dort in der Dominikanerkirche in das Mitgliedsbuch der Rosenkranz-Bruderschaft ein. Das Buch ist erhalten, sozusagen als das älteste Vereinsregister. Friedrich, seine Gemahlin Eleonore von Portugal und ihrer beider 16jähriger Sohn mit dem in Europa bisher unbekannten Namen Maximilian wurden jedoch nicht aus privater Frömmigkeit Mitglieder eines religiösen Vereins, sondern in einem

Auch in den Tod nahm er seinen rätselhaften Wahlspruch mit: AEIOU als Spruchband um das Zepter Friedrichs III. auf seinem Grabmal im Stephansdom.

Staatsakt. Der päpstliche Legat, fünf Kurfürsten, einige Herzöge und fünfzig Grafen waren mit ihnen, um der Rosenkranz-Bruderschaft ebenfalls beizutreten, die, als eine rechte Volksbewegung, in wenigen Jahren schon hunderttausend Namen verzeichnete. Dies war Politik im ursprünglichen Sinne des mittelalterlichen Verständnisses. Die Rosenkranz-Bruderschaft betete für den Kaiser, für das Reich und gegen die Türken. Sie band ihre Mitglieder nicht nur in Gedanken. Sie war, im Verständnis der Zeit, eine reale Macht, die helfen sollte, die Welt zu verändern.

Das Reich also erscheint in dieser Deutung als ein heiliger Nachbarschaftsverbund. Wir können das nicht recht definieren mit der Sprache unserer Gegenwart, weil uns Staatlichkeit als die einzige Instanz für alle öffentliche Gewalt erscheint. Eine solche Staatlichkeit, wie sie im Trend der Zeit und vornehmlich in Frankreich unter Karl VII. und Ludwig XI. aufgebaut wurde, erfaßten und bildeten in Deutschland die Landesfürsten. Hier muß man sogar von einer gewissen Überlegenheit sprechen, von der besseren Funktion ihrer Behörden auf kleinem Raum, dem Finanzwesen, der Justiz, der Polizeigewalt, ausgeübt von Amtmännern, aber natürlich noch ohne die Trennung einzelner Funktionen, wie sie erst im 18. Jahrhundert Montesquieu propagierte. Auf kleinem Raum also überlegen, dezentralisiert und durch die »selbständigen« Fürsten oft mit mehr Engagement kontrolliert, als man das von den Statthaltern im zentralistischen französischen Nachbarland verlangen konnte, war die deutsche Staatlichkeit dem zentralistischen Trend in vielem um ein Stück voraus. Dies hat uns Deutschen im Laufe der nächsten vierhundert Jahre Staatlichkeit besonders gut eingeprägt. Ein sicher nicht ganz zweifelsfreies Lob auf die

Der Rosenkranz, eine Kette mit Merkperlen für einzelne Gebete, nach orientalischem Vorbild in der heutigen Form zu Anfang des 15. Jahrhunderts zusammengestellt, war Anlaß für eine Gebetsverbrüderung, zu der sich 1475 im alten Sinn des heiligen Reiches Kaiser, Fürsten, Prälaten und Tausende Gläubiger zusammenschlossen. Maria, hier unter der Kaiserkrone, nimmt alle in ihren »Schutzmantel« auf. Frühdruck Augsburg 1477.

Durch Wein- und Kornhandel und mit der Territorialherrschaft über 100 Dörfer zählte Überlingen zu den ansehnlicheren Reichsstädten der Bodenseeregion. Der Rathaussaal um 1490 zeugt davon. Unter dem Reichsadler neben dem Stadtpatron Nikolaus der Erzengel Michael.

Alle europäischen Nationen des Mittelalters fanden ihre Nationalheiligen. Deutschland, sagt man oft, ging leer aus. Das ist nicht ganz richtig. Freilich verhinderte die übernationale Idee des heiligen Reiches gewisse nationale Akzente, aber ein besonderes Verhältnis zum Schutzpatron der Kaiser von alters her, zum heiligen Michael, ist dennoch deutlich und übrigens noch nicht recht erforscht. Der »deutsche Michel« ist davon, so scheint es, volkstümlich geworden. Eine alte Michaelsfigur in der Reichsstadt Schwäbisch Hall.

landesfürstliche Politik, aber es trifft eine Eigenheit der deutschen Geschichte bis zum Ende des Reiches von 1806, und die Auswirkung läßt sich ebenso deutlich beobachten. Die vielberufene und umrätselte deutsche Staatstüchtigkeit, nicht als »Nationalcharakter«, sondern als gesellschaftliche Einstellung aus Gewöhnung, hat wohl in dieser fürstlichen Tätigkeit ihren Ursprung. Auch manches freilich, was unser Verhältnis zu den öffentlichen Dingen heutzutage belastet.

Dagegen blieb die ständische Entwicklung, der man eine wichtige Rolle im Prozeß der fundamentalen Politisierung der europäischen Gesellschaft zusprechen kann, in Deutschland auf halbem Wege stehen. 1484 gebrauchte man in Frankreich auf einer Versammlung sämtlicher Stände zum erstenmal den Begriff »Dritter Stand« für die Vertreter der Städte, eingeordnet hinter Klerus und Adel, aber von nun an zugehörig und präsent. In England wurde zur selben Zeit eine Parlamentsreform mit Wahlzensus festgelegt. Freeholders, Bauern und Ritter in freiem Pachtverhältnis, wählten in den einzelnen Grafschaften die Mitglieder des Unterhauses, die commons, zunächst ohne Auflagen und Einschränkungen. Von 1430 an mußten aktive Wähler mindestens 40 Schilling im Jahr versteuern, so daß die commons fortan Vertreter des oberen Mittelstands gewesen sind und meist auch der gentry angehörten. Dieser Wahlzensus galt vierhundert Jahre lang. Das englische Parlament hat den Einfachen und Armen den Zugang zum politischen Leben nicht eben erleichtert. Immerhin war der finanziell gehobene »gemeine Mann« seither ähnlich wie in Frankreich fest im House of Commons vertreten und hatte teil am politischen Geschick – als latenter Bundesgenosse der Monarchie gegen den Hochadel. Zu einem ähnlichen Bündnis kam es 1486 auch in Kastilien; die Santa Hermandad verhalf der königlichen Exekutive auf dem Land und der Königsmacht im allgemeinen zur Stabilität.

Die Barockzeit griff in Baustil und Gedankenwelt gotische Elemente auf. Daran denkt man bei dieser barocken Erinnerungstafel im fränkischen Staffelstein.

In Deutschland dauerte es noch bis zum Ende des Jahrhunderts, ehe in einer lang umstrittenen Reichsreform die Reichsstädte, wiewohl sie die zuverlässigsten Steuerzahler waren, einen festen Platz im Reichstag bekamen. Aber eben nur die Reichsstädte, etwa achtzig, während der »Dritte Stand« aus dem Großteil Deutschlands nur durch seine Fürsten auf dem Reichstag repräsentiert wurde. So blieb dieses Parlament nach einem Wort von Hans Liermann ein »Oberhaus mit einem rudimentären Unterhaus«. Ob man die hussitische Revolution gerechter einschätzen lernt durch den Hinweis, daß sie die böhmischen Städte schon 1420 in feste Landtagspositionen brachte?

Europa 1475

Der Südwesten Europas, Spanien, gelangte in dieser Zeit endlich zur Einheit. Durch Heirat hatten Aragon und Kastilien schon mehrfach zueinander finden wollen, aber erst diesmal war es eine glückliche, zumindest eine erfolgreiche. Auch das hatte eine krisenhafte Vorgeschichte. Das Mittelmeerreich der Katalanen, Teil der Krone Aragon, hatte um die Jahrhundertmitte in Neapel ein neues fernes Zentrum gefunden, und Bürgerkrieg auf der Iberischen Halbinsel war die Folge. Auch in Kastilien kämpften Adel und König, und die Ehe zwischen dem Erbenpaar, Ferdinand von Aragon und Isabella von Kastilien, wurde 1469 ein wichtiger Schritt zur Stärkung der Monarchie in beiden Ländern. 1476 hatte das Königspaar portugiesische Ansprüche abgewehrt. Dann begann ein zehnjähriger Kampf um die letzte islamische Bastion in Granada im spanischen Süden, und als 1492 diese kulturell hochentwickelte Herrschaftsbildung weichen mußte, war auch auf der spanischen Landkarte das Mittelalter zu Ende gegangen.

Im Südosten hatten die Türken 1453 Konstantinopel erobert. Eine lange zuvor erwartete Katastrophe, nachdem sich die türkische Herrschaft schon ein halbes Jahrhundert auf dem Balkan verbreitet hatte und die Union mit der lateinischen Christenheit 1439 politisch ohne Folgen geblieben war. Die Türken in Europa: das war nun freilich mehr als eine Veränderung der Landkarte; das war ein Ereignis, das fortan die politischen Ängste der Menschen zumindest in Mitteleuropa in wachsendem Maße begleitete, bis 1683 mit dem Sieg Johann Sobieskis vor den Toren Wiens die Gegenoffensive begann.

Zunächst folgten grundlegende Verschiebungen in der östlichen Welt. Nicht wegen des Untergangs der byzantinischen Kaisermacht, sondern aus eigener Kraft stieg das Fürstentum von Moskau zu politischer Größe auf, verkündete eine »Sammlung der russischen Erde« und schickte sich an, nicht nur das Großreich von Kiew zu beerben, das die Tataren oder Mongolen zweihundert Jahre zuvor zerstört hatten, sondern überhaupt die neue Macht Europas im Osten zu werden. 1478 eroberte Iwan III., der Große, die Handelsrepublik Nowgorod, verbannte die führenden Familien, liquidierte ihre Beziehungen, setzte Statt-

Ferdinand und Isabella von Spanien zeigen auf ihrem gemeinsamen Siegel 1484 den König zu Pferd, die Königin auf der Rückseite thronend.

König Ferdinand von Kastilien und Aragon in einem Schnitzaltar der Kartäuserkirche von Burgos. Das Relief macht durch seinen Ort wie durch die Darstellung die kirchlichen Einflüsse auf das vereinigte spanische Königtum deutlich.

Karl der Kühne, nach einem berühmten Gemälde von Rogier van der Weyden um 1460, suchte in ungestümer Politik das Herzogtum Burgund zu einer Großmacht zwischen Frankreich und dem Reich zu machen. Durch den von seinem Großvater gestifteten Orden vom Goldenen Vlies, dessen Kette er auch auf diesem Bild trägt, wußte er den Hochadel als Gesinnungsgemeinschaft unter Führung des Herrschers an sich zu binden, eine Konzeption, welche die Habsburger von den Burgundern übernahmen. Das Bild läßt sich gut mit der Vorstellung von den hochfliegenden Plänen Karls des Kühnen verbinden.

halter ein. Zwei Jahre später kam es zur entscheidenden Machtprobe mit den Tataren. Seit diese schnellen Reiter um 1240 das Reich von Kiew erobert hatten, spannte sich ihre Riesenherrschaft über Osteuropa und Nordasien und hielt auch das moskowitische Fürstentum als Tributärstaat.

Die Pläne Iwans waren damit unvereinbar: Er hatte 1472 eine byzantinische Prinzessin geheiratet, die Nichte des letzten Kaisers, und begründete von daher den Anspruch auf Nachfolge als Schützer der Christenheit – ein slawischer Zar mit griechischen Traditionen aus römischer Herrschaft. Ostrom wanderte nach dem Norden, wie siebenhundert Jahre zuvor das Kaisertum des Westens ins nordalpine Europa getragen worden war. Seit 1473 führte Iwan den kaiserlichen Doppeladler. Umsichtig nutzte er den Verfall der »Goldenen Horde«, der großen Tatarenherrschaft, zu differenzierter Politik mit den Teilreichen. 1480, nach einer wochenlangen Konfrontation mit der tatarischen Hauptmacht an der Ugra, zwang er sie endgültig zum Abzug, ohne daß es zu einer Schlacht gekommen war. Rußland war vom »Tatarenjoch« befreit. Damit war die politische Struktur Europas zum weiteren Mal von Grund auf verändert, auch wenn sich die Konsequenzen gewiß nicht vorhersehen ließen: Mit dem Kaisertitel der neuen Machtzentrale im Norden waren politische Ansprüche von weitestem Ausmaß verbunden, die bis in unser Jahrhundert reichen.

Die eigentliche Epochenwende aber fand im Westen statt. Dort war sozusagen das Zentrum eines gewaltigen Sturms. Vergessen schienen die alten Mächte: das Kaisertum, in stille Untätigkeit zurückgesunken unter Friedrich III., ebenso wie das Papsttum, für das mit Sixtus IV. (1471–1484) ein neuer Abschnitt begann, das »Zeitalter der Verderbnis« (Franz Xaver Seppelt) mit Nepotismus, Geldgier, Simonie. Im Mittelmeerraum trat an die Stelle eines christlichen und eines islamischen Pluralismus allein der Militärstaat der Türken mit allen Konsequenzen für das venezianische Handelsimperium, für die Handelsverbindungen von Genua und Marseille, Barcelona und Valencia, schließlich auch für das ganze nordalpine Städtesystem, das wirtschaftliche Hinterland des Mittelmeerhandels. Lange ehe Amerika entdeckt war, mieden die Portugiesen das unsichere Mittelmeer und lieferten statt dessen entlang der Atlantikküste »Kolonialwaren« nach Westeuropa. Auch die Wirtschaftsgeographie des kontinentalen Mittelalters geriet in einen Umbruch.

Dem gegenüber stehen weiträumige Verbindungen von Skandinavien bis Aragon von denen wir im einzelnen meist gar nichts mehr wissen. Nur die wichtigste ist gut bekannt: Der König von England war mit dem Herzog von Burgund verbündet, als er mit 12.000 Mann im Sommer 1415 in Calais landete. Burgund aber war von einer Generation zur anderen der größte Rivale des Königreichs Frankreich geworden, dem es ursprünglich angehörte. Seine Herzöge, die aus dem französischen Königshaus stammten und 1364 mit Burgund belehnt worden waren, hatten in zäher Diplomatie und mit erfolgreicher Heiratspolitik eine breite Mittelzone zwischen dem Schweizer Jura und der Nordsee in ihre Hand gebracht. Mehr noch: Die Nordhälfte ihres Reiches, namentlich Brabant und Flandern, zählte zum wirtschaftsintensivsten Raum des Mittelalters und bildete natürlicherweise eine Region mit gleichen Interessen, die durch eine gemeinsame Herrschaft nun um so leichter zusammenwuchs, administrativ erschlossen nach dem Muster der hohen Verwaltungskunst in den großen Städten. Der größte Teil dieses neuen Herzogtums lag auf Reichsboden.

1435 hatten die Herzöge von Burgund gleichermaßen dem Kaiser wie dem König von Frankreich die Lehenshuldigung verweigert. Kurz vor seinem Tod gelang es Karl dem Kühnen (1465–1477) endgültig, eine Landbrücke zu schlagen zwischen dem alten, eigentlichen Burgund im Süden und dem reichen Norden: Die Herzogtümer Lothringen und Bar öffneten nun den Weg über Luxemburg und das burgundisch verwaltete Lüttich nach Brabant und Flandern. Ein neuer Staat war damit entstanden zwischen Frankreich und Deutschland, und manchmal hat man seinetwegen – denn die Grundlagen bestanden schon seit Jahrzehnten – von einem »burgundischen Jahrhundert« gesprochen. Das unterstreicht die Bedeutung dieses dank der burgundischen Bündnispolitik vom hundertjährigen Krieg verschonten Herrschaftsgebildes. Zusammengefaßt war es durch einen Gerichtshof für den gesamten Herrschaftsbereich und seit 1463 durch Generalstände für die Niederlande, eine Institution, die Geschichte machen und zum Staatsbegriff werden sollte. Der niederländische Hochadel fand sich zusammen in burgundischer Sympathie, seit 1429 vereinigt im Orden vom Goldenen Vlies; prunkvolle Ritterkultur allerorten, mit Brüssel als Residenz, mit den Universitäten Löwen (1425) im Norden und Dôle (1422) im Süden. Die »flamboyante« Spätgotik der Burgunder verkörpert die kulturelle Gemeinsamkeit von Aristokratie und Großbürgertum. Die Rechnungskammern, die etwa in der Größe unserer Regierungsbezirke das ganze Land zusammenfassen, versorgen die Herzöge mit märchenhaften Mitteln. Zur selben Zeit, als erbitterte Augsburger Handwerker den römischen Kaiser und seinen Sohn als Zechpreller mit Kot bewerfen, verschleudert Karl der Kühne von Burgund für ein einziges Hoffest etwa die Jahreseinnahmen des Heiligen Römischen Reiches.

Anton von Burgund (1421–1504), »der große Bastard«, unehelicher Sohn Herzog Philipps des Guten und Halbbruder Herzog Karls des Kühnen von Burgund, überstand die Katastrophe von Nancy auf dem Schlachtfeld. Feldherr, Diplomat und Bücherfreund, zeigt er in seinem Leben schon die geistige Welt eines neuen Eliteideals. Die Ordenskette vom Goldenen Vlies, die er trägt, verweist auf den Ursprung unseres Ordenswesens als Sammlung einer festen Zahl Auserwählter durch einen »Souverän«, einen Fürsten und Ordensstifter, im Sinne staatlicher Auszeichnung. Man versammelte sich regelmäßig und pflegte »stille« Wirksamkeiten im Sinne der Ritterideale.

Die Herzöge von Burgund hießen wechselweise »der Gute« oder »der Kühne«. Das kennzeichnet ihre politischen Intentionen, wenn man denn eine funktionierende Justiz- und Finanzverwaltung schon als gut ansieht und erfolgreiche Expansionspolitik als kühn. Karl, 1433 in der alten Residenz Dijon geboren, fühlte sich als Sohn eines Philipp wie ein neuer Alexander, weil damals die Heerzüge dieses griechischen Welteroberers einen festen Bestand aller Ritterepik bildeten. Karl, eher intellektuell begabt als politisch, wurde zuletzt auch ein Opfer seiner hochfahrenden Pläne, mit denen er anknüpfen wollte an das Mittelreich Kaiser Lothars, das sich im 9. Jahrhundert zwischen Deutschland und Frankreich geschoben hatte.

Mit zweiunddreißig Jahren hatte Karl voll Tatendrang die Regierung übernommen, noch vor dem Tod des Vaters. Er zwang dem Bistum Lüttich seine Vogtei auf, eroberte Geldern und war dabei, sich auch des Erzstifts Köln zu bemächtigen. Neuß widerstand. Mit dem englischen König schloß Karl in der Tradition des hundertjährigen Krieges einen Bund gegen Frankreich, aber bei Calais fand sich das englische Heer dann 1475 ohne seinen neuen Bundesgenossen. Karl war in Lothringen engagiert. Da entschloß sich König Eduard zu jener persönlichen Begegnung mit Ludwig XI. bei Picquigny, auf einer Brücke über die Somme, einem beliebten Treffpunkt für höchste Würdenträger. Das war nicht ungefährlich: Bei einer solchen Gelegenheit war Johann der Kühne 1419 von den Leuten des französischen Dauphins ermordet worden.

Der anschließende englische Rückzug bedeutete auch einen Zusammenbruch burgundischer Pläne. Die nächste Enttäuschung wartete bei Neuß. Dorthin hatte Kaiser Friedrich III. ein Reichsheer aufgeboten, um das Reichsbistum Köln vor den Burgundern zu schützen, und vor dem langsamen, aber übermächtigen Reichsaufgebot gaben die Burgunder ihre Belagerung auf. Am Reichsfürstentum Lothringen, woraus er den Herzog vertrieben hatte, wollte Karl aber festhalten, und der Kaiser nützte sein großes Aufgebot nicht zu entschiedenerem Vorgehen. Denn inzwischen hatte er seinen Sohn Maximilian (1459–1519, seit 1493 römischer König) mit der Erbtochter von Burgund verlobt. Also lag ihm nicht so viel an der Schwächung Karls des Kühnen. Die Eidgenossen waren hier unbekümmerter und schlugen als Bundesgenossen Frankreichs das burgundische Heer wiederholt bei Grandson und Murten. Ein halbes Jahr später neuerlich herausgefordert, verlor Karl der Kühne am 5. Januar 1477 in der Schlacht von Nancy sein Leben. Sein Erbe wurde, wenigstens für den größten Teil der burgundischen Herrschaft, Maximilian von Habsburg.

So war um 1475 der König von Frankreich zwei hartnäckige Widersacher losgeworden. Der eine war mit Geld bezahlt worden, der andere bezahlte mit seinem Leben. Auch für den Sieg über die Burgunder war natürlich französisches Geld geflossen. Nur hatte hier nicht das Geld, auch nicht die Reorganisation des Königreichs, sondern eigentlich ein neues Staatsverständnis den Grund für den Erfolg gelegt. Philipp de Commynes, der große Chronist der Zeit, den man mit Recht einen politischen Schriftsteller nennen könnte, sah das besonders scharf. Zwar kommentierte er den Sturz Karls des Kühnen noch »mittelalterlich« als Gottesurteil und sprach von Hochmut vor dem Fall. Die Schlacht von Nancy habe das Oberste zuunterst gekehrt. Aber dahinter steckte nun auch Staatsmoral. Denn siegreich war, wie weiterhin bei Philipp de Commynes zu lesen steht, bei Nancy wie zuvor bei Picquigny, die politische Klugheit der französischen Diplomatie. Politische Moral, die langmütig sein kann, weil sie »vernünftig« ist, wird man in Zukunft von jeder guten Regierung in Europa erwarten.

Fast gleichzeitig wurden binnen weniger Jahre die alten Fürstenhäuser Europas stabilisiert, Spanien vereint, Rußland »gesammelt«; fast gleichzeitig war Byzanz untergegangen, das Papsttum ohnmächtig geworden, England vom Festland gewichen. Der europäische Kontinent ist von nun an sich selbst überlassen, aufgerufen zur Staatsräson. Die neue Zeit, von der damals manch einer spricht, wird man später überhaupt als die Neuzeit bezeichnen.

Die Kinder Kaiser Maximilians aus seiner ersten Ehe mit Maria, der Tochter Karls des Kühnen, der Erbin der großen burgundischen Herrschaft. Die Ehe währte nur von 1477-1482, aber sie verband das Haus Habsburg 300 Jahre mit antifranzösischen Koalitionen bis zur Ehe der Habsburgerin Marie Antoinette mit Ludwig XVI. 1770. Von Burgund schlug die Diplomatie ein übergreifendes Bündnis nach Spanien und verheiratete beide Kinder, Philipp und Margarete, mit dem Geschwisterpaar Juan und Juana, das aus der Ehe Ferdinands von Aragon mit Isabella von Kastilien hervorgegangen war. Der Sohn Philipps und der spanischen Prinzessin Juana, Kaiser Karl V., regierte danach über den größten Teil Europas.

Ähnlich wie Kaiser Friedrich II. das symbolträchtige Castel del Monte in der Einsamkeit für sich, für seine Kaiseridee erbaute, entstand, abseits der Straßen, einen Tagesritt von Prag entfernt, hundert Jahre später die Burg Karlstein Kaiser Karls IV. Auch sie in aussagekräftiger, wenn auch anderer architektonischer Symbolik, nicht als kaiserliches Oktogon, sondern dreigestaffelt, der größte, höchste und mächtigste Turm für die Reichskleinodien bestimmt. Der Wandschmuck, Holzarbeiten, Fresken und vor allem Arbeiten in Halbedelsteinen und Gold, hat sich auf dem Karlstein, anders als in der Ruine Castel del Monte, bis auf die Gegenwart in seltener Anschaulichkeit erhalten.

Avila, Bistumssitz mindestens seit dem 4. Jahrhundert und nach jahrhundertelanger maurischer Herrschaft Ende des 11. Jahrhunderts endgültig von Alfons VI. von Kastilien erobert, hat seinen alten Mauerring als bemerkenswerte Stadtfestung erhalten. Seine Geschichte ist typisch für die spanische Stadtentwicklung: antike Wurzeln, maurische Blüte, Herrschaftswechsel und tiefe Verwurzelung des Christentums.

Seit 1226 zu Landgewinn und selbständigem Herrschaftsaufbau vom Kaiser ermächtigt, richtete der Deutsche Ritterorden doch erst endgültig seine ganze Wirksamkeit auf Preußen, als auch der Hochmeister 1306 seinen Sitz von Venedig auf die neue Marienburg an der Nogat verlegte. Diese Burg zählt zu den hervorragenden Palastbauten des gotischen Europa.

Der älteste Judenfriedhof Mitteleuropas in Worms bezeugt jüdische Siedlungskontinuität vom 11. bis ins 20. Jahrhundert, nicht als Fremdkörper, sondern als Teil der deutschen Geschichte. Im ersten Kreuzzug, 1096 erstmals verfolgt und nicht wie in Speyer durch den bischöflichen Stadtherrn auch erfolgreich verteidigt, beklagte die Gemeinde achthundert Tote. Im 12. Jahrhundert erreichte sie wieder ihre frühere Größe und zählte bald auch kulturell zu den bedeutenden Judengemeinden in Deutschland. 1349 wurde die Gemeinde, wie auch die in den Nachbarorten Speyer, Frankfurt am Main oder Köln, fast vollständig ausgelöscht. Neuansiedlungen wenige Jahre danach erreichten die alte Bedeutung nicht mehr.

VII
Alltag, Glaube, Aberglaube

Alltagsformen, Glaubensfragen

Wie haben sie gelebt, die Menschen im späten Mittelalter? Wir wissen nicht viel darüber, und manches läßt sich nur mit Phantasie rekonstruieren, aber eines ist gewiß: Sie lebten viel härter, als das unserem Erfahrungskreis heute noch zugänglich ist! Wer je für ein paar Tage etwa eine der alten Almhütten aufsucht, um hier im Winter bei offenem Herd, auf Stroh, ohne Kamin und ohne fließendes Wasser ein paar Tage Sturm und Schnee zu ertragen, der meint für gewöhnlich schon ein Überlebenstraining absolviert zu haben. In dieser Situation lebten die Menschen damals tagaus und tagein, ehe im 13., 14. Jahrhundert etwas Eisen ihre Bauten haltbarer, Sägen die Fenster, Türen und Balkenwände der Holzbauten weniger klobig, Pergament oder Glas die Räume auch zur kalten Jahreszeit wenigstens dämmerhell machten und eine verstärkte Textilproduktion ihnen zu Unterwäsche verhalf, zu einem Lendentuch, zu Hemd, Fußlappen und Strümpfen. In Regionen geringeren Lebensstandards, so kann der aufmerksame Tourist noch heute feststellen, sind Mäntel, auch im strengen Winter, die Ausnahme; man behilft sich mit Umhängen. Daß grobe Woll- und Lodenstoffe, die sich mit Regenwasser vollsaugen, zusammen mit der Körperwärme eine erträgliche Temperatur halten, haben wir vergessen. Niemand braucht mehr mit rotgefrorenen Händen im Winter ohne Handschuhe zu arbeiten, jenem ausgesprochenen Kleidungsstück aus der Herrenwelt des Mittelalters. Und wem fiele es ein, eine Kopfbedeckung zu tragen, um auf diese Weise die Schwierigkeiten der Haarpflege zu kaschieren?

Überhaupt, die Hygiene! Viele intime Bedürfnisse können wir uns ohne die Hilfsmittel, die doch diese Bedürfnisse in neueren Jahrhunderten erst entwickelt haben, gar nicht denken. Das Taschentuch – das künstlich zusammengesetzte Wort verrät seine zivilisatorische Jugend – ist vielleicht ein harmloses Beispiel. Aber ohne Seife und Zahnpflege, ohne rechtes Rasiergerät und oft ohne Kamm war wohl der größere Teil der mittelalterlichen Bevölkerung von jener »Urwüchsigkeit«, die uns heute gelegentlich als Kennzeichen gesellschaftlicher Außenseiter begegnet. Man kaute Pfefferminzblätter zur Mundpflege, wusch sich mit Sand oder dem Absud von Seifenkraut und hatte wohl noch manchen Tee oder getrocknete Pflanzen aus Wald und Garten zum wohlfeilen Hausmittel, wo uns heute die Pharmazie zur Seite steht.

Wieweit die härteren Lebensumstände Kräfte weckten, die uns abhanden gekommen sind, und ob ihnen das Minimum an medizinischer Fürsorge genügte, wissen wir nicht. Die Bilder von Vierzig-, Fünfzigjährigen aus der realistischen Malerei des Spätmittelalters sprechen nicht dafür, auch nicht die niedrigen Lebenserwartungen im ganzen. Nicht jede einfache Lebensweise ist an sich schon gesund. Die Stoffwechselkrankheiten aus einseitigem Fleischkonsum, Gicht und Arthrose, scheinen zumindest nach dem, was wir von den

Prag, wo sich schon im 10. Jahrhundert auf dem linken Hochufer der Moldau Fürstensitz und Bischofsresidenz innerhalb einer Mauer in seltener Einheit zusammenfanden, zählt zu den ältesten Hauptstädten Europas. Der Veitsdom, erstmals im 10. Jahrhundert erbaut, im 14. Jahrhundert in seiner heutigen Gestalt von Mathias von Arras und Peter Parler nach dem Vorbild französischer Königskathedralen geschaffen, zeigt im Blick auf das Gewölbenetz die Umsetzung der geraden Wände zu schwingenden Einheiten des sogenannten schönen Stils.

Was wäre noch heute unsere Welt ohne Draht? Drahtziehen konnte man schon in der Spätantike, doch erst das verfeinerte Handwerk des 14. Jahrhunderts griff diese Kunst wieder auf. Panzerhemden schmiedete man dagegen in Feinarbeit schon im Frühmittelalter, ähnlich wie Messer, die hier am Griff mit einer noch heute benutzten Raspel den letzten Schliff erhalten. Für den Kaufmann daneben sind nicht nur Reisemantel und Geldbeutel bezeichnend, sondern auch die kunstvolle Verpackung seiner Waren und nicht zuletzt der Speicher im Hintergrund. Aus dem Hausbuch der Nürnberger Mendelschen Zwölfbruderstiftung – einem Altenheim für Handwerksmeister, Ende 15. Jahrhundert.

Oberschichten wissen, weiter verbreitet gewesen zu sein als heute. Für das Spätmittelalter, als der Getreidekonsum gegenüber dem Fleischverzehr wieder zurückging, hat man einen jährlichen Fleischverbrauch von hundert Kilo pro Person in Mitteleuropa geschätzt; das ist mehr, als heute dem durchschnittlichen Bundesbürger von der amtlichen Statistik zugeteilt wird. Allerdings war der Fleischverbrauch damals möglichst auf die Verwertung des ganzen Schlachttiers gerichtet; Innereien gehörten zur Alltagsspeise.

Wir wissen nur weniges über Tisch und Stuhl und Truhe, und das meiste können wir allenfalls mit der seit dem 13. Jahrhundert wachsenden Verbreitung von Brettsägen in Verbindung bringen. Von Kleidern haben wir nur eine Vorstellung dank der zahlreichen Kleiderordnungen, die seit dem 13. Jahrhun-

dert vorschrieben, was »standesgemäß« sei und wo die obere Grenze liege. Da es sich dabei im allgemeinen um Luxusbeschränkungen handelt, darf man auf wachsenden Wohlstand schließen – aber nicht auf eine Wohlstandsgesellschaft. Ähnliches gilt, zumindest im städtischen Bereich, für Angaben über Hochzeits- und Begräbnisgelage. In den zahlreichen Miniaturen, mit denen man Anfangsbuchstaben schmückte, oder in Bildbeilagen mit biblischem Bezug ist festgehalten, wie sich die Maler bei ihrer Feinarbeit mit Pinsel und Federkiel einen Bauern, einen Ritter, einen König vorstellten, wie sie die Geistlichkeit gewandeten und welche Frauengewänder sie zu entwerfen wußten. Unmittelbare Wirklichkeitsbezüge sprechen weder aus den Verordnungen noch aus den Bildern. Aber es sind uns nun einmal nur diese Bilder und Ordnungen überliefert und nicht die Wirklichkeit selbst. Eines allerdings läßt sich in allen Bereichen verfolgen: die wachsende Vielfalt des Lebens. Zum Beispiel die Schuhe: in Mokassinform, wie sie noch heute auf dem Balkan getragen wird,

Zeichnungen aus der sogenannten Velislav-Bibel, die in Böhmen um 1340 entstand, zeigen uns Saiteninstrumente in den Händen von Frauen und, nach einem entsprechenden Bibelzitat, Männer mit Trinkgefäßen vor Christus. Bezeichnend ist dabei der Gegensatz der Kleidung: die Männer tragen Zeitgenössisches, Kittel über anliegenden Strumpfhosen, während Christus und ein Apostel in der Tradition der Ikonen Tunica und Toga erkennen lassen. Dieselbe Gegenstellung in Zeitbezug und Zeitlosigkeit der Kleidung begleitet die religiösen Darstellungen bis zur historistischen Auffassung des 18. Jahrhunderts.

Sanduhren, in der Renaissance beliebtes Zeitsymbol, sind seit dem 14. Jahrhundert, nach komplizierter Glasherstellung, in Gebrauch; Sonnenuhren, in allen möglichen Varianten, hier im »Taschenformat«, seit der Antike.

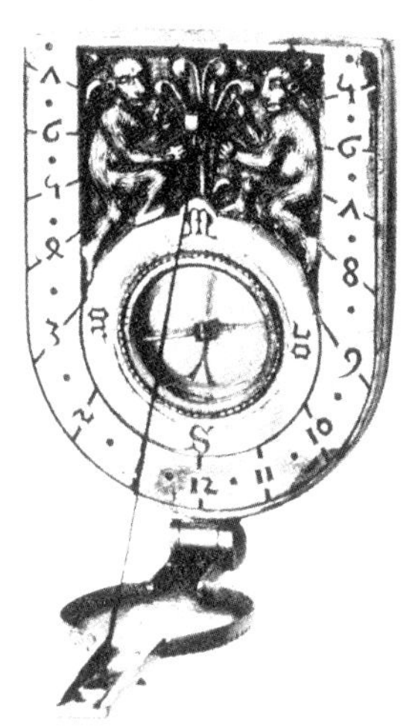

Bundschuhe aus grobem Leder mit Riemen, niedrige Schaftstiefel, Sandalen für die Damen, flache, slipähnliche Modelle, wie man sie heute noch kennt, daneben das skurrile Pathos der Schnabelschuhe französischen Ursprungs.

Den Lebensrhythmus bestimmte die Sonne. Bei Bauern und Fischern tut sie es noch heute. Allein die Klosterwirtschaft, in mancher Hinsicht auf einem überlegen rationalisierten Niveau, teilte den Tag und den Arbeitsablauf nach der Uhr ein, im Interesse der sieben Gebetszeiten, aber auch im Zusammenhang mit einer Daseinsplanung, die sich später mitunter in den Städten verbreitete. Auch die Städte suchten ja, wie ihre Dichter und Lobredner fanden, in ihren Mauern so etwas wie eine geregelte Idealgemeinschaft zu leben.

Die Zeit maß man vor tausend Jahren mit der Wasseruhr oder mit danach genormten Kerzen, natürlich auch am Sonnen- und Sternenlauf. Wasser- und Sonnenuhren waren Erbstücke aus der hellenistischen Antike. Im späten 13. Jahrhundert trat die Räderuhr als Zeitmesser auf: eine der genialsten Erfindungen des lateinischen Europa, das sich seit dem 12. Jahrhundert anschickte, alle anderen Hochkulturen mit seiner Technik zu überflügeln. Bei der Räderuhr handelt es sich um eine Maschine mit Selbstregulativ, und dergleichen ersann erst wieder James Watt für seine Dampfmaschine. Die Räderuhr, die mit Hilfe des damals schon länger bekannten Zahnrads die Schwerkraft eines an einer Walze befestigten Gewichts auf eine kreisrunde Anzeige überträgt, funktioniert nur dank ihrer Hemmung, die das rasche Abspulen der Walze verhindert und die Kraft statt dessen in gleichmäßige Takte teilt. Diese Hemmung, die in einfacher Konstruktion das Zahnrad an der Gewichtswelle im Pendelschlag stoppt und dabei von derselben Gewichtskraft wieder zum Pendelausschlag veranlaßt wird, läßt sich auch zum Symbol eines neuen Zeitempfindens erheben: Die Zeit der Kirche, gemessen nach den naturgegebenen Gebetsstunden, wird abgelöst von einem künstlichen Zeitmaß, das Tag und Nacht in vierundzwanzig gleichförmige Stunden einteilt.

Die neuen Räderuhren, denen der Venezianer Jacopo de Dondi um die Mitte des 14. Jahrhunderts zu ihrem Gesicht, zu ihrem noch heute benützten Zifferblatt verhalf, waren an Kirchtürmen angebracht und blieben dort noch für lange Zeit. Mit den neuen Glockenuhren läuteten die Kirchtürme einen neuen Realismus ein. Besser und genauer läßt sich das noch lange geradewegs religiöse Weltverständnis des Spätmittelalters nicht bezeichnen. Denn gläubig war diese Epoche in jedem Fall, und sie war es, ohne einen Begriff zu haben von dem intellektuellen Dualismus späterer Jahrhunderte. Sie erkannte eine jenseitige Welt an, ob sie nun, verkürzt gesprochen, bevölkert war von den himmlischen Heerscharen in hierarchischer Ordnung, oder ob es sich um »Aberglauben« handelte, der tatsächlich oft im eigentlichen Sinn dieses Wortes ein alternativer Glaube gewesen ist. Die transzendente Welt war wirklich und wahrhaftig mit dem Tun und Denken fast aller verwoben. »Mittelalterliche« Gläubigkeit ist nicht gleichzusetzen mit jener Religiosität, die heute vorherrscht. Der »moderne« Christ jeder Konfession glaubt an den transzendenten, personalen Gott, an die individuelle Ewigkeit der einmal geschaffenen Seele und an eine unterschiedlich definierte Göttlichkeit Christi. Für die meisten »mittelalterlichen« Christen dagegen war eine religiöse Wunderwelt unmittelbar in das Dasein eingewoben, greifbar. In dieser Gedankenwelt lebend, unterschieden sie sich zwar nicht von den »Irrgläubigen« ihrer Jahr-

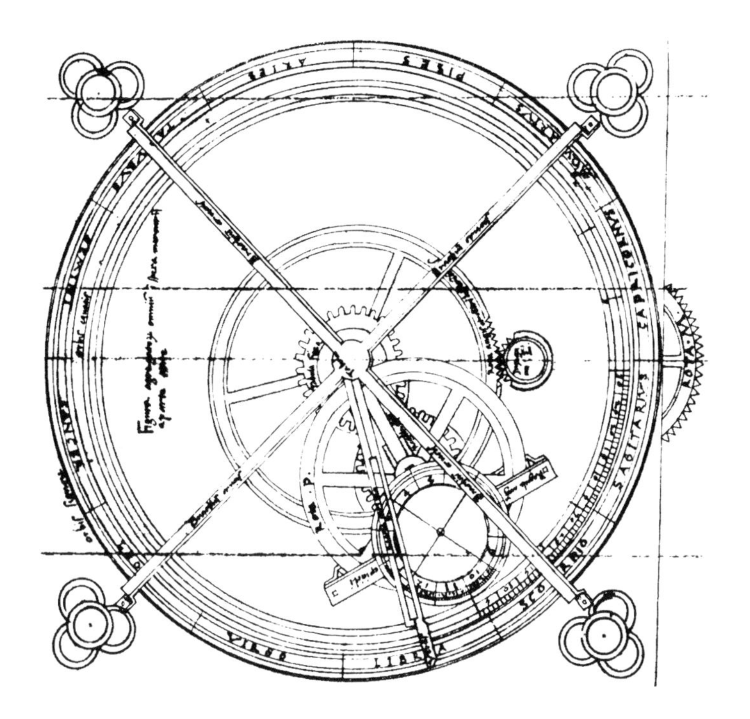

Das Merkurzifferblatt aus der astronomischen Uhr des Giovanni de Dondi, Astronom und Leibarzt Kaiser Karls IV., um 1380, in zeitgenössischer Zeichnung.

hunderte, allein der Inhalt des Glaubens führte hier und da weit auseinander. Die einen richteten sich nach der dogmatisch definierten Entfaltung der biblischen Offenbarung und ihrer Festlegung in einer jahrhundertelangen Tradition theologischer Kommentare. Die andern hielten im »Volksglauben« fest am Dasein von Dämonen, an der Wiederkehr von Toten, die im Unfrieden aus der Welt gegangen waren, an der steten Korrespondenz des menschlichen Daseins mit dem Übersinnlichen. Hierin trafen sie sich wieder mit den meisten Christgläubigen; die gemeinsame Überzeugung von der Bedrohung durch böse Mächte schlug die Brücke. Summarisch: Die Furcht vor Gott und Teufel hatte den meisten Anhang; der Glaube an Christus war offenbar nicht allgemein akzeptiert, und der katholische Glaubensartikel von der alleinseligmachenden Kraft der Kirche fand noch größere Einschränkungen.

Wir müssen uns also eine vielgestaltig ausgeprägte Vorstellungswelt vor Augen halten, in der die bewußte Beschränkung gedanklicher Bezüge auf das Sichtbare – und das heißt eben Skepsis und Atheismus – kaum Eingang gefunden hat. Ob heidnisch, christlich oder in den mannigfachen Mischformen, in denen die Botschaft der Kirche von einzelnen Menschen aufgenommen wurde: Die ganze »mittelalterliche« Welt vereinigte das irdische Dasein mit übersinnlichen Wirklichkeiten und schuf damit einen Horizont, der uns heute zum großen Teil verschlossen ist. Einmal, weil wir uns in einer säkularisierten Wirklichkeit bewegen, die das menschliche Dasein »verkürzt« auf seine irdische Existenz und die uns in allen staatlichen und gesellschaftlichen Erwägungen und Maßnahmen, ja vielfach selbst im kirchenpolitischen Bereich vom Übersinnlichen abschneidet. Es gibt aber noch einen anderen Grund, warum uns der Zugang zu jener als »mittelalterlich« bezeichneten Gedankenwelt schwerfällt: Jene Religiosität, in deren Rahmen Abaelard eine rationalistische Ethik auf-

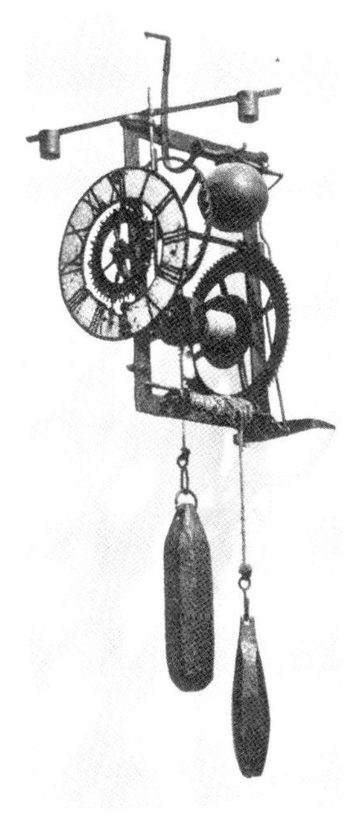

Räderuhr mit Gewichten und bereits dem 12stündigen Zifferblatt; der hochliegende Schwungbalken (»Seiger«) gilt als Vorläufer des Pendels; nach 1350.

Stunden und Tage zeigt die Ochsenfurter Uhr, auch rennen die Ochsen zur vollen Stunde aneinander und der Knochenmann, hier übrigens noch mit dem älteren Symbol des Tötens, mit dem Pfeil statt mit der Sense, hebt die Sanduhr: Memento Mori! Uhrenautomaten sind seit dem 14. Jahrhundert in erstaunlicher Exaktheit und Vielfalt gelaufen, und die neuen Spielwerke in Wien und in München zeigen ihre Beliebtheit auch noch in unserer Zeit.

Der Zisterzienserabt Aelred schrieb im 12. Jahrhundert einen Spiegel der geistlichen Liebe, in dem die Zisterzienserspiritualität gültigen Ausdruck fand: nicht unmittelbar Gott, sondern über die Freundschaft in geistiger Verbundenheit dem Göttlichen zugewandt. Die zeitgenössische Initiale U mit seinem Bild und der Überschrift Ailred monachus zeigt ein feingeistiges Gesicht, dem wohl Porträtcharakter zukommen könnte.

baute und sich anschickte, wohl nicht als erster, aber mit einer gewaltigen Folgewirkung, den Glauben durch Vernunft zu beweisen. Dadurch wurde eine neue Wirksamkeit des Glaubens aufgetan, deren Probleme uns noch heute beschäftigen.

Man hat den Aufbruch des Neuen im 12. Jahrhundert gelegentlich in Bernhard von Clairvaux und Petrus Abaelard personifiziert – und in ihrer erbitterten Auseinandersetzung. Der eine wurde heiliggesprochen, der andere kam vor ein Ketzergericht. Aber das erklärt wohl nur, daß der Mönch Bernhard im herkömmlichen Verständnis von Religion und Kirche leichter Anklang fand als der »Philosoph«, wie Abaelard sich selber nannte. Im Grunde wollten beide Neues, aber mit unterschiedlichem Akzent: Die Mystik von geistlicher Liebe und Freundschaft suchte der Zisterzienserabt zu ergründen, im Sinne sublimierter Klosterkultur und auch, um zum rechten Verständnis und zur religiösen Vertiefung der feudalen Grundstruktur in der gesellschaftlichen Organisation beizutragen: »Wird die Tatsache übersehen, daß die geistige Freundschaft die Grundlage der feudalen Ethik bildete, läßt sich die Leidenschaft und der Stolz der mittelalterlichen, ja der gesamten vormodernen Zeit nicht verstehen« (B. Nelson).

Übertragen auf den schier unendlichen Horizont der gesellschaftlichen Entfaltung bedeutet das unter anderem, daß seit dem 12. Jahrhundert individuelle Mystik und individuelle Ethik im Westen um sich griffen. Zu den weitreichenden Konsequenzen dieser Individualisierung zählt im religiösen Bereich die Ausformung der Lehre vom Purgatorium, vom »Fegefeuer«, das für das Fortleben des Individuums im Jenseits die Alternative von Himmel und Hölle in eine reiche Fülle von Läuterungsprozessen auflöste. Damit gewann die moralische Projektion an Tiefe, und mehr noch: Im Zusammenhang mit der kirchlichen Lehre von der Fürsorge und »Fürbitte« der Lebenden für die Toten gewann die Beziehung zum Jenseits besondere Intensität. Die Lehre war alt; sie war im Frühmittelalter vornehmlich den Mächtigen zugedacht gewesen, die Hausklöster gründen und Kirchen stiften konnten. Sie wurde jetzt volkstümlich für religiöse Leistungen, die jedermann zu erbringen imstande war, vom Fürbittegebet über die Totenmesse bis zur Stiftung von Kirchen und Klöstern durch Bauern und Bürger. Frömmigkeit wurde abgemessen, nicht durchwegs, aber in vielen Köpfen, die in der Kirche ebenso etwas »leisten« wollten wie in der Werkstatt: gezählte Gebete, Kniefälle, Wallfahrtstage.

Zur selben Zeit etwa wie der Zisterzienser Aelred lebte die Prämonstratenserin Guda. Ihr Mann, Graf Ludwig von Arnstein, verwandelte, wie auch andere Hochadelige der Zeit, seine Burg in ein Kloster, weil er keine Erben hatte, und trat dort selbst als Konverse ein. Guda ließ sich an der Kirchenmauer als Klausnerin nieder. Von Arnstein gingen, vielleicht nach diesem Vorbild, noch sieben weitere Gründungen als Doppelklöster für Männer und Frauen aus. Guda aber wurde selbst zur geistlichen Autorin und setzte ihr Porträt in eine der Initialen: »Guda, ein sündiges Weib, schrieb und malte dieses Buch«. Ist ihre abwehrende Hand nicht ein anschauliches Gegenstück zu der Geste Aelreds, der sich augenscheinlich seiner Anziehungskraft bewußt ist?

Hoppe, hoppe, Reiter ...

Achthundert Jahre lang hatte man die Verkehrsmittel zu Lande wie zur See ständig verbessert – Hufbeschlag, Kummet, Vorspanntechnik, vierrädrige Wagen, größere Schiffe, Segler mit neuer Takelage, die nicht mehr steuerbords das Ruder hatten, sondern von achtern aus exakter gelenkt werden konnten, seit dem Ende des 13. Jahrhunderts nach Kompaß, über das freie Meer, nicht mehr an die Küste gebunden. Die schnellste Art zu reisen aber war und blieb das Reiten. Das Pferd gehörte darüber hinaus zum Sozialprestige wie heute das Auto. Der Fuß im Steigbügel war oft der erste Schritt nach oben. Auch der militärische Aufstieg der Fußtruppen, der flämischen, englischen, Schweizer und hussitischen in spektakulären Schlachten änderte nichts an diesem Bild. »Hoppe, hoppe, Reiter«: Das »Kniereiterlied« bringt noch heute ein Stück Mittelalter ins Kinderzimmer.

Aber nicht nur mit seiner uns allen unbewußten und eigentlich verblüffenden Kontinuität, sondern auch durch den Kontrast: »Fällt er hin, dann schreit er«. Pflegen wir denn heute die gleiche derbe Realistik wie der mittelalterliche Kindervers, wenn von unserem Sozialvehikel, unserem Steckenpferd, vor kindlichem Gemüt die Rede ist? »Fällt er in den Graben, fressen ihn die Raben!« Tatsächlich: die Raben, die großen schwarzen Totenvögel des Mittelalters, hockten an jedem Straßenrand, an jedem Abfallhaufen, der in mittelalterlicher Ökologie gleich hinter der Dachtraufe begann; sie kreisten um jeden Kadaver und jedes Galgenholz kurz vor der Stadt, nur ein wenig abseits der Straße. Für den Reiter, den unvorsichtigen, eine drastische Warnung. Raben sind heute bei uns fast ausgestorben, verdrängt durch die kleineren, mißtönenden Krähen. Denn die Stimme des Raben ist wirklich, wie Äsops Fabel berichtet, nicht ohne Wohlklang; der Fuchs, der ihm damit schmeichelt, wußte es.

»Fällt er in den Sumpf, macht der Reiter plumps.« Mit diesem Wort hat das muntere Kinderlied sein Alter verraten. Es ist wirklich ein Lied aus dem Mittelalter, das wir mit unseren kleinen Reitern auf dem Knie noch heute singen,

Am Rande eines Turniers findet sich diese komische Szene eines Pferderennens, die nicht nur in sachlichen Einzelheiten, sondern auch in Gestik und Mimik der Teilnehmer eine augenfällige Wirklichkeitsnähe vermittelt – nicht zuletzt auch durch die Auflösung des kämpferischen Ernsts in Narrenszenen, um 1500.

nein: intonieren, in jenem altertümlichen Singsang, der sich eben gerade in Kinderliedern noch erhalten hat. Auf das Wort »Sumpf« reimte sich ursprünglich »plumpf«. Und so hieß es im Oberdeutschen bis ins 15. Jahrhundert. Das Lied muß also älter sein. Als es entstand, war noch »Sumpf« auf »plumpf« zu reimen, und erst später, als die niederdeutsche Form »plumpsen« sich allgemein durchsetzte, hat man ihr zuliebe mit der alten Reimform gebrochen.

Im Kinderzimmer ist diese gelehrte Erörterung natürlich sehr unpassend, denn mit eben diesem »plumps« ist das Stichwort zum vergnüglichsten Akt gefallen: Jetzt wird das liebe Kleine vom Knie des Großen nach hinten, nach vorn, zur Seite geneigt, wie auch immer: es plumpst in den Sumpf und kreischt vor Lust.

Das Mittelalter zeigte seinen kindlichen Reitern die Gefahren des Lebens, für uns ist der Tod tabu. Erst recht im Kinderzimmer! Natürlich muß, kann man einwenden, bei der Interpretation dieser unverhofft entdeckten mündlichen Quelle aus dem Kinderalltag des Mittelalters eine gewisse Dramatik zu bedenken sein, die den Rhythmus des Pferdehoppelns in die gespannt erwartete Katastrophe führt. Am Ende das befreiende Lachen. Natürlich. Aber vergleichen wir doch einmal diesen mittelalterlichen, derben und vielleicht sogar ein wenig schadenfrohen Umgang mit dem Unheil mit unseren Erziehungsmaximen und ihren harmonisierenden Neigungen angesichts der Katastrophe. Vergleichen wir doch, wie dieses Lied etwas einfängt von der Härte des Lebens, mit dem Tode droht, und alles dann doch ins Kinderlachen auflöst! Das ist der Kontrast.

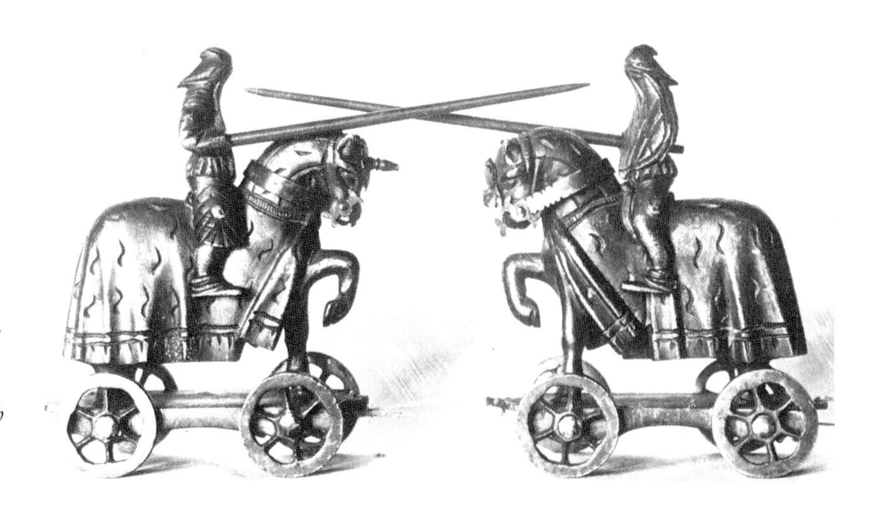

Ein Turnierspiel aus Messing, gewiß nur für hochgeborene Kinderhände bestimmt, aber doch auch da eine kindliche Vorübung für das Leben.

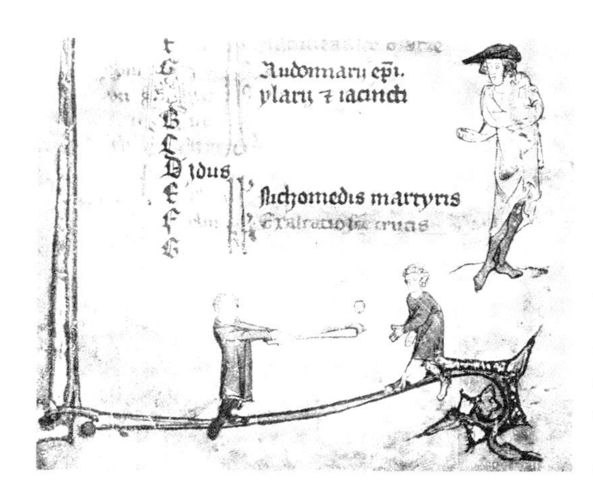

Baseball spielte man schon im Mittelalter. Die Drolerien am Rand einer ernsthaften Handschrift zeigen genau die wesentlichen Vorgänge: Ballschlagen und Fangen.

Wir kennen die Kinderwelt des Mittelalters nicht besonders gut. Zwar ist das göttliche Kind stets gegenwärtig und wird auch im Spätmittelalter, in Windeln gewickelt oder nackt und bloß in seiner Krippe, nicht mehr nur als Königskind wie in der Frühzeit, sondern in seiner Hilflosigkeit zum Objekt der Andacht. Aber es ist selbst dann noch ein göttliches Kind in der Distanz der Altäre. Mehr wissen wir vom Abc-Schützen, der eigentlich ein »Schützling« gewesen ist, einem älteren Schüler anheimgegeben; der schützte seine Rolle mitunter freilich nur vor, um seinen Schützling auszubeuten, wie uns Johannes Butzbach aus seinem Schülerdasein um 1490 erzählt.

Auch im Mittelalter war wohl die Puppe das beliebteste Spielzeug, mit Figuren aus Ton, Holz oder, in teurer Version, aus Karneol, dem fleischfarbenen Stein.

Spielzeug schlägt eine Brücke, manches ist uns aufgemalt. Es gab Kreisel, die man mit der Peitsche trieb, wie noch zu unserer Zeit. Oder bunte Tonkugeln, die Murmeln unserer Kindheit, und vielleicht sind auch die Spielregeln aus dem Mittelalter tradiert. Es gab Laufhilfen aus Holz, sicherlich auch Schubkarren und natürlich Holzpuppen. Es gab Steckenpferde und Räderpferde, Bälle aus Stoff und aus Leder, man spielte Federball und in England auch schon so etwas wie Tennis. Und selbstverständlich spielten auch im Mittelalter die Kinder das Leben der Erwachsenen.

In der Erziehung regierte die Autorität; mit einem gewissen Spielraum für die unbefangene Torheit, die sich am Nikolaustag, dem 6. Dezember, oder am Tag der unschuldigen Kindlein von Bethlehem, einen Monat danach, austollen durfte und mit einem »Kinderbischof« parodistisch über die Stränge schlug. Uraltes Brauchtum? Am nächsten Tag gab es wieder die Rute. Eine Kindheit ohne Strafen, Zeugnis früher Auserwählung, gehörte eigentlich schon zum Bestandteil eines heiligen Lebens.

Es gab eine hohe Kindersterblichkeit. Beobachten läßt sie sich am ehesten in den Dynastenfamilien im 15. Jahrhundert, mit wachsender Schriftlichkeit in der Volkssprache, auch im Bürgertum. Natürlich waren an Kinder Hoffnungen geknüpft; das sprunghafte Bevölkerungswachstum, das man gerade unter den Rodesiedlern erschlossen hat, auch der rasche Ausgleich der Pestverluste sprechen für viele Geburten, zehn, zwölf, sechzehn in einer Ehe. Das muß man hinzudenken zu jener Gesellschaft, die in ihren harten Bedürfnissen von der Männerwelt bestimmt war.

Frauen

Ein hartes Los für die Frauen. Wo es um Tod und Leben ging, waren sie auf ihre Weise ausgeliefert. Der Mann, der schon von einem Botengang, geschweige denn von einem Ritt über Land nicht mehr zurückkommen konnte, der immer gefährdet erschien in einer waffenklirrenden Welt, ließ, wenn er aus dem umfriedeten Lebensbereich von Haus, Burg, Dorf oder Stadt hinaustrat, die Frau mitnichten in Sicherheit zurück. Nicht nur, weil der Tod nach allen Menschen griff, sondern auch, weil die Frau in ihrer unersetzlichen gesellschaftlichen Funktion, im Kindbett, dem Tod weit eher ausgesetzt war als heute. Drei oder vier Ehen nacheinander in Dynastenfamilien, die für Nachkommenschaft sorgen mußten, weisen in der Regel auf den häufigen Tod im Wochenbett hin, der die Welt bis ins 19. Jahrhundert belastete. Aber auch die junge Witwe, deren Mann auf einer Handelsreise, auf dem Kreuzzug oder auf andere Weise in dieser an tödlichen Zufällen so viel reicheren Welt ums Leben gekommen war, gehört ins Bild der mittelalterlichen Gesellschaft.

Eine Privatschule empfiehlt sich: in Wort und Bild warb ein Basler Schulmeister 1516 für seinen Unterricht. An Alt und Jung, Männer und Frauen wandte er sich mit einem noch heute werbekräftigen Angebot: bei Nichterfolg Geld zurück – zugleich ein Beleg für den Rückgang des Analphabetentums in den Städten Mitteleuropas im Zusammenhang mit dem Buchdruck. Freilich gehts bei Schulmeisterin und Schulmeister selbst in der Werbung nicht ohne Rute!

Natürlich war diese Gesellschaft weit entfernt von einer Gleichheit zwischen Mann und Frau. Die Fragen, die man heute in diesem Zusammenhang stellt, sind Fragen unserer industrialisierten, vom Phänomen der Gleichberechtigung durchdrungenen Welt. Statt dessen gilt es, »eine Dualität zu kennzeichnen, die in der Vergangenheit zu selbstverständlich war, um bewußt und genannt zu werden, und uns so weit entrückt ist, daß sie meist mit Sexus verwechselt wird« (Ivan Illich).

Wir müssen den gegebenen Dualismus verstehen, der Männern und Frauen besondere Lebenswelten zuteilte, als unveränderlicher Bestand der Welt in den Köpfen gegenwärtig. Die prinzipielle Herrschaftsposition der Männer korrespondiert, im Rahmen der gesellschaftlichen Zwänge, immer deutlicher mit der Anerkennung weiblicher Funktionen in vielen allmählich wachsenden Aufgabenbereichen. In der religiösen Laienbewegung, als Regentin, im Zunftgewerbe, das »Frauenzünfte« akzeptiert: das 15. Jahrhundert bringt die »ehrsame

Alltag im Bürgerhaus: Kachelofen, Butzenscheiben, Bodenfliesen zeigen die Errungenschaften des Spätmittelalters für Wohlhabende. Kaufmännische Buchführung mit einer Rechenhilfe am Familientisch und Kindererziehung mit Rollenverteilung.

Christine de Pisan, die als junge Witwe um 1400 am französischen Königshof lebte, zählt zu den wenigen Frauen, die nicht nur zur Feder griffen in jenen Jahrhunderten, sondern die auch noch vom Schreiben lebten. Ihre Stellungnahme gegen Derbheiten des jüngeren Rosenromans machte sie bekannt, ihre utopische Konstruktion von einem »Frauenstaat«, cité des dâmes, ist bisher weniger beachtet worden. Hier läßt sich die Autorin von den Allegorien der Vernunft, der Rechtskunde und der Gerechtigkeit beraten; französische Handschrift des 15. Jahrhunderts.

Hausfrau« im bürgerlichen Lebenskreis in ein Bezugssystem zu Kirche, Küche und Kindern, nach Idee und Begriff.

Die Frage nach der Gleichberechtigung der Frau ist, wie gesagt, ein Lebensproblem der Industriegesellschaft. In den älteren Jahrhunderten galt sie nicht nur weniger, sondern auch anders, und insofern wird die in den letzten Jahren an neuen Themen entfaltete sogenannte Frauengeschichte ihre Perspektiven wechseln müssen. Nicht das Anliegen der Gegenwart, sondern das zeitgenössische gilt es zu suchen. Das zeitgenössische Anliegen aber bestand in einer eigenen Männer- und einer besonderen Frauenwelt, von denen die erste geschichtsträchtig war, stärker den Veränderungen zugewandt, sie auslösend, aber auch austragend, während die andere, die weibliche Welt, in vieler Hinsicht auf den inneren Lebenskreis des Hauses gerichtet, ältere Lebensordnungen auch länger bewahrte. Am längsten hielt sich dieses Gefüge in der bäuerlichen Welt. Als Lebensauffassung ist es erst mit der letzten Generation auseinandergebrochen und heute im Schwinden. »Das Mähen, Rechen, Aufladen und Heimbringen des Heus wie die Choreographie eines Balletts, in dem Männer und Frauen ihre vorgeschriebenen Schritte tanzten« (Ivan Illich), diese Choreographie ist nur in Nachklängen noch bekannt. Aber nehmen wir zum Beispiel das »Haus«: Noch immer begreifen wir es als die gemeinsame Wohnstätte von Mann und Frau, als Klammer um zwei voneinander getrennte Lebenssphären. Der Neuaufbruch Europas seit dem 12. Jahrhundert, die Intensivie-

In der Küche: Der offene Herd erlaubt mehrere Kochvorgänge zu gleicher Zeit. Die Kessel stehen entweder auf drei Füßen oder hängen an Ketten. Beachtenswert ist ein mechanischer Hähnchengrill, der die Unwucht beim Wenden ausgleicht. Rechts neben dem Herd werden Knödel geformt, auch Nocken, gnocchi, slawisch »Zapfen«, dumplings, boulettes, eine uralte Form der Getreideverarbeitung neben dem Backen von Fladen und Brot. Auf dem rechten Bild werden Soßen gerührt, eine besonders seit dem Spätmittelalter gepflegte Kunst mit noch heute berühmten Rezepten, und Fleisch gehackt; beides unter Aufsicht der Hausfrau von männlichen Köchen ausgeführt. Auch die Kochhaube hat schon mittelalterliche Tradition!

rung in allen Lebensbereichen, auch die gesteigerte Mobilität von Neusiedlern in Stadt und Land, verkleinert das »Haus« zur Ehegemeinschaft, die gemeinsam produzierte und gemeinsam besteuert werden konnte. Dennoch lebten Mann und Frau, Knechte und Mägde, Söhne und Töchter in getrennten Lebenskreisen. Das »Frauenzimmer«, der Stammtisch, Männersattel oder Damensattel, Stiefel, Haube und Hut, Sense oder Sichel – all das sind Ausdrücke besonderer Zuteilungen in den alten Lebensbereichen.

Die mittelalterliche Kirche ging mit der Weiblichkeit allem Anschein nach sehr ambivalent um. Das hängt wohl mit der Mönchsaskese zusammen. »Ohne Frauen wären wir Gott näher«, heißt es im selben 12. Jahrhundert, in dem Kirchenobere mit großem Respekt die religiöse Kraft der Frauenbewegung entgegennehmen. Noch Thomas von Aquin, der Dominikanermönch, teilt in seinen anthropologischen Erwägungen die vollkommenere Menschlichkeit unverkennbar nur dem Mann zu. Dennoch verschafft sich die Frau Bewegungsfreiheit in der Kirche, auch Gehör, obwohl ihr das Priesteramt nicht offensteht; die Abtswürde schon. Immerhin weicht die Geringschätzung: Neben die verführerische »Frau Welt« tritt die heilbringende Allegorie der »Frau Kirche«, neben Eva, die bei der Vertreibung aus dem Paradies vorangeht, tritt schließlich die »Schutzmantelmadonna« für einzelne Länder, Nationen, die ganze Christenheit.

Beide Bilder wandeln sich. Im Salve Regina, das die katholische Christenheit

Die »Schöne Madonna«, eine Stilvariante um 1400, trägt ein nacktes Jesuskind in einer besonders realistischen, für die Zeit bezeichnenden Darstellung – ein deutlicher Geschmackswandel zum früheren Mittelalter, das dem Christuskind meist Königsgewänder anlegte. Figur aus Altenmarkt im Pongau, in Prag vor 1393 entstanden.

Frauenberufe: Spinnen, Wollbereitung, Weben, hier mit beachtlicher Mechanisierung. Der Tretwebstuhl brachte einen entscheidenden Fortschritt in der Textilproduktion. Aus der Darstellung einer klösterlich lebenden Laiengemeinschaft, der Humiliaten in Oberitalien; 15. Jahrhundert.

noch heute singt, spricht Bernhard von Clairvaux von den »armen Kindern Evas«, filii Evae, während man bis dahin vornehmlich die Evastöchter apostrophierte. Und Maria wird menschlich. Das späte 13. Jahrhundert schafft die Pietà, die Schmerzensmutter; das späte 14. Jahrhundert macht sie ganz gemein mit ihresgleichen in den Schönen Madonnen, mit nacktem Jesuskind, zuvor eigentlich ein Sakrileg; und das 15. Jahrhundert komponiert die »Mutter Anna« hinzu, in vielen Bildern als »Anna selbdritt«, die Mutter Mariens, eine Heilige aus der Volksüberlieferung. Gerade sie wird, in deutlicher menschlicher Interpretation, Zuflucht für viele, und selbst der Jurastudent Luther rief, beinahe vom Blitzschlag getroffen, die heilige Mutter Anna an, um ihr seine Konversion zum Mönch zu geloben. Man hat bisher zu wenig beachtet, daß gerade

Tanzende Jongleuse über frühmittelalterlicher Notenschrift aus Aquitanien. Von Frauen unter den Spielleuten ist noch wenig bekannt, wiewohl sie offenbar besonders in Südfrankreich auch namhaften Anteil an der Troubadourlyrik hatten. Handschrift aus dem 11. Jahrhundert. Musik und Tanz, ständige Begleiter des Hoflebens, dienen nicht nur dem Zeitvertreib; sie prägen das Ideal einer ästhetisch und intellektuell anspruchsvollen Lebensform. Dabei gingen »weltliche« und »geistliche« Musik von früh an verschiedene Wege. Musikanten am Hofe von Anjou.

der Annenkult eine wichtige Distanz überwand, die eine noch so lebensnahe Marienverehrung niemals preisgab: Maria war Jungfrau und selbst »ohne Sünde empfangen«. Ihre Mutter Anna dagegen wurde verehrt als eine Frau aus dem Volk und aus der Lebenswelt der Laien.

Die Troubadours hatten die Weiblichkeit als solche auf den Schild gehoben. Erotische Literatur brachte sie im Geistigen nahe, derb im kunstvollen Latein des Vagantenpoeten Primas, feinsinniger beim Archipoeta, in den Sonetten des dolce stil nuovo und bei Oswald von Wolkenstein. Inzwischen hatte die bürgerliche Schwankliteratur – der jüngere Rosenroman, Boccaccios »Decamerone«, Chaucers Pilgererzählungen und zuletzt die grobschlächtigen »Rollwagengeschichten« des deutschen 16. Jahrhunderts – über ganz Europa ein anderes Bild von der Frau verbreitet: lebensfroh, listenreich, ihres erotischen Wertes sich bewußt. Man muß nicht glauben, daß die unterdrückte Frau nur als gejagtes Sexobjekt ihr Dasein fristete; sie wußte auch selbst zu jagen. Die dutzendfachen Bettgeschichten von Montaillou aus dem frühen 14. Jahrhundert, von einem neugierigen und wohl auch einfühlsamen Inquisitor, dem späteren Papst Benedikt XII., in einmaliger Ausführlichkeit zu Papier gebracht, bezeugen die durchaus freie Rolle der Frau auch in der Praxis. Allerdings dokumentieren sie auch die männliche Verführungskunst, auf manchen Wegen. Und natürlich hatte das Sozialprestige seine Vorteile, wie der Pfarrer von Montaillou bekennt; aber wann wäre dies je anders gewesen? Überhaupt Kleriker und Frauen: Beider Liebeskünste preisen schon die Vagantenlieder des 12. Jahrhunderts, und noch ein obszönes deutsches, aber bis heute volkstümliches Kinderlied läßt seine ursprüngliche Aussage ahnen, wenn man den ertappten »Affen« entschlüsselt: Es war der Pfaffe, den der Bauer unverhofft in seiner Kammer vorfand.

Weibliche Grazie wußte sich auch in erhabenem Prunk darzustellen, wie diese Grabfigur in Brou belegt; 15. Jahrhundert (oben). Dabei fehlte es nicht an jenen exzessiven Begleiterscheinungen, die Reichtum und Muße ermöglichen; Pisanellos bekannte Zeichnung eines Höflingspaares läßt das erahnen (links). Derselbe Schwung lebt freilich auch im geistlichen Frauenbild der Mariendarstellung (rechts).

Neue Forschungen sprechen von einer Erotisierung des Spätmittelalters, alte Bilder haben das längst sichtbar gemacht. Diese Breslauer Handschrift Mitte des 15. Jahrhunderts zeigt neben den bekannten Bade- und Speiseszenen aber auch den Besuch eines hohen Herrn mit kaiserlichen Emblemen im Freudenhaus, und das könnte auf bekannte Episoden aus dem Leben Kaiser Sigismunds gemünzt sein.

Der neue Realismus

Geht man den merkwürdigen Wandlungen nach, die den Menschen im 14., 15. Jahrhundert eingaben, die Welt mit anderen Augen zu sehen und ihr Zusammenleben nach neuen Gesichtspunkten zu beurteilen, dann darf man mit Fug von einem neuen Realismus sprechen. Freilich muß man beim Zusatz »neu« um Verständnis werben bei allen Einsichtigen, die den Realismus der großen Planungs- und Expansionszeit vor Augen haben, als man neues Land unter den Pflug nahm, Städte und Dörfer gründete, Brücken und Dome baute. Das alles freilich mit einem besonderen Bezug zu Maß und Ordnung der Dinge, wie sie vorgegeben schienen. In Abstufungen, die sich für das Mittelalter so wenig greifen lassen wie für unsere eigene Gegenwart, teilte sich diese Ordnung auch noch dem fernsten Dorfrichter mit.

Der *neue* Realismus des Spätmittelalters aber stellt gerade das transzendente Maß in Frage. Er bringt den Verlust der geoffenbarten Mitte. Vielleicht zeigt uns die veränderte Geographie diesen »Verlust der Mitte« am besten: Der

Eine Elisabethdarstellung von 1523 gibt zeitgenössische Auskunft über Armut und Alltagsleben: Kopfwäsche über einem Schemel, wie er noch heute gebraucht wird, mit zwei Gefäßen, ein Vorgehen, das vor kurzem noch, ohne Fließwasser, allgemein üblich war. Bei der Kopfwäsche ist gleichzeitig die Läuseplage bekämpft worden. Bluse, Wams, Schürze, Rock und Gürtel der Heiligen, wohl mit Tasche, ein Läusekamm, den ein Helfer im Hintergrund bereithält. Schmale Eisengeländer an den Treppen, ein Ambiente, das wir heute noch ähnlich vorfinden.

»ältere« Realismus verstand es zwar bereits, Städte, Flüsse, Kontinente in ein Kartenbild zu bringen; aber dieses Bild vereinigte sich mit der Vorstellung von einer großen Erdscheibe oder einem Oval, ringsum vom Weltmeer begrenzt. Städte, Flüsse, Meeresarme sind nur dem Namen nach zu identifizieren, kaum nach Lage und Relationen. Jerusalem, wo die Weltgeschichte ihren Ausgang nahm und wo sie nach apokalyptischer Verheißung auch ihr Ende finden sollte, liegt im Mittelpunkt. Im Osten erstreckt sich das Paradies: ein quadratisches Areal, mitunter durch die Figuren der Ureltern Adam und Eva gekennzeichnet. Noch um die Mitte des 14. Jahrhunderts entwarf Ranulf Higden in England eine solche Karte. Kaum eine Generation später brachte ein unbekannter Autor den sogenannten katalanischen Weltatlas aufs Pergament. Er reicht von den Azoren bis China. Zum erstenmal kommt auch die Windrose ins Kartenbild. Nach dem Vorbild der sogenannten Portulankarten für die Schiffahrt ist das sechsteilige Werk zusammengestellt. Nicht nur Städte und Flüsse sind recht genau situiert, sondern es treten, eine verblüffende Meisterleistung mit Kompaß und Meilenmaß, die vertrauten Umrisse des europäischen Kontinents hervor, besonders genau im Mittelmeerraum. Nach Gott und seinem Heilsplan wird nicht mehr gefragt. Da ist kein Platz mehr für das Paradies, das noch niemand gesehen und vermessen hat. Auch die Mitte der Erde läßt sich nicht

Erst der Kompaß verhalf unseren Karten seit dem 14. Jahrhundert zur Nord-Süd-Darstellung. Die alten Karten waren noch »orientiert« im wörtlichen Sinn, der Ostrand lag oben. So auch auf dieser zu ihrer Zeit eigentlich schon altertümlichen Karte in der Weltchronik des englischen Benediktiners Ranulf Higden aus der Mitte des 14. Jahrhunderts. Schwarzes Meer, Rotes Meer und Mittelmeer bilden ungefähr ein »T«, das diesem Kartentyp den Namen gab; Europa liegt links, Afrika rechts, Asien in der oberen Hälfte des Kartenbilds. Jerusalem bildet das Zentrum; das Paradies ist am Ostrand, also oben, als leeres Rechteck eingezeichnet, aus dem die drei Paradiesflüsse strömen. Heilsgeschichte ist damit zur Realität erhoben.

bestimmen, weil sie sich – nach den Berichten der Kaufleute von den Seidenstraßen, nach dem zunächst ungläubig aufgenommenen Buch des Venezianers Marco Polo (1254–1324) oder nach den Erinnerungen des Bischofs Johannes Marignola († 1359), des letzten in einer langen Reihe westlicher Ostasienreisender – nach Osten zu ins schier Endlose erstreckt. Marco Polo und Marignola hatten in China eine nach anderen Regeln erstaunlich gut geordnete Gesellschaft kennengelernt. Die fürsorgliche Mutter Kirche hatte die Franziskaner als Missionare nach dem fernen Osten gesandt und 1307 in Peking ein Erzbistum errichtet, freilich ohne Kontinuität. Immerhin gelangte die Kunde davon bis an den Kaiserhof, wo Marignola Hofchronist wurde. Das bisherige Bild der Erde jedenfalls schien nicht mehr brauchbar. Diskutierte man doch zur selben Zeit an den Universitäten von Paris und Prag bereits über ihre Kugelgestalt.

Das war noch für lange Zeit eine Diskussion ohne Beweise. Ähnlich ging es mit den Fragen nach einer Theorie von Kraft und Bewegung. Auch da war ein abstraktes Modell zu finden – noch weniger anschaulich als ein Kartenbild –, um zu erklären, was man seit jeher zu handhaben wußte. Der Pariser Professor Johannes Buridanus (um 1300 bis nach 1366) stellte eine Impetustheorie auf, die dem modernen physikalischen Verständnis erstaunlich nahekam. Aber damit traten ähnliche Probleme zutage wie bei der Frage, was es mit Jerusalem inmitten der Welt und mit dem Paradies im Osten auf sich habe. Fragen ohne Antwort. Die Lehre von Gott als dem ersten Beweger der Welt war jedenfalls nicht mehr so einfach ins Irdische zu übertragen, bis Galilei die Schwerkraft zu deuten verstand und die Beziehung endgültig entsakralisierte.

Vergleichbares kann man auch naturkundlichen Beobachtungen nachsagen. Da wurde, ein Beispiel von vielen, die Darstellung von Tier und Mensch seit dem 13. Jahrhundert gewaltig verändert. Zeigt sich zuvor in der realistischen Betrachtung doch immer wieder Typenhaftes in der Tiergestalt – wie etwa in der harmlosen Skizze von Katze und Ratte aus einem englischen Manuskript um 1200 –, so wächst zur gleichen Zeit oder wenig später in dem berühmten Falkenbuch, das Kaiser Friedrich schreiben und ausmalen ließ, unter der Devise, »zu zeigen, was ist, wie es ist«, die Kunst des Sehens. Natürlich ist ein solcher Versuch auch vom Deuten und Erkennen abhängig, weil eine unmittelbare Erfassung des Realen nicht möglich ist ohne eine Übereinkunft, wie das Gemalte und Gezeichnete anzusehen sei. Zudem ist die materielle Wiedergabe

Der katalanische Weltatlas entstand um 1375 und zeigt auf zwölf Pergamentblättern von 64x25 cm die bekannte Welt von den Kanarischen Inseln bis China. Ein Meisterwerk der Kartographie, zeichnet er nach Kompaß und Meilenmaß ein zum Teil verblüffend wirklichkeitsnahes Bild, gewonnen aus langer seemännischer Erfahrung namentlich spanischer und portugiesischer Seefahrer, und bietet zugleich ein realistisches Gegenstück zum symbolistischen Weltbild der vorangehenden Jahrhunderte.

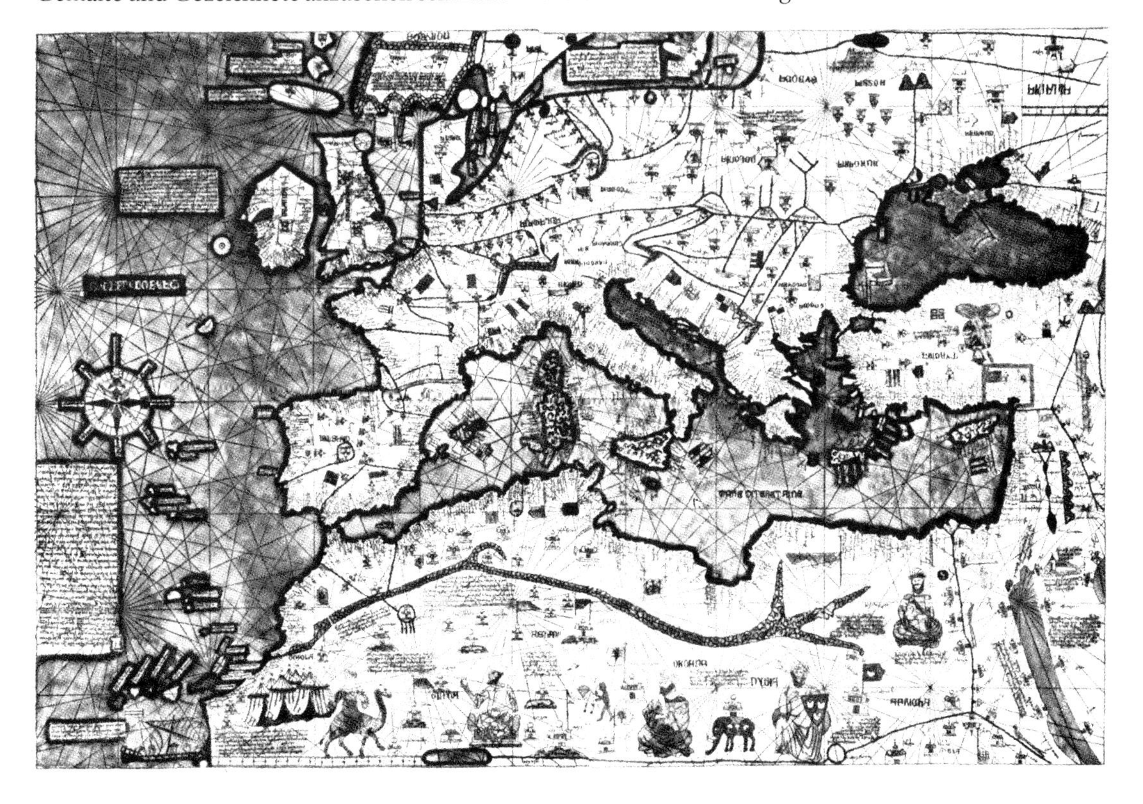

Eine Sammlung von Köpfen aus dem sogenannten Wiener Musterbuch, entstanden in Böhmen im ersten Viertel des 15. Jahrhunderts.

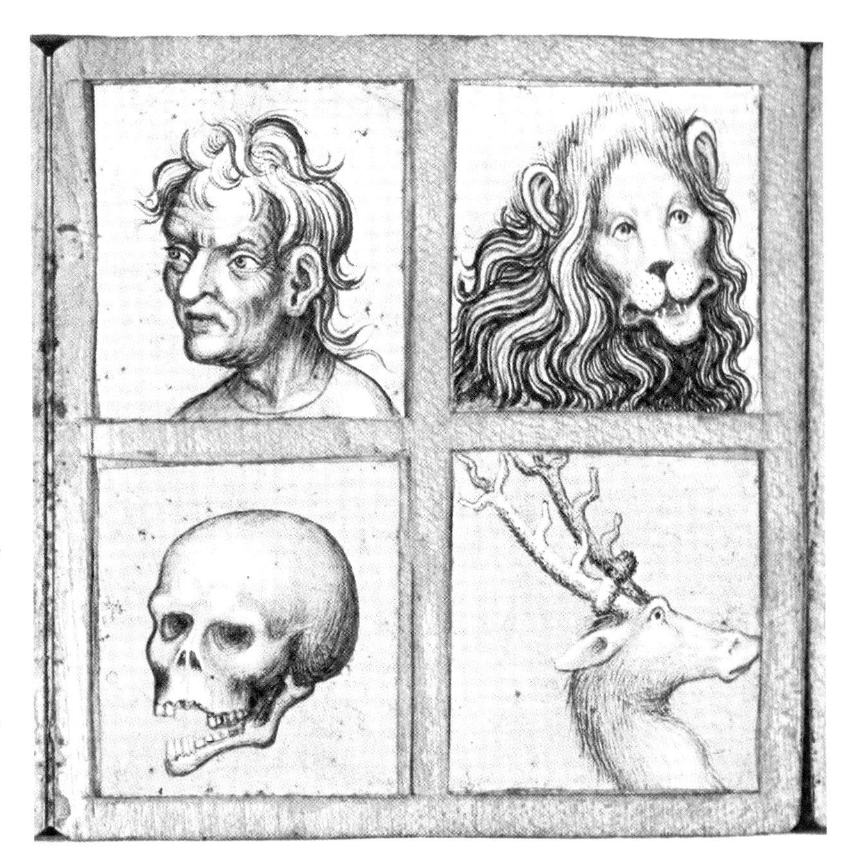

Wir wissen wenig vom Kommunikationsnetz des Mittelalters. Es erschien offenbar nicht berichtenswert, und doch war es anscheinend nicht übel darum bestellt. Es spannte sich zwischen Klöstern eines Ordens, Burgen eines Landes und vielleicht am besten zwischen einzelnen Städten. Schriftliche Botschaft mit und ohne Siegel der Stadt Frankfurt, deren Bote im sommerlichen wie winterlichen Dienstanzug auftritt, mit bemerkenswerten Laufhilfen wegen der Straßenverhältnisse.

bildlicher Impressionen immer an gewisse Techniken gebunden. Das Neue läßt sich somit am ehesten an bestimmten Szenen und Themen festmachen, wie sie die religiöse Vorstellungswelt anbot. Nicht eine unvoreingenommene Beobachtung der Wirklichkeit ist dabei zu erwarten, sondern die wachsende Anschaulichkeit »im Maß der sinnlichen Vergegenwärtigung« (Willibald Sauerländer).

Jagdbücher tragen ebenfalls zur Erkenntnis bei, weil ja die Jäger die Tiere nicht nur verfolgen, sondern auch beobachten oder pflegen, Hirsche wie Hunde. Vergleicht man die Miniaturen des 14./15. Jahrhunderts mit ihren thematischen Vorgängern im 12., dann tritt der Unterschied an ein und demselben Objekt hervor. Das 12. Jahrhundert konnte auf symbolische Deutungen der Tiere im Sinn seiner Bestiarien nicht verzichten: Der verschlagene Fuchs, der treue Hund, der mutige Löwe werden in typischen Abstraktionen festgehalten. Das spätere Mittelalter dagegen überläßt es augenscheinlich seinen Künstlern, auf eigenen Wegen der Realität nachzugehen. Auf eigenen Wegen – aber doch nicht ganz unabhängig von Malschulen, die sich unter anderem auch in der Tradition von Vorlagen niederschlugen; von Skizzenbüchern, die Typisches vermittelten. Solcherart wird wieder stilisiert.

Man hat den neuen Realismus in der Malerei oft vorschnell mit dem bürgerlichen Element in Verbindung gebracht. Tatsächlich erstreckt sich die Aufmerksamkeit mit bis dahin unbekannter Umsicht jetzt auch auf Handwerker

und Bauern, die vorher sozusagen nur als Staffage ins Bild kamen: auf ihre Berufe, auf die Eigenart ihrer Arbeit, aber auch auf den Alltag mit seinen hundert Kleinigkeiten, bis hin zu Dürers berühmten Rasenstücken. Wir erfahren in allen Details, wie man eine Brücke baut und eine Straße pflastert. Wir sehen die Botengänger von Klöstern und Städten vor uns, den Frankfurter Stadtboten gar in Sommer- und Winterkleidung. Die schweren Wagen rollen über die holprige Landstraße, und wir erkennen genau die Art des Beschlags. Aber so einfach »bürgerlich« ist dieser Realismus nicht. Er kennzeichnet ebenso auch das adelige Milieu in vielen Varianten, und er lebt von der Detailbesessenheit der Maler, Zeichner und Holzschneider, die freilich allesamt zünftige Bürger waren. Allenfalls gerät er im deutschen Sprachraum besonders »bürgerlich«, im Ober- wie im Niederdeutschen, wo man ihn am liebsten weiterverfolgte bis zu den berühmten niederländischen Genrebildern des 17. Jahrhunderts. Ein solcher Realismus kann auch bemerkenswert derb sein. Dadurch unterscheidet er sich augenscheinlich vom Realismus adeliger Lebensführung in ihrer Zelebrität, dem »Herbst des Mittelalters«, der sich mit gesellschaftlichen Idealen in großer Pose vereinigte – in Kampf- und Jagdszenen, auch in der Grabmalskunst, noch nicht in Familienbildern, die den nächsten Jahrhunderten vorbehalten sind.

Zum Realismus gesellt sich die Satire. Sie überzeichnet, aber sie bringt ans Licht, daß persönliche und soziale Untugenden ihr eigenes System besitzen.

Ein Postgeheimnis? Die Szene aus der Großen Heidelberger Liederhandschrift des 14. Jahrhunderts zeigt den Ritter Hartwig von Raute, augenscheinlich bei der Absendung eines Boten. Bedeutungsschwer ist die Geste des Herrn: er verschließt seinem Boten den Mund!

Satiren greifen nicht nur Sünde und Laster auf, was den älteren Tugendkatalog noch bestimmte. Sie sind vielmehr ein unumgängliches Stück Wirklichkeit, Ergebnis realistischer Einsicht; bei Licht besehen, kann man die Untugenden zwar beklagen und auf den moralischen Imperativ verweisen, aber man kann mit ihrer Hilfe auch zu einer besseren Weltkenntnis gelangen. Es ist also eigentlich heitere Aufklärung, was die Satire verheißt, auch die bittere. Einiges von dem, was unter diesen Vorzeichen im 14. Jahrhundert entstand, zählt inzwischen, immer wieder übersetzt und kopiert, zur Weltliteratur. Am Anfang steht auch hier die Antike und ihre Aufnahme in die Klosterliteratur.

Der Fuchs wurde schon im frühen 13. Jahrhundert zum Helden der Parodie auf die Adelsgesellschaft. Die neue Version von Reineke »dem Widerling«, Renart le Contrefait, zwischen 1320 und 1340 von einem Unbekannten aus der alten Marktstadt Troyes in der Champagne verfaßt, geriet dann zur umfassenden Gesellschaftskritik. Auf dem Boden einer immer wieder einmal beschworenen allgemeinen menschlichen Freiheit und Gleichheit sieht der Autor einen idealen Urzustand zerbrochen durch Gewaltanmaßung, und unter diesen Umständen stellt er die Untaten Reinekes in ein ganz anderes Licht: Er wird nicht zum Außenseiter, sondern geradezu zum Protagonisten. Die Grundthese darf man allerdings nicht vorschnell für originell halten. Sie zählt beispielsweise auch zum Ideengut der kaiserlichen Kanzlei und findet sich bei Friedrich II. wie bei Karl IV. Nur die Folgerungen sind andere: Die Kaiser leiten hieraus ihre Pflicht zur Herrschaft ab, um die Guten vor den Bösen zu schützen; der Autor des Renart le Contrefait dagegen sieht den Raub eng mit aller Obrigkeit verbunden.

Hundepflege und -therapie. Praktiken und Handgriffe reihen diese bildliche Darstellung unter die ansonsten meist beschreibenden »Fachbücher« der Zeit. Aus dem Jagdbuch des Gaston Phoebus, Ende 15. Jahrhundert.

Die Realistik des Spätmittelalters zeigt hier Brückenbau und Straßenführung in einzelnen Stationen mit einer sehr kostspieligen gepflasterten Straßendecke – bezeichnenderweise im reichen Flandern. Pflasterer arbeiten auch heute noch ähnlich mit Hammer und Schemel.

Weit plumper gestrickt ist die närrische Verkehrtheit Till Eulenspiegels. Er ist ein Zeitgenosse des neuen Reineke Fuchs. Aber der fahrende und seiltanzende Analphabet aus Niederdeutschland, vielleicht in Kneitlingen zu Anfang des 14. Jahrhunderts geboren, vielleicht in Mölln oder in Lüneburg um 1370 begraben, schuf mit allen Ausdrucksmitteln seiner Kunst mündliche Tradition: mit Gesten, mit Situationskomik, mit Wortspielen, sozusagen mit der Pantomime seiner Existenz. Schriftlichkeit erreichten seine derben Schwänke erst 1515. Um ihre Grobheit recht beurteilen zu können und damit auch ein Stückchen vom literarischen Niveau seines Publikums Anfang des 16. Jahrhunderts, als das Volksbuch vom Eulenspiegel umging, sollte man vielleicht das »Leben des Lazarillo von Tormes« danebenhalten. Es ist nur wenig jünger als das Volksbuch vom Eulenspiegel, nach 1525 in Spanien geschrieben, allerdings erst 1555 gedruckt. Auch hier sieht ein Schalksnarr die Welt, wenn auch in kindlicher Verkehrung, und berichtet vom betrügerischen Daseinskampf unter denen, die alle miteinander wenig zu beißen haben; aber er urteilt ungleich feinsinniger, nicht nur ästhetisch anspruchsvoller, weil es sich ja nicht um ein Volksbuch handelt, sondern auch weitaus dezenter im menschlichen Milieu.

Humaner Realismus fand sein literarisches und menschliches Vorbild natürlich bei Francesco Petrarca (1304–1374). Zu spät geboren für die klassische Latinität, zu früh für eine ersehnte neuere Zeit – nach seinen eigenen Worten –, ist Petrarca der Vater unseres Begriffs vom Mittelalter. Sein Kult um die geliebte Laura, die 1349 in Avignon an der Pest verstarb, ist die Übersetzung des höfischen Minnedienstes in die humanistische Poesie; zwei Generationen zuvor hatte sein Florentiner Landsmann Dante Alighieri (1265–1321), geradeso aus seiner Heimatstadt verbannt wie Petrarcas Vater, seine Geliebte, die mit 13 Jahren verstorbene Beatrice, im Paradies gesucht und gefunden. Akzentverschiebungen, von den Historikern später als eine »Entdeckung des Menschen« gepriesen. Die Beobachtung der eigenen Gefühle, unabhängig vom

Brief und Siegel für den Abt.

Ein unbekannter Florentiner Künstler des 15. Jahrhunderts hat hier die drei bedeutendsten Dichter seiner Zeit, alle drei mit dem Schicksal von Florenz verbunden, an einen Tisch gebracht: Dante, Petrarca und Boccaccio. Nebenbei haben wir hier ein frühes Zeugnis für die Technik des Kupferstichs vor uns. Wahrscheinlich den Harnischmachern entlehnt, die Stahlplatten durch Ätzungen verzierten, wurde die Ätztechnik in Kupfer und Stahl seitdem neben dem Holzschnitt für Jahrhunderte zur Reproduktion von Bildern verwendet, in Einzelblättern wie im Buchdruck.

Glauben, die Intellektualisierung des persönlichen Daseins, gestützt auf die Wiederentdeckung der Schriften Ciceros, Ovids und Senecas, der selbständige Aufbruch zu einem religiösen Dasein ohne Vermittlung der Kirche begründeten in Italien das Ideal humanistischer Lebensführung, das nördlich der Alpen zwar Anklänge fand, etwa in der Wiederbelebung der Schriften und der religiösen Persönlichkeit des Kirchenvaters Augustinus, das aber doch nicht als Frühhumanismus bezeichnet werden sollte. Erst hundert Jahre später, in Frankreich wohl eher als in Deutschland und vielleicht angeregt durch das Baseler Konzil und seine Delegaten aus Italien, läßt sich auch außerhalb Italiens von einer humanistischen Bewegung sprechen. In Italien selbst aber war der bedeutendste humanistische Dichter ein etwas jüngerer Zeitgenosse Petrarcas aus dem florentinischen Sprachraum, Giovanni Boccaccio (1313–1375). Mit seinem Decamerone, dessen einhundert Geschichten meist nur in einseitiger Auswahl im Gedächtnis haften, beginnt die große Kunst der europäischen Novellistik.

Auch der für »Frühhumanismus« immer wieder zitierte »Ackermann aus Böhmen«, der offensichtlich Ende des 14. Jahrhunderts in mehreren Fassungen entstand und seine endgültige Form um die Jahrhundertwende erhielt, ruft Gottes Hilfe und Entscheidung direkt an – ohne die Vermittlung der Kirche. Außerdem kreist dieses frühneuhochdeutsche Streitgedicht um eine den bisherigen Vorstellungen unangemessene, im Grunde unchristliche Verfluchung des Todes. Kein Einzelfall: Seit der Mitte des 14. Jahrhunderts ging eine neue, auf ihre Weise ebenfalls realistische Sicht des Todes um. Nicht erst die Pest brachte Darstellungen hervor, in denen nicht das Ende des Lebens als Heimkehr zu Gott oder die »Kunst des Sterbens« als eine besondere Frömmigkeitslehre dominierte, sondern in denen sich das Lebendige aufbäumte gegen die Verwesung. Die Abscheu vor dem menschlichen Leichnam wird zum Motiv, auch zum Motiv für das Memento mori, während »der grimme Tod mit seinem Pfeil«, bisweilen auch in Frauengestalt, wahllos unter die Lebenden zielt. Selbst die Passion Christi zeigt mitunter eine erbarmungslose Häßlichkeit.

Der personifizierte Tod hat nicht immer die uns seit dem Spätmittelalter vertraute Gestalt des Knochenmannes, sondern ist gelegentlich auch als alte, dennoch übermächtige Frau aufgefaßt worden.

Der Erzengel Michael schlägt dem Antichrist das Haupt ab und beendet damit die Schreckensherrschaft dieses »Scheinheiligen«; die Teufel fliehen, die Welt geht nun der tausendjährigen paradiesischen Herrschaft Christi entgegen. Die Legende aus der Spätantike übte in der Krise des Spätmittelalters besondere Anziehungskraft aus. Hier eine Illustration aus einem Blockbuch, in dem Holzschnitte gedruckt, Texte geschrieben wurden, um 1430.

Das volle Ausmaß des Entsetzens richtete sich auf eine verbreitete undogmatische Deutung der Apokalypse. Danach stand der Menschheit eine grausame dreijährige Herrschaft des Antichrist am Ende der Zeiten bevor. Diese Voraussage hatte seit der Spätantike eine eigene Entwicklung als Volkslegende durchlaufen, war in vornehmer aristokratischer Variante als »Spiel vom Antichrist« im Kloster Tegernsee aufgeschrieben worden und kehrte nun, geradewegs als Krisenphänomen, im Gewand des Volksbuchs in drastischen Versionen wieder, schon vor der Erfindung der beweglichen Lettern weitverbreitet. Wie da die Rechtgläubigen gemartert und gepeinigt werden, wie der Antichrist zuletzt selber ein grausames Ende findet, wird in Wort und Bild zum Anreiz der grellsten Empfindungen.

Der neue Realismus ging mit dem Begriff der Heilsgeschichte ansonsten jedoch anders um: Er drängte sie zurück. Schon der kalabresische Abt Joachim von Fiore († 1202) hatte mit seiner Version von einem neuen Zeitalter des

Heiligen Geistes, einem dritten Reich nach der biblischen Zeit Gottvaters und der christlichen Epoche des Gottessohns, die Grenzen des mittelalterlichen Zeit- und Zukunftsverständnisses gesprengt. Denn alle anderen Interpretationen sahen die christliche Ära als Endzeit der Weltgeschichte. Anders als Joachim de Fiore, dessen Spekulationen gleichwohl noch lange fortwirkten, sogar bis in die neuere Zeit, setzte der spätmittelalterliche Realismus das Ende der Welt in weite Ferne, suchte es, wenn überhaupt, in astrologischen Kombinationen zu erfassen und erwartete es, nach abweichenden Vorhersagen, um das Jahr 2000 oder kurioserweise auch genau 1789. Damit war Raum geschaffen für die Entwicklung einer begrenzten und kalkulierbaren Zukunft. An die Stelle der heilsgeschichtlichen Ungewißheit trat die menschliche Unsicherheit. In Wirklichkeit geriet das eine wie das andere in den Hintergrund, und eine grenzenlose Weite rückte in den Kreis des Wahrscheinlichen. So war das Weltbild nach Zeit und Raum entgrenzt und jenem Bereich anheimgegeben, wo Orientierungslosigkeit den Ausschlag gab. Just in dieser Unsicherheit »hört das Mittelalter auf, das sich als Endzeit begriff« (Herbert Grundmann). Ohne daß sich ein solcher Wandel in diesem oder jenem, in vielen oder in allen Köpfen belegen ließe, zeigt er sich doch in den Bildern. Das alte Glücksrad der Fortuna, das nach antikem Vorbild Könige steigen und stürzen läßt, beliebt im älteren Realismus des 12. Jahrhunderts, verliert an Anziehungskraft. Eine ganz andere Allegorie tritt schließlich an seine Stelle: Der Triumph der Zeit, den Pieter Bruegel Anfang des 16. Jahrhunderts ins Bild setzte, der unaufhaltsame Wagen des Chronos, rollt über Tod und Leben, über Aufbau und Zerstörung, über alles Dasein hinweg. Das alte Glücksrad lief im Kreise. Die Fahrt des Chronos aber geht immer geradeaus. Wohin sie geht, kann niemand sagen.

Schicksalsdenken ist eine grundlegende Kategorie der menschlichen Lebensauffassung. Verblüffenderweise lebte im christlichen Mittelalter neben der Hoffnung auf göttliche Führung auch der antike Fortuna-Begriff, vereint mit der Aussage von der Unerforschlichkeit göttlicher Ratschläge, aus breiter Gedankentradition vermittelt durch das Bild vom Glücksrad in der Schrift »Vom Trost der Philosophie«, die der todgeweihte Boethius 524 im Kerker Theoderichs verfaßt hatte. Nach einer französischen Handschrift des 15. Jahrhunderts. Die Aussprüche lauten: REGNO, ich regiere, bei der Figur oben; REGNABO, ich werde regieren, bei der aufsteigenden Figur; REGNAVI, SUM SINE REGNO, ich habe regiert, ich bin ohne Reich, unter dem Rad. Das Rad der Geschichte, zu dem dieses Glücksrad durch den Bezug auf die Könige geworden ist, vermittelt übrigens auch eine technische Neuerung: Aus der Kurbel, die seit der Spätantike bekannt war, wurde in Räderwerken des 14. Jahrhunderts die Nokkenwelle entwickelt.

Die Kreuzigungsszene einer Handschrift des 15. Jahrhunderts, vermutlich aus der böhmischen Doppelabtei Břevnov – Braunau, zeigt deutlich die Neigung zu drastischen Darstellungen jener Zeit am Körper des Gekreuzigten wie an den blutsprudelnden Wunden.

Märchen, Sagen, Legenden

Die Mediävistik hält sich zum größten Teil an das Wort, an Bau und Bild, berichtet also von Oberschichtenkultur. Wurden dazu Alternativen gelegt? Kann man, sozusagen zur ersten Verständigung, Steinbauten und Holzbauten einander gegenübersetzen, Schlösser, Kirchen und Rathäuser hier, Fachwerk- und Blockhäuser dort, die sich nach Grundriß und Bautechnik, nach Schmuck und Funktion allein schon als »volkstümlich« ausweisen? Hat das Volk, das tausendköpfige, auf den Landstraßen und Wallfahrtsorten, auf den Märkten und auf der »Walz« der Gesellenzeit, das zu Lande und zu Wasser so mobile, der Aufsicht seiner Grundherren und Pfarrer enthobene Volk nicht vielleicht in Sagen und Märchen heimlich den Bericht von einer anderen Lebensweise hinterlassen, andere Daseinsmodelle, andere Helden, gar andere Werte?

»Mündliche Literatur« (Hugo Kuhn) ist gewiß ein entscheidender Traditionsträger, aber eben ein schlechter. Die These, Märchen seien »oftmals die einzige Form, in der Unterdrückte, verfolgte Minderheiten und Randgruppen ihre Grundsätze, ihre Ideale und ihre Kritik an den bestehenden Verhältnissen im Volk verbreiten konnten« (Marlies Hörger), wird vor der ruhigen Überlegung sicher nicht bestehen können. Märchen folgen der Mehrheit. Es muß in Wirklichkeit einen spektakulären Impuls geben, in dem die Opposition sich wiedererkennt. Ein Robin Hood, ein Jan Hus, auch ein »umfunktionierter« Barbarossa im Kyffhäuser muß wirklich gelebt haben; oder seine Fiktion muß in einem bestimmten Raum so lebendig gewesen sein wie die vom Rübezahl. Es muß jemand aussagekräftig sein, damit er sagenbildend wird.

Drolerien am Pergamentrand brachten unvermutet Heiterkeit sogar in sakrale Texte. Vielleicht sollten sie beim Chorgebet die Lesenden heimlich aufmuntern. Überhaupt fand das Mittelalter bei aller sakralen Würde immer einen kurzen Weg zur Parodie.

Die europäischen Märchen führen uns allesamt ins Mittelalter, und das verdient besondere Aufmerksamkeit. Verfolgt man sie genau, führen sie meist deutlich ins Spätmittelalter, in die »goldene Zeit der Handarbeit«, vor Krise und Pest; ein tapferes Schneiderlein bekam die Königstochter, ein gestiefelter Kater machte seinen Müllerssohn zum Territorialherrn. Die scheinbar unbegrenzte Mobilität jener Zeit ins Weite und Große regte dazu an, die einfachen menschlichen Tugenden auf den Weg zu bringen. In allen Märchen kommen Straßen und Waldwege vor, Schluchten und hohe Berge, Wallfahrten, Seefahrer und Kriegszüge; in allen spiegelt die spätmittelalterliche Mobilität sich wider – die räumliche wie die soziale. Die Menschen sammeln »Erfahrung«, und dabei begegnen sie auch den alten Mächten. Solchen, deren mythische Kraft schon damals nicht mehr glaubhaft erschien, wie dem täppischen Riesen des tapferen Schneiderleins, oder solchen, die in uraltem Atavismus ihre Gestalt verwandeln, sogar getötet und zerstückt werden und dennoch ohne Verlust überleben – Erinnerungen an uralten Totenkult.

Die Jahrhunderte der »Neuzeit« haben diese »mündliche Literatur« so lange tradiert, bis sie der Historismus des 19. Jahrhunderts quellengerecht festhielt. Das erscheint auf seine Weise so aufschlußreich wie der Inhalt des Erzählten. Um 1800 zog sich »das Volk« zurück auf den Besitzstand des Spätmittelalters; die Brücke, die man baute, verband Alter und Kindheit:Märchen erzählt die Großmutter. Den wachsenden Zentralismus des modernen Staates, den Amtmann, den Büttel, gar den Beamten, den Lehrer oder den Ingenieur nahm man nicht in die Märchen auf, so wenig wie die Entdeckung Amerikas, den Kampf der Konfessionen oder die Erfindung der Dampfmaschine. Unsere Märchen entspringen einer geschlossenen Erzähltradition und tragen offensichtlich einer weitgehenden gesellschaftlichen Einbindung Rechnung. Sie vermengen Uraltes mit den Entwicklungen des späten Mittelalters, wobei es einer besonderen Erläuterung bedürfte, warum in deutschen Märchen die Kirche eine so geringe Rolle spielt. Insgesamt legen sie Zeugnis ab vom Rückzug ihres Publikums gegenüber der neuen Zeit. Im Märchen gibt es keinen absoluten Staat und keine Revolution. Seine Harmonie bringt nur einfache gesellschaftliche Bezüge, selbst wenn einer die Königstochter gewinnt und mit ihr glücklich über viele glückliche Untertanen regiert.

Das Einhorn als Fabelfigur kam von Indien und Persien in die Antike. Den Wunderbericht von dem seltsam scheuen und wilden Tier, das aber zutraulich seinen Kopf in den Schoß einer Jungfrau legt, und den entsprechenden Kult mit dem vorgeblichen Hornschmuck, meist Narwalzähnen, verdankt Europa einer symbolisch deutenden Tierkunde aus dem 2. Jahrhundert, dem im Mittelalter weitverbreiteten »Physiologus«.

Elastischer geben sich Sagen und Legenden, auch fortschrittlicher. Aber sie erzählen selten von der Sehnsucht der einzelnen nach der gerechteren Welt, sondern oft nur Schreckliches. Heiligenlegenden, als kirchlicher Beitrag zur Volksliteratur, leben bei steter Pflege bis in die Gegenwart. Das Spätmittelalter hat darin allerdings eine eigene Position. So wie sich die aristokratische Kirche der Frühzeit in ihren Heiligenlegenden einen Spiegel schuf, so treten die großen Reformer im 12. und 13. Jahrhundert auf den Plan, und nach ihnen Volksheilige *für* das Volk und *aus* dem Volk. Das gilt für Katharina, die Bürgerstochter aus Siena, für den südfranzösischen Eremiten Rochus, den böhmischen Generalvikar Johann von Nepomuk, einfacher Herkunft, für den Schweizer Bauern Nikolaus von der Flüe und vor allem für die vierzehn Nothelfer, ein Ensemble, das man zu dieser Zeit in Franken zusammenstellte. Es nahm seinen Weg durch die ganze Kirche. Mit besonders großen Schritten aber eroberte sich damals der heilige Christophorus, der »Christusträger«, die Christenheit. Man hatte ihn nach seinem Namen glatterdings erdichtet. Er wurde dennoch als ein Heiliger wirklich verehrt und grüßt von manchen kirchlichen Außenwänden um 1500. Wer ihn sieht in seiner letzten Stunde, wird nicht verdammt werden.

Ein solcher Glaube entsprang nicht der offiziellen Kirche, sowenig wie die Ablaßzahlungen, die 1456 zum letzten Mal einen Kreuzzug finanzieren sollten, für den Johannes von Kapestran eifernd durch die Lande zog, schon damals vielen zum Ärgernis. Es ist vielmehr ein Stückchen eigener Frömmigkeit, die

Jagd und Jäger wurden auch spöttisch angesehen. Weniger gern als zu seinem Jagdglück bekannte sich der Jäger zu einer solchen Szene, in der die Tiere über ihn triumphieren.

sich die Leute ausdachten, weil sie die Kirche nicht besser unterrichtete; und weil die causa reformationis ja doch weder auf dem Konstanzer noch auf dem Baseler Konzil gelöst worden war. Alternative Frömmigkeit, einschließlich des Irr- und Aberglaubens in gebildeten Köpfen, erlaubt die Frage nach einer Krise der Frömmigkeit überhaupt.

Die Martern der heiligen Agathe, Anfang des 16. Jahrhunderts in grausiger Anschaulichkeit vor Augen geführt, sind gewiß kein Anreiz zu frommer Erbauung.

Rechte Seite: »Vierzehn Nothelfer« stellte die fränkische Volksfrömmigkeit für die Nöte der einfachen Leute zusammen. Ihre Verehrung verbreitete sich über den ganzen deutschen Sprachraum, nach Schweden, Ungarn und Italien. Hier ist ein treuherziges hölzernes Ensemble aus der alten Dorfkirche von Haar bei München, um 1500 entstanden.

Frömmigkeit

Mit dem Aufstieg der Laien zur Mitsprache war nicht nur die religiöse Sensibilität zu Wort gekommen. Die freilich auch, und vielleicht sollte man zuerst von ihr sprechen. Als Konkurrenz zur theologischen Gelehrsamkeit und gleichzeitig mit ihr wuchs seit dem 12. Jahrhundert die mystische Versenkung in Gebet und Betrachtung. Bernhard von Clairvaux, der sich selbst die »Chimäre« seines Jahrhunderts nannte, hatte mit seiner Mystik von der Seelenbraut den Weg gebahnt. In der Volkssprache korrespondiert ihm etwa das Trudperter Hohelied aus der zweiten Hälfte des 12. Jahrhunderts, eine erste Probe deutscher Seelenmystik, entstanden in der Schwarzwälder Benediktinerabtei. Die Mystik, hundert Jahre später mit europäischem Anspruch auftretend und auf ihrem Höhepunkt in den Spekulationen von Meister Eckart, einem Schüler Alberts des Großen aus dem Dominikanerorden, wurde dabei nicht nur Theologie-, sondern auch Kirchenersatz: Wenn einer auf einen Stein tritt in der rechten Gesinnung, lehrte Eckart, so hat er für sein Seelenheil mehr getan, als wenn er das Abendmahl nimmt ohne sie. Das lief nicht nur der kirchlichen Pastoralpraxis zuwider, sondern wies auch einen verdächtigen Weg, auf das Priesteramt überhaupt zu verzichten, wie es später aus anderen Zusammenhängen die Reformation nahelegte. Im besonderen Maß aber wurde die Mystik zum religiösen Weg der Frauen, denen die gelehrte Theologie verschlossen blieb.

Das Spätmittelalter entwickelte aus dieser Intention zwar eine reiche Brief- und Tagebuchliteratur, aber eine alternative Lebensform entstand daraus nicht. Lediglich, daß sich bei einer gewissen Überfüllung der Klöster die frommen Frauen und Männer außerhalb der regulierten Orden zusammenschlossen, mit eigenen Lebensregeln, teils ohne »ewiges« Gelübde, teils aber auch in lebenslanger Selbstverpflichtung. So entstanden, besonders am Rhein und in den reichen Niederlanden, die Beghinenhäuser für fromme, oft wohlhabende, aber unversorgte Töchter. Sie übernahmen es, auch für andere zu beten, und wurden so zu »Betschwestern«. Umgekehrt nennt man noch heute in Italien übereifrige fromme Frauen mit deutlicher Geringschätzung oftmals »Beghinen«.

Demselben Ansatz verdankt auch die Devotio moderna ihre Entstehung. Deren Enstehungsort allerdings ist umstritten. Eine Zeitlang behauptete man, sie sei von Prag ausgegangen, wo drei fromme Priester nacheinander, ein Deutscher und zwei Tschechen, Büßende um sich scharten, Prostituierte, die zu einem frommen Leben zurückkehren wollten, und dazu eine Predigerschule. Gewiß ein riskanter und deshalb besonders vitaler Versuch. Der ehemalige Domherr Jan Milič von Kremsier († 1374) nannte seine Prager Wohngemeinschaft von Dirnen und Predigern ein »neues Jerusalem«, und darin schimmert schon Eschatologisches, abgesehen von seinen ausdrücklichen Äußerungen über Weltende und Antichrist. Niederländische Studenten sollen in Prag mit ihm bekannt geworden sein. Aber Gerard Groote (1340–1384), der seit 1374 Anhänger zu einem evangelischen Leben um sich sammelte, war nicht nachweislich in Prag, und so mag die niederländische Devo-

Mantelspende des heiligen Martin im Sinn des »neuen Realismus«: »In der Begegnung zwischen dem makellosen, schönen Ritter und dem entstellten häßlichen Bettler ist eine soziale Rollenverteilung idealtypisch zugespitzt« (W. Sauerländer).

tenbewegung – pragmatisches Bibelchristentum, verbunden mit frommer Handarbeit – weder direkt mit der Prager Laienbewegung noch auch mit dem böhmischen »Malogranatum«, dem Granatapfel, im Zusammenhang stehen. Dieser große Dialog über die rechte Frömmigkeit verbreitete sich um diese Zeit rasch über die ganze Christenheit. Aber er kam aus einem Zisterzienserkloster und war auch nicht ohne weiteres Laien zugedacht. Allerdings verbreitete das Buch eine Frömmigkeit des Herzens, die »nicht nur wenigen Auserwählten, sondern der Schar der Frommen, devoti genannt, Gottesnähe zu erfahren verspricht« (Manfred Gerwing).

Alternativen zum kirchlichen Leben boten die Ketzer. Katharer, wie die Inquisition von Montaillou zeigt, gab es nur mehr in Rückzugsgebieten; ihre Ideen waren recht verschwommen, und sie waren kaum organisiert. Nur die Waldenser hatten eine heimliche Gegenkirche aufgebaut; sie wurden gelegentlich von der Inquisition aufgespürt und grausam verfolgt, allerdings nicht ohne sich zu wehren, wie in Böhmen um die Mitte des 14. Jahrhunderts, wo der Inquisitor seinen Eifer mit dem Leben büßte. Da gab es Bischöfe und reisende Priester – in der Lombardei, im Alpenraum, in den Neusiedelgebieten des östlichen Mitteleuropa. Die Waldenser lebten im besten Sinn nach dem Evangelium, oft als unauffällige Pfarrkinder, und ihre heimlichen Zusammenkünfte sind uns nur durch Inquisitionsakten überliefert. Im übrigen ist ein Zusammenhang zwischen den dichten Siedelgebieten in Oberitalien und im Nordwesten Europas unverkennbar. Hier wie dort brachen sich aber auch noch alle möglichen religiösen Strömungen Bahn. Ihre gemeinsame »Verketzerung« durch die offizielle Kirche schuf einen alternativen Typus von Ketzern, geprägt durch

die Inquisitiongerichtsbarkeit. Als Rechtsinstitut hat die Inquisition antike römische Wurzeln. Die Kirche bediente sich ihrer nach einer »besonders verhängnisvollen Ansicht« des heiligen Augustinus (Paul Mikat), von Kaisern und Königen unterstützt, seit 1252 mit Hilfe der weltlichen Gerichte und ihrer Folter. Die Aussagen der Beschuldigten waren oft vom Fragespiel der Inquisitoren bestimmt, und in ihrem Vorwurf, das Treiben der Ketzer sei lichtscheu, war auch das Orgiastische ein fester Bestandteil. Dieselben Vorwürfe hatte man einst gegen die Urkirche erhoben, und es fällt schwer, hinter dieser Typenbildung Realitäten zu suchen.

Waldenserinnen, »des Vaudoises«, als Hexen; französische Handschrift des 15. Jahrhunderts.

Der Volksglaube wußte freilich noch eine andere Alternative. Gelegentlich wird sie greifbar in Berichten von wilden Tänzen. Tanzen spiegelt die Gesellschaft wider, bezeichnenderweise als Ständetanz, aber es war auch möglich, im Tanz die Konventionen dieser Gesellschaft abzustreifen. Tanzende störten die Ruhe auf Friedhöfen; tanzende Frauen in einem Dorf feierten die Geburt eines Kindes als ureigenste Weibersache. Die »Tanzwut« grassierte 1071 in Dessau, 1237 in Erfurt, 1278 in Utrecht, 1375 in Aachen, 1418 in Straßburg, Köln und Metz, und ist aus Italien im 15. Jahrhundert als Tarantismus bekannt. Sie beschäftigte schon Paracelsus; erklärt hat er sie nicht.

Wilde Männer

Ungeklärt ist auch das Leben von Wilden Leuten, Männern und Frauen, die gelegentlich im Bild auftauchen. Manchmal zottig, oft nackt, mit Kränzen im Haar, feiern sie ein freies Dasein, denn der Wald ist noch groß und die Obrigkeit weit, wenn man ihren Ordnungen einmal entlaufen ist. Die Wilden Leute sind aller Bindungen ledig, und ihr Dasein ist herrlich: Es steckt etwas von der Sehnsucht nach dem Paradies in solchen Darstellungen, zumindest für die Zurückgebliebenen. Manchmal sucht die Obrigkeit nach den Wilden zu greifen: In der Rheinpfalz gab es ein Wildfangrecht, um sie in Leibeigenschaft zu überführen, das noch im 17. Jahrhundert bestand.

Hier liegt wohl der reale Kern für Legendäres. Natürlich konnte man die Grenzen der Zivilisation überschreiten, auch die inneren, und Zuflucht im Niemandsland suchen. Eine radikale Gruppe unter den Hussiten beispielsweise, etwa dreihundert Männer und Frauen, zog nach der vergeblichen Erwartung

Ein närrischer Männertanz um eine Frau, in Rankenwerk und Verrenkungen, die man mit den spanischen Maurenchristen in Verbindung bringt als »Moriskentanz«. Ebenso deutlich wird dabei aber auch die erotisierte Gestik, 15. Jahrhundert.

eines himmlischen Endreichs auf eine unzugängliche Insel und wollte die übrige Welt im Blut ersäufen, sich selbst aber ins Paradies erheben, ins Paradies der Armen, ohne Not und in sexuellen Freuden. Sie beriefen sich auf die paradiesischen Ureltern und gingen als Adamiten in die Ketzergeschichte ein. Der Hussitenführer Žižka selbst ließ sie 1422 ausrotten bis auf den letzten Mann. 1476 sammelte, vielleicht aus solchen böhmischen Traditionen, ein ungelehrter Hirt, Hans Böheim, im Taubertal Zuhörer und predigte wochenlang gegen Zehnten und Renten; er wurde schließlich verhaftet, als er gerade nackt in einem Wirtshaus zum bewaffneten Aufruhr rief – auch das wahrscheinlich nicht ohne demonstrativen Appell an die paradiesische Freiheit.

»Als Adam grub und Eva spann ...« Daß sich dieser Appell an die »natürliche« Gleichheit aller Menschen mit eschatologischen Erwartungen verknüpfte, mit der Hoffnung auf die Wiederkehr des Paradieses und am Ende mit dem Entschluß, das Paradies auf eigene Weise wieder einzuführen, muß man vorläufig, bis wir mehr darüber wissen, zumindest annehmen. Daß man dabei Utopisches mit wirklichen Ereignissen mischte, zeigt der Monogrammist N. H. Anfang des 16. Jahrhunderts. Er hinterließ einen Holzschnitt über einen Kampf

Wilde Männer beim Frauenraub, Schwerin, Dom, um 1380. Ein Dasein mit Blumen, Vögeln, barfüßig und sichtlich gelöst: Sehnsucht nach dem verlorenen Paradies, Abkehr vom Zwang der Zivilisation, jemals mittelalterliche Wirklichkeit? Ein Echo dieser überwiegend im Bild, kaum im Wort überlieferten Vorstellungswelt bei Sektenbewegungen läßt sich schwer nachweisen. Es handelt sich eher um die freie Option einer Lebensform, die ihr Ideal zwar darstellt, aber keine Bekenntnisse im Sinne eines pantheistischen Libertinismus formuliert. Auch Verbindungen zum antiken Bacchuskult mit seinen Satyrfiguren, wie sie die Schnitzarbeit aus dem Kölner Schnütgen-Museum nahelegt (Abbildung Mitte), lassen sich nur vermuten. Besonders viele »Wilde Männer« sind uns in den Handschriften für König Wenzel IV. überliefert; rechts ein Rankenmotiv aus einer Bibelhandschrift – gewiß kein biblisches Motiv. Manche Deutungen suchen hier kurzerhand derben Realismus nach dem Geschmack des Königs, andere sprechen von einem esoterischen Hofkreis, der sich in vergeistigter Sinnlichkeit erging. Aber Wenzel ist bisher weder als Politiker noch in seiner Lebensführung genauer bekannt.

nackter Männer mit Gewappneten; die Kunsthistoriker wußten damit bisher nur Stilgeschichtliches zu verbinden.

Das Mittelalter war gewiß kein Paradies. Aber das Paradies verlieh manchen seiner Utopien Gestalt und Gewicht. Hundertfach in den Symbolen der Architektur verborgen, der romanischen wie der gotischen, hat es einen festen Platz auch auf den Weltkarten der frühen Zeit. Das Paradies war eine treuherzige Realität in simplen Köpfen und regte Hans Sachs an zu einem bekannten Schwank. Der Weg ins Paradies zählte zu den Abenteuern des großen Alexander, des beliebtesten Helden der Ritterliteratur, den man aus der höfischen Epik ins Volksbuch übernahm, so daß man lesen konnte, wie er zumindest die Pforte des seligen Landes erreichte. Das Paradies bot ein auffällig beliebtes Motiv in der Malerei gegen Ende des 15. Jahrhunderts. Dabei spielt nicht so

Hans Böheim, als Hirt, aber auch als Spielmann, als Pauker oder Pfeifer bezeichnet, predigte 1475, obwohl ungelehrt, in Niklashausen im Taubertal, zunächst mit Unterstützung des Pfarrers, und fand großen Zulauf. Als es um Aufruhr ging, griff der Bischof von Würzburg mit dem Ketzergericht ein. Predigt und Kerzenwallfahrt aber scheinen, wie das Bild in der Weltchronik des Nürnberger Arztes Schedel erkennen läßt, die Region noch zu Ende des 15. Jahrhunderts beeinflußt zu haben.

sehr der Sündenfall eine Rolle, das zentrale Thema aus früheren Zeiten, sondern die Vertreibung des ersten Menschenpaars aus dem Stande der Unschuld durch den Erzengel Michael. Unsere Ureltern zeigen sich auf manchen dieser Bilder nicht nur ins Elend vertrieben, sondern auch aufgewacht. Durch die verlockende Devise der Erkenntnis?

Man kann die Vertreibung aus dem Paradies auch mit dem Ende des Mittelalters in Verbindung bringen. Nicht, daß diese Epoche »paradiesischen Zuständen« näher gewesen wäre als die folgende Zeit. Im Hinblick auf das mühsame und kurze Dasein der Menschen damals wird man viel eher das Gegenteil denken. Aber der Sehnsucht nach dem Paradies war man näher. Gelehrte, Höflinge, Propheten und Schwärmer suchten das Paradies gelegentlich auch herbeizulocken, in eine Stadt der Wissenschaften, in den Gralskreis der Auserwählten. Auch außerhalb von Träumen und Visionen war das Reich Gottes auf Erden viel gegenwärtiger als später; es war eine unausgesprochene Verheißung von der wahren Bestimmung des Menschen. Die Neuzeit dagegen gefiel sich in irdischen Hoffnungen.

Ein Dichter erreicht das Paradies! Es ist Jean de Meung, der im Traum den Garten der Lust betreten darf. Der Dichter schrieb und vollendete den größten Teil des Rosenromans um 1300, den zwei Generationen zuvor Guillaume de Lorris im höfischen Stil begonnen hatte. Jean de Meung wird dagegen zum Lobredner der Liebeslust. Die Miniatur stammt vom Anfang des 15. Jahrhunderts.

Hexen

»Wilde Männer und Frauen« erfreuten sich offenbar einer gewissen stillschweigenden Toleranz; vor allem wohl, weil sie in Bildern gegenwärtiger waren als in der Wirklichkeit. So blieben sie geduldete, weil ungreifbare Außenseiter, fern und harmlos. Weil aber die wachsende Teilnahme am Reden, Hören und Hörensagen Ideen nicht nur von oben nach unten trug, auf Kathedern, Kanzeln und Marktplätzen, sondern weil nun auch ins Gespräch kam, was sich in älteren Zeiten nicht hatte mitteilen dürfen, nicht gehört worden war und nichts zu sagen hatte, so gewann in den Krisenjahrzehnten des Mittelalters schließlich auch längst Überholtes und alter Glaube etwa an die Verbindung von Dämonen und Menschen eine neue Öffentlichkeit.

Wirklich alter Glaube: Ohne daß wir Anfang und Umfang kennen, begegnen wir ihm doch schon zur Zeit Karls des Großen als einer realen Macht. Karl bestimmte nämlich in einem seiner Kapitularien die Todesstrafe für jedermann, der an Hexen glaube: ein Zeugnis für die sieghafte Überwindung des Heidentums durch die Kirche, die »alles segnete« und damit den Teufel austrieb. Übrigens hatte der Teufel zu jener Zeit noch gar keine rechte Gestalt. Menschenähnlich wurde er erst im Laufe des 13. Jahrhunderts. Dann aber fand er auch besondere Wege der Versuchung. Hexenglauben wurde noch im 11. Jahrhundert kirchlich verfolgt. Als in Freising zu dieser Zeit, ausdrücklich in Abwesenheit der Priester, das Volk drei Hexen aufspürte und verbrannte, wurden die armen Opfer von der Kirche zu Märtyrern erklärt. Aber 1272 gestand eine Frau in Südfrankreich die sogenannte Teufelsbuhlschaft, und allmählich wurden neben Ketzern auch Hexen zum Inquisitionsobjekt. Der Hexenwahn verbreitete sich jedoch nur langsam. Wollte man die Zeit verteidigen, könnte man immerhin darauf verweisen, daß er eigentlich der frühen Neuzeit angehört; der Höhepunkt der Verfolgungen lag um 1600. Auch blieb der Hexenwahn keine katholische Spezialität, sondern verbreitete sich ebenso in reformierten Ländern, bekanntlich sogar in der Neuen Welt. Dennoch verdüstern die Hexenprozesse seit dem späten 14. Jahrhundert das Ende des Mittelalters, auch wenn sie das römische Papsttum erst 1484 aufgrund des besonderen Eifers deutscher Inquisitoren institutionalisierte. Vorgesehen war, die Delinquenten zum Zwecke der Besserung zu inhaftieren. Bis zur Mitte des 18. Jahrhunderts sollen statt dessen etwa einhunderttausend Menschen zum Feuertod verurteilt worden sein, meist Frauen, nur etwa ein Zehntel Männer.

Eine Frau hat einen sogenannten Wechselbalg in der Wiege gefunden, großohrig, mit kleinen Hörnern; die Kirche gibt Rat. Ein Wechselbalg ist ein von einem Dämon, bisweilen auch vom Teufel selbst gezeugtes Kind, das einer Wöchnerin untergeschoben wird. Mißgeburten waren wohl der Anlaß für diesen in Mitteleuropa weit verbreiteten Aberglauben.

Unverkennbar sind die Zeichen von Massenpsychose in diesem Zusammenhang. Gewiß spielen in den Hexenprozessen alle möglichen bösen Rivalitäten eine Rolle, geweckt durch die Möglichkeit zu freier Denunziation. Und ganz ohne Zweifel waren viele Tausende, die da auf den Scheiterhaufen kamen – vornehmlich in West- und Mitteleuropa, sehr spät in Böhmen, kaum in Skandinavien, in Polen oder Ungarn –, unschuldig im Sinne der Anklage. Es gibt allerdings auch Berichte von »Hexensalben«, Halluzinogene, von denen in den Geständnissen die Rede ist. Es mag sein, daß ein Teil der Angeklagten in uralten Okkultismus verstrickt war und daß etwa die fliegenden Hexen auf dem Besenstiel vorchristlichen Frauenzauber trieben. Hatte die alte, aristokratische Kirche diesen Zauber noch mit Milde geahndet und allenfalls den mit dem Tode bestraft, der Hexenfleisch aß, so verlangte die spätmittelalterliche Laienkirche wohl auch nach einem Feindbild, einem inneren Feind, um auf ihn den Eifer der Massen zu lenken. Dasselbe Motiv hat vermutlich die Staaten der frühen Neuzeit veranlaßt, der Kirche die Hexengerichtsbarkeit aus der Hand zu nehmen.

Dämonen verlassen einen Besessenen durch den Mund. Eine italienische Votivtafel aus dem frühen 16. Jahrhundert, gestiftet zum Dank für eine Wunderheilung.

Die Frau wird in die Rollenverteilung der mittelalterlichen Ständewelt einbezogen, und sie bleibt ihrer Rolle selbst dann noch verhaftet, wenn sie mit den Teufeln kämpft. »Das üble Weib«, dem dieser Holzschnitt aus dem 15. Jahrhundert gilt, schlägt die Schar der Bocksfüßigen mit einem Kochlöffel.

Die Hexenverfolgung erfaßte mitunter auch Frauen, die nur ihrer besonderen Funktionen wegen betroffen waren: Hebammen, Kräuterkundige, »weise Frauen«. Kräuterkenntnis und Hexerei werden in den erpreßten Geständnissen einander so nahe gerückt wie Hexensalbe und Teufelsbuhlschaft. Medizinische Kenntnisse, und das heißt immer auch magische Künste, mögen ebenfalls Teil des alten Volkswissens gewesen sein. Sie stammten aus einer vorchristlichen Lebensganzheit, welche die fortschreitende christliche Zivilisation zwangsläufig bekämpfen mußte, da in ihrem Kulturkreis dafür kein Raum war. Auch die akademische Medizin scheint an jenem Prozeß beteiligt gewesen zu sein, der nicht schlechthin ein Wahn zu nennen ist, sondern ein Konkurrenzkampf. Die Medizin war gewissermaßen der letzte Punkt der Auseinandersetzung zwischen Christlichem und Heidnischem, sozusagen der wahre Kern des Hexenglaubens, dem freilich viele Unbeteiligte zum Opfer fielen. Vielleicht hätte sich die Zahl der Opfer in Grenzen gehalten, wenn nicht die kirchliche Inquisition mit der Hexenverfolgung beauftragt worden wäre und in ihrer Nachfolge der schließlich alles umfassende Staat, zunächst der protestantische, nicht Sondergerichte eingesetzt hätte.

Folterkammern

Die Inquisition bediente sich seit der Mitte des 13. Jahrhunderts der Folter. Wir kennen die Foltergerichtsbarkeit noch heute. Und ganz hinten in jedem alten Haus ist die Rumpelkammer. Alle europäischen Nationen haben etwas von ihrem Mittelalter darin versteckt; der Kontinuitäten erinnert man sich oft liebevoll. In der Rumpelkammer steckt der Kontrast zu unseren Lebensgefühlen und Wertvorstellungen, die Zeit der dunklen Mächte, des Volksaberglaubens, den man oft irrtümlich für den alten Glauben hält, des Schwarzen Kults, der Folterknechte und der öffentlich Gehenkten. Da lebt der Aberwitz im Narrenschiff, die struppige Lebensgier Breughelscher Gestalten, die grausame Verkehrung aller Menschlichkeit in den höllischen Ausgeburten des Hieronymus

Bosch. Die Ohnmacht des Menschen vor den Mächtigen und den Übermächtigen ist für das spätere Mittelalter gut belegt, jedenfalls besser als die Geheimnisse des frühen.

Wir sollten zunächst von den öffentlichen Hinrichtungen reden. Sie sind gewiß nicht spezifisch mittelalterlich, sondern zu jeder Zeit ein grausames Schauspiel. Grob gesagt, ist alle Öffentlichkeit bei Prozessen und Hinrichtungen nicht nur als Einschüchterung des Delinquenten zu deuten, sondern Öffentlichkeit heißt auch Zeugenschaft, Kontrolle und Bestätigung. Dies überwog. Der stille Mitvollzug, die Reparatur des verletzten Rechts machte das grausame Schauspiel sogar noch zur Erbauung. Mit einer solchen mittelalterlichen Mentalität operierte unsere Rechtspflege noch im vorigen Jahrhundert; man denke nur an die großen Brigantenprozesse in ganz Europa, in denen sich die Obrigkeit um 1800 mit dem Räuberunwesen auseinandersetzte. Auch das Gerichtsverfahren hat seine mittelalterlichen Züge noch lange beibehalten. Die Folter wurde in Europa erst im Laufe des 18. Jahrhunderts abgeschafft, in England zuletzt.

Die Entstehung der Folter bedarf einiger Erläuterung. Vor tausend Jahren war die Rechtsfindung auf Gottesurteile angewiesen, auf Zweikämpfe, Feuer- und Wasserproben, die die »Wahrheit« ans Licht brachten. Der Angeschuldigte mußte entweder den Kläger im Kampf bestehen; handelte es sich um Mann und Frau, wurde der Mann unter Umständen in eine Grube gesteckt, um seine natürliche Überlegenheit auszugleichen. Oder der Beschuldigte

Die »peinliche Befragung« verlief nach Regeln und wurde protokolliert. Eigentlich diente die Folter der Rechtspflege in einer Zeit, die noch keine Indizienbeweise aufbauen konnte – erst die Entwicklung der Daktyloskopie schuf objektive Beweisgrundlagen.

Wasserprobe als Gottesurteil, nach einer Miniatur aus dem österreichischen Benediktinerkloster Lambach. Die Drastik der »Probe« ist auf ihre Weise auch eine Aussage zur zeitgenössischen Gläubigkeit.

mußte über glühendes Eisen laufen. Das Ende von Schneewittchens böser Stiefmutter erinnert noch daran. Oder man warf ihn gebunden in einen Fluß; sank er nicht, war er schuldig. Ehrbare, Adelige, Kaufleute, aber auch der Papst, konnten sich mit einem Eid von Beschuldigungen »reinigen«, und ihre Standesgenossen konnten ihnen dabei »helfen«. Nach den Möglichkeiten der Zeit war die Beweisaufnahme einfach schwierig. Deswegen rief man auch nicht aus bösem Willen, sondern aus archaischer Religiosität Gottesurteile an, weil Gott selber am meisten daran gelegen sein mußte, verletztes Recht zu rächen. Standespersonen, namhafte Leute, durften es auch mit der bedingten Selbstverfluchung versuchen; der Reinigungseid bestand darin, sich dem Zorn Gottes zu empfehlen, wenn sie die Unwahrheit beschworen hätten. In jedem Fall dominierte also die Vorstellung vom unmittelbaren Zusammenhang zwischen Himmel und Erde, handgreiflich und rechtsgültig.

Die mittelalterliche Theologie, als sie das Glaubensleben intensivierte und zur religiösen Innerlichkeit führte, verurteilte diesen Atavismus. Die »religiöse Aufklärung« seit dem 12. Jahrhundert verbot Gottesurteile. Sie wurden dennoch eine ganze Zeit lang weiter gepflegt. Deshalb schützte beispielsweise die Bürgerfreiheit noch im 13. Jahrhundert ausdrücklich vor Gottesurteilen und erlaubte statt dessen Reinigungseide. Schließlich und endlich war die verbesserte Rechtspflege aber doch imstande, für anspruchsvollere Verfahren zu sorgen. Freilich, war der Angeklagte nicht auf »handhafter Tat« ertappt und »berufen« worden, dann gab es kaum überzeugende Beweismittel. Wenn sie fehlten, mußte der Angeklagte dem Gericht gestehen. Schwieg er, mußte man ihm mit Nachdruck zur Wahrheit verhelfen.

So spannte man ihn auf die Folter. Auch das war ein Stück mittelalterlicher Kultur. Man suchte durch Spann-, Schraub- und Drehgeräte körperlichen Zwang auszuüben, ohne Blut zu vergießen. Die grausige Mechanik hatte ihre Ordnung: Wurde Blut vergossen, ließ das auf unrechte Gewaltanwendung schließen, und dies stand nur der strafenden Obrigkeit zu. Aber die Folter war nicht als Strafe gedacht, sie war nur »peinliche Befragung«. Wer die Folter überstand, war frei von der Anklage. Allerdings wurde die Folter im Laufe der Zeit weitgehend perfektioniert.

So hat auch der Widersinn noch System. Und wenn schon Tausende Unschuldiger auf der Folter Taten gestanden, die sie nicht begangen hatten, um wie vieles komplizierter mußte erst der Beweisgang sein im Falle von Häresie.

Die sogenannte Inquisition, die »Befragung«, wurde von den Päpsten im 13. Jahrhundert eingerichtet, um sich der Rechtgläubigkeit der Christenheit zu versichern. Das Inquisitionsgericht, 1231 dem Dominikanerorden anvertraut und deshalb bald vorzüglich organisiert, hatte keine andere Aufgabe, als Befragungen durchzuführen. Es hatte allenfalls noch den Auftrag, Irrende auf den rechten Weg zu weisen, und seine Urteile bedeuteten in diesem Sinn keinesfalls Strafe. Sie eröffneten den Weg zur Umkehr, und Bußfertige durften mitunter sogar noch vom Scheiterhaufen heruntersteigen. Bestraft, unbarmherzig bestraft wurden nur Rückfällige. Dem gegenüber steht die mitunter böse Eilfertigkeit der Urteilssprüche. Das Inquisitionsgericht, die »Befragung«, schloß mit einer Aussage. Wenn diese Aussage den Befragten aufgrund seiner Schriften, Taten und Worte der Abweichung vom rechten Glauben überführte,

Das Bild stellt die grausamen Hinrichtungsarten der mittelalterlichen Gerichtsbarkeit zusammen. Schon dieses Unternehmen zeugt von einer befremdlichen Unbefangenheit – und dahinter steht wirklich eine weit geringere Scheu vor der Todesstrafe, als sie uns innewohnt. Ein Verbrecher hatte das Recht gebrochen, seine Hinrichtung, möglichst in symbolischen Analogien, versöhnte wieder mit der gestörten Ordnung. Die Angst vor der Richtstätte sollte Übeltäter abschrecken. Für uns zählt diese Gedankenwelt zum fernen finsteren Mittelalter.

dann wurde er dem »weltlichen Arm« übergeben. Die Kirche veranstaltete von Rechts wegen keine Hinrichtungen. Im engen weltlich-überweltlichen Verbund – und den muß man in diesem Zusammenhang als wirklich nehmen – war der Tod nicht das größte Übel, sondern die Verdammnis; nicht das zeitliche, sondern das ewige Leben galt.

Aus demselben Grund, nur aus entgegengesetzter Überzeugung rührt die »Halsstarrigkeit« der »Ketzer«, die oft, in Scharen oder einzeln, mit Gesang zur Hinrichtung schritten. Ihre Zahl übertraf vermutlich die Zahl der in kirchlicher Erinnerung immer wieder vergegenwärtigten Märtyrer aus der Antike. Ihre Standhaftigkeit kam ihnen gleich. Nur das Inquisitionsurteil, das ihnen Verblendung und teuflischen Irrtum bescheinigte, verhinderte wohl die ausführliche Berichterstattung über ihr Martyrium.

Ein Ketzer, geschoren und im Büßerhemd, wird von Papst und Kardinälen »in die Hand« der weltlichen Obrigkeit gegeben und in Anwesenheit der Geistlichen verbrannt. Die Hinrichtung führt übrigens nicht zur Verdammung, sondern zur Rettung des Delinquenten: Ein Engel bringt seine Seele nach oben. Holzschnitt des 15. Jahrhunderts.

Andererseits wehrte sich auch der »Irrglaube« gegen die Verfolgung. Inquisitoren waren unbeliebt. Allzu eifrige lebten gefährlich. Übrigens tauchten sie nicht überall auf: In England fand die Inquisition erst 1404 Eingang und wurde nie so intensiv geführt wie auf dem Festland, abgesehen von der wechselseitigen Verfolgung der beiden Konfessionen im 16. Jahrhundert. In Polen, in Preußen, in Skandinavien gab es überhaupt keine Inquisitionsprozesse. In Spanien gewann die Inquisition erst in der Mitte des 16. Jahrhunderts, unter Philipp II., ihr gefürchtetes Gesicht. In Italien war die Inquisition in ihrer Verbindung von geistlichen Richtern und weltlichen Henkern zwar erfunden worden, von Kaiser Friedrich II., aber gehandhabt wurde sie nach dem großen Kaiser dort kaum noch mit derselben Gründlichkeit wie in Mitteleuropa. Nachdem die Katharer in Südfrankreich besiegt waren, mit wilder Grausamkeit, wurde die Verfolgung ihrer versprengten Anhänger in Frankreich mit weniger großer Strenge betrieben, abgesehen von Ketzerprozessen gegen »freigeistige« Pantheisten in Nordfrankreich um 1400. In den südlichen Niederlanden, in Deutschland und in den böhmischen Ländern vor der Hussitenzeit schlugen die Inquisitoren härter zu.

Die Folter, das muß man ihr schließlich zugute halten, war eigentlich ein Demokratisierungsinstrument, denn die »peinliche Befragung« kannte prinzipiell keine Standesgrenzen. Selbstreinigungseide der Reichen und Mächtigen und ihrer Eideshelfer galten nicht in der Folterkammer. Niemand wird bestreiten, daß solche Folterkammern zu den schlimmsten Einrichtungen einer Epoche gehören, nicht allein des Mittelalters. Dennoch hat das Argument von der Folter als Mittel der Demokratisierung seine gesellschaftspolitische Berechtigung. Natürlich soll nicht behauptet werden, in der alltäglichen Praxis eines weltlichen oder geistlichen Untersuchungsrichters vor fünfhundert Jahren seien wirklich alle gleich gewesen. Als der böhmische König Wenzel IV., der in kirchenpolitische Querelen mit dem Prager Erzbischof geraten war, persönlich hohe geistliche Funktionäre in die Folterkammer begleitete, wußte er bei seiner peinlichen Befragung sehr wohl zu unterscheiden zwischen dem Domkapitular aus einer mächtigen Adelssippe, der am selben Tag schon wieder unter den Leuten zu sehen war, und dem Generalvikar armer Herkunft, der tags darauf seiner schweren Verletzungen wegen ertränkt worden ist. Das Volk von Prag barg den Unglücklichen aus der Moldau, begrub ihn im Dom und besucht seitdem sein Grab – es stellte auch Jahrhunderte später sein Bild auf alle Brücken. Johann von Nepomuk, dem das widerfuhr, gilt als schweigender Märtyrer. Er wollte nicht sprechen. Die junge Frau, die man wenige Jahre später in Rouen zum Scheiterhaufen schleppte, folgte ihren inneren Stimmen. Sie wollte nicht schweigen. Die Obrigkeit hat weder dem Mann in Prag noch der Frau in Rouen Gerechtigkeit erwiesen. Aber nicht König und Bischöfe, sondern der lebendige Heiligenkult um Johannes von Nepomuk und Johanna von Orléans belehren uns über die Kraft des verletzten Rechts.

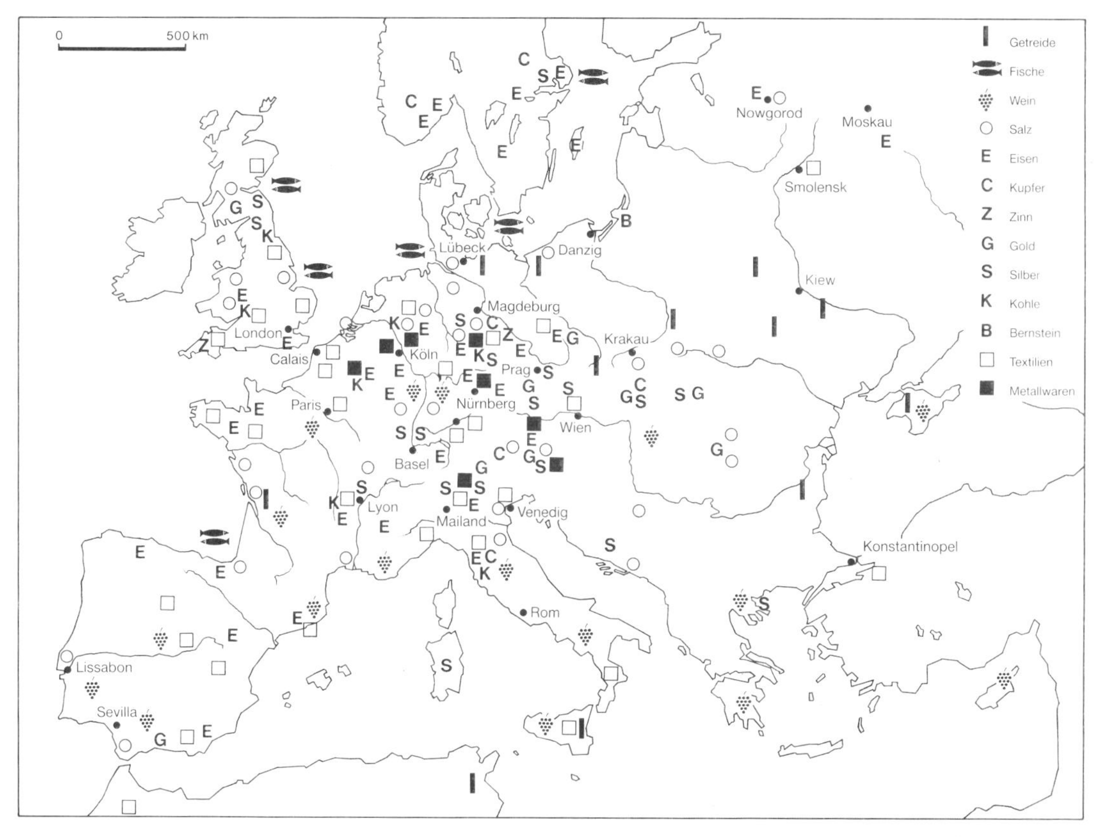

Die Wirtschaftsbeziehungen des Mittelalters beruhten auf einfacher Überschußproduktion bei grundsätzlicher Tendenz zur Autarkie in der Hausversorgung, in Städten und Regionen. Bauholz und Bausteine, die umfangreichsten, aber meist nur regional bewegten Transportgüter, verzeichnet die Karte nicht.

Ein deutscher Epilog

Während England und Frankreich sich nach dem Vertrag von Picquigny von dem langen Ringen miteinander erholten, dauerte in Deutschland das Mittelalter noch etwas länger. Kann man um 1475, zur Zeit des Regierungsantritts Ferdinands von Aragon, auch in Kastilien von einer neuen Ära für das westliche Europa sprechen, von einem neuen Rahmen, auch einer neuen Orientierung an der Monarchie, die in dieser Welt entscheidende Zeichen setzte, so währte in Mitteleuropa noch lange das unentschiedene Jahrhundert, »das von allen die schlechteste Note verdient« (H. Heimpel).

Das bedeutet nicht, Mitteleuropa sei im 15. Jahrhundert »rückständig« gewesen. Auch während der beiden Konzilien auf Reichsboden, in Konstanz und Basel, die mit anspruchsvollem Besuch von Delegierten aus der ganzen christlichen Welt aufwarteten, war dieser Eindruck nicht entstanden. In Basel blieb statt dessen eine Universität zurück. Universitäten als Gradmesser genommen, war Mitteleuropa im 15. Jahrhundert auf einer angemessenen Entwicklungsstufe. Im Lauf der Zeit waren, in zwei Wellen, insgesamt siebzehn Hohe Schulen nach Prager Beispiel gegründet worden, und sechzehn dieser Gründungen hatten auch Bestand, Erfurt mit der größten Studentenzahl an der Spitze; nebenbei ein Indikator für eine besondere Regsamkeit im kleinstädtischen mitteldeutschen Raum.

Man kann auch nicht sagen, daß die Politik in Deutschland im späteren 15. Jahrhundert an und für sich im argen gelegen habe. Kaiser und Fürsten hatten sich zunächst in kluger Neutralität während der vierziger Jahre vom Papst dafür gewinnen lassen, nicht das konziliare Prinzip zu unterstützen, sondern das päpstliche, hinter dem sich zugleich das monarchische Denken etablierte. Es wirkte als Vorbild zurück auf die eigenen Probleme der Fürsten mit ihren Ständen und unterstützte die Idee der Herrschaft eines einzelnen zum allgemeinen Nutzen anstelle ineffizienter Gremien.

Aber welches einzelnen? Hatte sich in Frankreich nach dem Untergang der großen Herzöge diese Frage erledigt, in Spanien und in England bei der nur im ständischen Kollektiv bedeutenden Position von Magnaten ebensowenig gestellt wie an der übrigen alten Peripherie des lateinischen Europa, in Polen oder in Ungarn, so war sie in Mitteleuropa offen: Kaiser oder Fürsten? Daß die Kaiser ihre Chance versäumt hatten, den Überstaat des Heiligen Römischen Reiches mit effizientem Zentralismus regierbar zu machen und damit den entscheidenden Vorsprung vor den fürstlichen Hoheitsträgern zu gewinnen, ist offenkundig; wann, das führt in den Bereich fruchtloser Hypothesen. Es hat alles immer irgendwann einmal angefangen in der Geschichte; man kann Barbarossa, Friedrich II., Karl IV. dafür verantwortlich machen, um nur bedeutende Politiker auf dem Kaiserthron anzusprechen, oder eben auch noch Friedrich III. und die verschleppte Reichsreform.

Maximilian (1493–1519), der sich seit 1508 auch ohne Krönung als Kaiser bezeichnete, hat sich mit dieser Reform wirklich auseinandergesetzt, die voller Halbheiten und nur den Juristen verständlich blieb, nachdem das Reich weder zentralistisch umgebaut noch zu einer ständisch regierten Föderation gestaltet werden konnte. Aber einen »Reichstag« gab es nach diesem Begriff seit 1495, ein Reichsregiment aus zwanzig Vertretern des Fürstenstums seit 1500, Reichskreise endlich seit 1502, eine Reichsverwaltung schien in Sicht. Über eine allgemeine Reichssteuer, um ein Reichskammergericht zu finanzieren, kam es zum »Schwabenkrieg« 1498 und zum Austritt der damals noch kleinen Schweizer Eidgenossenschaft aus der Reichspolitik. Juristisch freilich wurde dieser Austritt erst 1648 endgültig bekräftigt; noch im späten 16. Jahrhundert prunkten Baseler Patrizier mit dem Reichsadler.

Auf der anderen Seite läßt sich nicht sagen, daß die Fürsten ineffizient gewesen seien; im Gegenteil: auf kleinem Raum schien ihre Verwaltung unter Umständen das bessere Ordnungsprinzip, auch im Bürgersinn. Das läßt sich besonders in den habsburgischen Landen beobachten, in den österreichischen, und erst recht in den neu erworbenen burgundischen Niederlanden, zu denen damals auch das Herzogtum Luxemburg gehörte. Ein ähnlich guter Organisationsstand ist auch in den bayerischen Herzogtümern zu erkennen und in der damals vereinigten Markgrafschaft Ansbach-Bayreuth, dem Stammland der Hohenzollern. In den zweiundachtzig Reichsstädten aber dachte man »reichisch«, und auf eine entsprechende Integration zielte auch die Ideologie vieler Humanisten.

Auf Sprachpflege und antikes Bildungsideal ausgerichtet, im späten 15. Jahrhundert noch vornehmlich von Juristen getragen, nicht zuletzt wegen deren Ausbildung in Italien, um die Jahrhundertwende eher auf Poeten, Grammatiker, Gräzisten und Hebraisten übergegangen, trug der Humanismus nicht zum ersten und nicht zum letzten Mal den Bildungsimpuls der antiken Welt in das nördliche Europa. Seine Adepten standen als Sekretäre in städtischen Diensten, lehrten als »Schulmeister« an Lateinschulen und Universitäten und lebten nur selten, wie der große Erasmus von Rotterdam (1486–1537), vom Ertrag ihrer Federn. Durch regere Kontakte mit byzantinischen Gelehrten vor und nach dem Fall von Konstantinopel war der Horizont erweitert worden. Auch der philosophische, denn der zweite große Grieche, den man das ganze Mittelalter hindurch zwar immer mit großem Respekt genannt, aber über der Entdeckung des Aristoteles in den Hintergrund geschoben hatte, kam nun aus den griechischen Texten erst voll zu Bewußtsein: Plato, der große Meister der Ideenlehre, in dessen Schule eintausendachthundert Jahre zuvor der »Realist« Aristoteles das philosophische Denken gelernt hatte.

Damit wurde der kleine Kanon antiker Literatur um einen wichtigen Bestandteil erweitert: Die Bibel, nun auch im hebräischen Urtext, Plato und das Werk des Aristoteles, das aus arabischem und griechischem Bestand im 13. Jahrhundert ans Licht gehoben worden war, Bruchstücke aus griechischer und lateinischer Literatur, auch neue Funde wie die »Germania« des Tacitus, zu Anfang des 15. Jahrhunderts in einem deutschen Kloster wiederentdeckt, Livius, Caesar und Cicero füllten und füllen bis zum heutigen Tag keine drei Meter im Bücherregal. Der große Schatz der antiken Überlieferung aber befeuert bis heute stets von neuem das Ingenium der Interpretation, während auf unterer Ebene just dieser literarische Kern »Bildungsgut« darstellte. Willkürliches Bildungsgut, wenn man will, jedenfalls vom Wort bestimmt, während sich das mathematische Denken nur mühsam Bahn brach und erst seit dem 17. Jahrhundert allmählich gleichzog.

Der »Erste Wiener Kongreß von 1515«, dreihundert Jahre vor der berühmten Zusammenkunft zur Neuordnung Europas, brachte zum erstenmal Rußland in einem persönlichen Treffen der Herrscher ins Spiel und betonte die Bedeutung der neuen östlichen Macht. Die Darstellung Dürers im Rahmen der Triumphhistoriographie Kaiser Maximilians demonstriert die Heiratsverbindungen der Habsburger, aus denen schon 1526 die Erbschaften Böhmen und Ungarn hervorgingen.

Die Humanisten also vertraten das Reichsdenken, durchsetzt mit Germanenideologie, bei welcher der eben wiederentdeckte Tacitus Pate stand. Nicht nur die Italiener, auch die Deutschen suchten nach einer »klassischen« Vergangenheit, und dabei mußte die fiktive germanische Sittlichkeit ersetzen, was die fragmentarische römische Literatur nicht hergab: Moral statt Bildung. Diese Fiktion verleitete zu manchen falschen Ideologemen, übrigens noch heute. Humanistische Nationalideologie hat sich aber nicht nur in Deutschland entwickelt; sie findet sich auch in Frankreich und später in den Niederlanden, sie läßt sich schon sehr früh in Böhmen beobachten und ist auch dem polnischen Humanismus eigen.

Bei aller Reife der politischen Instrumentarien in der fürstlichen Verwaltung, der mehrfach von reisenden Italienern gelobten städtischen Ordnung, namentlich in den Reichsstädten, schließlich auch der rudimentären Reichsbehörden sowie der Reichsreform – die seit der Jahrhundertwende in Gang war und entweder einen monarchischen Akzent setzen oder das Kollektiv der Reichsstände zum Zuge bringen sollte –: die große Krise des Spätmittelalters war gerade in Deutschland am längsten ohne Entscheidung geblieben. Zwar waren die Städtebünde entweder von den Fürsten besiegt – am Rhein und in Schwaben im späten 14. Jahrhundert, in Franken 1448 –, oder sie hatten sich aus der Reichspolitik zurückgezogen; siegreich die Schweizer, in gewissem Sinn auch die Hanse. Der Gegensatz zwischen Kaiser und Fürsten aber blieb noch unausgetragen. Die englischen Rosenkriege, der Sieg Ludwigs XI. über die widerspenstigen Herzöge von Burgund und der Bretagne oder, mit den gehörigen strukturalen Unterschieden, der Kampf der Päpste gegen die Konzilien: nichts von solchen Entscheidungen in Deutschland. Hier war die Fürstenmacht eher gewachsen. Andererseits wirkte das Gefühl der Zusammengehörigkeit unter dem Vorzeichen des Heiligen Römischen Reiches und verhinderte, daß man aus diesem heiligen Nachbarschaftsverband ausbrach. Selbst die Schweizer mochten das lange Zeit nicht von sich aus, trotz ihres Widerstands gegen Reichssteuern. Nur ein starker Monarch konnte es wagen, in diesem politischen Kräftefeld das allgemein anerkannte monarchische Rezept zu fördern und den Zentralismus administrativ und ideell durchzusetzen. Ein so starker Monarch war Maximilian nicht gewesen. Sein Enkel Karl aber brachte eine gehörige politische Potenz ins Spiel.

1500 in Gent geboren und auf den Namen seines burgundischen Urgroßvaters getauft, der den Habsburgern fremd war, ein Sohn Philipps des Schönen und Johannas »der Wahnsinnigen«, in seiner Erziehung beeinflußt von Adrian von Utrecht, dem späteren Papst, und Erasmus von Rotterdam, dem späteren Primas der Humanisten, wird man Karl nicht leicht einen deutschen Fürsten nennen können. Als er zum römischen König gewählt wurde, 1519, unter massiver Wahlhilfe aus dem Bankhaus Fugger, war er zum ersten Mal in Deutschland, und er blieb nicht lange. Was ihn an Deutschland band, war vor allem das römische König- und Kaisertum, die Idee der Schutzvogtei über die Christenheit, mehr noch: der Gedanke der universalen Herrschaft. Dieses politische Ziel, kraftvoll vertreten durch Karls Großkanzler Gattinara, kollidierte

Die Wasserburg der Grafen von Flandern in Gent vereinte schon im 12. Jahrhundert Residenz und Festung: ein stolzes Zeugnis repräsentativer Zentralisation. Hier kam Karl V. am 24. Februar 1500 zur Welt. Seine Herrschaft eröffnete ein neues Säkulum und eine neue Zeit. 56 Jahre später entschloß sich der Kaiser zu einem einmaligen Akt: er resignierte.

jedoch mit anderen Aufgaben. Noch unmündig, war Karl Reichsfürst von Burgund und als Sechzehnjähriger König von Spanien geworden. Das erstere wies in die Bahnen einer geordneten, vorzüglich verwalteten dynastischen Politik und führte Karl unter anderem zum Aktenstudium an den Schreibtisch, den künftigen Arbeitsplatz jedes Politikers. Das spanische Königreich vererbte ihm die Pflicht zur aktiven Mittelmeerpolitik, zum Seekrieg mit Cheiredin Barbarossa, einem islamisierten Griechen, um die Nordküste Afrikas und um die Straße von Sizilien, auch zur Gegnerschaft mit den Päpsten wegen des unteritalischen Königreichs. Daß in Karls Reich »die Sonne nie unterging«, war ein Kuriosum für die Zeitgenossen. Amerikapolitik betrieb er nicht. Man kann ihn leicht »den letzten Kaiser des Mittelalters« nennen, aber das Problem liegt komplizierter. Er »wollte die Kaiseridee des Mittelalters und hat das spanische Imperium hinterlassen« (Peter Rassow).

Mehrschichtig ist auch Karls Wirken in und um Deutschland gewesen. Schon bei seiner Wahl hatte es der Neunzehnjährige mit einer Fürstengeneration zu tun, die zum guten Teil bereit war, einen aufrührerischen Mönch zu beschützen, übrigens einer ungefähr ihres Alters. Die Generationenfrage als Faktor der deutschen Reformation, natürlich nicht regulär, verdient Aufmerksamkeit; ebenso der Umstand, daß Martin Luther (1483–1546) wieder mit einem Generationenimpuls bei einer Schar von zehn, fünfzehn Jahre jüngeren Predigern, vielfach Mönchen, nicht nur rasch Verbreitung fand, sondern mit ihrer Hilfe auch Widerstand bilden konnte. Das ständische Widerstandsrecht gegen einen ungerechten Herrn, jahrhundertelang postuliert, blieb leer, bis es in Glaubensdingen einen greifbaren Ansatz fand. Die Hussiten hatten das vorexerziert.

Eine andere, nicht minder gewichtige Problematik resultierte aus der langen Krise des Spätmittelalters. Der gemeine Mann stand auf. Der gemeine Mann kann in Wirklichkeit natürlich keine Revolution machen, sondern nur eine Revolte. Eine Revolution muß die ganze Gesellschaft erfassen. Auch das hatten die Hussiten bereits vorgeführt, nur verstand die Zeit nicht, daraus zu lernen. So liefen in Deutschland, das ohne Hauptstadt war und unter unüberbrückten ständischen Gegensätzen litt, nacheinander ein Aufstand der Reichsritter 1522, der Bauern 1525 und der oberen Reichsstände 1529 ab. Alle drei beriefen sich in unklarer Weise auf die Freiheit des Evangeliums, ganz ohne die Zustimmung des Theologen Luther zu einer solchen »weltlichen« Deutung, und forderten die Rechte des Kaisers gegen die Fürsten, wozu sie ebensowenig ermächtigt waren.

Karl hat diese Revolution in Etappen politisch kaum in ihrem ganzen Umfang zur Kenntnis genommen. Er war nach seiner persönlichen Begegnung mit Luther in Worms 1521 für zehn Jahre mit Frankreich-, Türken- und Mittelmeerpolitik befaßt und von Deutschland fern. Er überließ es den Fürsten, sich zuerst über die Reichsritter, dann erbarmungslos über die meist ohnmächtigen Bauern herzumachen; im Frühjahr 1525 wurden in Süd- und Mitteldeutschland mutmaßlich genauso viele Menschen von fürstlichen Söldnern erschlagen, wie in mehr als zweihundert Jahren der Hexenverfolgung in ganz Europa zum Opfer fielen, etwa einhunderttausend. Mit den »Protestanten« unter den Reichsständen von 1529 setzte sich dann der Kaiser selbst auseinander: nach den Grundsätzen der politischen Opportunität. Er schloß mit ihnen 1532 den

Papst Clemens VII. und Kaiser Karl V. in Verhandlungen 1530. Das Gemälde von Sebastiano del Piombo eröffnet eine neue Art künstlerischer Berichterstattung.

Nürnberger Religionsfrieden gegen die Türken, aber er führte 1547 einen siegreichen Bürgerkrieg gegen sie. Fünf Jahre später wurde er von ihnen in einer Revolte aus Deutschland vertrieben. Und dazwischen: immer wieder überhöhte Forderungen zugunsten des monarchischen Zentralismus in der Reichsreform und, was ihm von den Päpsten freilich nicht gedankt wurde, für die alte Kirche. Ihretwegen hat er den Päpsten noch einmal ein Konzil abgetrotzt, auf Reichsboden, in Trient 1545–1563. Das nächste Konzil fand erst mehr als dreihundert Jahre später statt. Der Kirche wegen, nämlich aufgrund der endgültig verlorenen Religionseinheit in Deutschland durch den großen, die künftige deutsche Verfassung bis zum Reichsende tragenden Augsburger Kompromiß von 1555, ist Karls Kaiserpolitik schließlich auch zerbrochen.

Karl brachte, aus den alten Interessen des Königreichs Aragon und des Herzogtums Burgund, die Feindschaft gegen Frankreich in das deutsche politische Erbe ein, und er hatte alle Landgrenzen des französischen Nachbarn in der Hand. Er war nicht der erste Habsburger, der Konflikte aus einer fremden Herrschaft in die deutschen Interessen hineinzog – fortan eine Komponente der Reichspolitik bis zum Spanischen Erbfolgekrieg 1714 –, aber man kann sagen, daß seine Auseinandersetzung mit Frankreich die größte Dramatik in sich barg: von der Gefangennahme seines französischen Rivalen 1525 über den »Damenfrieden« 1529 und das Angebot zu persönlichem Zweikampf mit dem französischen König 1536 bis zur ohnmächtigen Niederlage 1552 vor den von Frankreich im Namen der deutschen Fürstenfreiheit besetzten Reichsstädten Metz, Verdun, Toul und Cambrai.

Die Päpste mischten sich als italienische Territorialherren in diese Auseinandersetzung und wurden dafür auch nach bitterem Kriegsrecht bestraft. Der »Sacco di Roma«, die Plünderung der Ewigen Stadt durch deutsche Landsknechte 1527, zählt zu den schwarzen Tagen im römischen Kalender, wie zuvor die Heimsuchungen durch Normannen, Vandalen, Goten und Gallier. Die Kaiserkrönung Karls V. 1530 in Bologna war die letzte durch einen Papst in einer mehr als siebenhundertjährigen Tradition seit Karl dem Großen. Karl V. war dann aber der erste Kaiser, der sich von seinem Amt und allen anderen Herrscherpflichten zurückzog. Das war 1556. Mit der nächsten kaiserlichen Resignation, 1806, brach das alte Heilige Römische Reich Deutscher Nation auseinander.

Dieses Reich war keineswegs zum Monster geworden, sondern ein föderaler Staat. Es hatte in dieser Hinsicht den zentralistischen europäischen Mächten wahrscheinlich sogar einiges voraus; die Zeitgenossen, vor allem die Historiker, konnten das auf dem Höhepunkt des souveränen und zentralistischen Staatsverständnisses freilich kaum erkennen. Das Reich trug jedoch auch die Nachteile, Unvollkommenheiten, ja Widersprüchlichkeiten aller politischen Wirklichkeit in besonderem Maße in sich. Dennoch entwickelte es die Grundlagen für manchen politischen Kompromiß, auch in der schwierigen Konfessionsfrage: Es hielt siebzig Jahre Frieden nach dem »Schmalkaldischen Krieg«, ehe der Prager Fenstersturz den Dreißigjährigen auslöste, den die europäischen Großmächte auf seinem Boden austrugen, und es führte seit 1683 die Befreiung Südosteuropas von der türkischen Herrschaft voran, im Namen der Christenheit.

Die Kaiser blieben katholisch. Aber ihre Wahl kam nur mit protestantischer Beteiligung gültig zustande. Die Kaiserkrönung blieb ein sakraler Akt. Aber das transzendente Verständnis des Kaisertums wich dem Respekt vor der Tradition. Die Kaiser waren so lange als möglich geborene Habsburger. Aber das Reich galt als Wahlmonarchie. Die meisten Bewohner dieses Reiches waren keine unmittelbaren kaiserlichen Untertanen. Aber das Problem politischer Identität ließ sich billig teilen zwischen Konfessionen, Fürstentümern, Reichsstädten und reichsfreien Herrschaften. In ganz Europa waren die Probleme dieses Reiches, war seine politische Eigenart bekannt. Und dennoch wurde der Titel seines Herrschers respektiert, sein Mythos beachtet; eine nationale Benachteiligung entdeckten erst die deutschen Dichter, als es ein solches Reich nicht mehr gab. Bis dahin hatte dieses Reich mit seinem ungeklärten kaiserlichen Herrschaftsanspruch nach außen wie nach innen das Schicksal Europas durch tausend Jahre begleitet. Begründet, gestaltet und gerechtfertigt in seiner rätselhaften Langlebigkeit eigentlich nur durch die große politische Idee des Mittelalters: was ein Kaiser sei.

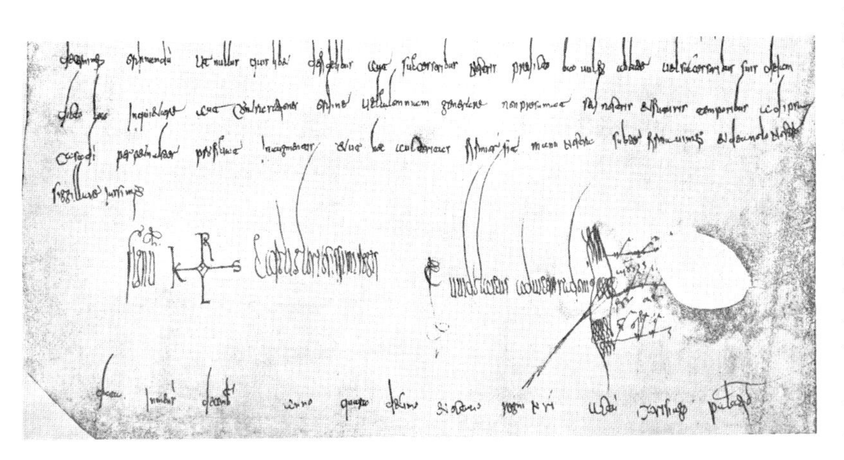

SIGNUM CAROLI GLORIOSISSIMI REGIS heißt es in skurril verlängerter, auf diese Weise vor Fälschung schützender Schnörkelschrift; dem Namen Karls des Großen ist in Kreuzesform das Monogramm vorangestellt. Das Kreuz als Heilszeichen umspannt mit seinen vier Balken in symbolischer Deutung die ganze Welt; in seinem Mittelpunkt ist das Zentrum des Heils. In diesen Mittelpunkt setzte Karl, der selber nicht schreiben konnte, zum Vollzug der Urkunde dann auch sein Handzeichen: den Querstrich im A.

INCIPIT LIB
GENESEOS·

IN PRINCIPIO CREA
UIT DS CAELU ET TERRA·
TERRA AUTEM ERAT IN
ANIS ET UACUA· ET TE
NEBRAE SUPER FACIEM
ABYSSI· ET SPS DI FERE
BATUR SUPER AQUAS·
II DIXITQUE DS· FIAT LUX
ET FACTA E· LUX· ET UI
DIT DS LUCEM QUOD ES
SET BONA· ET DIUISIT
DS LUCEM A TENEBRIS
APPELLAUITQ· LUCEM
DIEM· ET TENEBRAS
NOCTE· FACTUMQ· EST
UESPERE ET MANE DIES
UNUS· DIXIT QUOQ· DS·
FIAT FIRMAMENTUM
IN MEDIO AQUARU· ET
DIUIDAT AQUAS AB AQUIS
ET FECIT DS FIRMAMTU
DIUISITQ· AQUAS QUAE ERANT
sub firmamento ab his quae erant super fir
mamentu· Et factum e· ita· Uocauitq· ds
firmamentu caelum· Et factum e· uespere
et mane dies secundus·

III Dixit uero ds· congregentur aque quae
sub caelo sunt in locum unum· et appare
at arida· Factumq· e· ita· Et uocauit ds
aridã terrã· congregationesq· aquaru· ap
pellauit maria· Et uidit ds quod eet bonu et
ait· Germinet terra herbam uirente et fa
ciente semen· et lignum pomiferu faciens
fructu iuxta genus suu· Cuius semen in semet
ipso sit super terrã· Et factum e· ita· et pro
tulit terra herbam uirente et ferente semen
iuxta genus suu· Lignumq· faciens fructum
et habens unumquodq· semen secundu specie
suã· Et uidit ds quod eet bonum· factuq· e·
uespere et mane dies tertius·

IIII Dixit autem ds· fiant luminaria in fir
mamento caeli· Ut diuidant diem et nocte
et sint in signa et tempora et dies et annos
et luceant in firmamento caeli· et inluminant
terrã· Et factum e· ita· fecitq· ds duo magna
luminaria· Luminare maius ut p eet diei·
Et luminare minus· ut p eet nocti· et stellas
et posuit eas ds in firmamento caeli· ut lucer
rent super terrã· et p[illegible]sent diei ac nocti· et
diuiderent lucem ac tenebris· et uidit ds qd
esset bonu· et factu e· uespere et mane dies quartus

V DIXIT ETIAM DS PRODUCANT
aquae reptilia animae uiuentis et uolatile
super terrã sub firmamento caeli· Creauitq·
ds cete grandia et omne anima uiuente atq·
motabilem· quam produxerant aquae in
species suas· et omne uolatile secundu genus
suu· Et uidit ds quod e[illegible] bonu· benedixitq·
eis dicens· Crescite et multiplicamini et re
plete aquas maris· Auesq· multiplicentur
super terrã· Et factu e· uespere et mane
dies quintus

VI DIXIT QUOQ· DS· PRODUCAT
terra anima uiuente in genere suo· iumta
et reptilia et bestias terrae secundu species
suas· factuq· e· ita· Et fecit ds bestias terrae
iuxta species suas· et iumenta et omne rep
tile terrae in genere suo· Et uidit ds quod
eet bonu et ait· faciamus homine ad ima
ginem et similitudinem nrãm· et psit piscib;
maris et uolatib; caeli et bestiis uniuersq·
creaturae· Omniq· reptili quod mouetur
in terra· Et creauit ds homine ad imagine
suã· Ad imaginem di creauit illu· mascu
lu et feminam creauit eos· Benedixitq·
illis ds et ait· Crescite et multiplicamini
et replete terrã· et subicite eã· et domina
mini piscib; maris et uolatilib; caeli· et uni
uersis animantib; quae mouentur super
terrã· Dixitq· ds· ecce dedi uobis omnem
herbam afferente semen super terrã· et
uniuersa ligna quae habent in semet ipsis
semente generis sui· Ut sint uobis in escam
et cunctis animantib; terrae· omniq· uolucri
caeli· et uniuersis quae mouentur in terra
et in quib; e· anima uiuens· ut habeant adues
cendu· Et factu e· ita· Uiditq· ds cuncta quae
fecit· et erant ualde bona· et factu est
uespere et mane dies sextus·

VII IGITUR PERFECTI SUNT CAELI
terra· et omnis ornatus eoru· Compleuitq·
ds die septimo opus suum quod fecerat· et
requieuit die septimo ab omnib; opere quod
patrarat· Et benedixit diei septimo et sci
ficauit illum· quia in ipso cessauerat ab

Die erste Seite der sogenannten Alkuin-Bibel zeigt die wichtigsten Schriftformen um 800: die Kapitalschrift, INCIPIT LIB(ER) GENESEOS; die Unzialschrift, mit der reich verzierten Initiale, IN PRINCIPIO CREAVIT D(EU)S CAELU(M) ET TERRA(M); als dritten Schriftgrad die Minuskel, sub firmamento ab his quae erant super firmamentu(m) … Der Codex entstand nach 830 und wird heute im Britischen Museum aufbewahrt.

Zur Orientierung in der Fachliteratur

In dieser Übersicht sind die wichtigsten und die neuesten Bücher zusammengestellt; darüber hinaus solche, die in einzelne Forschungsbereiche einführen. Deutschsprachige Fachliteratur ist im allgemeinen bevorzugt worden.

Nachschlagewerke

R. Autry u.a. (Hrsg.): Lexikon des Mittelalters. 1980 ff (bisher 3 Bände)
Germania Judaica. 1963 ff (bisher 3 Bände)
Geschichtliche Grundbegriffe. Historisches Lexikon zur politisch-sozialen Sprache in Deutschland. Hrsg. v. O. Brunner, W. Conze, R. Koselleck. 1972 ff (Bisher 5 Bände)
A. Grabois: Illustrierte Enzyklopädie des Mittelalters. Deutsch 1981
Der Große Ploetz. Auszug aus der Geschichte. 29. Aufl. 1980
Handwörterbuch des deutschen Aberglaubens. Neudruck 1986
Handwörterbuch zur deutschen Rechtsgeschichte. 1971 ff (bisher 3 Bände)
J. Hofer, K. Rahner (Hrsg.): Lexikon für Theologie und Kirche. 1957–1967
International Medieval Bibliography. 1967 ff
Die Religion in Geschichte und Gegenwart. 3. Aufl., 1957–1965
Theologische Realenzyklopädie. 1977 ff (bisher 15 Bände)

Atlanten

Atlas zur Kirchengeschichte. Die christlichen Kirchen in Geschichte und Gegenwart. Hrsg. v. H. Jedin, K.S. Latourette, J. Martín. 1970.
Großer Historischer Weltatlas. 2. Teil: Mittelalter. Redaktion J. Engel. 2. Aufl. 1979

Eine umfassende Übersicht der Schriftlichen Quellen für die Geschichte des Mittelalters gibt es nicht. Ein *Repertorium fontium historiae medii aevi*, seit 1962, bisher 4 Bände, soll sie liefern, auf der Grundlage einer alten Zusammenstellung von A. Potthast: *Bibliotheca historica medii aevi. Wegweiser durch die Geschichtswerke des europäischen Mittelalters bis 1500,* Nachdruck 1954. Hilfreich ist bis dahin die Zusammenstellung von U. Chevalier: *Répertoire des sources historiques du moyen âge. Bio-bibliographie,* 2 Bde., Neudruck 1960; *Topo-bibliographie,* 2 Bde., Neudruck 1975. Den gesamten schriftlichen Quellenbestand erschließt exemplarisch L. Genicot (Hrsg.): *Typologie des sources du moyen âge occidental,* 42 Faszikel, 1972–1984. Die umfangreichste Bücherkunde zur deutschen Geschichte bietet Dahlmann-Waitz: *Quellenkunde der deutschen Geschichte. Bibliographie der Quellen und der Literatur der deutschen Geschichte,* 10. Auflage, hrsg. von Hermann Heimpel und Herbert Geuss, 1965 ff.

Einführungen

H. Boockmann: Einführung in die Geschichte des Mittelalters. 2. Aufl. 1981
A. v. Brandt: Werkzeug des Historikers. Eine Einführung in die historischen Hilfswissenschaften. 1973
R.C. van Caenegem, F.L. Ganshof: Kurze Quellenkunde des westeuropäischen Mittelalters. 1964.
P. Hilsch: Mittelalter. 1989
M. Pacaut: Guide de l'historien en historie médiévale. 1968.
L.J. Paetow: A Guide to the Study of Medieval History. 1973
R. Sprandel: Verfassung und Gesellschaft im Mittelalter. 1975
K. Zernack: Osteuropa. 1977

Die Versorgung einer großen Tafel ist auch heute noch ein Organisationsproblem. Bereits das Hofleben des 14. Jahrhunderts hatte nicht nur materielle, sondern auch ästhetische Forderungen in diesem Zusammenhang gestellt, deren Befriedigung den Dienstleuten für Küche und Tafel oblag.

Erst in letzter Zeit suchen die Historiker auch *Bilder und Sachrelikte, Kleider, Werkzeug, Alltagsgerät* systematisch als Quellen zu erfassen und zu deuten. Eine umfassende Einführung dazu gibt es noch nicht. Einen bemerkenswerten Vorsprung in diesem Bereich der »materiellen Kultur« findet man in der polnischen Forschung. Im deutschen Sprachraum vermitteln die Veröffentlichungen des Instituts für mittelalterliche Realienkunde Österreichs seit 1980 exemplarische Aufschlüsse, auch einige Veröffentlichungen zur sogenannten Archäologie des Mittelalters und die Darstellung von H. KÜHNEL: *Alltag im Mittelalter,* 2. Aufl. 1980. Ein vorzügliches Beispiel für die Zusammenschau einer Epoche auf der Grundlage bildlicher Kunst bietet A. LEGNER (Hrsg.): *Die Parler und der Schöne Stil 1350–1400,* 5 Bände 1978–1980.

Nicht nur die Schriftlichkeit und die Sachrelikte einer Epoche haben Quellencharakter, sondern auch die *Verhaltensformen einer Gesellschaft.* In diesem Bereich wirkte bahnbrechend die Untersuchung von N. ELIAS: *Über den Prozeß der Zivilisation,* 2 Bde., 2. Aufl. 1969. Über das Problemfeld orientiert A. NITSCHKE: *Historische Verhaltensforschung. Analysen gesellschaftlicher Verhaltensweisen,* 1981; mit speziellem Bezug R. OHLY: *Schriften zur mittelalterlichen Bedeutungsforschung,* 1977.

Ausführliche Literaturhinweise findet man in meinem Beitrag zu SCHIEDERS *Handbuch der europäischen Geschichte,* Band 2, 1987. Auf diesem Beitrag, der handbuchüblich mit reichem bibliographischem Apparat geboten wird, beruht auch die Konzeption des vorliegenden Buches.

HANDBÜCHER UND SAMMELWERKE

Th. Schieder (Hrsg.): Handbuch der europäischen Geschichte. Band 1: Europa im Wandel von der Antike zum Mittelalter, hrsg. v. Th. Schieffer. 1976
Band 2: Europa im Hoch- und Spätmittelalter, v. F. Seibt. 1987

H. Beumann und W. Schröder (Hrsg.): Nationes. Historische und philologische Untersuchungen zur Entstehung der europäischen Nationen im Mittelalter. 4 Bde. 1975–1983

The Cambridge Economic History of Europe. Hrsg. v. M. Postan u. a. Bd. 1–3. 1966–1977

The Cambridge Medieval History. Hrsg. v. H. Gwatkin u. a. Bd. 5. 1968

C. M. Cipolla: Europäische Wirtschaftsgeschichte. Deutsche Ausgabe, hrsg. v. K. Borchardt. Band 1. 1978

G. Duby et M. Perrot (Edd.): Histoire des femmes. Vol. 2 Le moyen âge. 1991

B. Gebhardt: Handbuch der deutschen Geschichte. 9. Aufl., hrsg. v. H. Grundmann. Band 1. 1970

J. van Houtte (Hrsg.): Handbuch der europäischen Wirtschafts- und Sozialgeschichte. Band 2: Europäische Wirtschafts- und Sozialgeschichte im Mittelalter, hrsg. v. H. Kellenbenz. 1980

H. Jedin (Hrsg.): Handbuch der Kirchengeschichte. 7 Bände. 1962–1979

Lexikon des Mittelalters. 1980 ff

Propyläen Weltgeschichte Band 5. Hrsg. v. G. Mann. 1963

Saeculum Weltgeschichte Band 4. Die Hochkulturen im Zeichen der Weltreligionen, Teil 2. Hrsg. v. K. Dittmer u.a. 1967

K.D. Schmidt und E.E. Wolf (Hrsg.): Die Kirche in ihrer Geschichte. Ein Handbuch
E. Schmitt (Hrsg.): Die großen Entdeckungen. Band 2. 1983
F. Seibt und W. Eberhard (Hrsg.): Europa 1400. 1984. Europa 1500. 1987

ÜBERSICHTSWERKE

W. Abel: Massenarmut und Hungerkrisen im vorindustriellen Europa. 2. Aufl. 1977
F. Baethgen: Europa im Spätmittelalter. 1951
G. Barraclough (Hrsg.): Eastern and Western Europe in the Middle Ages. 1972
–: The Medieval Papacy. 1968
M. Bloch: Die Feudalgesellschaft. 1982
A. Borst: Lebensformen im Mittelalter. 1973
–: Das Rittertum im Mittelalter. 1976
–: Der Turmbau von Babel. Geschichte der Meinungen über Ursprung und Vielfalt der Sprachen und Völker. 6 Bände. 1957–1963
K. Bosl: Europa im Mittelalter. Weltgeschichte eines Jahrtausends. 1970
–: Europa im Aufbruch. Herrschaft, Gesellschaft, Kultur vom 10. bis zum 14. Jahrhunderts. 1980
–: Mensch und Gesellschaft in der Geschichte Europas. 1972
W. Braunfels: Die Kunst im Heiligen Römischen Reich. 1981 ff (bisher 4 Bde.)
O. Brunner: Sozialgeschichte Europas im Mittelalter. 1978
J. Bumke: Höfische Kultur. 2 Bände. 1986
N. Cohn: Das Ringen um das Tausendjährige Reich. 1961
A. Dempf: Sacrum Imperium. 2. Aufl. 1954
J. Dhondt: Das frühe Mittelalter. Fischer Weltgeschichte Bd. 10. 1968
G. Duby: Die Zeit der Kathedralen. Kunst und Gesellschaft 980–1420. 1980
–: Die drei Ordnungen: Das Weltbild des Feudalismus. 1981
–: Ritter, Frau und Priester. 1985
F. Dvornik: The Slavs in European History and Civilisation. 1962
N. Elias: Die höfische Gesellschaft. 1969
–: Über den Prozeß der Zivilisation. 2 Bde. 1969
E. Ennen: Die europäische Stadt des Mittelalters. 3. Aufl. 1979
–: Frauen im Mittelalter. 1984
K.A. Fink: Christentum und Kirche im Mittelalter. 1973
K. Flasch: Einführung in die Philosophie des Mittelalters. 1987
–: Geschichte der Philosophie in Text und Darstellung. Bd. 2: Mittelalter. 1982
G. Fourquin: Seigneurie et féodalité au moyen âge. 1972
–: Le paysan d'Occident médiéval. 1982
H. Fuhrmann: Die Fälschungen im Mittelalter. Überlegungen zum mittelalterlichen Wahrheitsbegriff. 1963.
–: Von Petrus zu Johannes Paul II. 2. Aufl. 1984
–: Einladung ins Mittelalter. 1987
F.L. Ganshof: Le Moyen Âge. Histoire des relations internationales, hrsg. v. P. Renouvin. Band 1, 2. Aufl. 1958
–: Was ist das Lehenswesen? 1961

Lesende Nonne von der Tumba des Grafen Otto III. von Ravensberg, Bielefeld, um 1320. Bemerkenswert, daß ein so wichtiger Bestandteil des religiösen Lebens, die geistliche Lektüre, gerade erst den Laien eröffnet, einem weiblichen Träger anvertraut wurde.

L. Genicot: Das Mittelalter. Geschichte und Vermächtnis. 1957 (Les lignes de faîte du moyen âge. 9. Aufl. 1987)
–: La noblesse dans l'Occident médiéval. 1982
J. Gimpel: Die industrielle Revolution des Mittelalters. 2. Aufl. 1981
H.-W. Goetz: Leben im Mittelalter. Vom 7. bis zum 13. Jahrhundert. 1986
J. Le Goff: Das Hochmittelalter. Fischer Weltgeschichte 11. 1965
–: Kultur des europäischen Mittelalters. 1970
–: Les intellectuels au moyen âge. 1965
G. Gröber: Übersicht über die lateinische Literatur des Mittelalters von der Mitte des 6. bis zur Mitte des 14. Jahrhunderts. Neuausgabe 1963
H. Grundmann: Religiöse Bewegungen im Mittelalter. 3. Aufl. 1970
–: Über die Welt des Mittelalters. Propyläen Weltgeschichte. 1976
O. Halecki: Europa – Grenzen und Gliederung seiner Geschichte. 1957
A. Haverkamp: Aufbruch und Gestaltung. Deutschland 1056–1273. 1984
F. Heer: Aufgang Europas. 1949
G. Hindley: Saladin, Ritter des Islams. 1978
G. Holmes: Europe: Hierarchy and Revolt 1320–1450. 3. Aufl. 1981
I. Illich: Genus. Zu einer historischen Kritik der Gleichheit. 1983
H. Jakobs: Kirchenreform und Hochmittelalter 1046–1215. Oldenbourg Grundriß der Geschichte 7. 1984
E. Kantorowicz: The King's Two Bodies. 1957
W. Kölmel: Soziale Reflexion im Mittelalter. 1985
M. Lambert: Ketzerei im Mittelalter. Häresien von Bogumil bis Hus. 1981
G. Leff: The Dissolution of the Medieval Outlook. 1976
R.S. Lopez: The Commercial Revolution of the Middle Ages 950–1350. 1976
W.H. McNeill: Seuchen machen Geschichte. 1978
R. Manselli (Hrsg.): L'Europa medioevale. Nuova storia universale dei popoli e delle civiltà, VIII, 1–2. 1980
E. Meuthen: Das 15. Jahrhundert. Oldenbourg Grundriß der Geschichte 9. 1980
P. Moraw: Von offener Verfassung zu gestalteter Verdichtung. Das Reich im späten Mittelalter 1250 bis 1490. Propyläen Geschichte Deutschlands Bd. 3. 1985
R. Morghen: Civiltà medioevale al tramonto. 1973
B. Nelson: Der Ursprung der Moderne. 1984
A. Nitschke: Soziale Ordnungen im Spiegel der Märchen. 2 Bände. 1978
F. Ohly: Schriften zur mittelalterlichen Bedeutungsforschung. 1977
E. Pitz: Europa im Früh- und Hochmittelalter. 1982
J. Richard: Les relations entre l'orient et l'occident au Moyen Age. 1977
W. Rösener: Bauern im Mittelalter. 1984
R. Romano und A. Tenenti: Die Grundlegung der modernen Welt. Spätmittelalter, Renaissance, Reformation. Fischer-Weltgeschichte 12. 1967
Hans K. Schulze: Grundstrukturen der Verfassung im Mittelalter. 2 Bde. 1985 f
F. Seibt: Revolution in Europa. Ursprung und Wege innerer Gewalt. 1984
–: Karl IV. Ein Kaiser in Europa. 1978
–: Karl V. Der Kaiser und die Reformation. 1990
F.X. Seppelt und G. Schwaiger: Geschichte der Päpste. 5 Bände. 1954–1959
R.W. Southern: Gestaltende Kräfte des Mittelalters. 1960
–: Geistes- und Sozialgeschichte des Mittelalters. 1980
–: Western Society and the Church in the Middle Ages. 1970
W.v.d. Steinen: Der Kosmos des Mittelalters. Von Karl dem Großen bis Bernhard von Clairvaux. 1967
J.R. Strayer: Die mittelalterlichen Grundlagen des modernen Staates. 1975
B. Töpfer: Allgemeine Geschichte des Mittelalters. 1985
W. Ullmann: Individuum und Gesellschaft im Mittelalter. 1974
–: Kurze Geschichte des Papsttums im Mittelalter. 1978
R. Wendorff: Zeit und Kultur. 2. Aufl. 1981
L. White jr.: Die mittelalterliche Technik und der Wandel der Gesellschaft. 1968
–: Medieval Religion and Technology. 1978

Abbildungsnachweis

Farbtafeln

Archiv des Autors: 1
Archiv des Verlages: 3
Werner Neumeister, München: 14 und Schutzumschlag
Österreichische Nationalbibliothek, Wien: 1
Photo Jürgens, Köln: 1

Schwarzweissabbildungen

Archiv des Autors: 35 u., 36 o., 78, 94 o., 122, 123, 133, 135, 152, 168, 177, 205, 210, 212 r., 226, 256, 257, 263, 275 und 276 (Aufnahmen S. Stemmermann), 282, 294, 315 (Aufnahme K. Neubert), 321, 327, 335, 341 o., 345, 354, 355 l., 371, 379, 380, 387, 395, 397 o., 406
Archiv des Verlages: 151 u., 260 u., 338 o., 353, 358, 359, 407
M. Backes, R. Dölling, Die Geburt Europas, Baden-Baden 1969: 40, 65 u., 66 l., 99, 100, 107
G. Barraclough (Hrsg.), Eastern and Western Europe in the Middle Ages, London 1970, 105
F. Baumgart, DuMont's Kleine Kunstgeschichte, Köln 1979: 217
G.v. Below, Das ältere deutsche Städtewesen und Bürgertum, Bielefeld-Leipzig 1905: 174
G. Benker, Der Gasthof, München 1974: 167, 207
K. Böhner u.a. (Hrsg.), Das erste Jahrtausend, Düsseldorf 1963: 59, 116
J. Bohnke-Kollwitz u.a. (Hrsg.), Köln und das rheinische Judentum, Köln 1984: 302 u.
H. Boockmann, Die Stadt im späten Mittelalter, München 1986: 181, 378 u.
H.T. Bossert, W.F. Storck (Hrsg.), Das mittelalterliche Hausbuch, Leipzig 1912: 376 o.
H.-J. Brandt, Elisabeth von Thüringen, Mülheim a.d. Ruhr 1981: 201, 202, 203, 385
N. Bremer, Das Bild der Juden in den Passionsspielen und in der bildenden Kunst des deutschen Mittelalters, Frankfurt-Bern-New York 1986: 302 o.
L. Bruhns, Hohenstaufenschlösser in Deutschland und Italien, Königstein i.Ts. 1964: 272
J. Bumke, Höfische Kultur, Bd. 2, München 1986: 390 o.
K. Clausberg, Die Manessische Liederhandschrift, Köln 1978: 229
Cramers Kunstanstalt, Dortmund: 316
M. Destombes, Mappemondes A.D. 1200–1500, Amsterdam 1964: 386
F. Deuchler, Der Ingeborgpsalter, Berlin 1967: 233 r.
H. Diwald, Anspruch auf Mündigkeit (Propyläen Geschichte Europas Bd. 1), Frankfurt-Berlin-Wien 1975: 339, 342 l., 345 o., 349, 360, 384, 415, 418
T. Dobrzenieck, Die Bronzetür von Gniezno, Warschau 1954: 71
G. Duby, Die Kunst des Mittelalters, Bd. 2, Stuttgart 1985: 158 u.
S. Epperlein, Der Bauer im Bild des Mittelalters, Leipzig-Jena-Berlin 1975: 151 o., 153 o., 154, 155
M. Erbstößer, Ketzer im Mittelalter, Stuttgart-Berlin-Köln-Mainz 1984: 150 o., 188, 189, 190, 196, 197, 271 o., 296, 305 u., 340, 381 u., 393, 400 u., 401 o., 410
L'Europe Gothique. XIIe-XVe siècles. Musée du Louvre, Pavillon de Flore. Ministre d'Etat Affaires Culturelles, Paris 1968: 15
W. Ewald, Siegelkunde, München 1969: 83, 111, 259 r., 260 o., 262 Mitte, 262 u., 264, 357 o.

H. Fillitz, Die Insignien und Kleinodien des Heiligen Römischen Reiches, München 1954: 61, 62, 63, 65 o.
H. Fillitz, Das Mittelalter I (Propyläen Kunstgeschichte Bd. 5), Berlin 1969: 38, 46, 66 o., 108, 220 o.
S. Fischer-Fabian, Die deutschen Cäsaren, Stuttgart-Hamburg-München 1978: 80, 85 u., 409
R.H. Foerster, Das Leben in der Gotik, München-Wien-Basel 1969: 132, 187, 223, 227, 246, 250, 382 u., 382 l.
R. Fossier, Le Moyen Age, Bd. 1, Paris 1982: 51
Foto-Technik Bildverlag, München: 399
Französische Gotik und Renaissance in Meisterwerken der Buchmalerei, Österreichische Nationalbibliothek, Wien 1978: 98, 379 u., 394
E. Fuchs, Die Juden in der Karikatur, München 1921: 179, 303, 305 o., 306
J. Gimpel, La révolution industrielle du Moyen Age, Paris 1975: 373 o.
W. Goetz (Hrsg.), Propyläen Weltgeschichte, Bd. 3 und 4, Berlin 1932: 115, 259 o., 280 o., 328, 357 u.
J. le Goff, La civilisation de l'occident médiévale, Paris 1964: 110, 291
F. Gontard, Die Päpste und die Konzilien, Wien-München-Basel 1963: 265, 280 l., 310, 311
Gotische Kathedralen in Frankreich, Zürich-Berlin 1937: 130, 131, 240
M. Greschat (Hrsg.), Mittelalter I und II (Gestalten der Kirchengeschichte Bd. 3 und 4), Stuttgart-Berlin-Köln-Mainz 1983: 200 l., 214, 341 u.
F. Greygoose, Chessmen, New York o.J.: 233 o.
P. Gülke, Mönche, Bürger, Minnesänger, Köln-Wien-Graz 1975: 216, 231 o., 382 o.
M. Gumowski, Handbuch der polnischen Siegelkunde, Graz 1966: 261 Mitte, 261 u., 318
J. Gutbrod, Die Initiale in Handschriften des 8. bis 13. Jahrhunderts, Stuttgart-Berlin-Köln-Mainz 1965: 156, 157 r.
H. Hahn, Hohenstaufenburgen in Süditalien, Ingelheim 1961: 266, 270, 271 u.
V. u. H. Hell, Die große Wallfahrt des Mittelalters, Tübingen 1973: 28, 244 l., 245
J. Herrmann (Hrsg.), Welt der Slawen, Leipzig-Jena-Berlin 1968: 52
F.G. Heymann, John Zizka and the Hussite Revolution, New York 1969: 334
K. Hielscher, Deutschland, Berlin 1925: 69, 171
G. Hindley, Saladin. Ritter des Islams, Wiesbaden 1978: 247
H. Hitzer, Die Straße, München 1971: 323, 336, 388 u., 389 u., 391
R. Hootz (Hrsg.), Deutsche Kunstdenkmäler. Niederrhein, Darmstadt 1966: 92
R. Hootz (Hrsg.), Deutsche Kunstdenkmäler. Westfalen, München-Berlin 1959: 164
W. Hotz, Kleine Kunstgeschichte der deutschen Burg, Darmstadt 1979: 220 l., 222
Karl der Große, Ausstellungskatalog, Aachen 1965: 27, 29, 33, 34, 35 o., 47, 129, 150 u., 221, 262 o.
D.P. Kirby, The Making of Early England, London 1967: 50 o., 88, 89
E. Kittel, Siegel, Braunschweig 1970: 85 o., 261 o., 262 o.l.
W. Kohl (Hrsg.), Westfälische Geschichte, Münster 1982: 41
Konsthistorisk Tidskrift, 22 Jg., 1953: 237
L. Kriss-Rettenbeck, Ex Voto, Zürich-Freiburg i.Br. 1972: 405 u.
L. Kriss-Rettenbeck, G. Möhler (Hrsg.), Wallfahrt kennt keine Grenzen, München-Zürich 1984: 243, 244 o.
P. Krohm, R. Krohn, P. Wapnewski, Stauferzeit, Stuttgart 1978: 184 Mitte, 400 o.
H. Kühnel, Alltag im Mittelalter, Graz 1986: 372, 373 u., 376 u., 377 Mitte, 377 u., 378 o., 401 u.
E. Laaths, Geschichte der Weltliteratur, München-Wien 1953: 392 o.
A. Legner (Hrsg.), Die Parler und der Schöne Stil, Bd. 2 und 3, Köln 1978: 297, 300 o., 301 o., 381 o., 388 o., 389 o., 392 u., 402, 404
G. Mann, A. Nitschke (Hrsg.), Propyläen Weltgeschichte, Bd. 5, Berlin-Frankfurt-Wien 1963: 91, 416
Máté, Major, Geschichte der Architektur, Bd. 2, Berlin 1979: 186
Merian, 25. Jg., Heft 1, Januar 1972 (Deutschland): 356
Merian, 26. Jg., Heft 9, Sept. 1973 (Südtirol): 93 r.
Merian, 28. Jg., Heft 3, März 1975 (Schwäbisch Hall): 355 r.

Merian, 28. Jg., Heft 4, April 1975 (Apulien): 320
Merian, 36. Jg., Heft 3, März 1983 (Mainfranken): 374 o.
Miniatures Espagnoles et Flamandes dans les Collections d'Espagne, Bibliothèque Albert 1er, Brüssel 1964: 338 u.
Die Minnesinger in Bildern der Manessischen Handschrift, Leipzig 1965: 228
P. Moraw, Von offener Verfassung zu gestalteter Verdichtung (Propyläen Geschichte Deutschlands Bd. 3), Frankfurt-Berlin-Wien 1985: 342 o., 343, 370
H. Münch, Ursprung und Entwicklung der Städte Westpolens im Mittelalter, Marburg 1956: 166 o.
H. Münch, Stadtgrundriß in Polen, in: L'artisanat et la vie urbaine en Pologne médiévale, Warschau 1962: 166 u.
Werner Neumeister, München: 48 u., 242, 254, 319, 333
K. Pfister, Die mittelalterliche Buchmalerei des Abendlandes, München 1922: 234 o.
W. Pia, Das Jagdbuch des Gaston Phoebus, Hamburg-Berlin 1965: 390 u.
M. Pobé, J. Roubier, Das gotische Frankreich, Wien-München 1960: 39, 170, 185, 200 o., 215, 218, 238, 383 r.
L.M. Randall, Images in the Margins of Gothic Manuscripts, Berkeley-Los Angeles 1966: 230, 231 u., 232, 233 u., 234 u., 235 u., 235 r., 377 o., 396
W. Rave, Corvey, Münster 1958: 67
P. Reliquet, Ritter, Tod und Teufel. Gilles de Rais oder die Magie des Bösen, München-Zürich 1982: 293
E.v. Repgow, Sachsenspiegel, Lehnrecht. Übertragen und erläutert von H.C. Hirsch, Halle 1939: 224, 225
J. Riley-Smith, The Knights of St. John in Jerusalem and Cyprus, London 1967: 249
F. u. A. Rother, Die Bretagne, Köln 1978: 96, 97
W. Schäfke, Kölns romantische Kirchen, Köln 1985: 82
Schedelsche Weltchronik, Bonn 1976: 165, 304, 403
W. Schild, Alte Gerichtsbarkeit, München 1980: 398, 405 o., 408
E. Schirmer, Mystik und Minne, Berlin 1984: 184 u., 236, 375
K. Schmidt, J. Wollach (Hrsg.), Memoria, München 1984: 86 o.
R. Schmidt, Deutsche Reichsstädte, München 1957: 70
A. Schneider u.a. (Hrsg.), Die Cistercienser, Köln 1974: 102, 104, 153 r., 160, 374 l.
P.E. Schramm, Die deutschen Kaiser und Könige in Bildern ihrer Zeit, München 1983: 31, 45, 48 o., 84, 86 u., 117
P.E. Schramm, F. Mütherich, Denkmale der deutschen Könige und Kaiser, München 1962: 26, 44, 64
W. Seiferth, Synagoge und Kirche im Mittelalter, München 1964: 300 l., 301 r.
O. von Simson, Das Mittelalter II (Propyläen Kunstgeschichte Bd. 6), Berlin 1972: 14, 159, 268, 289, 299
F. Steffens, Lateinische Paläographie, Berlin 1964: 112, 113, 280 u., 312, 313, 419, 420
W. von den Steinen, Homo Caelestis, Bern-München 1965: 81, 93 o., 94 l., 95 u., 125, 183, 194
W. von den Steinen, Der Kosmos des Mittelalters, Bern-München 1967: 32, 75, 103, 126, 251
F. Stenton (Hrsg.), Der Wandteppich von Bayeux, Köln 1957: 72, 73, 74, 148, 235 o.
G. Streich, Burg und Kirche während des deutschen Mittelalters, Bd. 2, Sigmaringen 1984: 37
W. Treue, Achse, Rad und Wagen, München 1965: 50 u., 146, 147, 172
Ullstein Bilderdienst, Berlin: 55
F. Unterkircher, Tiere, Glaube, Aberglaube. Die schönsten Miniaturen aus dem Bestiarium, Graz 1986: 212 l., 213
E. Weil, Der Ulmer Holzschnitt, Berlin 1923: 397 u.
P. Wolff, Drei Kaiserdome, Königstein i.Ts. o.J.: 68
E. Zahn, Trier, München-Berlin 1976: 169
N. u. R. Zaske, Kunst in Hansestädten, Köln-Wien 1986: 178
W. Ziegler, Irland, Köln 1974: 95 r.
Die Zisterzienser. Ordensleben zwischen Ideal und Wirklichkeit, Köln 1980: 106, 157 u., 158 o.

Adam und Eva von der Kathedrale in Albi.

Register

Abkürzungen: A. = Abt; Ä. = Äbtissin; Bf. = Bischof; Bgf. = Burggraf; dt. = deutsch(-e, -er, -es); Ebf. = Erzbischof; Ehz. = Erzherzog; Fl. = Fluß; Gem. = Gemahl(in); Gf. = Graf; Gft. = Grafschaft; Gr. = Große; hl. = heilige(r); Hz. = Herzog; Hztm. = Herzogtum; K. = Kaiser; Kard. = Kardinal; Kg. = König; Kgr. = Königreich; Ldgf. = Landgraf; Mgf. = Markgraf; Mgft. = Markgrafschaft; P. = Papst; T. = Tochter; v. = von.
Die Verweise beziehen sich auf Text und Abbildungen.

Ein Hund als Ritter im Kampf mit einem Hasen auf einem Schneckengreis – persiflierte Quintessenz der deutsch-französischen Beziehungen: Der Hund führt das Lilienwappen und der Hase den Reichsadler. Ein unbekannter Schreiber wollte damit beim Meßgesang erheitern. So sei auch die endliche Geschichte am Ende den Lächelnden empfohlen!

Das Register erstellte Dr. Manfred Gerwing

CIP-Kurztitelaufnahme der Deutschen Bibliothek

Seibt, Ferdinand: Glanz und Elend des Mittelalters. Eine endliche Geschichte/Ferdinand Seibt. – Berlin: Siedler, 1987
ISBN 3-88680-279-5

Sonderausgabe 1999

Satz: Bongé + Partner, Berlin
Reproduktion: Rembert Faesser, Berlin
Karten: Horst Fechtner, München
Druck und Bindung: Kossuth Druckerei AG, Budapest
Printed in Hungary

ISBN 3-572-10045-3

DIE UMGESTALTUNG
DES POLITISCHEN SYSTEMS IM 15. JH.
KGR.
NORWEGEN
KGR. SCH
KGR.
SCHOTTLAND
KGR.
DÄNEMARK
IRLAND
FSM.
WALES
KGR.
ENGLAND
HZM.
BURGUND
RÖMISCHES
REICH
HZM.
BURGUND
0
500 km
KGR.
FRANKREICH
REPUB
VENED
KGR.
NAVARRA
KGR.
PORTUGAL
KRONE
KASTILIEN
KRONE
ARAGON
GRANADA